U0217176

国家出版基金项目
NATIONAL PUBLICATION FOUNDATION

『十三五』国家重点出版物出版规划项目

中国中药资源大典

资源大典

宁夏卷

③

黄璐琦／总主编

王英华　余建强　梁文裕／主　编

北京科学技术出版社

图书在版编目（CIP）数据

中国中药资源大典 . 宁夏卷 . 3 / 王英华，余建强，
梁文裕主编 . — 北京：北京科学技术出版社，2022.1
ISBN 978-7-5714-1968-4

Ⅰ . ①中… Ⅱ . ①王… ②余… ③梁… Ⅲ . ①中药资源—
资源调查—宁夏 Ⅳ . ①R281.4

中国版本图书馆 CIP 数据核字（2021）第 254317 号

责任编辑：侍　伟　李兆弟　王治华
责任校对：贾　荣
图文制作：樊润琴
责任印制：李　茗
出 版 人：曾庆宇
出版发行：北京科学技术出版社
社　　址：北京西直门南大街16号
邮政编码：100035
电　　话：0086-10-66135495（总编室）　　0086-10-66113227（发行部）
网　　址：www.bkydw.cn
印　　刷：北京捷迅佳彩印刷有限公司
开　　本：889 mm×1 194 mm　　1/16
字　　数：1 031千字
印　　张：46.5
版　　次：2022年1月第1版
印　　次：2022年1月第1次印刷
审 图 号：GS（2021）8727号
ISBN 978-7-5714-1968-4

定　　价：490.00元

被子植物

酢浆草科 Oxalidaceae 酢浆草属 Oxalis

山酢浆草

Oxalis griffithii Edgeworth & J. D. Hooker

| 药 材 名 | 酢浆草（药用部位：全草。别名：三块瓦）。

| 形态特征 | 多年生草本，高 8 ~ 10 cm。根纤细；根茎横生，节间具 1 ~ 2 mm 长的褐色或白色小鳞片和细弱的不定根。茎短缩不明显，基部围以残存覆瓦状排列的鳞片状叶柄基。叶基生；托叶阔卵形，被柔毛或无毛，与叶柄茎部合生；叶柄长 3 ~ 15 cm，近基部具关节；小叶 3，倒三角形或宽倒三角形，长 5 ~ 20 mm，宽 8 ~ 30 mm，先端凹陷，两侧角钝圆，基部楔形，两面被毛或背面无毛，有时两面均无毛。总花梗基生，单花，与叶柄近等长或更长；花梗长 2 ~ 3 cm，被柔毛；苞片 2，对生，卵形，长约 3 mm，被柔毛；萼片 5，卵状披针形，长 3 ~ 5 mm，宽 1 ~ 2 mm，先端具短尖，宿存；花瓣 5，白色或

山酢浆草

稀粉红色，倒心形，长为萼片的 1～2 倍，先端凹陷，基部狭楔形，具白色或带紫红色脉纹；雄蕊 10，长、短互间，花丝纤细，基部合生；子房 5 室，花柱 5，细长，柱头头状。蒴果椭圆形或近球形，长 3～4 mm。种子卵形，褐色或红棕色，具纵肋。花期 7～8 月，果期 8～9 月。

| **生境分布** | 生于山坡林下或山脚阴湿处。分布于宁夏六盘山（泾源、隆德、原州）等。

| **资源情况** | 野生资源较少。

| **采收加工** | 夏季采挖，除去泥土，晒干。

| **药材性状** | 本品根茎呈圆柱形，长 3～8 cm，直径约 3 mm，表面棕黄色至棕褐色，有紧密交错的叶柄残基，质脆，易折断，断面粉红色，中央有白色的髓部。叶丛生，有长叶柄，三出复叶，皱缩，黄绿色至灰绿色。气微，味淡、微涩。

| **功能主治** | 酸、涩，寒。归肝、肾、膀胱经。清热解毒，消肿止痛，利尿。用于风湿腰痛，黄疸，淋证，水肿，小便不利，血尿，月经不调，赤白带下，乳痈，跌打损伤，鹅口疮，目赤肿痛，淋巴结结核，贫血，带状疱疹。

| **用法用量** | 内服煎汤，3～9 g。外用适量，鲜品捣敷。

酢浆草科 Oxalidaceae　酢浆草属 Oxalis

酢浆草

Oxalis corniculata L.

| 药 材 名 | 酢浆草（药用部位：全草。别名：三叶酸草、酸母草）。

| 形态特征 | 多年生草本，全株被短柔毛。根茎细长。茎细弱，平卧或斜升，多分枝。叶互生，掌状三出复叶，小叶近无柄，倒心形，长 4 ~ 16 mm，宽 4 ~ 22 mm，先端 2 浅裂，基部宽楔形，上面无毛，下面疏被伏毛，边缘具贴伏缘毛；叶柄长 1 ~ 13 cm，被柔毛，基部具关节。花 1 至数朵成腋生的伞形花序；花梗与叶柄等长；萼片披针形或矩圆状披针形，长 3 ~ 5 mm，先端钝，被柔毛，果期宿存；花瓣长倒卵形，长 6 ~ 8 mm，黄色，先端圆，基部稍合生；雄蕊花丝基部合生成筒；子房短圆柱形，被短柔毛，柱头 5 裂。蒴果近圆柱形，略具 5 棱，长 1 ~ 2.5 cm，被柔毛。种子矩圆状卵形，扁平，褐色或

酢浆草

红棕色，具横槽纹。花果期 2 ～ 9 月。

| 生境分布 | 生于田园和温室附近的潮湿处。分布于宁夏金凤等。

| 资源情况 | 野生资源较少。

| 采收加工 | 全年均可采摘，尤以夏、秋季为宜，洗净，鲜用或晒干。

| 药材性状 | 本品为段片状。茎、枝被疏长毛。叶纸质，皱缩或破碎，棕绿色。花黄色，萼片、花瓣均 5 枚。蒴果近圆柱形，有 5 棱，被柔毛。种子小，呈扁卵形，褐色。具酸气，味咸而酸、涩。

| 功能主治 | 酸，寒。归肝、肺、膀胱经。清热利湿，凉血散瘀，解毒消肿。用于湿热泄泻，痢疾，黄疸，淋证，带下，吐血，衄血，尿血，月经不调，跌打损伤，咽喉肿痛，痈肿疔疮，丹毒，湿疹，疥癣，痔疮，烫火伤，蛇虫咬伤。

| 用法用量 | 内服煎汤，9 ～ 15 g，鲜品 30 ～ 60 g；或研末；或鲜品绞汁饮。外用适量，煎汤洗；或捣敷、捣汁涂；或煎水漱口。孕妇及体虚者慎服。

| 牻牛儿苗科 | Geraniaceae | 牻牛儿苗属 | *Erodium*

牻牛儿苗 *Erodium stephanianum* Willd.

| **药 材 名** | 老鹳草（药用部位：地上部分。别名：老鹳嘴、红根儿）。

| **形态特征** | 多年生草本，高 15 ~ 50 cm。直根圆柱状，棕褐色。茎多分枝，平铺或斜升，具纵棱，被柔毛。叶对生，叶片卵形或椭圆状三角形，长 5 ~ 10 cm，宽 3 ~ 5 cm，2 回羽状深裂；一回羽片 5 ~ 7，基部下延；小羽片线形，具 3 ~ 5 粗齿，稀全缘，两面疏被毛或几无毛，背面沿脉密被短柔毛且混生长硬毛；叶柄长 3 ~ 5 cm，被疏柔毛；托叶线状披针形，长约 3 mm，边缘膜质，先端长尾尖，背面被短柔毛，边缘具长缘毛。伞形花序叶腋生，具 2 ~ 5 花，总花梗长 5 ~ 15 cm，疏被柔毛；花梗长 1 ~ 3 cm，被柔毛；萼片长椭圆形，长 6 ~ 8 mm，先端圆钝，具长芒，芒长 2 ~ 3 mm，边缘膜质，具 3 ~ 5 脉，背面

牻牛儿苗

被长毛；花瓣倒卵形，紫红色，长约 8.5 mm，先端钝圆，基部具白色长柔毛；花丝长约 4.5 mm，紫色，中下部宽扁，被短毛；子房密被银白色长硬毛。蒴果长约 4 cm，密被短伏毛，先端有长喙，喙长 2 ~ 4 cm，成熟时 5 果瓣与中轴分离，喙呈螺旋状卷曲。花期 6 ~ 8 月，果期 8 ~ 9 月。

| **生境分布** | 生于山坡草地、砂质河滩地、荒地、路旁及田边。宁夏各地均有分布。

| **资源情况** | 野生资源丰富。

| **采收加工** | 夏、秋季果实近成熟时割取地上部分，除去杂质，捆成把，晒干。

| **药材性状** | 本品全株被白色柔毛。茎类圆形，长 30 ~ 50 cm 或更长，直径 1 ~ 7 mm，表面灰绿色或带紫色，有分枝，节明显而稍膨大，具纵沟及稀疏茸毛，质脆，折断后纤维性。叶片卷曲皱缩，质脆，易碎，完整者为二回羽状深裂，裂片狭线形，全缘或具 1 ~ 3 粗齿。蒴果长椭圆形，长约 4 cm，宿存花柱长 2.5 ~ 3 cm，形似鹳喙，成熟时 5 裂，向上卷曲呈螺旋状。气微，味淡。

| **功能主治** | 辛、苦，平。归肝、肾、脾经。祛风湿，通经络，止泻痢。用于风湿痹痛，麻木拘挛，筋骨酸痛，泄泻痢疾。

| **用法用量** | 内服煎汤，9 ~ 15 g。

| **附　　注** | 根据《宁夏中药志》记载，老鹳草属多种植物也可作老鹳草药用，宁夏分布的老鹳草属植物有：粗根老鹳草 *Geranium dahuricum* DC.、毛蕊老鹳草 *Geranium platyanthum* Duthie、鼠掌老鹳草 *Geranium sibiricum* L.、尼泊尔老鹳草 *Geranium nepalense* Sweet。

牻牛儿苗科 Geraniaceae 老鹳草属 Geranium

粗根老鹳草
Geranium dahuricum DC.

| 药 材 名 | 老鹳草（药用部位：全草）。

| 形 态 特 征 | 多年生草本，高 20 ~ 60 cm。根茎短，直立，下部生有一簇长纺锤形的肉质块根。茎直立，具纵棱，假二叉状分枝，被倒生伏毛，上部较疏，下部较密。叶对生，基生叶花期通常枯萎，叶片肾状圆形，长 3 ~ 4 cm，宽 5 ~ 6 cm，掌状 7 深裂几达基部，裂片菱状卵形或披针形，中部以上再不规则羽裂，小裂片披针形或线状椭圆形，上面深绿色，下面灰绿色，两面被长伏毛；下部茎生叶具长柄，长达 15 cm，向上渐短，顶部叶无柄，密被倒生伏毛；托叶狭卵形，长 6 ~ 8 mm，宽 2 ~ 3 mm，先端常 2 裂，具芒尖，淡褐色。花序叶腋生，具 2 花，总花梗长 5 ~ 10 cm，疏被倒生伏毛；花梗长

粗根老鹳草

2.5 ~ 3.5 cm，苞片披针形，长 4 ~ 9 mm，先端长渐尖，带紫色，疏被短毛；萼片长椭圆形，长 5 ~ 7 mm，宽约 3 mm，先端具芒尖，边缘膜质，背面具 3 ~ 5 脉，疏被毛；花瓣倒卵形，紫红色，长 13 ~ 15 mm，宽 7.5 ~ 8.5 mm，先端圆，基部渐狭且具白色密毛；花丝基部扩展部分具缘毛。蒴果被毛，长 1.2 ~ 2 cm。花期 7 ~ 8 月，果期 8 ~ 9 月。

| **生境分布** | 生于海拔 2 500 m 左右的山坡草丛中。分布于宁夏六盘山（泾源、原州）、南华山（海原）及彭阳等，泾源、原州、海原其他区域也有分布。

| **资源情况** | 野生资源较少。

| **采收加工** | 夏、秋季果实将成熟时采收，割取地上部分或连根拔起，除去泥土、杂质，晒干。

| **药材性状** | 本品根茎短，下部簇生近纺锤形的粗根。茎常二歧分枝，近无毛。叶肾状圆形，掌状 7 深裂几达基部，裂片不规则羽状分裂。蒴果长 1.2 ~ 2 cm。

| **功能主治** | 辛、苦，平。归肝、肾、脾经。祛风湿，通经络，止泻痢。用于风湿痹痛，麻木拘挛，筋骨酸痛，泄泻，痢疾。

| **用法用量** | 内服煎汤，9 ~ 15 g。

牻牛儿苗科 Geraniaceae 老鹳草属 Geranium

毛蕊老鹳草
Geranium platyanthum Duthie

| 药 材 名 |　毛蕊老鹳草（药用部位：全草或地上部分）。

| 形态特征 |　多年生草本，高 30 ～ 80 cm。根茎短，上部具浅棕色鳞片状膜质托叶。茎直立，单一或自基部分枝，具纵棱，被开展的白色长柔毛。上部混生有腺毛。叶互生，肾状五角形，直径 5 ～ 14 cm，掌状 5 中裂或稍深；裂片菱状卵形，边缘具浅的缺刻或圆的粗牙齿，齿端具红色腺点，上面被长伏毛，下面疏被柔毛，沿脉较密；基生叶有长柄，长 10 ～ 20 cm，茎生叶具短柄，长 2 ～ 7 cm，顶生叶无柄，被开展白色毛，上部较密；托叶披针形，长约 1.2 cm，宽约 3 mm，浅棕色，背面具白色毛。聚伞花序顶生或腋生，2 ～ 3 总花梗出自 1 对叶状苞腋内，各具花 2 ～ 4，稀具 5 花；花梗长 1.5 ～ 2.5 cm，密

毛蕊老鹳草

生开展的腺毛，果期直立；萼片长椭圆形或长卵形，长 8 ～ 10 mm，宽 3 ～ 4 mm，先端具芒尖，具 3 脉，背部被白色开展的长毛和腺毛；花瓣宽倒卵形，长 10 ～ 14 mm，宽 8 ～ 10 mm，蓝紫色，先端圆，基部具毛；雄蕊与萼片等长或稍长于萼片，基部稍扩展，具毛；子房被毛。蒴果长 2 ～ 2.5 cm，具喙，被开展的柔毛及腺毛。花期 6 ～ 7 月，果期 8 ～ 9 月。

| 生境分布 | 生于山坡林缘或灌丛中。分布于宁夏六盘山、罗山、南华山及隆德等。

| 资源情况 | 野生资源较少。

| 采收加工 | 夏、秋季果实将成熟时采收，割取地上部分或连根拔起，除去泥土、杂质，晒干。

| 功能主治 | 清湿热，疏风通络，强筋健骨，止泻痢。用于风寒湿痹，筋骨酸软，肌肤麻木，肠炎，痢疾，痈疽，跌打损伤。

牻牛儿苗科 Geraniaceae 老鹳草属 Geranium

鼠掌老鹳草 *Geranium sibiricum* L.

鼠掌老鹳草

| 药 材 名 |

老鹳草（药用部位：全草）。

| 形态特征 |

多年生草本，高 30 ～ 70 cm。根圆锥状，分枝或不分枝。茎细弱，伏卧或上部斜升，有棱，具节，被倒生短毛。叶对生，基生叶与下部茎生叶具长柄，茎上部叶具短柄，被倒生毛；基生叶早枯萎，与下部茎生叶同形，呈宽肾状五角形，长 3 ～ 6 cm，宽 4 ～ 8 cm，掌状 5 深裂，基部宽心形；裂片倒卵状楔形或倒卵状菱形，具羽状深裂及齿状深缺刻；上部叶 3 ～ 5 深裂，两面疏被短伏毛，下面沿脉稍密；托叶披针形，先端长渐尖，长约 4 mm，宽约 1 mm，浅棕色，背面及边缘被长毛。花单生，稀 2，腋生或顶生，花梗被倒生毛，近中部具 2 披针形苞片，果期花梗常弯曲；萼片长卵形，长约 5 mm，宽约 3.2 mm，先端具芒尖，具 5 脉，沿脉有长毛，边缘膜质；花瓣稍长于萼片，倒卵形，白色或淡紫红色，基部渐狭成爪，微有毛；花丝基部扩展部分具缘毛；花柱合生部分极短，花柱分枝长约 1 mm。蒴果长 15 ～ 18 mm，喙长约 1.5 cm，被柔毛。花期 6 ～ 7 月，果期 8 ～ 9 月。

| **生境分布** | 生于山坡草地、林缘、荒地、田边、路旁。宁夏各地均有分布。

| **资源情况** | 野生资源较少。

| **采收加工** | 夏、秋季果实将成熟时采收，割取地上部分或连根拔起，除去泥土、杂质，晒干。

| **药材性状** | 本品茎多分枝，略有倒刺毛。叶肾状五角形，掌状 5 深裂，裂片卵状披针形，羽状深裂或齿状深缺刻，有毛。蒴果长 1.5 ~ 2 cm，宿存花柱成熟时 5 裂，向上卷曲呈伞形。

| **功能主治** | 辛、苦，平。归肝、肾、脾经。祛风湿，通经络，止泻痢。用于风湿痹痛，麻木拘挛，筋骨酸痛，泄泻，痢疾。

| **用法用量** | 内服煎汤，9 ~ 15 g。

亚麻科 Linaceae 亚麻属 Linum

宿根亚麻 *Linum perenne* L.

| **药 材 名** | 宿根亚麻（药用部位：花、种子。别名：豆麻、多年生亚麻）。

| **形态特征** | 多年生草本，高 20 ～ 90 cm。根圆柱形，粗壮，木质化。茎直立，自基部分枝。叶互生，能育枝上的叶线形或线状披针形，长 8 ～ 25 mm，宽 0.8 ～ 3（～ 4）mm，先端尖，基部渐狭，具 1 脉，叶缘稍反卷，无毛，下部叶较小；不育枝上的叶稍密，长 7 ～ 12 mm，宽 0.5 ～ 1 mm。聚伞花序具多数花；花梗细长，长 1 ～ 2.5 cm，无毛，萼片卵形，长 3.5 ～ 5 mm，宽 2 ～ 3 mm，先端尖，边缘膜质，全缘，背面下部具 5 ～ 7 脉，中脉仅达萼片中部以上，无毛；花瓣宽倒卵形，蓝紫色，长约 8 mm，宽约 5.7 mm，先端圆，微波状，基部渐狭呈楔形；雄蕊 5，花丝下部稍宽，基部合生，外具 5 腺体

宿根亚麻

与花瓣对生；花柱 5，基部合生。蒴果近球形，直径 3.5 ~ 7（~ 8）mm，黄色，光滑，开裂。花期 6 ~ 7 月，果期 8 ~ 9 月。

| 生境分布 | 生于干旱山坡、草地、路边。分布于宁夏海原、隆德、彭阳、原州、贺兰、利通、沙坡头、中宁、红寺堡、盐池、同心、兴庆等。

| 资源情况 | 野生资源较少。

| 采收加工 | 6 ~ 7 月采收花；7 ~ 8 月采收果实，以纸遮蔽，晒干。

| 功能主治 | 淡，平。通络活血，利尿。用于子宫瘀血，闭经。

| 用法用量 | 内服研末，3 ~ 9 g。

亚麻科 Linaceae 亚麻属 Linum

野亚麻 *Linum stelleroides* Planch.

野亚麻

药 材 名

野亚麻（药用部位：种子、地上部分。别名：亚麻）。

形态特征

一年生或二年生草本，高 20 ~ 90 cm。茎直立，圆柱形，自中部以上分枝，无毛。叶互生，线形或线状披针形，长 1 ~ 4 cm，宽 1 ~ 4 mm，先端尖，全缘，基部具 3 脉，无毛。聚伞花序，多分枝；花梗细长，长 3 ~ 15 mm；萼片狭卵形，长 3 ~ 4 mm，先端具短尖，边缘膜质，具黑色腺体，具 3 脉，中脉几达萼片先端，无毛；花瓣倒卵形，长达 9 mm，淡紫色或紫蓝色，先端圆，微波状，向基部渐狭成楔形；雄蕊 5，花丝下部稍宽，基部连合；花柱 5，基部合生，上部分离。蒴果球形或扁球形，直径 3 ~ 5 mm。花期 6 ~ 9 月，果期 8 ~ 10 月。

生境分布

生于干旱山坡、林缘或山地、路边。分布于宁夏六盘山、罗山及泾源、西吉、原州等。

资源情况

野生资源较少。

| 采收加工 | 秋季果实成熟时割取地上部分，晒干，打下种子；地上部分随采随用。 |

| 功能主治 | 甘，平。归肺、大肠经。养血润燥，祛风解毒。用于血虚便秘，皮肤瘙痒，荨麻疹，痈疮肿毒。 |

| 用法用量 | 种子，内服煎汤，3～9g。地上部分，外用适量，捣敷。 |

亚麻科 Linaceae 亚麻属 Linum

亚麻 *Linum usitatissimum* L.

亚麻

| 药 材 名 |

亚麻子（药用部位：种子。别名：胡麻、亚麻仁）。

| 形态特征 |

一年生草本，高 30 ~ 120 cm。茎直立，仅上部分枝，无毛。叶互生，线形、线状披针形或披针形，长 2 ~ 4 cm，宽 1 ~ 5 mm，先端锐尖，基部渐狭，全缘，具 3（~ 5）脉。花单生枝顶或上部叶腋，排列成疏散的聚伞花序；花梗长 1 ~ 3 cm；萼片狭卵形或卵状披针形，长 5 ~ 8 mm，先端突尖，边缘膜质，常具流苏状裂，无腺体，具 3（~ 5）脉，中脉几达萼片先端，无毛；花瓣宽倒卵形，长 0.8 ~ 1.2 cm，先端圆，微波状，基部渐狭呈楔形，蓝色或蓝紫色，稀白色或红色；雄蕊 5，退化雄蕊 5，仅留齿状痕迹；花柱 5，离生。蒴果近球形，直径 6 ~ 9 mm，种子 10。花期 6 ~ 8 月，果期 7 ~ 10 月。

| 生境分布 |

栽培种。宁夏各地均有栽培。

| 资源情况 |

栽培资源丰富。

| 采收加工 | 秋季果实成熟时采收植株，晒干，打下种子，除去杂质，再晒干。

| 药材性状 | 本品呈扁平卵圆形，一端钝圆，另一端尖而略偏斜，长 4 ~ 6 mm，宽 2 ~ 3 mm。表面红棕色或灰褐色，平滑有光泽，种脐位于尖端的凹入处；种脊浅棕色，位于一侧边缘。种皮薄，胚乳棕色，薄膜状；子叶 2，黄白色，富油性。气微，嚼之有豆腥味。以饱满、光亮、色红棕者为佳。

| 功能主治 | 甘、平。归肺、肝、大肠经。润燥通便，养血祛风。用于肠燥便秘，皮肤干燥，瘙痒，脱发。

| 用法用量 | 内服煎汤，9 ~ 15 g。

白刺科 Nitrariaceae 白刺属 Nitraria

小果白刺 Nitraria sibirica Pall.

| 药 材 名 | 小果白刺（药用部位：果实。别名：白刺、卡密）。

| 形态特征 | 矮小灌木，高 50 ~ 150 cm。茎直立或弯曲，或有时横卧；树皮淡黄白色，具纵条棱；小枝灰白色，被短毛，先端刺状。叶肉质，无柄，在嫩枝上 4 ~ 6 簇生，倒披针形或披针状匙形，长 0.6 ~ 1.5 cm，宽 2 ~ 5 mm，先端圆或突尖，基部渐狭呈楔形，全缘，两面密被伏毛。花小，直径约 6 mm，排列成顶生多分枝的蝎尾状聚伞花序，花序轴密被短毛；花具极短的梗或几无梗；萼片 5，近三角形，长 0.7 ~ 1 mm，背面被短伏毛或无毛；花瓣 5，长椭圆形，长 2 ~ 3 mm，宽约 1.3 mm，先端尖，内曲呈帽状；雄蕊 10 ~ 15，与花瓣等长或稍短于花瓣；子房密被白色伏毛，椭圆形，柱头 3。核果卵形，长

小果白刺

4 ~ 5 mm，深紫红色。花期 5 ~ 6 月，果期 7 ~ 8 月。

| **生境分布** | 生于低洼盐碱地、沟边、池沼旁及固定或半固定沙丘。宁夏各地均有分布，同心以北地区最为普遍。

| **资源情况** | 野生资源较少。

| **采收加工** | 秋季果实成熟时采收，晒干。

| **药材性状** | 本品近球形或椭圆形。两端钝圆，直径 3 ~ 4 mm，长 6 ~ 8 mm，表面紫黑色，多皱纹，味甜而微咸；果核呈灰褐色窄卵形，先端尖，长 4 ~ 5 mm，直径 2 ~ 3 mm，核的上端有 3 凹沟，核上有数个凹陷的孔穴。

| **功能主治** | 甘、微咸，温。健脾益胃，调经活血，降血压，催乳。用于痉挛，神经痛，身体虚弱，气血两亏，脾胃不和，消化不良，月经不调，腰酸腿痛，心律不齐。

| **用法用量** | 内服煎汤，9 ~ 15 g。

白刺科 Nitrariaceae 白刺属 Nitraria

白刺
Nitraria tangutorum Bobr.

| 药 材 名 | 白刺（药用部位：果实。别名：酸刺、野红果子、刺果子秧）。

| 形态特征 | 灌木，高 100 ～ 200 cm。茎直立、斜升或平卧，灰白色；枝稍呈"之"字形弯曲，具纵棱，疏被短伏毛，先端常呈刺状。叶肉质，在嫩枝上常 2 ～ 3（～ 4）簇生，倒卵状披针形或长椭圆状匙形，长 18 ～ 30 mm，宽 6 ～ 8 mm，先端圆，具小尖头，基部渐狭呈楔形，两面密被伏毛；托叶三角状披针形，膜质，棕色。花小，排列为多分枝的顶生蝎尾状聚伞花序；花序轴密被伏毛；萼片 5，卵形或三角形，被短伏毛；花瓣黄白色，椭圆形，长约 2.5 mm，先端圆，内曲；雄蕊 10 ～ 15，长约 1 mm；子房密被白色伏毛，柱头 3，无花柱。核果卵形或椭圆形，长 5 ～ 6 mm，深红色。花

白刺

期 5～6 月，果期 7～8 月。

| **生境分布** | 生于固定或半固定沙丘、低洼盐碱地上。分布于宁夏中宁、海原、惠农、西夏、金凤、平罗、青铜峡、贺兰、利通、沙坡头、兴庆、灵武、大武口等。

| **资源情况** | 野生资源丰富。

| **采收加工** | 秋季果实成熟时采收，晒干。

| **功能主治** | 甘、酸、微咸，温。归肾、脾、胃经。健脾消食，滋补安神，活血调经，下乳，解表。用于脾胃虚弱，消化不良，气血两亏，身体虚弱，月经不调，乳汁不下，腰腹疼痛，感冒，神经衰弱。

| **用法用量** | 内服煎汤，15～30 g。

白刺科 Nitrariaceae 骆驼蓬属 Peganum

骆驼蓬 Peganum harmala L.

| 药 材 名 | 骆驼蓬（药用部位：全草或种子。别名：苦苦菜）。

| 形态特征 | 多年生草本，高 30 ~ 70 cm，全株无毛。根粗壮，直生，褐色。茎直立或斜升，多由基部分枝，具纵棱。叶稍肉质，二回羽状全裂，裂片线形，长 1 ~ 3.5 cm，宽 1.5 ~ 3 mm，先端锐尖，边缘稍反卷；托叶线形，黄褐色，长约 4 mm。花单生，与叶对生；花梗长约 1 cm；萼片常 5 全裂，裂片线形，稀 3 全裂，稍长于花瓣，长约 17 mm；花瓣黄白色，倒卵状矩圆形，长 15 ~ 20 mm，宽 6 ~ 9 mm；雄蕊 15，长约 8 mm，花丝中下部宽扁；子房 3 室，柱头 3 棱形。蒴果近球形，褐色，3 瓣裂。种子黑褐色，略呈三棱形，具蜂窝状网纹。花期 5 ~ 6 月，果期 7 ~ 9 月。

骆驼蓬

| **生境分布** | 生于干旱山坡、沙地及盐碱荒地。分布于宁夏利通、青铜峡、红寺堡、兴庆、灵武等。 |

| **资源情况** | 野生资源丰富。 |

| **采收加工** | 夏、秋季采收全草，种子成熟时采收，晒干或鲜用。 |

| **药材性状** | 本品的种子为类圆锥状三角形四面体，长 2 ～ 4 mm，中部直径 1 ～ 2 mm，先端较狭而尖，可见脐点，下端钝圆，表面粗糙，棕色至褐色。表面有显著的蜂窝状皱纹，用水浸泡后膨胀，表面滑润。气微，味苦。 |

| **功能主治** | 辛、微苦，凉；有小毒。归心、肝、肺经。宣肺止咳。用于咳嗽气喘，风湿性关节炎。 |

| **用法用量** | 全草，内服煎汤，1 ～ 5 g。外用适量，煎汤洗或鲜品捣敷。种子，研末开水冲服，0.6 ～ 1.2 g。 |

白刺科 Nitrariaceae 骆驼蓬属 Peganum

多裂骆驼蓬 *Peganum multisectum* (Maxim.) Bobr.

| 药 材 名 | 骆驼蓬（药用部位：全草或果皮、种子。别名：大臭蒿、大骆驼蓬）。

| 形态特征 | 多年生草本，高 30 ~ 80 cm。茎平卧或斜升，多由基部分枝，具纵棱。叶稍肉质，2 ~ 3 回深裂，裂片线形，长 0.6 ~ 1.2 cm，宽 1 ~ 1.5 mm。花单生，与叶对生；萼片 3 ~ 5 深裂，裂片线形，花瓣淡黄色，倒卵状矩圆形，长 10 ~ 15 mm，宽 5 ~ 6 mm；雄蕊 15，短于花瓣，基部宽展。蒴果近球形，顶部稍平扁。种子多数，略呈三角形，表面有小瘤状突起。花期 5 ~ 7 月，果期 6 ~ 9 月。

| 生境分布 | 生于荒漠、干旱山坡、平原戈壁、盐碱荒地、路旁及村边。分布于宁夏沙坡头、中宁、贺兰、惠农、平罗、永宁、兴庆、灵武等引黄灌区及贺兰山（永宁、惠农、平罗）、罗山（同心）、南华山（海原）等。

多裂骆驼蓬

| 资源情况 | 野生资源丰富。

| 采收加工 | 夏季采收全草，晒干或鲜用。秋季果实成熟时采摘果实，剥取果皮，晒干；同时收集种子，晒干。

| 药材性状 | 本品茎呈圆柱形，多分枝，直径 2～4 mm。表面黄绿色，光滑，具纵条纹，质脆，易折断，有髓。叶互生，无柄或有柄，叶片绿色或深绿色，皱缩或卷曲，展平后呈 2 回羽状全裂，裂片条形，边缘稍反卷，光滑无毛，厚草质。花瓣淡黄棕色或黄褐色。蒴果近球形，绿色或黄绿色，内含黑褐色种子。果皮呈瓣状，整齐或不整齐，内曲，膜质，长、宽各约 5 mm，很薄；外表面黄棕色至黄褐色，有的在隔膜处具内凹的纵沟，内表面色较淡；气微，味微涩。种子呈类圆锥状三角形四面体，长 3～4 mm，中部直径 1.5～2 mm，先端较狭而尖，可见脐点，下端钝圆，表面粗糙，黑褐色；表面有显著的蜂窝状皱纹，用水浸泡后膨胀，表面滑润；气微，味苦。

| 功能主治 | 酸、甘，平；有毒。归心、肝、肺经。宣肺止咳，祛风除湿，解毒。全草用于风湿麻痹，咳嗽气喘，无名肿毒，皮肤瘙痒；果皮用于囊虫病；种子用于咳嗽气喘，小便不利，风湿痹痛。

| 用法用量 | 全草，内服煎汤，1～5 g。外用适量，煎汤洗或鲜品捣敷。果皮，内服煎汤，5～10 g。种子，研末温开水冲服，0.6～1.2 g。

| 附　　注 | 在宁夏民间有用本种果皮治疗囊虫病的经验。

白刺科 Nitrariaceae 骆驼蓬属 *Peganum*

骆驼蒿
Peganum nigellastrum Bunge

| **药 材 名** | 骆驼蒿（药用部位：全草或种子。别名：小骆驼蓬、匐根骆驼蓬、细叶骆驼蓬）。

| **形态特征** | 多年生草本，高 10 ～ 25 cm，密被短硬毛。茎直立或丛生，灰黄色，被短硬毛。叶稍肉质，2 ～ 3 回深裂，裂片条形，长 0.7 ～ 10 mm，先端渐尖，背面及边缘被短硬毛；托叶线形。花单生于茎端或叶腋，花梗被硬毛，长 1 ～ 1.5 cm；萼片 5 全裂，裂片披针形，宿存；花瓣淡黄色，椭圆形或矩圆形，长 1.2 ～ 1.5 cm，宽 5 ～ 7 mm；雄蕊 15，花丝基部扩展；子房 3 室。蒴果近球形，黄褐色。种子多数，黑褐色，表面有瘤状突起。花期 5 ～ 7 月，果期 7 ～ 9 月。

| **生境分布** | 生于黄土丘陵、沙质地、路边及村庄附近。宁夏各地均有分布。

骆驼蒿

| **资源情况** | 野生资源丰富。

| **采收加工** | 夏季采收全草，除去杂质，晒干。夏、秋季果实成熟时采收果实，晒干，去除种皮，收集种子。

| **功能主治** | 苦、辛，凉；有毒。归肝、肺经。全草，祛湿消毒，活血止痛，宣肺止咳。用于风湿痹痛，月经不调，咳嗽，头痛。种子，祛风湿，强筋骨。用于咳嗽气喘，小便不利，筋骨酸痛，癔病，瘫痪。

| **用法用量** | 全草，内服煎汤，1 ~ 3 g。外用适量，捣敷。种子，内服煎汤，0.5 ~ 1 g。

蒺藜科 Zygophyllaceae 驼蹄瓣属 Zygophyllum

霸王

Zygophyllum xanthoxylon (Bunge) Maximowicz

| 药 材 名 | 霸王根（药用部位：根。别名：木霸王）。

| 形态特征 | 灌木，高 50 ~ 100 cm。枝弯曲，皮淡灰色，开展，木部黄色，先端具刺尖，坚硬。叶在老枝上簇生，幼枝上对生，肉质；复叶具 2 小叶，小叶肉质，匙形，长 0.8 ~ 2.4 cm，宽 2 ~ 5 mm，先端圆钝，基部渐狭。花生于老枝叶腋，黄白色；萼片 4，倒卵形，绿色，长 4 ~ 7 mm；花瓣 4，倒卵形或近圆形，长 8 ~ 11 mm，先端圆，基部渐狭成爪；雄蕊 8，较花瓣长。蒴果近球形，常具 3 ~ 4（~ 5）宽翅，椭圆形或近圆形。花期 4 ~ 5 月，果期 7 ~ 8 月。

| 生境分布 | 生于干旱石质山坡或半固定沙丘上。分布于宁夏贺兰、中宁、惠农、平罗、永宁、青铜峡、沙坡头、灵武、兴庆、金凤、大武口等。

霸王

资源情况	野生资源较少。
采收加工	春、秋季采挖，洗净，切段，晒干。
功能主治	辛，温。行气宽中。用于气滞腹胀。
用法用量	内服煎汤，3 ~ 6 g。

蒺藜科 Zygophyllaceae 蒺藜属 Tribulus

蒺藜
Tribulus terrestris L.

| 药 材 名 | 蒺藜（药用部位：果实。别名：刺蒺藜、白蒺藜、巴藜子）。

| 形态特征 | 一年生匍匐草本，全株有柔毛，平铺地面，长 20 ～ 60 cm。茎由基部多分枝。偶数羽状复叶，互生或对生，长 1.5 ～ 5 cm；小叶 3 ～ 8 对，长椭圆形，长 5 ～ 10 mm，宽 2 ～ 5 mm，基部常偏斜，有托叶。花单生于叶腋；萼片 5；花瓣 5，黄色，早落；雄蕊 10，5 长 5 短；子房上位，5 室，柱头 5 裂。花期 5 ～ 8 月，果实 6 ～ 9 月。

| 生境分布 | 生于沙质地、沟渠边、路旁、田埂或田间。宁夏各地普遍分布，主要分布于同心、盐池、灵武、中宁、原州等。

| 资源情况 | 野生资源丰富。

蒺藜

| **采收加工** | 秋季果实成熟时采割植株，晒干，打下果实，除去杂质。 |

| **药材性状** | 本品由 5 分果瓣组成，呈放射状排列，直径 7 ～ 12 mm。常裂为单一的分果瓣，分果瓣呈斧状，长 3 ～ 6 mm；背部黄绿色，隆起，有纵棱和多数小刺，并有对称的长刺和短刺各 1 对，两侧面粗糙，有网纹，灰白色。质坚硬。气微，味苦、辛。 |

| **功能主治** | 辛、苦，微温；有小毒。归肝经。平肝解郁，活血祛风，明目，止痒。用于头痛眩晕，胸胁胀痛，乳闭乳痈，目赤翳障，风疹瘙痒。 |

| **用法用量** | 内服煎汤，6 ～ 10 g。 |

芸香科 Rutaceae 白鲜属 Dictamnus

白鲜
Dictamnus dasycarpus Turcz.

| 药 材 名 | 白鲜皮（药用部位：根皮。别名：八股牛、白皮、白膻）。

| 形态特征 | 多年生草本。高 40 ~ 100 cm。根粗壮，黄白色。茎直立，中下部无毛，上部密生黑紫色凸起的腺点，且混生白色柔毛，基部木质化，淡黄白色。奇数羽状复叶，互生，密集于茎的中部，具 9 ~ 13 小叶；小叶片卵状披针形或矩圆状披针形，先端渐尖，基部宽楔形，稍偏斜，边缘具细锯齿，常反卷，上面叶脉凹陷，无毛，被油点，下面叶脉明显隆起，被白色毛；小叶无柄；叶轴具狭翅，被疏毛。总状花序顶生，总花梗及花梗上密生黑紫色凸起的腺点，且混生白色柔毛；小苞片线状披针形或披针形；萼片披针形，淡紫红色，与小苞片均被黑紫色凸起的腺点及白色柔毛；花瓣倒披针形或长椭圆形，具数

白鲜

条紫红色脉纹；雄蕊 10；子房上位，具柄，子房倒卵形，5 深裂，花柱短粗，均密被柔毛。蒴果成熟时 5 裂，果瓣背面密被柔毛及腺点，先端具针刺状喙。种子黑色，球形。花期 5 月，果期 8 ~ 9 月。

| **生境分布** | 生于林缘、草地或向阳山坡、草丛中。分布于宁夏六盘山及原州、彭阳、泾源、隆德、西吉、海原等。

| **资源情况** | 野生资源丰富。

| **采收加工** | 春、秋季采挖根部，除去泥沙和粗皮，剥取根皮，干燥。

| **药材性状** | 本品呈卷筒状，长 5 ~ 15 cm，直径 1 ~ 2 cm，厚 0.2 ~ 0.5 cm。外表面灰白色或淡灰黄色，具细纵皱纹和细根痕，常有凸起的颗粒状小点；内表面类白色，有细纵皱纹。质脆，折断时有粉尘飞扬，断面不平坦，略呈层片状，剥去外层，迎光可见闪烁的小亮点。有羊膻气，味微苦。

| **功能主治** | 苦，寒。归脾、胃、膀胱经。清热燥湿，祛风解毒。用于湿热疮毒，黄水淋漓，湿疹，风疹，疥癣疮癞，风湿热痹，黄疸尿赤。

| **用法用量** | 内服煎汤，5 ~ 10 g。外用适量，煎汤洗或研末敷。

芸香科 Rutaceae 黄檗属 Phellodendron

黄檗 *Phellodendron amurense* Rupr.

黄檗

| 药 材 名 |

黄柏（药用部位：树皮。别名：关黄柏）。

| 形态特征 |

落叶乔木，高 10 m 以上。树皮外层厚，淡灰色，具深沟裂，内层鲜黄色。幼枝棕色或灰褐色，微被毛且具瘤状腺点。奇数羽状复叶，具 5 ~ 13 小叶，小叶近无柄；小叶片卵状披针形至卵形，先端渐尖或尾尖，基部宽楔形或近圆形，边缘具钝圆齿，齿间具透明腺点，上面深绿色，幼时沿叶脉被毛，老时光滑无毛，下面灰绿色，沿中脉和基部被疏毛，边缘具缘毛。花小，排列成圆锥花序；花萼 5 深裂，裂片宽卵状三角形，稍具不明显的疏毛；花瓣 5，卵状椭圆形，外面光滑或疏具瘤状腺点，里面被长柔毛；雄花的雄蕊 5，较花瓣长，花丝基部被毛，花药较大，药隔先端具腺点；具退化雌蕊；雌花的退化雄蕊鳞片状，子房上位，具短柄，近卵形，5 室，花柱短，柱头 5 裂，呈五角星状，外被长柔毛。果实近球形，成熟时紫黑色。花期 5 ~ 6 月，果期 9 ~ 10 月。

| 生境分布 |

栽培种。宁夏部分县域有栽培，分布于兴庆、西夏、金凤、灵武、永宁、贺兰、原州、西吉、泾源、彭阳、隆德等。

| 资源情况 | 栽培资源较少。

| 采收加工 | 剥取树皮，除去粗皮，晒干。

| 药材性状 | 本品呈板片状或浅槽状，长宽不一，厚2～4 mm，外表面黄绿色或淡棕黄色，较平坦，有不规则的纵裂纹，皮孔痕小而少见，偶有灰白色的粗皮残留；内表面黄色或黄棕色。体轻，质较硬，断面纤维性，有的呈裂片状分层，鲜黄色或黄绿色。气微，味极苦，嚼之有黏性。

| 功能主治 | 苦，寒。归肾、膀胱经。清热燥湿，泻火除蒸，解毒疗疮。用于湿热泻痢，黄疸尿赤，带下阴痒，热淋涩痛，脚气痿躄，骨蒸劳热，盗汗，遗精，疮疡肿毒，湿疹湿疮。

| 用法用量 | 内服煎汤，3～12 g。外用适量。

| 附　注 | 宁夏固原地区曾将当地所产的小檗属多种植物的根和茎皮作黄柏药用，近年已澄清和纠正，并将小檗属植物的根和茎皮改称小檗皮，但在商品药材中还有将其充作黄柏的情况存在，应注意鉴别。

芸香科 Rutaceae 花椒属 Zanthoxylum

花椒
Zanthoxylum bungeanum Maxim.

| 药 材 名 | 花椒（药用部位：果皮。别名：川椒）。

| 形态特征 | 落叶小乔木或灌木，高3～7 m。茎干上具皮刺，皮刺基部宽扁，长约1 cm；当年生枝被短柔毛。奇数羽状复叶，互生，叶轴腹面两侧具狭翅，有时被短硬毛，背面常生向上斜升的小皮刺。小叶5～13，卵状长圆形至椭圆形，长2～7 cm，宽1～3.5 cm，先端急尖或稍钝，基部圆形或微心形。花序顶生或生于侧枝之顶，花序轴及花梗密被短柔毛或无毛；花被片6～8，排列成1轮；雄蕊5～8，花丝线形；有退化子房；有心皮2或3，稀4，花柱斜向背弯。果实紫红色，散生微凸起的油点。花期4～5月，果期8～10月。

| 生境分布 | 生于海拔2 500 m左右的山坡灌丛或向阳地，野生或栽培。分布于宁夏六盘山、香山、贺兰山及西吉、原州、中宁等。宁夏泾源等有

花椒

栽培。

| **资源情况** | 野生资源较少。

| **采收加工** | 秋季采收成熟果实，晒干，去除种子及杂质。

| **药材性状** | 本品蓇葖果多单生，直径 4 ~ 5 mm。外表面紫红色或棕红色，散有多数疣状凸起的油点，直径 0.5 ~ 1 mm，对光观察半透明；内表面淡黄色。香气浓，味麻辣而持久。

| **功能主治** | 辛，温。归脾、胃、肾经。温中止痛，杀虫止痒。用于脘腹冷痛，呕吐泄泻，虫积腹痛；外用于湿疹，阴痒。

| **用法用量** | 内服煎汤，3 ~ 6 g。外用适量，煎汤熏洗。

苦木科 Simaroubaceae 臭椿属 Ailanthus

臭椿 *Ailanthus altissima* (Mill.) Swingle

臭椿

| 药 材 名 |

椿皮（药用部位：根皮或干皮。别名：椿根皮、椿白皮）、凤眼草（药用部位：果实）。

| 形态特征 |

落叶乔木，高达 20 m。树皮灰色，光滑或具直裂纹。小枝赤褐色，被短柔毛。奇数羽状复叶，具小叶 13 ~ 27，小叶近对生或对生，卵状披针形，先端长渐尖，基部楔形或圆形，常不对称，边缘浅波状，近基部有 1 ~ 2 对粗齿，齿端下具 1 腺体，上面无毛，下面沿叶脉疏被毛。圆锥花序，花杂性，较小；萼片卵状三角形，先端急尖或钝；花瓣长椭圆形或倒卵状披针形，淡褐色，先端圆钝，基部渐狭，边缘狭膜质，中部以下具白色绒毛；雄蕊 10，雄花花丝较长，两性花花丝较短；心皮 5，花柱合生，柱头 5 裂。翅果长圆状椭圆形，淡黄褐色，种子扁平。花期 4 ~ 5 月，果期 8 ~ 10 月。

| 生境分布 |

栽培种。宁夏各地均有栽培。

| 资源情况 |

栽培资源较少。

| 采收加工 | 椿皮：全年均可剥取，晒干或刮去粗皮晒干。
凤眼草：秋季果实成熟时采收果序，除去果柄，晒干。

| 药材性状 | 椿皮：根皮呈不整齐的片状或卷片状，大小不一，厚 0.3 ~ 1 cm。外表面灰黄色或黄褐色，粗糙，具多数纵向皮孔样突起和不规则纵、横裂纹，除去粗皮者显黄白色；内表面淡黄色，较平坦，密布梭形小孔或小点。质硬而脆，断面外层颗粒性，内层纤维性。气微，味苦。干皮呈不规则板片状，大小不一，厚 0.5 ~ 2 cm。外表面灰黑色，极粗糙，有深裂。
凤眼草：本品呈类菱状披针形，扁平，长 3 ~ 4 cm，宽 1 ~ 1.3 cm。表面淡黄棕色至黄褐色，具细密的脉纹，膜质，两端稍卷翘，中部通过种子表面有 1 横向凸纹，少数有残存的果柄。果皮在包含种子处显著凸起，呈扁球形，深褐色，直径 4 ~ 5 mm，剖开后可见 1 扁圆形种子。种子黄褐色，富油性，极苦。

| 功能主治 | 椿皮：苦、涩，寒。归大肠、胃、肝经。清热燥湿，收涩止带，止泻，止血。用于赤白带下，湿热泻痢，久泻久痢，便血，崩漏。
凤眼草：活血清热燥湿，止血，止带。用于湿热泻痢，久泻久痢，崩漏，赤白带下，便血。

| 用法用量 | 椿皮：内服煎汤，6 ~ 9 g。
凤眼草：内服煎汤，3 ~ 9 g。

| 附　　注 | 椿皮原名"樗白皮"，始载于《新修本草》。椿，历代本草多有收载，如《本草图经》载："椿树、樗树，二木形干大体相似，但椿木实而叶青可啖，樗木疏而气臭。"历代本草认为椿、樗为两种不同的植物，现今市场上的椿皮主要是樗皮，即臭椿的根皮，其果实称凤眼草。

卵叶远志 *Polygala sibirica* L.

卵叶远志

药 材 名

远志（药用部位：根皮。别名：燕叽叽草、自如草）。

形态特征

多年生草本，高 10 ～ 30 cm，全株微被短绒毛。根粗壮，黄褐色，圆柱形。茎丛生，直立或稍斜升，被弯曲的短毛，基部稍木质化，淡黄色。叶近无柄，下部叶较小，椭圆形或卵圆形，长 1 ～ 2 cm，宽 3 ～ 6 mm，上部叶较大，卵状披针形至矩圆状披针形，长 0.6 ～ 2.5 cm，宽 3 ～ 6 mm，先端具短尖头，基部楔形，两面均被短绒毛，总状花序顶生或腋生，花稀疏，生于一侧；花梗长 4 ～ 6 mm，基部具 3 紫褐色小苞片，易脱落；萼片 5，宿存，披针形，背面具 1 脉，绿色，被短绒毛，边缘膜质，具短睫毛，外轮 3 萼片小，长约 4 mm，宽约 1 mm，内轮 2 萼片花瓣状，倒卵形，长约 6 mm，宽约 2 mm；花瓣 3，2 侧生花瓣长倒卵形，长约 3 mm，宽约 1.5 mm，里面基部被短绒毛，中间龙骨瓣较侧生花瓣长，背部先端具长约 2 mm 的流苏状缨；雄蕊 8，花丝下部 2/3 处合生成鞘；子房扁倒卵形，2 室，花柱细长，稍扁。蒴果扁，倒心形，长约 3.5 mm，宽约 3.6 mm，先端凹陷，周围具翅，边缘具短睫毛。种子2，密被绢毛。花期4～7月，果期5～8月。

| 生境分布 | 生于向阳山坡草地、林缘、灌丛中。分布于宁夏贺兰山、六盘山、罗山、南华山及海原、泾源、隆德、西吉、原州、永宁、沙坡头、红寺堡、盐池、同心等。

| 资源情况 | 野生资源丰富。

| 采收加工 | 春、秋季采挖根，除去须根和泥沙，晒干或抽取木心晒干。

| 药材性状 | 本品呈圆柱形，略弯曲，长2～30 cm，直径0.2～1 cm。表面灰黄色至灰棕色，有较密并深陷的横皱纹、纵皱纹及裂纹，老根的横皱纹较密，更深陷，略呈结节状。质硬而脆，易折断，断面皮部棕黄色，木部黄白色，皮部易与木部剥离，抽取木心者中空。气微，味苦、微辛，嚼之有刺喉感。

| 功能主治 | 苦、辛，温。归心、肾、肺经。安神益智，交通心肾，祛痰，消肿。用于心肾不交引起的失眠多梦、健忘惊悸、神志恍惚，咳嗽不爽，疮疡肿毒，乳房肿痛。

| 用法用量 | 内服煎汤，3～10 g。

| 附 注 | （1）远志 *Polygala tenuifolia* Willd.、卵叶远志 *Polygala sibirica* L. 分种检索表如下。

1. 叶条形至狭条形；花小，直径3～4 mm，龙骨瓣先端流苏状缨较小，长2～3 mm；蒴果光滑无毛…………………………………远志 *Polygala tenuifolia* Willd.

1. 叶卵状披针形；花稍大，直径4～5 mm，龙骨瓣先端流苏状缨较大，长4～5 mm；蒴果有短睫毛…………………………………卵叶远志 *Polygala sibirica* L.

（2）本种载于《神农本草经》，列为上品。陶弘景曰："小草状似麻黄而青。"《本草图经》载："根黄色，形如蒿根，苗名小草，似麻黄而青……三月开花，根长及尺……"《本草纲目》载："远志有大叶、小叶二种：陶弘景所说者小叶者也，马志所说者大叶也。"《中华人民共和国药典》（2020年版）收载的远志的基原为远志和卵叶远志，即小叶和大叶2种。

远志科 Polygalaceae 远志属 Polygala

远志 *Polygala tenuifolia* Willd.

远志

药材名

远志（药用部位：根皮。别名：燕叽叽草、自如草）。

形态特征

多年生草本，高 15 ～ 50 cm。根圆柱形，肥厚，弯曲，直径 2 ～ 8 mm，长达 10 cm。茎多数，丛生，直立或斜升，绿色，近无毛。叶互生，近无柄，叶片线形至狭线形，长 1 ～ 3 cm，宽 0.5 ～ 1（～ 3）mm，先端尖，基部渐狭成短柄，全缘。总状花序顶生或腋生，花稀疏，淡蓝紫色，花梗长 4 ～ 6 mm；萼片 5，外轮 3 萼片小，内轮 2 萼片大，花瓣状；花瓣 3，下部合生，中央花瓣较大，呈龙骨状，先端有流苏状缨，缨长约 2 mm；雄蕊 8，花丝愈合成鞘状，近上端分离；子房上位，柱头 2 裂，不等长。蒴果扁圆形，先端微凹，边缘有狭翅，翅宽 1 mm 以上，表面无毛。种子 2，长约 2 mm，棕黑色，被白色茸毛。花果期 5 ～ 9 月。

生境分布

生于向阳砾石或沙质的干山坡、草地、灌丛。分布于宁夏贺兰山及同心、盐池、中宁、沙坡头、海原等。

| **资源情况** | 野生资源丰富。

| **采收加工** | 春、秋季采挖根，除去须根和泥沙，晒干或抽取木心晒干。

| **药材性状** | 本品呈圆柱形，略弯曲，长 2 ~ 30 cm，直径 0.2 ~ 1 cm。表面灰黄色至灰棕色，有较密并深陷的横皱纹、纵皱纹及裂纹，老根的横皱纹较密，更深陷，略呈结节状。质硬而脆，易折断，断面皮部棕黄色，木部黄白色，皮部易与木部剥离，抽取木心者中空。气微，味苦、微辛，嚼之有刺喉感。

| **功能主治** | 苦、辛，温。归心、肾、肺经。安神益智，交通心肾，祛痰，消肿。用于心肾不交引起的失眠多梦、健忘惊悸、神志恍惚，咳嗽不爽，疮疡肿毒，乳房肿痛。

| **用法用量** | 内服煎汤，3 ~ 10 g。

大戟科 Euphorbiaceae **铁苋菜属** Acalypha

铁苋菜 Acalypha australis L.

| 药 材 名 | 铁苋菜（药用部位：全草。别名：鬼见愁、海蚌含珠）。

| 形态特征 | 一年生草本，高 20 ~ 50 cm。茎直立，多分枝，具纵棱，密被短毛。叶互生，卵形、菱状卵形或卵状披针形，长 3 ~ 9 cm，宽 1.5 ~ 2 cm，先端尖或钝尖，基部楔形，边缘具钝锯齿，两面沿脉被伏毛；叶柄长 1 ~ 5 cm，密被短毛；托叶小，披针形，长 1.5 ~ 2 mm。花序腋生，有梗，具刚毛；雄花多数，在花序上部排列成穗状，苞片极小，边缘具长睫毛，萼膜质，4 裂，裂片卵形，背面稍被毛，雄蕊 8；雌花生于花序下部，苞片卵形，被毛，边缘具齿，萼常 3 裂，裂片宽卵形，边缘有毛，子房球形，有毛，花柱 3，枝状分裂，紫红色。蒴果三角状扁球形，直径约 4 mm，被毛，具刺疣状突起。种子卵形，

铁苋菜

光滑，灰褐色至黑褐色。花果期 4 ~ 12 月。

| **生境分布** | 生于麦田、荒地或田埂边、渠旁。宁夏引黄灌区普遍分布。

| **资源情况** | 野生资源较少。

| **采收加工** | 夏、秋季采收，除净泥土，晒干或鲜用。

| **药材性状** | 本品长 20 ~ 40 cm，被灰白色细柔毛。根多分枝，表面淡黄棕色。茎呈圆柱形，多分枝，直径 2 ~ 4 mm，表面灰紫色或灰棕黄色，有浅纵沟纹，质硬，易折断，断面黄白色，中心有白色髓部或呈空洞状。叶互生，灰绿色，多皱缩卷曲，破碎不全，完整者展平后呈卵形或倒卵状菱形，长 2.5 ~ 5.5 cm，宽 1.3 ~ 2 cm。苞片三角状肾形，绿褐色，合时如蚌，内有短穗状花序，或 1 半圆形褐色小蒴果，形似海蚌含珠。气微，味淡。

| **功能主治** | 苦、涩，平。归心、肺、大肠、小肠经。清热解毒，消积，止痢，止血。用于痢疾，泄泻，咯血，吐血，鼻衄，尿血，便血，崩漏，外伤出血，热淋，疳积腹胀，疟疾，湿疹，痈疖疮疡，毒蛇咬伤，肠炎，肝炎，皮炎。

| **用法用量** | 内服煎汤，15 ~ 30 g。外用适量，鲜品捣敷。

大戟科 Euphorbiaceae 大戟属 Euphorbia

乳浆大戟 *Euphorbia esula* L.

乳浆大戟

| 药 材 名 |

乳浆大戟（药用部位：全草。别名：猫眼草、烂疤眼、牛奶泡）。

| 形态特征 |

多年生草本，高 25 ~ 40 cm。根粗壮，棕褐色。茎丛生，直立，单一或上部具分枝，具纵棱，无毛。叶互生，线形、线状倒披针形或线状披针形，长 2 ~ 7 cm，宽 4 ~ 7 mm，先端尖或钝，基部渐狭或圆钝，全缘，两面无毛；营养枝上的叶较密集而狭小；无柄。总花序顶生，轮生苞叶 5 ~ 10，苞叶线状椭圆形或卵状披针形，长 4 ~ 12 mm，宽 4 ~ 10 mm，其上生 6 ~ 10 伞梗，茎上部叶腋生单梗，每伞梗先端再生 1 ~ 4 伞梗；小苞片及苞片三角状宽菱形或宽菱形；杯状总苞倒圆锥形，先端 4 裂，腺体 4，新月形，两端具尖角；子房圆形，花柱长约 1 mm，柱头 3，先端再 2 裂。蒴果扁球形，光滑无毛。花果期 4 ~ 10 月。

| 生境分布 |

生于干旱山坡、草地或路边。分布于宁夏贺兰、西夏、沙坡头、灵武、红寺堡、盐池、同心、金凤、大武口等。

| **资源情况** | 野生资源较丰富。

| **采收加工** | 夏、秋季采收，除去杂质，晒干，生用，亦用鲜品。

| **功能主治** | 苦、辛，凉；有毒。归大肠、膀胱经。利尿消肿，拔毒止痒，镇咳，祛痰，平喘，抗菌。用于四肢浮肿，小便不利，疟疾，慢性气管炎等；外用于瘰疬，疮癣瘙痒，结核，疥疮，无名肿毒等。

| **用法用量** | 内服煎汤，0.9 ~ 2.4 g。外用适量，捣敷。

狼毒大戟

大戟科 Euphorbiaceae 大戟属 Euphorbia

狼毒大戟 *Euphorbia fischeriana* Steud.

药材名

狼毒（药用部位：根。别名：兔儿奶子）。

形态特征

多年生草本，除生殖器官外无毛。根圆柱状，肉质，常分枝，长 20 ~ 30 cm，直径 4 ~ 6 cm。茎单一不分枝，高 15 ~ 45 cm，直径 5 ~ 7 mm。叶互生，于茎下部鳞片状，呈卵状长圆形，长 1 ~ 2 cm，宽 4 ~ 6 mm，向上渐大，逐渐过渡到正常茎生叶；茎生叶长圆形，长 4 ~ 6.5 cm，宽 1 ~ 2 cm，先端圆或尖，基部近平截，侧脉羽状不明显；无叶柄；总苞叶同茎生叶，常 5；伞幅 5，长 4 ~ 6 cm；次级总苞叶常 3，卵形，长约 4 cm，宽约 2 cm；苞叶 2，三角状卵形，长与宽均约 2 cm，先端尖，基部近平截。花序单生二歧分枝的先端，无柄；总苞钟状，具白色柔毛，高约 4 mm，直径 4 ~ 5 mm，边缘 4 裂，裂片圆形，具白色柔毛；腺体 4，半圆形，淡褐色；雄花多枚，伸出总苞外；雌花 1，子房柄长 3 ~ 5 mm，子房密被白色长柔毛，花柱 3，中部以下合生，柱头不分裂，中部微凹。蒴果卵球状，长约 6 mm，直径 6 ~ 7 mm，被白色长柔毛；果柄长达 5 mm；花柱宿存；成熟时分裂为 3 分果爿。种子扁球状，长与直径均约 4 mm，灰褐色，腹面条纹不清；种阜无柄。花果期 5 ~ 7 月。

| 生境分布 | 生于林缘、草地及田埂。分布于宁夏六盘山（泾源、隆德、原州）、罗山（同心）等。

| 资源情况 | 野生资源较少。

| 采收加工 | 春、秋季采挖，洗净，切片，晒干。

| 功能主治 | 辛，平；有毒。归肝、脾经。散结，杀虫。外用于淋巴结结核，皮癣。

| 用法用量 | 外用适量，熬膏敷。

大戟科 Euphorbiaceae 大戟属 Euphorbia

泽漆
Euphorbia helioscopia L.

| 药 材 名 | 泽漆（药用部位：全草。别名：猫儿眼、猫眼草）。

| 形态特征 | 一年生草本，高 20 ~ 30 cm。茎丛生，不分枝，基部常带淡紫红色，具纵棱，疏被柔毛。叶互生，无柄；叶片倒卵形或匙形，先端圆钝或微凹，基部渐狭，边缘中部以上具细尖锯齿，两面疏被长毛；下部叶较小，开花后逐渐脱落。总花序顶生，轮生苞叶 5，与叶同形，较叶大，其上生 5 伞梗，每伞梗先端再生 2 ~ 3 小伞梗，小伞梗再二歧分枝，小苞叶宽卵形或与叶同形；杯状总苞黄绿色，边缘 5 裂，裂片钝，腺体 4，盾形；子房具 3 纵槽，花柱 3，先端 2 裂。蒴果球形，光滑，3 瓣裂。种子卵圆形，褐色，表面具网纹。花果期 4 ~ 10 月。

泽漆

| 生境分布 | 生于山坡荒地、沟边、路旁。分布于宁夏六盘山、南华山及彭阳、原州、西吉、泾源、隆德、同心、盐池等。

| 资源情况 | 野生资源丰富。

| 采收加工 | 夏季采收，除去泥土，晒干。

| 药材性状 | 本品长 15～30 cm。根呈圆锥形，略弯曲，表面黄白色或浅棕黄色。茎簇生，圆柱形，直径 2～4 mm，表面黄褐色或淡黄色，有的呈暗紫红色，具纵纹；体轻，质脆，易折断，中空。叶互生，无柄；叶片淡黄绿色，多皱缩破碎，易脱落，完整者展平后呈倒卵形或匙形，长 1～2 cm，宽 0.8～1.5 cm。花序顶生，轮生 5 苞片，叶状，花小，黄色，多数。蒴果表面平滑，黄绿色。气特异，味苦、辛。

| 功能主治 | 辛、苦，微寒；有毒。归肺、大肠、小肠经。利水消肿，化痰止咳，散结，截疟。用于腹水胀满，水肿，小便不利，肺热咳嗽，痰饮喘咳，疟疾，瘰疬，痰核，无名肿毒。

| 用法用量 | 内服煎汤，4.5～9 g。外用适量，熬膏涂敷。

大戟科 Euphorbiaceae 大戟属 *Euphorbia*

甘肃大戟 *Euphorbia kansuensis* Prokh.

| 药 材 名 | 狼毒 (药用部位：根)。

| 形态特征 | 多年生草本，全株无毛。根圆柱状，肉质，分枝或否，长 10 ~ 30 cm，直径 3 ~ 7 cm。茎单一，直立，高 20 ~ 60 cm，直径 3 ~ 7 mm。叶互生，线形、线状披针形或倒披针形，变化较大，较典型的呈长圆形，长 6 ~ 9 cm，宽 1 ~ 2 cm，先端圆或渐尖，基部渐狭或呈楔形；侧脉羽状，不明显；无柄；总苞叶 3 ~ 5 (~ 8)，同茎生叶；苞片 2，卵状三角形，长 2 ~ 2.5 cm，宽 2.2 ~ 2.7 cm，先端尖，基部平截或略内凹。花序单生二歧分枝先端，无柄；总苞钟状，高与直径均 2.5 ~ 3 mm，边缘 4 裂，裂片三角状卵形，全缘；腺体 4，半圆形，暗褐色。雄花多枚，伸出总苞外；雌花 1 枚，子房柄长

甘肃大戟

约 3 mm，伸出总苞外，子房光滑无毛，花柱 3，中部以下合生，柱头 2 裂。蒴果三角状球形，长 5 ~ 5.8 mm，直径 5 ~ 6 mm，具微皱纹，无毛；花柱宿存；成熟时分裂为 3 分果爿。种子三棱状卵形，长与直径均约 4 mm，淡褐色至灰褐色，光滑，腹面具 1 条纹；种阜具柄。花果期 4 ~ 6 月。

| **生境分布** | 生于山坡、草丛、沟谷、灌丛或林缘等。分布于宁夏六盘山、罗山等。

| **资源情况** | 野生资源较少。

| **采收加工** | 春、秋季采挖，洗净，切片，晒干。

| **药材性状** | 本品为类圆形或长圆形切片，直径 1.5 ~ 8 cm，厚 0.3 ~ 4 cm。外皮薄，黄棕色或灰棕色，易剥落而露出黄色皮部。切面黄白色，有黄色不规则大理石样纹理或环纹。体轻，质脆，易折断，断面有粉性。气微，味微辛。

| **功能主治** | 辛，平；有毒。归肝、脾经。散结，杀虫。外用于淋巴结结核，皮癣。

| **用法用量** | 外用适量，熬膏敷。

大戟科 Euphorbiaceae 大戟属 Euphorbia

甘遂

Euphorbia kansui T. N. Liou ex S. B. Ho

甘遂

药材名

甘遂（药用部位：块根。别名：猫儿眼）。

形态特征

多年生草本，高 25 ~ 40 cm，有白色乳汁。根细长，稍弯曲，部分呈连球状，亦有呈长椭圆形或略呈弯曲柱形，外皮棕褐色，侧根及须根较少。茎直立，下部微木质化，淡红紫色，上部淡绿色，无毛。叶互生，近无柄；叶片线状披针形或披针形，长 2 ~ 7 cm，宽 4 ~ 5 mm，先端钝或急尖，基部楔形，全缘。花序顶生，有 5 ~ 9 伞梗，基部具轮生披针形叶，每伞梗再二杈状分枝；在分枝处具 1 对三角状宽卵形的苞片；总苞杯状，4 裂，腺体 4，生于裂片之间的外缘，呈新月形，黄色；雄花有雄蕊 1；雌花子房 3 室，花柱 3，柱头 2 裂。蒴果近球形。花期 4 ~ 6 月，果期 6 ~ 8 月。

生境分布

生于山坡草地、田边及路旁等。分布于宁夏原州、同心、中宁、西吉等。

资源情况

野生资源较少。

| **采收加工** | 春季开花前或秋末茎叶枯萎后采挖，撞去外皮，晒干。

| **药材性状** | 本品呈椭圆形、长圆柱形或连珠形，长 1 ~ 5 cm，直径 0.5 ~ 2.5 cm。表面类白色或黄白色，凹陷处有棕色外皮残留。质脆，易折断，断面粉性，白色，木部微显放射状纹理，长圆柱状者纤维性较强。气微，味微甘而辣。

| **功能主治** | 苦，寒；有毒。归肺、肾、大肠经。泻水逐饮，消肿散结。用于水肿胀满，胸腹积水，痰饮积聚，气逆喘咳，二便不利，风痰癫痫，痈肿疮毒。

| **用法用量** | 内服煎汤，0.5 ~ 1.5 g；炮制后多入丸、散剂。外用适量，生用。

大戟科 Euphorbiaceae 大戟属 Euphorbia

沙生大戟
Euphorbia kozlovii Prokh.

| 药 材 名 | 沙生大戟（药用部位：根）。

| 形态特征 | 多年生草本，高 15 ~ 30 cm。根圆柱形，直伸。茎单生，直立，具纵棱，下部常带紫红色，无毛，上部假二歧式分枝。叶椭圆形或卵状椭圆形，长 2 ~ 4 cm，宽 3 ~ 5 mm，先端钝，基部楔形，全缘，两面无毛；无柄；下部叶渐脱落；营养枝上的叶线形，长 1.5 ~ 2 cm，宽 2 ~ 4 mm。总花序顶生，轮生苞叶 2，三角状披针形，长 3 ~ 5 cm，宽 8 ~ 16 mm，先端急尖或钝，基部宽楔形或截形，稍抱茎，其上生 3 伞梗，每伞梗顶呈 2 ~ 4 回假二叉分枝式，最先端的分枝成具线形叶的营养枝；杯状聚伞花序生于枝杈间；杯状总苞宽钟形，先端 4 裂，裂片膜质，先端齿裂，腺体 4，椭圆形或微肾形；子房球形，花柱 3，分离，柱头 2 深裂。蒴果卵状矩圆

沙生大戟

形，灰蓝色，平滑无毛；种子光滑，长约 4 mm，直径 2.5 ~ 3.9 mm。花果期 5 ~ 8 月。

| 生境分布 | 生于荒漠沙地、向阳干旱山坡及沙质地。分布于宁夏罗山及利通、青铜峡、沙坡头、红寺堡、盐池、兴庆、同心、中宁、灵武等。

| 资源情况 | 野生资源较少。

| 采收加工 | 春、秋季采挖，洗净，切片，晒干。

| 功能主治 | 微甘，寒。解毒疗疮，吸湿止痒。用于疥癣，黄水疮，皮肤瘙痒，疮疡不敛，脓水淋漓。

大戟科 Euphorbiaceae ▏大戟属 Euphorbia

大戟
Euphorbia pekinensis Rupr.

大戟

▏药材名▏

大戟（药用部位：根。别名：京大戟、下马仙）。

▏形态特征▏

多年生草本。根圆柱状，长 20 ~ 30 cm，直径 6 ~ 14 mm，分枝或不分枝。茎单生或自基部多分枝，每个分枝上部又 4 ~ 5 分枝，高 40 ~ 80（~ 90）cm，直径 3 ~ 6（~ 7）cm，被柔毛或被少许柔毛或无毛。叶互生，常为椭圆形，少为披针形或披针状椭圆形，变异较大，先端尖或渐尖，基部渐狭或呈楔形、近圆形或近平截，全缘；主脉明显，侧脉羽状，不明显，叶两面无毛或有时叶背具少许柔毛或被较密的柔毛，变化较大且不稳定；总苞叶 4 ~ 7，长椭圆形，先端尖，基部近平截；伞幅 4 ~ 7，长 2 ~ 5 cm；苞叶 2，近圆形，先端具短尖头，基部平截或近平截。花序单生于二歧分枝先端，无柄；总苞杯状，高约 3.5 mm，直径 3.5 ~ 4 mm，边缘 4 裂，裂片半圆形，边缘具不明显的缘毛；腺体 4，半圆形或肾状圆形，淡褐色。雄花多数，伸出总苞外；雌花 1，具较长的子房柄，柄长 3 ~ 5（~ 6）mm，子房幼时被较密的瘤状突起，花柱 3，分离，柱头 2 裂。蒴果球状，长约 4.5 mm，直径 4 ~ 4.5 mm，被稀疏的瘤状突起，成熟时分裂为 3 分果爿；花柱宿存且易脱落。种子长球状，长约 2.5 mm，直径 1.5 ~ 2 mm，暗褐色或微光亮，腹面具浅色条纹；种阜近盾状，无柄。花期 5 ~ 8 月，果期 6 ~ 9 月。

| **生境分布** | 生于山坡、路旁、荒地、草丛、林缘及疏林下。分布于宁夏原州、西吉、隆德、泾源、彭阳等。

| **资源情况** | 野生资源稀少。

| **采收加工** | 秋季地上部分枯萎后至翌年早春萌芽前采挖，除去残茎及须根，洗净，切段或切片，晒干或烘干，亦可鲜用。

| **功能主治** | 苦，寒；有毒。归肺、脾、肾经。泻水逐饮，消肿散结。用于水肿，臌胀，胸胁停饮，疮痈肿毒，瘰疬痰核等。

| **用法用量** | 内服煎汤，1.5 ~ 3 g；或入丸、散剂，每次 1 g；或内服醋制用。外用适量，生用。

大戟科 Euphorbiaceae 大戟属 Euphorbia

钩腺大戟

Euphorbia sieboldiana Morr. et Decne.

钩腺大戟

| 药 材 名 |

钩腺大戟（药用部位：根）。

| 形态特征 |

多年生草本，高 30 ~ 60 cm。根粗壮，棕褐色。茎直立，单一，具纵棱，无毛或疏被柔毛，常带紫红色。叶互生，狭长椭圆形或椭圆状披针形，长 2 ~ 5（~ 6）cm，宽 5 ~ 15 mm，先端圆钝或急尖，基部渐狭，全缘，两面无毛，叶向下渐小或呈鳞片状，常呈紫红色。总花序顶生，轮生苞叶 5 ~ 8，苞叶披针形，基部常具 1 对圆钝裂片，长 4 ~ 5.5 cm，宽 1 ~ 1.5 cm，先端圆钝或急尖，其上生 6 ~ 8 伞梗，每伞梗先端再分生出 2 ~ 3 小伞梗；上部叶腋常生单梗；小苞片及苞片三角状宽卵形，长 1 ~ 2.5 cm，宽 1 ~ 2 cm，先端渐尖或尾状渐尖；杯状总苞宽钟形，边缘 4 裂，腺体 4，新月形，两端具弯曲尖角；子房近球形，光滑，花柱 3，柱头 2 裂。蒴果扁球形，无毛。种子卵形，棕褐色。花果期 4 ~ 9 月。

| 生境分布 |

生于林缘、草地或路边。分布于宁夏六盘山、罗山及原州、西吉、隆德、泾源、彭阳、海原、同心等。

| 资源情况 | 野生资源较少。

| 采收加工 | 春、秋季采挖，洗净，晒干。

| 功能主治 | 辛，平；有毒。归胃、大肠、肺经。破积逐水，止咳逆，催吐，杀虫解毒。用于肠胃积滞，肺气上逆之咳喘，水肿，痰饮积聚；外用于疥疮。

| 用法用量 | 内服煎汤，1.5 ~ 3 g。外用适量，煎汤熏洗。

大戟科 Euphorbiaceae 蓖麻属 Ricinus

蓖麻 *Ricinus communis* L.

蓖麻

药材名

蓖麻子（药用部位：种子。别名：红麻、草麻、八麻子）。

形态特征

一年生草本，高约 5 m。茎粗壮，直立，中空，幼时部分被白粉。叶大形，盾状圆形，直径约 40 cm，掌状 7 ~ 11 裂，裂片矩圆状卵形或矩圆状披针形，先端渐尖，边缘具不整齐的锯齿，齿端具腺点，上面绿色，下面淡绿色，主脉掌状，两面无毛；叶柄长约 40 cm，被白粉。圆锥花序顶生或与叶对生；雄花萼片 3 ~ 5，膜质，卵状三角形，雄蕊多数，花丝多分枝；雌花萼片 3 ~ 5，卵状披针形，子房卵形，3 室，外面被软刺，花柱 3，先端 2 裂，深红色，被细密突起。蒴果近球形，直径 1.5 ~ 2.5 cm，具 3 纵沟，有软刺或无，3 瓣裂。种子长椭圆形，稍扁，有光泽，具斑纹，有加厚的种阜。花期几全年或 6 ~ 9 月。

生境分布

生于田边、沟渠及村庄附近。宁夏各地均有分布。

| 资源情况 | 野生资源较丰富。

| 采收加工 | 秋季采摘成熟果实，晒干，除去果壳，收集种子。

| 药材性状 | 本品呈长圆形，稍扁，长 1 ~ 1.5 cm，宽 6 ~ 9 mm。一面较平，一面隆起，上端稍宽。外种皮有黑褐色或黄褐色与灰白色相间的大理石样纹理，平滑而有光泽。较小的一端有灰白色或浅棕色凸起的种阜，并具珠孔，较平的阜面有 1 微凸起的种脊，由种阜延伸到合点，合点微凸起。外种皮硬脆，较薄，内种皮白色薄膜状，包裹白色富有油性的内胚乳，中央有 2 大型菲薄的子叶，具明显叶脉，胚根在珠孔一端。无臭，味涩、微辣。以颗粒饱满、粒大者为佳。

| 功能主治 | 甘、辛，平；有毒。归大肠、肺经。消肿拔毒，泻下通滞。用于痈疽肿毒，瘰疬，乳痈，喉痹，疥癞癣疮，烫伤，水肿胀满，大便燥结，口眼歪斜，跌打损伤等。

| 用法用量 | 外用适量，捣敷。亦可入丸剂内服。

大戟科 Euphorbiaceae 地构叶属 Speranskia

地构叶 *Speranskia tuberculata* (Bunge) Baill.

| 药 材 名 | 透骨草（药用部位：地上部分。别名：珍珠透骨草）。

| 形态特征 | 多年生草本，高 25 ～ 50 cm。根粗壮，木质，淡黄色。茎直立，多由基部分枝，密被短柔毛。叶互生，无柄，叶片披针形或卵状披针形，先端渐尖或稍钝，基部钝圆或渐狭，边缘疏生不规则的牙齿，上面幼时密被短柔毛，后渐脱落，背面密被柔毛。花单性，雌雄同株，总状花序顶生；花小，淡绿色，常数朵簇生，苞片披针形；雄花萼片 5，卵状披针形，被毛，花瓣 5，膜质，倒三角形，长不及花萼的一半，先端具睫毛，腺体 5，小形，雄蕊 8 ～ 12 （ ～ 15 ），花丝疏被毛；雌花萼片 5，狭卵状披针形，被毛，花瓣短小，倒卵状菱形，基部楔形，外面及边缘具毛，腺体小，子房 3 室，被毛及疣刺，

地构叶

花柱 3，2 深裂。蒴果扁球状三角形，具乳头状突起。种子卵圆形，深褐色。花果期 5 ~ 9 月。

| 生境分布 | 生于干旱沙质土壤及干旱石质山坡或山地路边。分布于宁夏贺兰山及原州、隆德、泾源、彭阳、西吉、盐池等。

| 资源情况 | 野生资源较丰富。

| 采收加工 | 夏、秋季割取全草，除去杂质，晒干。

| 药材性状 | 本品全草长 15 ~ 35 cm。茎多分枝，呈圆柱形，直径 1 ~ 3 mm，表面灰绿色或淡紫色，密生细柔毛，质脆，易折断；断面黄绿色，中空，残留根茎木质，断面外圈有 1 紫色环。叶互生，多破碎、脱落或皱缩，灰绿色，完整者展平后呈披针形，边缘疏生不规则牙齿，两面密被细柔毛。枝梢为总状花序或果序，小花淡绿色。蒴果三角状扁球形。微臭，味淡。

| 功能主治 | 辛，温。归肺、肝经。祛风除湿，活血止痛。用于风湿痹痛，筋骨拘挛，扭挫伤，寒湿脚气，疮痈肿毒，阴囊湿疹。

| 用法用量 | 内服煎汤，6 ~ 9 g。外用适量，煎汤洗。

叶下珠科 Phyllanthaceae 白饭树属 Flueggea

一叶萩
Flueggea suffruticosa (Pall.) Baill.

| 药 材 名 | 一叶萩（药用部位：嫩枝、叶。别名：山嵩树、狗梢条、叶底珠）。

| 形态特征 | 落叶灌木，高 1 ~ 3 m。茎丛生，多分枝，老枝呈灰褐色，平滑无毛，嫩枝绿色，纤细，有棱线，上部多下垂。叶互生，具短柄，叶片椭圆形或卵状椭圆形，长 1.5 ~ 8 cm，宽 1 ~ 3 cm，先端钝圆或短尖，基部楔形，全缘或有不整齐的波状齿。花小，单性，雌雄异株，无花瓣；雄花数朵簇生于叶腋，花梗长短不等，纤细，萼片 5，卵形，大小不等，雄蕊 5，与花萼近等长，退化雌蕊长约 1 mm，常 2 裂；雌花单生或数朵簇生于叶腋，萼片 5，宽卵形，外层 1 萼片通常较狭小，子房球形，3 室，花柱短，柱头 3。蒴果三棱状扁球形，直径约 5 mm，成熟时红褐色，无毛，3 裂。种子半圆形，褐色。花

一叶萩

期 3 ~ 8 月，果期 6 ~ 11 月。

| **生境分布** | 生于向阳石质山坡或山地灌丛。分布于宁夏贺兰山、六盘山及金凤、永宁等。

| **资源情况** | 野生资源较少。

| **采收加工** | 夏季采收，晒干。

| **功能主治** | 甘、苦，温；有毒。归肝、肾、脾经。祛风活血，益肾强筋，健脾消积。用于四肢麻木，偏瘫，口眼歪斜，筋骨痿软，风湿痹痛，眩晕，耳鸣，阳痿，疳积，带下，面神经麻痹，小儿麻痹后遗症，神经衰弱，嗜睡症。

| **用法用量** | 内服煎汤，3 ~ 6 g。

漆树科 Anacardiaceae 盐肤木属 Rhus

盐肤木 *Rhus chinensis* Mill.

| 药 材 名 | 盐肤木根（药用部位：树根。别名：盐麸子根、文蛤根、五倍根）、盐肤木根皮（药用部位：根皮）、盐肤木皮（药用部位：树皮）、盐肤木花（药用部位：花）、盐肤叶（药用部位：叶）、盐肤子（药用部位：果实）、五倍子苗（药用部位：幼嫩枝苗）、五倍子（药材来源：虫瘿）。 |

| 形态特征 | 落叶小乔木或灌木，高 2 ~ 10 m。小枝棕褐色，被锈色柔毛，具圆形小皮孔。奇数羽状复叶有小叶（2 ~ ）3 ~ 6 对，叶轴具宽的叶状翅，小叶自下而上逐渐增大，叶轴和叶柄密被锈色柔毛；小叶多形，卵形、椭圆状卵形或长圆形，长 6 ~ 12 cm，宽 3 ~ 7 cm，先端急尖，基部圆形，顶生小叶基部楔形，边缘具粗锯齿或圆齿，叶面暗绿色， |

盐肤木

叶背粉绿色，被白粉，叶面沿中脉疏被柔毛或近无毛，叶背被锈色柔毛，脉上较密，侧脉和细脉在叶面凹陷，在叶背凸起；小叶无柄。圆锥花序宽大，多分枝，雄花序长 30 ~ 40 cm，雌花序较短，密被锈色柔毛；苞片披针形，长约 1 mm，被微柔毛，小苞片极小，花白色，花梗长约 1 mm，被微柔毛。雄花花萼外面被微柔毛，裂片长卵形，长约 1 mm，边缘具细睫毛；花瓣倒卵状长圆形，长约 2 mm，开花时外卷；雄蕊伸出，花丝线形，长约 2 mm，无毛，花药卵形，长约 0.7 mm；子房不育。雌花花萼裂片较短，长约 0.6 mm，外面被微柔毛，边缘具细睫毛；花瓣椭圆状卵形，长约 1.6 mm，边缘具细睫毛，里面下部被柔毛；雄蕊极短；花盘无毛；子房卵形，长约 1 mm，密被白色微柔毛，花柱 3，柱头头状。核果球形，略压扁，直径 4 ~ 5 mm，被具节柔毛和腺毛，成熟时红色，果核直径 3 ~ 4 mm。花期 8 ~ 9 月，果期 10 月。

| **生境分布** | 生于海拔 1 500 ~ 2 700 m 的向阳山坡、沟谷、溪边的疏林或灌丛中。分布于宁夏六盘山等。

| **资源情况** | 野生资源较少。

| **采收加工** | 盐肤木根：全年均可采挖，鲜用或切片，晒干。
盐肤木根皮：全年均可采挖根，洗净，剥取根皮，鲜用或晒干。
盐肤木皮：夏、秋季剥取树皮，去掉栓皮层，留取韧皮部，鲜用或晒干。
盐肤木花：8 ~ 9 月采收，鲜用或晒干。
盐肤叶：夏、秋季采收，随采随用。
盐肤子：10 月采收，鲜用或晒干。
五倍子苗：春季采收，晒干或鲜用。
五倍子：秋季采摘，置沸水中略煮或蒸至表面呈灰色，杀死蚜虫，取出，干燥。按外形不同，分为"肚倍"和"角倍"。

| **药材性状** | 五倍子：肚倍呈长圆形或纺锤形囊状，长 2.5 ~ 9 cm，直径 1.5 ~ 4 cm。表面灰褐色或灰棕色，微有柔毛。质硬而脆，易破碎，断面角质样，有光泽，壁厚 0.2 ~ 0.3 cm，内壁平滑，有黑褐色死蚜虫及灰色粉状排泄物。气特异，味涩。角倍呈菱形，具不规则的钝角状分枝，柔毛较明显，壁较薄。

| **功能主治** | 盐肤木根：酸、咸，平。归脾、肾经。祛风湿，利水消肿，活血散毒。用于慢性支气管炎，冠心病，疲倦乏力，风湿关节痛，坐骨神经痛，腰肌劳损，扭伤，跌打损伤。
盐肤木根皮：酸、咸，凉。归肝经。清热利湿，解毒散瘀。用于食欲不振，小儿疳积，产后子宫收缩不良，疮疡肿毒，跌打损伤，毒蛇咬伤。
盐肤木皮：酸，微寒。归肝经。清热解毒，活血止痢。用于血痢，痈肿，疮疥，蛇犬咬伤。
盐肤木花：咸，凉。归肾经。清热解毒。用于鼻疳，痈毒溃烂。
盐肤叶：微苦，微温。消肿解毒。用于皮肤过敏，湿疹，皮炎，对口疮。

盐肤子：酸、咸，凉。归肺、肝经。生津润肺，降火化痰，敛汗，止痢。用于痰嗽，喉痹，黄疸，盗汗，痢疾，顽癣，痈毒，头风白屑。

五倍子苗：味酸，性微温。解毒利咽。用于咽痛喉痹。

五倍子：酸、涩，寒。归肺、大肠、肾经。敛肺降火，涩肠止泻，敛汗，止血，收湿敛疮。用于肺虚久咳，肺热痰嗽，久泻久痢，自汗盗汗，消渴，便血痔血，外伤出血，痈肿疮毒，皮肤湿烂。

| **用法用量** | 盐肤木根：内服煎汤，9～15 g，鲜品30～60 g。外用适量，研末调敷；或煎汤洗；或鲜品捣敷。

盐肤木根皮：内服煎汤，15～60 g。外用适量，捣敷。

盐肤木皮：内服煎汤，15～60 g。外用适量，煎汤洗；或捣敷。

盐肤木花：外用适量，研末撒或调搽。

盐肤叶：内服煎汤，9～15 g，鲜品30～60 g。外用适量，煎汤洗；或鲜品捣敷；或捣汁涂。

盐肤子：内服煎汤，9～15 g；或研末。外用适量，煎汤洗；或捣敷；或研末调敷。

五倍子苗：内服煎汤，9～15 g。

五倍子：内服煎汤，3～6 g。外用适量。

漆树科 Anacardiaceae 盐肤木属 Rhus

青麸杨 *Rhus potaninii* Maxim.

青麸杨

| 药 材 名 |

青麸杨根（药用部位：根）、五倍子（药用部位：虫瘿）。

| 形态特征 |

小乔木，高 5 ～ 8 m。树皮灰色，粗糙。小枝浅黄绿色，微具纵棱，无毛。叶互生，奇数羽状复叶，叶轴圆柱形，无毛；具 7 ～ 9 小叶，小叶长卵形、卵状椭圆形至狭长卵形，长 5 ～ 10 cm，宽 2 ～ 4 cm，先端渐尖或长渐尖，基部圆形至宽楔形，全缘，有时下部具 2 ～ 3 对粗锯齿，上面绿色，无毛或几无毛，下面灰绿色，无毛或沿主脉被稀疏柔毛；小叶柄长 3 ～ 5 mm。圆锥花序顶生，被毛；花小，白色；萼片 5，三角状锥形，被柔毛；花瓣 5，卵形；雄蕊 5；子房被柔毛，柱头 3 裂。核果近球形，下垂，血红色，密被柔毛。花期 5 ～ 6 月，果期 8 ～ 9 月。

| 生境分布 |

生于山坡疏林或灌丛中。分布于宁夏泾源等。

| 资源情况 |

野生资源稀少。

| **采收加工** | 青麸杨根：夏、秋季采挖，洗净，除去表皮，留取韧皮部，晒干。

五倍子：秋季采摘，置沸水中略煮或蒸至表面呈灰色，杀死蚜虫，取出，干燥。按外形不同，分为"肚倍"和"角倍"。

| **药材性状** | 五倍子：本品肚倍呈长圆形或纺锤形囊状，长 2.5 ~ 9 cm，直径 1.5 ~ 4 cm。表面灰褐色或灰棕色，微有柔毛。质硬而脆，易破碎，断面角质样，有光泽，壁厚 0.2 ~ 0.3 cm，内壁平滑，有黑褐色死蚜虫及灰色粉状排泄物。气特异，味涩。角倍呈菱形，具不规则的钝角状分枝，柔毛较明显，壁较薄。

| **功能主治** | 青麸杨根：辛，热。归心、肝、肾经。祛风解毒。用于小儿缩阴症，瘰疬。

五倍子：酸、涩，寒。归肺、大肠、肾经。敛肺降火，涩肠止泻，敛汗，止血，收湿敛疮。用于肺虚久咳，肺热痰嗽，久泻久痢，自汗盗汗，消渴，便血痔血，外伤出血，痈肿疮毒，皮肤湿烂。

| **用法用量** | 青麸杨根：内服煎汤，30 ~ 60 g。

五倍子：内服煎汤，3 ~ 6 g。外用适量。

漆树科 Anacardiaceae 盐肤木属 Rhus

火炬树 *Rhus typhina* L.

火炬树

| 药 材 名 |

火炬树（药用部位：树皮、根皮）。

| 形态特征 |

落叶灌木或小乔木，高 4 ~ 8 m，树形不整体。小枝粗壮，红褐色，密生绒毛。叶轴无翅，小叶 19 ~ 23，长椭圆状披针形，长5 ~ 12 cm，先端长渐尖，有锐锯齿。花雌雄异株，圆锥花序长 10 ~ 20 cm，直立，密生绒毛；花白色。核果深红色，密被毛，密集成火炬形。花期 6 ~ 7 月，果期 9 ~ 10 月。

| 生境分布 |

栽培种。宁夏兴庆、西夏、金凤、灵武、永宁、贺兰、原州、西吉、隆德、泾源、彭阳、沙坡头、中宁、海原等有栽培。

| 资源情况 |

栽培资源较少。

| 采收加工 |

全年均可采收，挖根，洗净，剥取根皮，鲜用或晒干。

| **功能主治** | 止血。用于外伤出血。

| **附　　注** | 本种耐干旱，根萌蘖力强。

漆树科 Anacardiaceae 漆树属 Toxicodendron

漆树
Toxicodendron vernicifluum (Stokes) F. A. Barkl.

| 药 材 名 | 干漆（药材来源：漆树的树脂经加工后的干燥品。别名：漆渣、续命筒、黑漆）、生漆（药材来源：树脂。别名：大漆）、漆子（药用部位：种子）、漆叶（药用部位：叶）、漆树根（药用部位：根）、漆树木心（药用部位：心材）、漆树皮（药用部位：树皮或根皮）。

| 形态特征 | 乔木，高达 10 m。树皮灰白色，粗糙，具不规则纵裂。小枝粗壮，淡黄色，被棕色柔毛。奇数羽状复叶，互生，具小叶 5 ~ 13；小叶片卵形或卵状长椭圆形，长 7 ~ 15 cm，宽 2 ~ 6 cm，先端渐尖，基部圆形至宽楔形，全缘，上面无毛，下面沿脉被短柔毛。圆锥花序叶腋生，被短柔毛；花杂性或雌雄异株；花小，黄绿色，萼 5 裂，长圆形；花瓣 5，卵状矩圆形，有紫色脉纹，长为萼裂片的 2 倍；雄蕊 5，花丝短，花药 2 室；子房卵圆形，花柱短，柱头 3 裂。核

漆树

果扁球形，黄绿色，光滑。花期5～6月，果期7～10月。

| 生境分布 | 生于海拔1 800～2 000 m的山谷杂木林中。分布于宁夏六盘山（泾源、隆德、原州）及西吉、彭阳等，原州、隆德、泾源其他区域也有分布。

| 资源情况 | 野生资源稀少。

| 采收加工 | 干漆、生漆：春、夏季漆液流动旺盛时，在树干离地面10～15 cm处割箭头形沟，用容器接盛流下的漆液，称为生漆，干燥后称为干漆。药用干漆多为漆缸底或壁的漆渣，晒干。

漆子：9～10月果实成熟时采收，除去果柄，晒干。

漆叶：夏、秋季采收，随采随用。

漆树根：全年均可采挖，洗净，切片，鲜用或晒干。

漆树木心：全年均可采收，将木材砍碎，晒干。

漆树皮：全年均可采收，剥取树皮或挖根，洗净，剥取根皮，鲜用。

| 功能主治 | 干漆：辛，温。归肝、脾经。温中散寒，回阳通脉，温肺化饮。

生漆：辛，温。归肝、脾经。杀虫。用于虫积，水蛊。

漆子：辛，温。归肝经。活血止血，温经止痛。用于出血夹瘀的便血、尿血、崩漏及瘀滞腹痛，闭经。

漆叶：辛，温。归肝、脾经。活血解毒，杀虫敛疮。用于紫云疯，面部紫肿，外伤瘀肿出血，疮疡溃烂，疥癣，漆中毒。

漆树根：辛，温。归肝经。活血散瘀，通经止痛。用于跌打瘀肿疼痛，经闭腹痛。

漆树木心：辛，温。归肝、胃经。行气活血止痛。用于气滞血瘀所致的胸胁胀痛，脘腹气痛。

漆树皮：辛，温；有小毒。接骨。用于跌打损伤。

| 用法用量 | 干漆：内服入丸、散剂，2～4.5 g；内服宜炒或煅后用。外用烧烟熏。

生漆：内服生用和丸；或熬干研末入丸、散剂。外用适量，涂抹。

漆子：内服煎汤，6～9 g；或入丸、散剂。

漆叶：外用适量，捣敷；或捣汁搽；或煎汤洗。

漆树根：内服煎汤，6～15 g。外用鲜品适量，捣敷。

漆树木心：内服煎汤，3～6 g。

漆树皮：外用适量，捣烂用酒炒敷。

▌卫矛科▐ Celastraceae ▌卫矛属▐ Euonymus

卫矛

Euonymus alatus (Thunb.) Sieb.

| 药 材 名 | 鬼箭羽（药用部位：带木栓质翅的细枝。别名：八肋木、白檀子）。

| 形态特征 | 灌木，高 1 ～ 3 m。枝灰绿色，具 2 ～ 4 纵列木栓质翅，或有时近无翅。叶对生，具短柄或无柄，叶片椭圆形、菱状椭圆形或菱状披针形，先端渐尖，基部楔形或近圆形，边缘具细锐锯齿，上面绿色，下面浅绿色，两面无毛或下面沿中脉被极短的硬毛。聚伞花序叶腋生，常具 3 花，浅黄绿色；萼片半圆形；花瓣倒卵圆形；雄蕊着生于花盘的近边缘；花盘平坦，4 浅裂或不裂；子房与花盘贴生，4 室，每室含 2 胚珠，花柱短。蒴果紫褐色，常 1 ～ 2 心皮发育。花期 5 ～ 6 月，果期 7 ～ 10 月。

| 生境分布 | 生于海拔 1 700 ～ 2 100 m 的山坡林下、林缘。分布于宁夏六盘山及

卫矛

沙坡头、金凤、泾源等。

| **资源情况** | 野生资源较少。

| **采收加工** | 夏、秋季选取带木栓质翅的嫩枝砍下，除去无翅细枝和叶，晒干。

| **药材性状** | 本品为长圆柱形，先端多分枝，长 20 ~ 50 cm，直径 0.3 ~ 1 cm。表面灰绿色或灰黄绿色，粗糙，具 4 灰褐色木栓质翅状物，翅状物呈扁平片状，靠近基部稍厚，向外渐薄，状如箭羽。翅状物质松脆，易折断或碎落，断面棕色。枝木质，硬而韧，难折断，断面黄白色。无臭，味微苦、涩。

| **功能主治** | 苦，寒。归肝经。破血散寒，祛风杀虫。用于闭经，癥瘕，月经不调，痛经，产后瘀滞腹痛，风湿痹痛，虫积腹痛，跌打损伤，瘀血肿痛，风疹，漆疮。

| **用法用量** | 内服煎汤，4.5 ~ 9 g。外用适量，煎汤熏洗。

卫矛科 Celastraceae 卫矛属 *Euonymus*

白杜

Euonymus maackii Rupr.

| 药 材 名 | 丝棉木（药用部位：茎、根皮。别名：白杜、腊梅花）。

| 形态特征 | 小乔木，高 6 m。叶卵状椭圆形、卵圆形或窄椭圆形，长 4 ～ 8 cm，宽 2 ～ 5 cm，先端长渐尖，基部阔楔形或近圆形，边缘具细锯齿，有时极深而锐利；叶柄通常细长，常为叶片长的 1/4 ～ 1/3，但有时较短。聚伞花序 3 至多花，花序梗略扁，长 1 ～ 2 cm；花 4 基数，淡白绿色或黄绿色，直径约 8 mm；小花梗长 2.5 ～ 4 mm；雄蕊花药紫红色，花丝细长，长 1 ～ 2 mm。蒴果倒圆心状，4 浅裂，长 6 ～ 8 mm，直径 9 ～ 10 mm，成熟后果皮粉红色。种子长椭圆状，长 5 ～ 6 mm，直径约 4 mm，种皮棕黄色，假种皮橙红色，全包种子，成熟后先端常有小口。花期 5 ～ 6 月，果期 9 月。

白杜

| **生境分布** | 生于山坡林缘、山麓、山溪路旁。分布于宁夏兴庆、西夏、金凤、灵武、永宁、贺兰、大武口、惠农、平罗、利通、红寺堡、青铜峡、同心、沙坡头、中宁、海原、盐池等。

| **资源情况** | 野生资源较少。

| **采收加工** | 全年均可采收，洗净，切片，晒干。

| **功能主治** | 苦、涩，寒；有小毒。归肝、脾、肾经。行血通经，散瘀止痛，祛风除湿。用于月经不调，产后血瘀，风湿痹证，腰痛，漆疮，痔疮，血栓闭塞性脉管炎。

| **用法用量** | 内服煎汤，15 ~ 30 g，鲜品加倍；或浸酒；或入散剂。外用适量，捣敷或煎汤熏洗。

卫矛科 Celastraceae 卫矛属 Euonymus

纤齿卫矛
Euonymus giraldii Loes.

| 药 材 名 | 纤齿卫矛（药用部位：根）。

| 形态特征 | 灌木，高 1 ~ 3 m。小枝圆柱形，干后灰褐色；当年生枝绿色，稍四棱形。叶对生，卵形、卵状矩圆形或倒卵状矩圆形，长 3 ~ 7 cm，宽 2 ~ 3 cm，先端渐尖，基部圆形或宽楔形，边缘具纤毛状细密锯齿，上面绿色，下面灰绿色，两面无毛；叶柄长 3 ~ 5 mm。聚伞花序叶腋生，疏散，具花 3 ~ 9；总花梗长 2 ~ 4 cm；花淡绿色，4 基数，直径 6 ~ 10 mm；萼片近圆形，长约 1.5 mm；花瓣卵圆形，长约 2.5 mm，宽约 2 mm；雄蕊着生于花盘上，花丝粗短，长约 0.5 mm；花柱短，柱头头状。蒴果具 4 翅，翅狭三角形，长约 1 cm，宽约 6 mm。花期 5 ~ 9 月，果期 8 ~ 11 月。

纤齿卫矛

| 生境分布 | 生于海拔 2 000 ～ 2 300 m 的向阳山坡杂木林中。分布于宁夏六盘山、南华山及隆德等。 |

| 资源情况 | 野生资源较少。 |

| 采收加工 | 秋后采挖，洗净，切片，鲜用或晒干。 |

| 功能主治 | 辛，凉。祛瘀止痛，解毒消肿。用于跌打损伤，痈肿疮毒。 |

| 用法用量 | 内服煎汤，6 ～ 9 g。外用适量，捣敷；或煎汤熏洗。 |

卫矛科 Celastraceae 卫矛属 *Euonymus*

冬青卫矛
Euonymus japonicus Thunb.

| **药 材 名** | 大叶黄杨（药用部位：茎皮及枝）、大叶黄杨根（药用部位：根）、大叶黄杨叶（药用部位：叶）。

| **形态特征** | 灌木，高可达3 m。小枝4棱，具细微皱突。叶革质，有光泽，倒卵形或椭圆形，长3～5 cm，宽2～3 cm，先端圆阔或急尖，基部楔形，边缘具浅细钝齿；叶柄长约1 cm。聚伞花序5～12花，花序梗长2～5 cm，2～3次分枝，分枝及花序梗均扁壮，第三次分枝常与小花梗等长或较小花梗短；小花梗长3～5 mm；花白绿色，直径5～7 mm；花瓣近卵圆形，长、宽各约2 mm；雄蕊花药长圆状，内向，花丝长2～4 mm；子房每室2胚珠，着生中轴顶部。蒴果近球状，直径约8 mm，淡红色。种子每室1，顶生，椭圆状，长

冬青卫矛

约 6 mm，直径约 4 mm，假种皮橘红色，全包种子。花期 6 ~ 7 月，果期 9 ~ 10 月。

| 生境分布 | 生于土壤湿润的向阳地或庭院栽培。分布于宁夏兴庆、西夏、金凤、灵武、永宁、贺兰、大武口、惠农、平罗等。

| 资源情况 | 野生及栽培资源较少。

| 采收加工 | 大叶黄杨：全年均可采收，切段或剥皮，晒干。
大叶黄杨根：冬季采挖，洗去泥土，切片，晒干。
大叶黄杨叶：春季采收，晒干。

| 药材性状 | 大叶黄杨：本品外表面灰褐色，较粗糙，有点状突起的皮孔及纵向浅裂纹。内表面淡棕色，较光滑。断面略呈纤维性，有较密的银白色丝状物，拉至 3 mm 即断。气微，味淡而涩。

| 功能主治 | 大叶黄杨：苦、辛，微温。祛风湿，强筋骨，活血止血。用于风湿痹痛，腰膝酸软，跌打伤肿，吐血。
大叶黄杨根：辛、苦，温。归肝经。活血调经，祛风湿。用于月经不调，痛经，风湿痹痛。
大叶黄杨叶：解毒清肿。用于疮疡肿毒。

| 用法用量 | 大叶黄杨：内服煎汤，15 ~ 30 g；或浸酒。
大叶黄杨根：内服煎汤，15 ~ 30 g。
大叶黄杨叶：外用适量，鲜品捣敷。

卫矛科 Celastraceae 卫矛属 Euonymus

矮卫矛
Euonymus nanus Bieb.

| 药 材 名 | 矮卫矛（药用部位：根、枝皮。别名：土沉香）。

| 形态特征 | 矮小灌木，高约 1 m。小枝淡绿色，无毛，具条棱。叶线形或线状矩圆形，3 叶轮生、互生或有时对生，长 1.5 ~ 3.5 cm，宽 2.5 ~ 6 mm，先端圆钝或急尖，具 1 小尖头，基部圆钝，全缘或疏生钝锯齿，常反卷，主脉在下面明显隆起，两面无毛；叶柄短，长约 0.6 mm。聚伞花序叶腋生，具 1 ~ 3 花，总花梗长 2 ~ 3 cm，无毛，先端具 1 ~ 2 淡紫红色的总苞片，披针形，长约 1.5 mm；花梗长 2 ~ 3 cm，近基部具 1 ~ 2 苞片，与总苞片同形；花 4 基数，紫褐色，直径约 5 mm；萼片半圆形，长约 1.2 mm，宽约 1.5 mm；花瓣卵圆形，长约 2.3 mm，宽约 1.9 mm；雄蕊着生于花盘上，花丝极短，花药黄色；

矮卫矛

花盘 4 浅裂；柱头头状，不显著。蒴果近球形，成熟时紫红色，直径约 9 mm，4 瓣开裂。花期 5 月上旬至 7 月下旬，果期 8 ~ 9 月。

| **生境分布** | 生于河滩灌丛、崖下草地或路边草地。分布于宁夏六盘山、贺兰山、南华山及泾源、海原、西吉、原州、同心等。

| **资源情况** | 野生资源较少。

| **采收加工** | 秋后采挖根，洗净，切片，或剥取枝皮，晒干。

| **功能主治** | 辛、苦，微温。祛风散寒，除湿通络。用于风寒湿痹，关节肿痛，肢体麻木。

| **用法用量** | 内服煎汤，10 ~ 15 g。外用适量，鲜品捣敷。

卫矛科 Celastraceae 卫矛属 Euonymus

栓翅卫矛
Euonymus phellomanus Loesener

| 药 材 名 | 翅卫矛（药用部位：枝皮）。

| 形态特征 | 灌木，高 3 ~ 4 m。当年生枝绿色，具 4 棕色棱；老枝灰绿色，具 4 列较宽的灰褐色木栓质翅。叶对生，长椭圆形、倒卵状长椭圆形或椭圆状披针形，长 6 ~ 11 cm，宽 2 ~ 4 cm，先端渐尖，基部楔形、宽楔形或近圆形，边缘具浅细锯齿，齿端具褐色腺点，两面无毛；叶柄长 8 ~ 15 mm，腹面具沟槽，两侧具狭翅。聚伞花序叶腋生，2 ~ 3 次分枝较短而呈伞状，具花 7 ~ 15；总花梗长 1.5 ~ 2 cm，光滑无毛；小花梗长约 5 mm；花小，淡绿色，直径约 8 mm，4 基数；萼片近圆形，直径 2 ~ 3 mm，具膜质边；花瓣狭倒卵形，长约 4 mm，宽约 1.3 mm，先端钝圆；雄蕊稍短于花瓣，长约 3.5 mm，

栓翅卫矛

着生于花盘上，与花瓣互生；花盘紫褐色，光滑，4 浅裂；子房 4 室，花柱长约 2 mm。蒴果粉红色，近倒心形，具 4 棱，直径约 1 cm，长 7 ~ 9 mm，每室仅 1 种子发育。花期 7 月，果期 9 ~ 10 月。

| **生境分布** | 生于海拔 2 100 m 左右的山坡林缘或灌丛中。分布于宁夏六盘山及原州、西吉、隆德、彭阳、金凤、泾源等。

| **资源情况** | 野生资源较少。

| **采收加工** | 7 ~ 8 月采枝，刮取外皮，洗净，切段，晒干。

| **功能主治** | 苦，微寒。活血调经，散瘀止痛。用于月经不调，产后瘀阻腹痛，跌打损伤，风湿痹痛。

| **用法用量** | 内服煎汤，6 ~ 10 g；或浸酒；或入丸、散剂。孕妇禁服。

冷地卫矛
Euonymus frigidus Wall. ex Roxb.

| 药 材 名 | 冷地卫矛（药用部位：枝。别名：丝棉木卫矛、丝棉木）。

| 形态特征 | 灌木，高 0.1 ~ 3.5 m。小枝灰绿色，圆柱形。叶对生，椭圆形、卵状椭圆形或倒卵状椭圆形，长 6 ~ 15 cm，宽 2 ~ 6 cm，先端长渐尖，基部楔形或宽楔形，稀近圆形，边缘具细密锯齿，上面绿色，下面淡绿色，两面无毛；叶柄长 6 ~ 10 mm。聚伞花序叶腋生，具花 3 ~ 8；总花梗纤细，长 2 ~ 5 cm；小花梗长约 1 cm，无毛；花紫红色，4 基数，直径约 6 mm；萼片半圆形，长约 1 mm；花瓣椭圆形或卵形，长约 2.3 mm，宽约 2 mm；雄蕊着生于花盘上，花丝极短，花药黄色，1 室；花盘暗紫色，4 浅裂；花柱不显著。蒴果带紫红色，圆形，具 4 狭长翅，翅长 1 ~ 1.4 cm，宽 2 ~ 3 mm，先端渐尖。种

冷地卫矛

子扁卵圆形，浅棕色，具橙黄色假种皮。花期 5 月，果期 8 ～ 9 月。

| **生境分布** | 生于海拔 1 600 ～ 2 200 m 的阴坡杂木林中。分布于宁夏六盘山及隆德等。

| **资源情况** | 野生资源较少。

| **采收加工** | 春、秋季采收，切段，晒干。

| **功能主治** | 苦，寒。破血，止痛，杀虫。用于月经不调，癥结腹痛，血晕，关节炎等。

| **用法用量** | 内服煎汤，3 ～ 9 g。

卫矛科 Celastraceae 卫矛属 Euonymus

陕西卫矛
Euonymus schensianus Maxim.

| **药 材 名** | 陕西卫矛（药用部位：树皮）。

| **形态特征** | 藤本灌木，高达数米。枝条稍带灰红色。叶花时薄纸质，果时纸质或稍厚，披针形或窄长卵形，长 4 ~ 7 cm，宽 1.5 ~ 2 cm，先端急尖或短渐尖，边缘有纤毛状细齿，基部阔楔形；叶柄细，长 3 ~ 6 mm。花序长大、细柔，多数集生于小枝顶部，形成多花状，每个聚伞花序具 1 细柔长梗，长 4 ~ 6 cm，在花梗先端有 5 分枝，中央分枝 1 花，长约 2 cm，内外 1 对分枝长达 4 cm，先端各有 1 三出小聚伞；小花梗长 1.5 ~ 2 cm，最外 1 对分枝一般长仅达内侧分枝之半，聚伞的小花梗也稍短；花 4 基数，黄绿色；花瓣常稍带红色，直径约 7 mm。蒴果方形或扁圆形。花期 6 月，果期 7 ~ 8 月。

陕西卫矛

| **生境分布** | 生于海拔 1 600 ~ 2 200 m 的山坡杂木林中。分布于宁夏六盘山等。 |

| **资源情况** | 野生资源较少。 |

| **采收加工** | 夏、秋季采剥，去掉栓皮层，留取韧皮部，鲜用或晒干。 |

| **功能主治** | 用于风湿病。 |

槭树科 Aceraceae 槭属 Acer

三角槭

Acer buergerianum Miq.

三角槭

药 材 名

三角槭（药用部位：根或根皮、茎皮）。

形态特征

落叶乔木，高 5 ~ 10 m，稀达 20 m。树皮褐色或深褐色，粗糙。小枝细瘦；当年生枝紫色或紫绿色，近无毛；多年生枝淡灰色或灰褐色，稀被蜡粉。冬芽小，褐色，长卵圆形，鳞片内侧被长柔毛。叶纸质，基部近圆形或楔形，外貌椭圆形或倒卵形，长 6 ~ 10 cm，通常浅 3 裂，裂片向前延伸，稀全缘，中央裂片三角状卵形，急尖、锐尖或短渐尖；侧裂片短钝尖或甚小，至不发育，裂片通常全缘，稀具少数锯齿；裂片间的凹缺钝尖；上面深绿色，下面黄绿色或淡绿色，被白粉，略被毛，在叶脉上较密；初生脉 3，稀基部叶脉也发育良好，至成 5，在上面不显著，在下面显著；侧脉通常在两面都不显著；叶柄长 2.5 ~ 5 cm，淡紫绿色，细瘦，无毛。花多数，常成顶生被短柔毛的伞房花序，直径约 3 cm，总花梗长 1.5 ~ 2 cm，开花在叶长大后；花梗长 5 ~ 10 mm，细瘦，嫩时被长柔毛，渐老近无毛；萼片 5，黄绿色，卵形，无毛，长约 1.5 mm；花瓣 5，淡黄色，狭披针形或匙状披针形，先端钝圆，长约 2 mm；雄蕊 8，与萼片等长或微短，花盘无毛，微分裂，位于雄蕊外侧；子房密被淡黄色长柔毛，花柱无毛，很短，2 裂，柱头平展或略反卷。翅果黄褐色；小坚果特别凸起，直径 6 mm；翅与小坚果共长 2 ~ 2.5 cm，稀达 3 cm，宽 9 ~ 10 mm，中部最宽，基部狭窄，张开成锐角或近直立。花期 4 月，果期 8 月。

| 生境分布 | 生于阔叶林中。分布于宁夏惠农等。

| 资源情况 | 野生资源较少。

| 功能主治 | 根，用于风湿关节痛。根皮、茎皮，清热解毒，消暑。

槭树科 Aceraceae 槭属 Acer

青榨槭 *Acer davidii* Franch.

青榨槭

药 材 名

青榨槭（药用部位：根、树皮。别名：大卫槭、青虾蟆、青蛙腿）。

形态特征

落叶乔木，高 10 ~ 15 m，稀达 20 m。树皮绿色，有黑色条纹。小枝细瘦，圆柱形，绿褐色，无毛。叶卵形或宽卵形，长 6 ~ 14 cm，宽 4 ~ 9 cm，先端渐尖，具长尾，基部圆形或近心形，边缘具不规则的圆锯齿，上面深绿色，无毛或沿脉被极稀疏的短柔毛，下面绿色，沿脉疏被毛，边缘疏具缘毛；叶柄细瘦，紫红色，无毛或先端疏被短柔毛。总状花序下垂，生于有叶小枝的先端；花杂性，雄花与两性花同株；萼片 5，椭圆形，长约 4 mm，先端稍钝；花瓣 5，倒卵形，与萼片近等长；雄蕊 8，在雄花中稍长于花瓣，在两性花中不发育；子房被红褐色的短柔毛，花柱细瘦，无毛，柱头反卷。翅果长 2.5 ~ 3 cm，张开成水平或几达水平；小坚果圆卵形，凸起，具明显的肋纹。花期 4 月，果期 9 月。

生境分布

生于海拔 2 000 ~ 2 600 m 的向阳山坡林缘。

分布于宁夏六盘山及原州等。

| **资源情况** | 野生资源较少。

| **采收加工** | 夏、秋季采收，洗净，切片，晒干。

| **功能主治** | 甘、苦，平。祛风除湿，散瘀止痛，消食健脾。用于风湿痹痛，肢体麻木，关
节不利，跌打瘀痛，泄泻，痢疾，小儿消化不良。

| **用法用量** | 内服煎汤，6 ~ 15 g；或研末，3 ~ 6 g；或浸酒。外用适量，研末调敷。

槭树科 Aceraceae 槭属 Acer

茶条槭
Acer ginnala Maxim. subsp. ginnala (Maximowicz) Wesmael

| 药 材 名 | 茶条槭（药用部位：嫩枝和芽。别名：麻良子）。

| 形态特征 | 落叶灌木或小乔木，高 5 ~ 6 m。树皮灰褐色或深灰色。小枝灰棕色或红棕色，平滑。单叶对生，叶柄长 4 ~ 5 cm；叶片纸质，卵状椭圆形或长椭圆形，长 6 ~ 10 cm，宽 4 ~ 6 cm，先端渐尖或尾状渐尖，基部微心形，常 3 ~ 5 浅裂，中央裂片较大，两侧裂片较小，边缘具不规则的重锯齿，叶脉疏被长柔毛。伞房花序顶生；花杂性，雄花与两性花同株；萼片 5，边缘有长毛；花瓣 5，白色；雄蕊 8，着生于花盘内部；子房密生长柔毛，花柱无毛，柱头 2 裂。翅果长 2.5 ~ 3 cm，两翅大小常不等，平行或稍重叠，紫红色或黄绿色；小坚果斜三角状卵形，嫩时有长柔毛，凸起，具明显肋纹。花期 5 月，果期 10 月。

茶条槭

| 生境分布 | 生于混交林或山谷、林缘。分布于宁夏原州、西吉、隆德、彭阳、泾源、金凤等。 |

| 资源情况 | 野生资源较少。 |

| 采收加工 | 4～5月采收，晒干。 |

| 功能主治 | 苦，寒。归肝经。清热明目。用于肝热目赤昏花。 |

| 用法用量 | 适量，开水冲饮。 |

五角枫

| 槭树科 | Aceraceae | 槭属 | Acer

五角枫
Acer pictum Thunb. subsp. *mono* (Maxim.) H. Ohashi

| 药 材 名 |

地锦槭（药用部位：枝、叶。别名：五角槭、色木槭）。

| 形态特征 |

落叶乔木，高 15 ~ 20 m。树皮深灰色、粗糙。小枝近圆柱形，无毛，当年生枝淡灰色或淡绿灰色，直径 2 mm；多年生枝灰色，皮孔稀少，近圆形。叶薄纸质或膜质，基部深心形，外貌近圆形，长、宽均 6 ~ 7 cm，常 7 裂；中央裂片均三角状卵形，长 2 ~ 2.5 cm，基部宽 2 ~ 2.5 cm，先端短急锐尖，尖头长约 6 mm；基部裂片细小，钝形或三角形，裂片间的凹缺钝形，上面绿色，下面淡绿色；主脉 5，在上面微显著，在下面显著；次生脉与小叶脉均不显著；叶柄淡紫色，长 4 ~ 6 cm，上面微呈浅沟状，下面圆形。果序伞房状，紫色，无毛，连同长 1 ~ 1.2 cm 的总果柄在内共约 4 cm，果柄细瘦，长约 3 cm。小坚果淡黄色，压扁状，长圆形，长 1 ~ 1.3 cm，宽 5 ~ 8 mm；翅镰形，宽 5 ~ 10 mm，连同小坚果长 2 ~ 2.5 cm，张开成锐角。花期 5 月，果期 9 月。

| 生境分布 |

生于海拔 800 ~ 1 500 m 的山坡或山谷疏林中。
分布于宁夏海原、西夏、大武口等。

| 资源情况 |

野生资源稀少。

| 采收加工 |

夏、秋季间采挖，洗净，切片，晒干。

| 功能主治 |

辛、微苦，平。祛风除湿，活血止痛。用于偏
正头痛，风寒湿痹，跌打瘀痛，湿疹，疥癣。

| 用法用量 |

内服煎汤，10 ~ 30 g。

| 附　　注 |

《中国植物志》记载本种的植物名已由色木槭
修订为五角枫。

槭树科 Aceraceae 槭属 Acer

梣叶槭 *Acer negundo* L.

梣叶槭

| 药 材 名 |

梣叶槭（药用部位：果实、树皮）。

| 形态特征 |

落叶乔木，高达 20 m。树皮暗灰色，浅纵裂。小枝绿色，圆柱形，无毛，微被白粉。叶为奇数羽状复叶，小叶 3 ~ 7，卵形、椭圆形或椭圆状披针形，长 8 ~ 10 cm，宽 2 ~ 4 cm，先端渐尖，基部圆形或楔形，常偏斜，全缘或中部以上具不规则的疏锯齿或浅裂，上面暗绿色，近无毛或沿脉被稀疏短毛，下面淡绿色，沿脉疏被毛，脉腋有簇毛，边缘具缘毛；叶柄长 3 ~ 9 cm，基部扩展，无毛。花单性，雌雄异株；雄花序为伞房花序，雌花序为总状花序，下垂；雄花的萼片长约 1.5 mm，无花瓣及花盘，雄蕊 4 ~ 6，花丝长丝形，花药紫红色；雌花萼片 5，基部合生，无花瓣及花盘，子房红色，无毛。翅果黄绿色，长 3 ~ 3.5 cm，张开成锐角；小坚果长圆形，稍凸起，具明显肋纹。花期 4 ~ 5 月，果期 8 ~ 9 月。

| 生境分布 |

生于路旁等。分布于宁夏泾源、兴庆、金凤等。

| 资源情况 |

野生资源较丰富。

| 采收加工 |

秋季果实成熟时采收果实，除去杂质，晒干。
春末夏初剥取树皮，切段，晒干。

| 功能主治 |

果实，用于腹疾。树皮，收敛。用于顺势疗法。

槭树科 Aceraceae 槭属 Acer

元宝槭 *Acer truncatum* Bunge

元宝槭

| 药 材 名 |

元宝槭（药用部位：根皮）。

| 形态特征 |

落叶乔木，高 8 ~ 10 m。树皮灰褐色或深褐色，深纵裂。小枝无毛，当年生枝绿色，多年生枝灰褐色。冬芽小，卵圆形，鳞片尖锐。叶对生，纸质，长 5 ~ 10 cm，宽 8 ~ 12 cm，常 5 裂，稀 7 裂，基部截形，稀近心形；裂片三角状，裂片间缺刻成锐角，全缘，长 3 ~ 5 cm，宽 1.5 ~ 2 cm，有时中央裂片的主段再 3 裂；上面深绿色，无毛，下面淡绿色，嫩时脉腋被丛毛；主脉 5，掌状；叶柄长 3 ~ 5 cm，无毛。花黄绿色，杂性，雄花与两性花同株；萼片 5，黄绿色；花瓣 5，黄色或白色，长圆状倒卵形；雄蕊 8，着生于花盘内缘，花药黄色，花丝无毛；花盘微裂；子房扁形，无毛，花柱短，2 裂，柱头反卷，微弯曲。小坚果扁平，翅长圆形，常与果实等长，张开成锐角或钝角。花期 4 月，果期 8 月。

| 生境分布 |

生于海拔 1 900 ~ 2 200 m 的山坡杂木林中。分布于宁夏罗山及西夏、灵武、永宁、泾源、隆德、原州、贺兰、惠农、盐池、兴庆、金凤等。

| **资源情况** | 野生资源较少。

| **采收加工** | 夏季采挖，洗净，切片，晒干。

| **功能主治** | 辛、微苦，微温。祛风除湿，舒筋活络。用于腰背疼痛。

| **用法用量** | 内服煎汤，15 ~ 30 g；或浸酒，9 ~ 15 g。

无患子科 Sapindaceae 栾属 Koelreuteria

栾树
Koelreuteria paniculata Laxm.

| 药 材 名 | 栾华（药用部位：花）。

| 形态特征 | 落叶乔木或灌木。小枝具明显凸起的皮孔，被柔毛。奇数羽状复叶，有时成 2 回羽状复叶或不完全的 2 回羽状复叶，具（7 ~）11 ~ 18 小叶，对生或互生，卵形或卵状披针形，长（3 ~）5 ~ 10 cm，宽 3 ~ 6 cm，先端渐尖或急尖，基部斜楔形或截形，边缘具不规则的粗锯齿或羽状分裂，基部常具缺刻状的深裂，上面无毛，下面近无毛或沿脉被短柔毛；小叶无柄或具短柄；总叶柄上面具 2 沟槽。圆锥花序顶生，长 25 ~ 40 cm，具柔毛；花萼 5 深裂，长 2 ~ 2.5 mm，具睫毛；花瓣 4，线状长椭圆形，长 5 ~ 9 mm，宽约 2.5 mm，具爪，爪部先端具 2 肉质的小鳞片；雄蕊 8，花丝线形，

栾树

长 7 ～ 9 mm，疏被长毛；子房 3 室，每室含 2 胚珠。蒴果膨胀，膜质，长椭圆状卵形，长 4 ～ 6 cm，宽 3 ～ 3.5 cm，先端长渐尖，具网状脉纹，3 瓣裂。种子球形，黑色。花期 6 ～ 8 月，果期 9 ～ 10 月。

| **生境分布** | 栽培种，生于海拔 1 200 ～ 1 600 m 的疏林中。分布于宁夏贺兰、西夏、永宁、兴庆、金凤等。

| **资源情况** | 野生资源较少，多为栽培。

| **采收加工** | 6 ～ 7 月采收，阴干或晒干。

| **功能主治** | 苦，寒。清肝明目。用于目赤肿痛，多泪。

| **用法用量** | 内服煎汤，3 ～ 6 g。

無患子科 Sapindaceae 文冠果属 Xanthoceras

文冠果

Xanthoceras sorbifolium Bunge

文冠果

| 药 材 名 |

文冠果（药用部位：木材、枝叶。别名：木瓜、崖木瓜）。

| 形态特征 |

灌木或小乔木，高 2 ~ 5 m。树皮灰褐色。小枝粗壮，褐紫色，光滑或被短柔毛。奇数羽状复叶，互生，具小叶 9 ~ 19，叶下部的小叶互生，上部的小叶对生，无柄或近无柄；叶片窄圆形至披针形，长 2.5 ~ 6 cm，宽 1.2 ~ 2 cm，先端锐尖，基部渐狭，边缘具锐锯齿，上面绿色，下面淡绿色，两面无毛。总状花序，长 15 ~ 25 cm；花梗纤细，长 1 ~ 2 cm；萼片 5，椭圆形，先端钝圆，背面被绒毛；花瓣 5，倒卵状披针形，先端急尖，基部渐狭成爪，疏被柔毛，白色，基部紫红色；雄蕊 8，花丝无毛；子房矩圆形，具短而粗的花柱。蒴果灰绿色，3 瓣裂。种子近球形，黑褐色，直径约 1.8 cm，种脐白色。花期春季，果期秋初。

| 生境分布 |

生于山坡、沟谷。分布于宁夏贺兰山及沙坡头、中宁、海原、盐池、同心、泾源、西夏、永宁、金凤等。

| 资源情况 | 野生资源较少，多为栽培。

| 采收加工 | 春、夏季采集茎枝，剥去外皮，将木材晒干；或取鲜枝叶切碎，熬膏。

| 药材性状 | 本品茎杆木部呈不规则块状，表面红棕色或黄褐色，断面红棕色，有同心性环纹，纵剖面有细皱纹。枝条多为圆柱形，表面白色或黄绿色，断面有年轮环纹，外侧黄白色，内侧红棕色。质坚硬，气微，味甘、涩、苦。

| 功能主治 | 甘，平。归肝经。祛风除湿，止痛。用于风湿痹痛。

| 用法用量 | 内服煎汤，9 ~ 15 g。外用适量，煎汤熏洗；或熬膏涂。

清风藤科 Sabiaceae 泡花树属 Meliosma

泡花树
Meliosma cuneifolia Franch.

| 药 材 名 | 泡花树（药用部位：根皮。别名：灵寿茨）。

| 形态特征 | 落叶灌木或小乔木，高达 9 m。树皮黑褐色，有不规则的裂纹。小枝近无毛。单叶互生；叶柄长 1 ~ 2 cm；叶片纸质，倒卵形或椭圆形，长 8 ~ 12 cm，宽 2.5 ~ 4 cm，先端短渐尖或锐尖，基部窄楔形，边缘除基部外几乎全部有粗而锐尖的锯齿，上面稍粗糙，下面密生短绒毛，脉腋内有髯毛；侧脉 18 ~ 20 对，在下面凸起。夏季开黄白色花，花小，成圆锥花序，顶生或生于上部叶腋内，长、宽 15 ~ 20 cm，分枝广展，被锈色的短柔毛；花梗长 1 ~ 2 mm；萼片 5，卵圆形，有睫毛；花瓣 5，无毛，外面 3 花瓣近圆形，内面 2 花瓣片微小，深 2 裂；雄蕊 5；花盘膜质，短齿裂。核果球形，直径 6 ~ 7 mm，成熟时黑色。花期 6 ~ 7 月，果期 9 ~ 11 月。

泡花树

生境分布	生于海拔 2 100 m 左右的山坡林中。分布于宁夏六盘山及泾源等。
资源情况	野生资源稀少。
采收加工	秋、冬季采挖根部，洗净，剥取根皮，鲜用或晒干。
功能主治	甘、微辛，平。利水，解毒。用于水肿，腹水；外用于痈疖肿毒，毒蛇咬伤。
用法用量	内服煎汤，6 ~ 15 g。外用适量，捣敷。

凤仙花科 Balssaminaceae 凤仙花属 Impatiens

凤仙花 *Impatiens balsamina* L.

| 药 材 名 | 急性子（药用部位：种子）、凤仙透骨草（药用部位：茎）、凤仙花（药用部位：花）。

| 形态特征 | 一年生草本，高60～100 cm。茎直立，肉质，圆柱形，多分枝，节常膨大，多带粉红色。叶互生，叶柄长1～3 cm，两侧有腺体；叶片披针形或椭圆状披针形，长4～12 cm，宽1.5～3 cm，先端尖或长渐尖，茎部渐狭，边缘有浅锯齿。花大，不整齐，单生或簇生，有短柄，生于叶腋，下垂，紫色、粉红色或白色；萼片3，侧生2萼片甚小，下方萼片大，呈囊状，基部有长距，向后弯曲；花瓣5，因2对合生而成3片，上面1花瓣圆形，先端凹入，有小尖头，两侧2对合生，其中1花瓣较大，倒心形，另1花瓣较小；雄蕊5；

凤仙花

子房上位，椭圆形，5 室，花柱短粗，柱头大，5 浅裂。蒴果椭圆形，被白色短绒毛，成熟时开裂，弹出种子。种子多数，略呈扁球形，红褐色或棕色。花果期 7 ~ 10 月。

| 生境分布 | 生于田间等。分布于宁夏原州、金凤等。

| 资源情况 | 野生资源较少。

| 采收加工 | 急性子：秋季果实成熟前摘下，晒干，搓出种子，簸去果皮等杂质。
凤仙透骨草：夏季割取地上部分，除去叶和花、果，晒干，或趁鲜切段后晒干。
凤仙花：夏季采摘，阴干。

| 药材性状 | 急性子：本品呈扁圆形或扁卵形，少数略有棱角，长 2 ~ 3 mm，宽 1.5 ~ 2.5 mm。表面棕褐色或灰棕色，粗糙，在放大镜下可见稀疏的白色或棕色小点，种脐位于种子狭端，稍凸出。质坚硬，种皮薄，子叶灰白色，半透明，油质。无臭，味淡、微苦。
凤仙透骨草：本品呈长柱形，多分枝，长短不等，直径 5 ~ 10 mm。表面黄棕色，具显著皱缩的纵沟，节部膨大，具点状叶及花果脱落的痕迹。质松脆，易折断，断面中空或有白髓。气微，味淡、微酸。

| 功能主治 | 急性子：微苦、辛，温；有小毒。归肺、肝经。破血软坚，消积。用于癥瘕痞块，闭经，噎膈。
凤仙透骨草：苦、辛，平；有小毒。归肺、肝经。祛风除湿，活血止痛。用于风湿痹痛，骨节屈伸不利，闭经，跌打损伤。
凤仙花：甘，温。归肺、肝经。活血，解毒。用于腰胁引痛，毒蛇咬伤，鹅掌风。

| 用法用量 | 急性子：内服煎汤，3 ~ 4.5 g。
凤仙透骨草：内服煎汤，6 ~ 9 g。外用适量，煎汤熏洗。
凤仙花：内服煎汤，3 ~ 6 g。外用捣敷或涂擦。

凤仙花科 Balssaminaceae 凤仙花属 Impatiens

水金凤 *Impatiens noli-tangere* L.

| 药 材 名 | 野指甲花（药用部位：全草。别名：野凤仙花）。

| 形态特征 | 一年生草本，高 40 ~ 70 cm，全株光滑无毛。主根短，有多数须根，褐色。茎直立，节部膨大、透明，上部分枝。单叶互生，叶柄长 2 ~ 5 cm；叶片卵形或椭圆形，长 3 ~ 8 cm，宽 1.5 ~ 4 cm，先端钝尖，基部楔形或宽楔形，边缘有疏钝齿，齿端有突尖。总状花序腋生，具 2 ~ 4 花，花梗纤细，下垂，中部有披针形小苞片；花二型，大花黄色或淡黄色，萼片 3，侧生 2 萼片卵形，先端尖，中萼片花瓣状，具长 5 ~ 6 mm 的细长距，旗瓣近圆形，背面呈龙骨状突起，翼瓣宽大，2 裂，上部裂片较大，花药先端尖；小花为闭锁花，黄绿色，长 1.5 ~ 2.5 mm，无距。蒴果棒状，长 1.5 ~ 2.5 cm。

水金凤

种子 2 ~ 6，椭圆形，褐色。花果期 7 ~ 9 月。

| **生境分布** | 生于林下、林缘及山沟阴湿草丛。分布于宁夏六盘山及原州、西吉、彭阳、泾源、隆德等。

| **资源情况** | 野生资源较少。

| **采收加工** | 夏、秋季采挖，除净泥土、杂质，晾干。

| **功能主治** | 甘，温。归肺、肝经。活血调经，舒筋活络。用于月经不调，痛经，跌打损伤，风湿痹痛，阴囊湿疹。

| **用法用量** | 内服煎汤，9 ~ 15 g。外用适量，煎汤熏洗；或鲜品捣敷；或取汁搽。

鼠李科 Rhamnaceae 鼠李属 Rhamnus

鼠李
Rhamnus davurica Pall.

| **药 材 名** | 鼠李皮（药用部位：树皮、果实。别名：烧烂锅）。

| **形态特征** | 灌木，高达 10 m。树皮灰褐色。小枝粗壮，对生，灰褐色，先端具芽。叶在长枝上对生，在短枝上丛生，宽倒披针形、倒卵状长椭圆形、狭倒卵形至椭圆形，长 4 ~ 13 cm，宽 2 ~ 6 cm；先端尾状渐尖至突尖，基部楔形至宽楔形，稀近圆形，边缘具细圆钝锯齿，齿端具黑色腺点；上面绿色，疏被短柔毛，下面淡绿色，被长柔毛，脉腋具簇毛；叶柄长 1.5 ~ 4 cm，腹面具沟槽，无毛或疏被长柔毛。花单性，异株，2 ~ 5 生叶腋。核果近球形，直径 5 ~ 6 mm，含 2 核。种子卵圆形，具狭长种沟，不开口。花期 5 ~ 6 月，果期 7 ~ 10 月。

| **生境分布** | 生于山地河滩地或山谷林缘。分布于宁夏六盘山、罗山等。

鼠李

| **资源情况** | 野生资源较丰富。 |

| **采收加工** | 春季采树皮，刮去外面粗皮，切丝，晒干。秋季采集果实，晒干。 |

| **功能主治** | 树皮，苦，微寒；有小毒。归肺经。清热，通便。用于大便秘结，口疮，发背。果实，甘、微苦，平。归肺经。清热利湿，止咳祛痰，解毒杀虫。用于水肿胀满，咳嗽气喘，龋齿痛，瘰疬，痈疖，疥癣。 |

| **用法用量** | 树皮，内服煎汤，3 ~ 9 g。果实，内服煎汤，6 ~ 12 g。外用适量，水煎含漱；或鲜品捣敷。 |

鼠李科 Rhamnaceae 鼠李属 Rhamnus

柳叶鼠李

Rhamnus erythroxylon Pallas

| 药 材 名 | 柳叶鼠李（药用部位：叶。别名：茶叶树、家茶）。

| 形态特征 | 灌木，稀乔木，高 3 ~ 5 m。幼枝红褐色或红紫色，平滑无毛，小枝互生，先端具针刺。叶纸质，互生或在短枝上簇生，条形或条状披针形，长 3 ~ 8 cm，宽 3 ~ 10 mm，先端锐尖或钝，基部楔形，边缘有疏细锯齿，两面无毛，侧脉每边 4 ~ 6，不明显，中脉上面平，下面明显凸起；叶柄长 3 ~ 15 mm，无毛或有微毛；托叶钻状，早落。花单性，雌雄异株，黄绿色，4 基数，有花瓣；花梗长约 5 mm，无毛；雄花数个至 20 余个簇生于短枝端，宽钟状，萼片三角形，与萼筒近等长；雌花萼片狭披针形，长约为萼筒长的 2 倍，有退化雄蕊，子房 2 ~ 3 室，每室有 1 胚珠，花柱长，2 浅裂或近半裂，稀 3 浅裂。

柳叶鼠李

核果球形，直径 5 ~ 6 mm，成熟时黑色，通常有 2、稀 3 分核，基部有宿存的萼筒；果柄 6 ~ 8 mm。种子倒卵圆形，长 3 ~ 4 mm，淡褐色，背面有长为种子 4/5、上宽下窄的纵沟。花期 5 月，果期 6 ~ 7 月。

| **生境分布** | 生于干旱沙丘、荒坡、乱石中或山坡灌丛中。分布于宁夏贺兰山等。

| **资源情况** | 野生资源稀少。

| **采收加工** | 春、夏季采收，晒干。

| **功能主治** | 甘，寒。归脾、胃经。清热除烦，消食化积。用于消化不良，腹泻，风火牙痛，小儿食积，热病津伤，温病后期诸症。

| **用法用量** | 内服煎汤，15 ~ 30 g；或开水沏当茶饮。

鼠李科 Rhamnaceae 鼠李属 Rhamnus

圆叶鼠李
Rhamnus globosa Bunge

| 药 材 名 | 圆叶鼠李（药用部位：茎、叶、果实、根。别名：冻绿刺）。

| 形态特征 | 灌木，高 2 ~ 4 m。小枝对生，暗红褐色或灰褐色，嫩枝被短毛。叶在长枝上近对生，在短枝上丛生，椭圆形、长椭圆形或倒卵状长椭圆形，长 2 ~ 6 cm，宽 1.2 ~ 4 cm，先端急尖，基部楔形，边缘具细圆钝锯齿，两面被短毛；叶柄长 6 ~ 10 mm，腹面具沟槽，被短柔毛。聚伞花序叶腋生；花单性，雌花萼片 4，三角状披针形，较萼筒长，边缘及背面疏被短柔毛，具细丝状的退化花瓣及雄蕊，子房扁球形，花柱 2 中裂；雄花萼片 4，花瓣 4，匙形，雄蕊 4，稍长于花瓣，具退化雌蕊。核果球形，直径 4 ~ 5 mm，具 2 核。种子侧背具长为种子长一半的纵沟。花期 4 ~ 5 月，果期 6 ~ 10 月。

圆叶鼠李

| **生境分布** | 生于山坡林缘或灌丛中。分布于宁夏六盘山（泾源）、南华山（海原）等。

| **资源情况** | 野生资源较少。

| **采收加工** | 根及茎全年均可采收，切片，晒干。叶，夏季采收，晒干。果实成熟时采集，晒干。

| **功能主治** | 苦、涩，微寒。归肺、脾、胃、大肠经。杀虫消食，下气祛痰。用于寸白虫，食积，瘰疬，哮喘。

| **用法用量** | 果实，内服煎汤，6 ~ 12 g。外用适量，研末，油调敷。

鼠李科 Rhamnaceae 鼠李属 Rhamnus

小叶鼠李

Rhamnus parvifolia Bunge

小叶鼠李

| 药 材 名 |

琉璃枝（药用部位：果实。别名：黑格令、鼠李子）。

| 形态特征 |

灌木，高 1.5 ~ 2 m。小枝灰色或灰褐色，对生，有时互生，先端成针刺。叶在短枝上簇生，菱状倒卵形或倒卵形，长 1.2 ~ 4 cm，宽 0.8 ~ 2 (~ 3) cm，先端圆或急尖，基部楔形，边缘具圆钝细锯齿，上面疏被短毛，下面无毛，仅脉腋的腺窝上具簇毛；叶柄长 4 ~ 15 mm，腹面有沟槽，被短柔毛。聚伞花序叶腋生，具 1 ~ 3 花；花单性；花萼 4 裂，裂片披针形，较萼筒长，外面疏被短毛；花瓣 4，倒卵形，长为萼裂片的 1/3；雄蕊 4，与花瓣对生，与花瓣等长或稍长于花瓣。核果球形，直径 4 ~ 5 mm，具 2 核。种子倒卵形，背面具长为种子 4/5 的纵沟。花期 4 ~ 5 月，果期 6 ~ 9 月。

| 生境分布 |

生于较干旱的向阳山坡、山沟及灌丛中。分布于宁夏贺兰山、六盘山、南华山及原州、西吉、隆德、彭阳、泾源、海原、西夏、同心等。

| **资源情况** | 野生资源较少。

| **采收加工** | 果实成熟后采收，鲜用或晒干。

| **功能主治** | 苦，凉；有小毒。清热泻下，解毒消瘰。用于热结便秘，瘰疬，疥癣，疮毒。

| **用法用量** | 内服煎汤，1.5～3 g。外用适量，捣敷。

鼠李科 Rhamnaceae 鼠李属 Rhamnus

甘青鼠李 *Rhamnus tangutica* J. Vass.

| 药 材 名 | 甘青鼠李（药用部位：全株）。

| 形态特征 | 灌木，高 2 ~ 6 m。小枝对生，暗红褐色或灰褐色，嫩枝被短毛。叶在长枝上近对生，在短枝上丛生，椭圆形、长椭圆形或倒卵状长椭圆形，长 2.5 ~ 6 cm，宽 1 ~ 3.5 cm，先端急尖，基部楔形，边缘具细圆钝锯齿，两面被短毛；叶柄长 5 ~ 10 mm，腹面具沟槽，被短柔毛。聚伞花序叶腋生；花单性；雌花萼片 4，三角状披针形，较萼筒长，边缘及背面疏被短柔毛，具细丝状的退化花瓣及雄蕊，子房扁球形，花柱 2 中裂；雄花萼片 4，花瓣 4，匙形，雄蕊 4，稍长于花瓣，具退化雌蕊。核果球形，直径 4 ~ 5 mm，具 2 核。种子侧背具长为种子 3/4 ~ 4/5 的纵沟。花期 5 ~ 6 月，果期 6 ~ 9 月。

甘青鼠李

| **生境分布** | 生于山坡林缘或灌丛中。分布于宁夏六盘山、南华山、罗山及海原等。

| **资源情况** | 野生资源较少。

| **功能主治** | 清热解毒，活血。用于水肿，腹痛，疮疡。

葡萄科 Vitaceae 地锦属 *Parthenocissus*

地锦

Parthenocissus tricuspidata (Siebold&Zucc.) Planch.

| 药 材 名 | 地锦草（药用部位：全草）。

| 形态特征 | 木质藤本。茎纤细，平卧，多分枝，常带紫红色，无毛。叶对生，长圆形或倒卵状长圆形，先端圆钝，基部偏斜，边缘具浅细锯齿，两面无毛或下面疏被柔毛；托叶小，分裂为丝状。杯状聚伞花序单生于小枝叶腋；总苞倒圆锥形，边缘 4 裂，裂片膜质，长三角形，具齿裂，腺体 4，横长圆形；雄花极小，5 ~ 8；子房 3 室，具 3 纵沟，花柱 3，短小，先端 2 裂。蒴果三棱状球形，光滑。种子卵形，褐色。花期 5 ~ 8 月，果期 9 ~ 10 月。

| 生境分布 | 生于荒漠草原、山坡荒地、沙质地、河滩地或农田中。宁夏各地均

地锦

有分布。

| **资源情况** | 野生资源丰富。

| **采收加工** | 夏、秋季采收，除去杂质，晒干。

| **药材性状** | 本品常皱缩卷曲。根细长。茎细，呈叉状分枝，表面带紫红色，光滑无毛或疏生白色细柔毛；质脆，易折断，断面黄白色，中空。单叶对生，具淡红色短柄或几无柄；叶片多皱缩或已脱落，展平后呈长椭圆形，长 5 ~ 10 mm，宽 4 ~ 6 mm；绿色或带紫红色，通常无毛或疏生细柔毛；先端钝圆，基部偏斜，边缘具小锯齿或呈微波状。杯状聚伞花序腋生，花小。蒴果三棱状球形，表面光滑。种子细小，卵形，褐色。气微，味微涩。

| **功能主治** | 辛，平。归肝、大肠经。清热解毒，凉血止血，利湿退黄。用于痢疾，泄泻，咯血，尿血，便血，崩漏，疮疖痈肿，湿热黄疸。

| **用法用量** | 内服煎汤，9 ~ 20 g。外用适量。

葡萄科 Vitaceae 蛇葡萄属 Ampelopsis

乌头叶蛇葡萄 *Ampelopsis aconitifolia* Bge.

| 药 材 名 | 草葡萄（药用部位：根皮。别名：草白蔹）。

| 形态特征 | 木质藤本。小枝微具纵条棱，无毛。掌状全裂叶或掌状复叶，叶柄长 3 ~ 6 cm，无毛，小叶片菱形或宽卵形，长 4 ~ 9 cm，宽 1.5 ~ 6 cm，羽状深裂几达中脉，裂片具不规则的牙齿，两面无毛，网脉明显。二歧聚伞花序与叶对生，总花梗细长，无毛；花萼盘状，边缘具 5 不明显的圆钝裂片；花瓣 5，狭卵形，长约 2 mm；雄蕊 5，与花瓣对生；花盘浅杯形，边缘截形。浆果近球形，橙黄色。花期 5 ~ 6 月，果期 8 ~ 9 月。

| 生境分布 | 生于干旱山沟、石质滩地、灌丛中或林缘。分布于宁夏贺兰山及大武口、惠农、平罗、中宁、西夏等。

乌头叶蛇葡萄

| **资源情况** | 野生资源较少。

| **采收加工** | 春、秋季挖取根部，除去木心，洗净，切段，鲜用或晒干。

| **功能主治** | 涩、微辛，平。归心、肝、肾经。散瘀消肿，祛腐生肌，接骨，止痛。用于骨折，跌打损伤，痈肿，风湿痹痛。

| **用法用量** | 内服煎汤，9 ~ 15 g。外用适量，鲜品捣敷。

葡萄科 Vitaceae 葡萄属 Vitis

变叶葡萄 *Vitis piasezkii* Maxim.

变叶葡萄

药材名

麻羊藤（药材来源及药用部位：幼茎流出的液汁、叶。别名：复叶葡萄、黑葡萄、野葡萄）。

形态特征

木质藤本。小枝圆柱形，有纵棱纹，嫩枝被褐色柔毛。卷须二叉分枝，每隔 2 节间断与叶对生。叶 3 ～ 5 小叶或混生有单叶者，复叶者中央小叶菱状椭圆形或披针形，长 5 ～ 12 cm，宽 2.5 ～ 5 cm，先端急尖或渐尖，基部楔形，外侧小叶卵状椭圆形或卵状披针形，长 3.5 ～ 9 cm，宽 3 ～ 5 cm，先端急尖或渐尖，基部不对称，近圆形或阔楔形，每侧边缘有 5 ～ 20 尖锯齿；单叶者叶片卵圆形或卵状椭圆形，长 5 ～ 12 cm，宽 4 ～ 8 cm，先端急尖，基部心形，基缺张开成钝角，每侧边缘有 21 ～ 31 微不整齐锯齿，上面绿色，几无毛，下面被疏柔毛和蛛丝状绒毛，网脉上面不明显，下面微凸出；基出脉 5，中脉有侧脉 4 ～ 6 对；叶柄长 2.5 ～ 6 cm，被褐色短柔毛；托叶早落。圆锥花序疏散，与叶对生，基部分枝发达，长 5 ～ 12 cm，花序梗长 1 ～ 2.5 cm，被稀疏柔毛；花梗长 1.5 ～ 2.5 mm，无毛；花蕾倒卵椭圆形，长 1 ~ 2.5 mm，先端圆形，萼浅碟形，边缘呈波状，外面无毛；花瓣 5，呈帽状黏合脱落；雄蕊 5，花丝丝状，长 0.7 ~ 1 mm，在雌花内完全退化；花盘发达，5 裂；雌蕊 1，在雄花中完全退化，子房卵圆形，花柱短，柱头扩大。果实球形，直径 0.8 ~ 1.3 cm。种子倒卵圆形，先端微凹，基部有短喙，种脐在种子背面中部呈卵圆形，种脊微凸出，表面光滑，腹面中棱脊凸起，两侧洼穴呈宽沟形，向上达种子上部 1/4 处。花期 6 月，果期 7 ~ 9 月。

| 生境分布 | 生于山坡或沟谷林中。分布于宁夏泾源等。

| 资源情况 | 野生资源较少。

| 采收加工 | 夏、秋季植株生长旺盛时采收叶，或砍断茎藤，收集液汁，鲜用。

| 功能主治 | 微苦、涩，凉。归胃、肝经。幼茎流出的液汁，用于胃肠实热，头疼发热，骨蒸劳热，急性结膜炎，鼻衄。叶，止血，清热解暑。用于外伤出血，预防中暑。

| 用法用量 | 榨汁鲜用，温服，每次 1 ~ 3 酒杯。叶，内服煎汤，6 ~ 15 g。

葡萄科 Vitaceae 葡萄属 Vitis

葡萄
Vitis vinifera L.

葡萄

药材名

葡萄（药用部位：果实。别名：菩提子）、葡萄秧（药用部位：藤茎。别名：葡萄藤叶）、葡萄根（药用部位：根）。

形态特征

木质藤本。小枝圆柱形，有纵棱纹。叶卵圆形，具 3 ～ 5 浅裂或中裂，长 7 ～ 18 cm，宽 6 ～ 16 cm，中裂片先端急尖，裂片常靠合，基部常缢缩，深心形，基缺凹成圆形，两侧常靠合，边缘有 22 ～ 27 锯齿，齿深而粗大；叶柄长 4 ～ 9 cm，几无毛；托叶早落；卷须二叉分枝，每隔 2 节间断与叶对生。圆锥花序密集或疏散，多花，与叶对生，基部分枝发达，长 10 ～ 20 cm，花序梗长 2 ～ 4 cm；花梗长 1.5 ～ 2.5 mm，无毛；花蕾倒卵圆形，先端近圆形；萼浅碟形，边缘呈波状，外面无毛；花瓣 5，呈帽状黏合脱落；雄蕊 5，花丝丝状，花药黄色，卵圆形，在雌花内显著短而败育或完全退化；花盘发达，5 浅裂；雌蕊 1，在雄花中完全退化，子房卵圆形，花柱短，柱头扩大。果实球形或椭圆形，直径 1.5 ～ 2 cm。种子倒卵状椭圆形，顶短近圆形，基部有短喙。花期 4 ～ 5 月，果期 8 ～ 9 月。

| 生境分布 | 生于排水良好的砂壤土中。宁夏各地均有分布。

| 资源情况 | 野生资源丰富。

| 采收加工 | 葡萄：夏、秋季果实成熟时采收，晒干。
葡萄秧：夏、秋季采收，鲜用或晒干。
葡萄根：秋季采挖，洗净，鲜用或晒干。

| 功能主治 | 葡萄：甘、酸，平。归肺、脾、肾经。益气养血，滋阴润肺，解表透疹，利尿，安胎。用于身体虚弱，阴虚咳嗽，潮热盗汗，心悸不宁，麻疹不透，小便不利，胎动不安。

葡萄秧：甘、涩，平。归肾、肝、膀胱经。利水，清肝泻火。用于水肿，小便不利，目赤肿痛，咳嗽，无名肿痛。

葡萄根：甘、微苦，平。归肺、肾、膀胱经。祛风湿，利水。用于风湿骨痛，水肿，小便不利，骨折。

| 用法用量 | 葡萄：内服煎汤，15 ~ 45 g。
葡萄秧：内服煎汤，9 ~ 15 g。外用适量，煎汤熏洗；或鲜品捣敷。
葡萄根：内服煎汤，15 ~ 30 g。外用适量，煎汤熏洗；或鲜品捣敷。

锦葵科 Malvaceae 苘麻属 Abutilon

苘麻
Abutilon theophrasti Medicus

| 药 材 名 | 苘麻子（药用部位：种子。别名：冬葵子）。

| 形态特征 | 一年生草本，高 1 ~ 2 m。茎枝被柔毛。叶互生，圆心形，长 5 ~ 10 cm，宽 5 ~ 12 cm，先端长渐尖或尾尖，基部心形，边缘具细圆锯齿，两面均密被星状柔毛；叶柄长 3 ~ 12 cm，被星状细柔毛；托叶早落。花单生于叶腋，花梗长 1 ~ 13 cm，被柔毛，近先端具节；花萼杯状，密被短绒毛，裂片 5，卵形，长约 6 mm；花黄色，花瓣倒卵形，长约 1 cm；雄蕊柱平滑无毛，先端平截，具扩展、被毛的长芒 2，排列成轮状，密被软毛。蒴果半球形，直径约 2 cm。种子肾形，褐色，被星状柔毛。花期 7 ~ 8 月。

| 生境分布 | 生于沟渠边、路旁、荒地和田野间。分布于宁夏灵武、同心、贺兰、

苘麻

惠农、平罗、永宁、利通、兴庆、金凤等。

| **资源情况** | 野生资源较少。

| **采收加工** | 9 ~ 10 月果实成熟后割取果序，晒干后用棒敲打，收集落出的种子，拣除杂质，簸净果皮。

| **药材性状** | 本品呈三角状扁肾形，一端较尖，表面灰黑色或暗褐色，有白色稀疏短绒毛，边缘凹陷处具棕色椭圆形脐，四周有放射状细纹。

| **功能主治** | 苦，平。归小肠、大肠、膀胱经。清热利湿，解毒，退翳。用于赤白痢疾，淋证涩痛，痈肿，目翳。

| **用法用量** | 内服煎汤，3 ~ 9 g。

锦葵科 Malvaceae 蜀葵属 Althaea

蜀葵

Althaea rosea L.

蜀葵

| 药 材 名 |

蜀葵（药用部位：根、叶、花、种子。别名：蜀季花、一丈红）。

| 形态特征 |

二年生草本，高 2 m。茎枝密被刺毛。叶近圆心形，掌状 5 ~ 7 浅裂，裂片三角形或圆形，中裂片长约 3 cm，宽 4 ~ 6 cm，上面疏被星状柔毛，下面被星状长硬毛或绒毛；叶柄较长，5 ~ 15 cm，被星状长硬毛；托叶卵形。花腋生，单生或近簇生，排列成总状花序式，具叶状苞片，果时延长至 1 ~ 2.5 cm，被星状长硬毛；小苞片杯状，常 6 ~ 7 裂，裂片卵状披针形，长 10 mm，密被星状粗硬毛，基部合生；萼钟状，直径 2 ~ 3 cm，5齿裂，裂片卵状三角形，长 1.2 ~ 1.5 cm，密被星状粗硬毛；花大，直径 6 ~ 10 cm，有红色、紫色、白色、粉红色、黄色和黑紫色等，单瓣或重瓣，花瓣倒卵状三角形，先端凹缺，基部狭，爪被长髯毛；雄蕊柱无毛，花药黄色。果实呈盘状，被短柔毛，分果近圆形，多数。花期 2 ~ 8 月。

| 生境分布 | 生于排水良好的砂质土壤。宁夏各地均有栽培。

| 资源情况 | 栽培资源较丰富。

| 采收加工 | 根，春、秋季采挖，洗净，切段，晒干。叶，花前采收，晒干。花，夏季采收，阴干。种子，秋季采收成熟果实，晒干，收集种子。

| 功能主治 | 根，甘，寒。归心、肺、大肠、膀胱经。清热，解毒，排脓，利尿。用于湿热泻痢，淋证，带下，内痈，疮肿，丹毒，烧伤。叶，甘，微寒。归肺、大肠、膀胱经。清热解毒，活血，止血，利水。用于湿热痢疾，疮疖肿痛，烫火伤，热淋，尿血，金创出血。花，甘、咸，寒。归脾、胃、肾经。凉血止血，清热解毒，利水，通便，解毒散结。用于便秘，小便不利，梅核气，食河豚中毒，痈肿疮疡，烫火伤。种子，甘，寒。归肺、大肠、膀胱经。利水通淋。用于石淋，小便不利，水肿。

| 用法用量 | 根，内服煎汤，15～30 g。外用适量，鲜品捣敷；或研末调敷。叶，内服煎汤，6～15 g。外用适量，鲜品捣敷；或研末调敷。花，内服煎汤，3～6 g。外用适量，调敷；或煎汤熏洗。种子，内服煎汤，3～9 g。外用适量，研末调敷。

锦葵科 Malvaceae 木槿属 Hibiscus

木槿 *Hibiscus syriacus* L.

| 药 材 名 | 朝天子（药用部位：果实）、木槿花（药用部位：花。别名：篱障花、清明篱）、木槿皮（药用部位：茎皮及根皮）。

| 形态特征 | 落叶灌木，高3～4 m。树皮灰棕色。茎直立，多分枝，幼枝被星状毛。单叶互生或簇生，叶柄长5～25 mm；叶片菱状卵形，长3～10 cm，宽2～4 cm，先端钝尖，基部楔形，下部全缘；上部常3浅裂或具不整齐的粗齿，幼叶被毛。花单生叶腋，花梗与叶柄近等长，密被星状毛；副萼片6～8，线形；花萼钟形，长14～20 mm，密被绒毛和星状毛，裂片5；花冠钟形，直径5～6 cm，花瓣蓝紫色、粉红色或白色，楔状倒卵形，外面疏被长柔毛和星状毛；雄蕊管长约3 cm；雌蕊花柱先端5裂。蒴果卵圆形，直径约

木槿

12 mm，先端有短喙，密被金黄色绒毛和星状毛。种子多数，稍扁，黑色，背面被白色长绒毛。花期 7 ~ 10 月。

| 生境分布 | 栽培种。宁夏原州、西吉、隆德、泾源、彭阳、西夏、青铜峡等有栽培。

| 资源情况 | 栽培资源较少。

| 采收加工 | 朝天子：秋季采摘，晒干。

木槿花：夏、秋季当花半开放时采收，晒干。

木槿皮：春、秋季砍伐茎枝，剥皮，晒干；秋季挖根，剥皮，洗净，晒干。

| 功能主治 | 朝天子：甘、苦，凉。归肺、心、肝经。清肺化痰，解毒，祛风止痛。用于肺风痰喘，咳嗽喑哑，偏正头风。

木槿花：甘、苦，凉。归脾、肺、肝经。清湿热，凉血止血，解毒，止咳。用于湿热痢疾，肺热咳嗽，带下，反胃，吐血，咯血，衄血，便血，痔疮，疔疮疖肿，烫火伤。

木槿皮：甘、苦，凉。归大肠、肝、脾经。清湿热，解毒，杀虫，止痒。用于湿热黄疸，痢疾，肺痈，肠痈，带下，痔疮，脱肛，阴囊湿疹，疥癣，疔疮疖肿，烫火伤。

| 用法用量 | 朝天子：内服煎汤，9 ~ 15 g。外用适量，煎汤熏洗；或烧烟熏。

木槿花：内服煎汤，3 ~ 9 g。外用适量，研末调敷；或鲜品捣敷。

木槿皮：内服煎汤，3 ~ 9 g。外用适量，研末调敷；或浸酒涂擦。

| 附　注 | 本种始载于《本草拾遗》。《本草衍义》载："木槿花如小葵，淡红色，五叶成一花朝开暮敛。"《本草纲目》载："其叶末尖而有桠齿，其花小而艳，或白或粉红，有单叶、千叶者。五月始开……结实轻虚，大如指头，深秋自裂……"

锦葵科 Malvaceae 木槿属 Hibiscus

野西瓜苗
Hibiscus trionum L.

野西瓜苗

| 药 材 名 |

野西瓜苗（药用部位：全草或种子。别名：小秋葵、香铃草）。

| 形态特征 |

一年生草本，高 25 ~ 70 cm。茎直立或平卧，柔软，被白色星状粗毛。叶二型，下部的叶圆形，不分裂，上部的叶掌状 3 ~ 5 深裂，中裂片较长，两侧裂片较短，裂片倒菱状椭圆形或卵状长椭圆形，通常羽状全裂，两面具星状刺毛，上面较少。花单生于叶腋，花梗长 2.5 cm，果时延长，被星状粗硬毛；花萼钟形，淡绿色，长 1.5 ~ 2 cm，具纵向紫色条纹；花瓣 5，倒卵形，淡黄色，基部紫红色，长 1.8 ~ 2 cm，宽 6 ~ 8 mm；雄蕊管紫色，花药黄色。蒴果长圆状球形，被粗硬毛，5 瓣裂。花期 7 ~ 10 月。

| 生境分布 |

生于农田、荒地、村旁及路边。宁夏各地均有分布。

| 资源情况 |

野生资源丰富。

| 采收加工 | 夏、秋季采收全草，除去杂质，鲜用或晒干。秋季采收成熟果实，晒干，收集种子。 |

采收加工 夏、秋季采收全草，除去杂质，鲜用或晒干。秋季采收成熟果实，晒干，收集种子。

功能主治 全草，甘，寒。归肺、肝、肾经。清热解毒，利咽止咳。用于咽喉肿痛，咳嗽，泻痢，疮毒，烫伤。种子，辛，平。归肺、肾经。润肺止咳，补肾。用于肺痨咳嗽，肾虚头晕，耳鸣，耳聋。

用法用量 全草，内服煎汤，15 ~ 30 g。外用适量，捣敷。种子，内服煎汤，9 ~ 15 g。

附 注 本种载于《救荒本草》，该书云："生田野中，苗高一尺许，叶似家西瓜叶而小，颇硬。叶间生蒂，开五瓣银褐花，紫心黄蕊，花罢作蒴，蒴内结实如楝子，叶苗味微苦。……采苗捣敷疮肿、拔毒。"

锦葵科 Malvaceae 锦葵属 Malva

野葵
Malva verticillata L.

野葵

药材名

冬葵子（药用部位：果实。别名：葵子、葵菜子）、冬葵根（药用部位：根。别名：葵根、土黄芪）、冬葵叶（药用部位：嫩苗、叶。别名：冬葵苗叶、蓍葵叶）。

形态特征

二年生草本，高 50 ~ 100 cm。不分枝，茎被柔毛。叶圆形，常 5 ~ 7 裂或角裂，直径 5 ~ 11 cm，基部心形，裂片三角状圆形，边缘具细锯齿，并极皱缩扭曲，两面无毛至疏被糙伏毛或星状毛，在脉上尤为明显；叶柄瘦弱，长 2 ~ 8 cm，疏被柔毛。花小，白色，直径约 6 mm，单生或几个簇生于叶腋，近无花梗至具极短梗；小苞片 3，披针形，长 5 ~ 6 mm，宽 1 mm，疏被糙伏毛；萼浅杯状，5 裂，长 5 ~ 8 mm，裂片三角形，疏被星状柔毛；花瓣 5，较萼片略长。果实扁球形，直径约 8 mm，网状，具细柔毛。种子肾形，直径约 1.5 mm，暗黑色。花期 3 ~ 11 月。

生境分布

生于田间、荒地、路边、沟渠等。宁夏各地均有栽培。

| **资源情况** | 栽培资源丰富。

| **采收加工** | 冬葵子：7 ~ 11 月采收，晒干。

冬葵根：夏、秋季采挖，洗净，鲜用或晒干。

冬葵叶：夏、秋季采收，鲜用。

| **药材性状** | 冬葵子：本品由 7 ~ 9 小分果组成，呈扁平圆盘状，底部有宿存萼。分果呈橘瓣状或肾形，直径 1.5 ~ 2 mm，较薄的一边中央凹下，果皮外表为棕黄色，背面较光滑，两侧面靠凹下处各有 1 微凹下圆点，由圆点向外有放射性条纹。种子橘瓣状肾形，种皮黑色至棕褐色；质坚硬，破碎后种子呈心形，2 子叶重叠折曲。气微，味涩。

| **功能主治** | 冬葵子：甘，寒。归大肠、小肠、膀胱经。利水通淋，滑肠通便，下乳。用于淋证，水肿，大便不通，乳汁不下。

冬葵根：甘，寒。清热利水，解毒。用于水肿，热淋，带下，乳痈，疳疮，蛇虫咬伤。

冬葵叶：甘，寒。归肺、大肠、小肠经。清热，利湿，滑肠，通乳。用于肺热咳嗽，咽喉肿痛，热毒下痢，湿热黄疸，二便不通，乳汁不下，疮疖痈肿，丹毒。

| **用法用量** | 冬葵子：内服煎汤，6 ~ 15 g；或入散剂。

冬葵根：内服煎汤，15 ~ 30 g。外用适量，研末调敷。

冬葵叶：内服煎汤，10 ~ 30 g，鲜品可用至 60 g；或捣汁。外用适量，捣敷；或研末调敷；或煎水含漱。

锦葵科 Malvaceae 锦葵属 Malva

圆叶锦葵 *Malva pusilla* Smith

| 药 材 名 | 圆叶锦葵根（药用部位：根。别名：土黄芪、油油饼）。

| 形态特征 | 多年生草本，高 25 ~ 50 cm，通常外倾，被星状糙毛。单叶互生，叶片圆肾形，长 1 ~ 3 cm，宽 1 ~ 4 cm，不裂或有 5 ~ 7 微裂，裂片圆钝，基部心形，边缘具圆钝齿，两面被毛；叶柄长 3 ~ 12 cm，被毛。花常 3 ~ 4 簇生叶腋或茎基单生，花梗长 2 ~ 5 cm，被星状糙毛；副萼片 3，狭披针形，被星状毛；萼杯状，裂片三角形，密被星状毛；花瓣长倒卵形，白色、浅蓝色或淡粉红色，先端微凹，长为萼片的 2 倍；雄蕊管被毛；花柱分裂。果实扁圆形，分果瓣被毛。花期夏季。

| 生境分布 | 生于山坡草地、沟旁或村庄附近。分布于宁夏贺兰山（贺兰、平罗、

圆叶锦葵

西夏）及泾源、同心等。

| **资源情况** | 野生资源较少。

| **采收加工** | 春、秋季采挖，洗净，晒干。

| **功能主治** | 甘，温。归脾、肺经。益气止汗，利尿通乳，托毒排脓。用于贫血，乳汁缺少，自汗，盗汗，肺结核咳嗽，肾炎水肿，血尿，崩漏，脱肛，子宫脱垂，疮疡溃后脓稀不易愈合。

| **用法用量** | 内服煎汤，15 ~ 30 g。

锦葵科 Malvaceae 锦葵属 Malva

锦葵

Malva cathayensis M. G. Gilbert, Y. Tang & Dorr

| 药 材 名 | 锦葵（药用部位：花、叶、茎、种子。别名：小熟季花）。

| 形态特征 | 二年生或多年生直立草本，高 50 ~ 90 cm。茎直立，不分枝或上部分枝，疏被分叉或不分叉的粗毛。叶肾形，长 5 ~ 12 cm，宽与长几相等，5 ~ 7 浅裂，裂片圆形，基部截形、圆形或近心形，边缘具不规则的圆钝重锯齿，上面无毛，下面疏被平伏毛，沿脉被长柔毛；叶柄长 4 ~ 8 cm，腹面具沟槽，密被长硬毛。花 3 至多朵簇生叶腋；花梗长 1 ~ 2 cm，被分叉短毛；副萼片 3，长圆形，长 3 ~ 4 mm，先端钝，边缘具缘毛；萼裂片三角状宽卵形，长 2 ~ 4 mm，宽 3 ~ 5 mm，被星状短毛，边缘具缘毛；花瓣蓝紫色，具暗紫色脉纹，倒卵状三角形，长 2 ~ 2.5 cm，宽约 1.5 cm，先端凹，基部

锦葵

渐狭成爪，爪的两边具髯毛；雄蕊管长 8 ~ 10 mm，被分叉状短毛；花柱分枝暗紫色，被短细毛。分果瓣 9 ~ 11，肾形，具网纹，被柔毛，中轴被长柔毛。花期 5 ~ 10 月。

| **生境分布** | 生于山野、田间、地头、路边。宁夏各地均有分布。

| **资源情况** | 野生资源较丰富。

| **采收加工** | 夏、秋季采收，晒干。

| **功能主治** | 咸，寒。归肺、大肠、膀胱经。利尿通便，清热解毒。用于二便不利，带下，淋巴结结核，咽喉肿痛。

| **用法用量** | 内服煎汤，3 ~ 9 g；或研末，1 ~ 3 g，开水送服。

锦葵科 Malvaceae 锦葵属 Malva

冬葵
Malva verticillata L. var. *crispa* L.

| 药 材 名 | 冬葵果（药用部位：果实）、冬葵子（药用部位：种子）、冬葵根（药用部位：根）、冬葵叶（药用部位：茎叶）。

| 形态特征 | 一年生草本，高约1m。不分枝，茎被柔毛。叶圆形，常5～7浅裂，直径5～8cm，基部心形，裂片三角状圆形，边缘具细锯齿，两面无毛至疏被糙伏毛或星状毛，在脉上尤为明显；叶柄长4～7cm，疏被柔毛。花小，直径约6mm，白色，单生或几个簇生于叶腋，近无花梗至具极短梗；小苞片3，披针形，长4～5mm，宽约1mm，疏被糙伏毛；萼浅杯状，5裂，裂片三角形，疏被星状柔毛；花瓣5，较萼片略长。果实扁球形，直径约8mm，分果爿11，网状，具细柔毛。种子肾形，暗黑色。花期6～9月。

冬葵

| 生境分布 | 生于平原、丘陵或田埂。宁夏各地均有分布。

| 资源情况 | 野生资源较丰富。

| 采收加工 | 冬葵果：夏、秋季采收，除去杂质，阴干。
冬葵子：果实成熟时，收取地上部分，晒干，收集种子。
冬葵根：秋季采挖，洗净，晒干。
冬葵叶：夏季割取地上部分，晒干。

| 功能主治 | 冬葵果：甘、涩，凉。清热利尿，消肿。用于热淋，尿闭，水肿，口渴，尿路感染。
冬葵子：甘，寒。归大肠、小肠、膀胱经。利水下乳，润肠通便。用于热淋，石淋，乳汁不通，大便燥结，胞衣不下。
冬葵根：甘、辛，寒。归脾、膀胱经。清热解毒，利窍通淋。用于淋证，二便不利，乳少，疮毒，毒虫蜇伤。
冬葵叶：甘，寒。归肺、肝、脾经。清热利湿，滑肠通便。用于肺热咳嗽，热毒下痢，黄疸，丹毒，金疮，大便秘结，黄疸性肝炎。

| 用法用量 | 冬葵果：内服煎汤，3 ~ 9 g。
冬葵子：内服煎汤，3 ~ 9 g。
冬葵根：内服煎汤，30 ~ 60 g。外用适量。
冬葵叶：内服煎汤，15 ~ 30 g。外用适量。

| 附 注 | 本种与野葵的区别为：本种为一年生草本，不分枝。茎被柔毛。叶柄细瘦，被疏柔毛；叶片圆形，5 ~ 7 裂，直径 5 ~ 8 cm，基部心形，边缘具细锯齿，特别皱曲。花白色。果实扁球形，直径约 8 mm，分果爿 11，网状，具细柔毛。种子直径约 1 mm，暗黑色。花期 6 ~ 9 月。

猕猴桃科 Actinidiaceae 猕猴桃属 Actinidia

软枣猕猴桃
Actinidia arguta (Sieb. & Zucc) Planch. ex Miq.

| 药 材 名 | 软枣子（药用部位：果实。别名：藤梨果、软枣）、猕猴梨根（药用部位：根。别名：藤梨根）、猕猴梨叶（药用部位：叶）。

| 形态特征 | 落叶藤本。小枝无毛或幼时疏被绒毛，二年生枝灰褐色；髓白色。叶卵形、长圆形、宽卵形至近圆形，长 6 ~ 12 cm，宽 5 ~ 10 cm，先端急尖，基部圆形至浅心形，边缘具细密锐锯齿，上面无毛，背面脉腋具髯毛。花序腋生或腋外生，苞片线形，长 1 ~ 4 mm；花乳白色或淡绿色，萼片 4 ~ 6，卵圆形至长圆形，长 3.5 ~ 5 mm，微被缘毛；花瓣 4 ~ 6，倒卵形或宽倒卵形，长 7 ~ 9 mm，1 花 4 瓣的其中有 1 片 2 裂至半；花药黑色至暗紫色，长 1.5 ~ 2 mm；子房瓶状，长 6 ~ 7 mm，无毛，花柱长 3.5 ~ 4 mm。果实圆球形至长

软枣猕猴桃

圆形，长 2 ~ 3 cm，先端具喙，成熟时绿黄色或紫红色。花期 6 ~ 7 月，果期 8 月。

| 生境分布 | 生于山谷、山坡的林缘、林下。分布于宁夏六盘山及泾源等。

| 资源情况 | 野生资源丰富。

| 采收加工 | 软枣子：秋季果实成熟时采摘，鲜用或晒干。
软枣猕猴梨根：秋、冬季采挖，洗净，切片，晒干。
猕猴梨叶：夏、秋季采收，晒干。

| 功能主治 | 软枣子：甘、微酸，微寒。止渴，解烦热，下石淋。用于消化不良，食欲不振，呕吐，烫火伤。

猕猴梨根：淡、微涩，平。清热利湿，祛风除痹，解毒消肿，止血。用于黄疸，消化不良，呕吐，风湿痹痛，消化道恶性肿瘤，痈疡疮疖，跌打损伤，外伤出血，乳汁不下。
猕猴梨叶：甘，平。止血。用于外伤出血。

| 用法用量 | 软枣子：内服煎汤，3 ~ 15 g。
猕猴梨根：内服煎汤，15 ~ 60 g。
猕猴梨叶：外用适量，焙干，研末，撒敷。

猕猴桃科 Actinidiaceae 猕猴桃属 Actinidia

四萼猕猴桃
Actinidia tetramera Maxim.

| 药 材 名 | 四萼猕猴桃（药用部位：根、果实）。

| 形态特征 | 木质藤本。着花小枝长 3 ~ 8 cm，老枝淡灰色，嫩枝红褐色，无毛，皮孔明显；髓褐色，片层状。叶纸质，通常簇生于小枝先端；叶片倒卵状长椭圆形或椭圆形，长 4 ~ 8 cm，宽 2 ~ 4 cm，先端渐尖，基部楔形或斜楔形，稀近圆形，边缘具细锯齿，上面深绿色，无毛，背面淡绿色，脉腋具白色簇毛，沿主脉疏被白色刺毛；叶柄细弱，长约 3 cm，黄褐色，无毛。花杂性，3 花簇生或单生，气芳香；萼片 4，淡绿色，椭圆形或卵状椭圆形，长约 3 mm，宽约 2 mm，边缘具缘毛，宿存；花瓣 4，稀 5，白色，倒卵状长圆形，长 7 ~ 10 mm，宽 4.5 ~ 5 mm，先端圆钝，背面无毛，腹面疏被短毛；雄

四萼猕猴桃

蕊多数，花丝细弱，长约 3.5 mm，花药淡黄色，长约 2 mm；子房扁球形，长约 0.8 mm，直径约 1 mm，花柱极短。果实为浆果，长卵状球形，长 1.5 ～ 2 cm，金黄色，成熟后褐色，无毛。花期 5 月中旬至 6 月中旬，果熟期 9 月中开始。

| 生境分布 | 生于海拔 1 100 ～ 2 700 m 的潮湿林中。分布于宁夏六盘山及泾源等。

| 资源情况 | 野生资源较少。

| 功能主治 | 根，清热利湿。用于慢性肝炎，痢疾，带下。果实，止渴生津，清热解毒。

| 附　注 | 本种为国家二级保护野生植物。

猕猴桃科 Actinidiaceae 藤山柳属 Clematoclethra

猕猴桃藤山柳

Clematoclethra scandens Maxim. subsp. *actinidioides* (Maximowicz) Y. C. Tang & Q. Y. Xiang

| 药 材 名 | 猕猴桃藤山柳（药用部位：根）。

| 形态特征 | 攀缘灌木，长 6 ~ 7 m。枝灰褐色或黄褐色，具白色皮孔，无毛或幼时具柔毛。叶卵形或卵状长椭圆形，长 3.5 ~ 9 cm，宽 1.5 ~ 7 cm，先端渐尖，基部近圆形至微心形，边缘具刺毛状细齿，上面暗绿色，下面淡灰绿色，两面无毛或下面脉腋有簇毛；叶柄长 2 ~ 8 cm，无毛。花常单生，花梗细瘦，无毛，长 1 ~ 1.5 cm，中上部具 2 线形苞片，如有 3 花组成花序时，苞片生于总花梗的先端；萼片 5，卵形或卵圆形，长约 4 mm，宽约 4.2 mm，边缘具缘毛，背面被短绒毛；花瓣 5，白色或稍带粉红色，椭圆形，长 6 ~ 8 mm，宽约 4 mm；雄蕊长约 3 mm；子房圆球形，直径约 1.8 mm，花柱先端弯曲，较雄蕊长。花期 7 月。

猕猴桃藤山柳

| **生境分布** | 生于海拔 1 500 ～ 2 700 m 的山地沟谷林缘、灌丛或山坡杂木林中。分布于宁夏六盘山及泾源等。 |

| **资源情况** | 野生资源稀少。 |

| **采收加工** | 夏、秋季采挖，洗净，切片，鲜用。 |

| **功能主治** | 清热解毒，活血化瘀，消肿止痛。用于吐血，带下，闭经，慢性肝炎，风湿关节痛，疝气。 |

| **用法用量** | 外用适量，鲜品加米泔水和盐卤磨汁涂。 |

藤黄科 Guttiferae 金丝桃属 Hypericum

黄海棠 *Hypericum ascyron* L.

| 药 材 名 | 红旱莲（用药部位：全草。别名：湖南连翘、金丝蝴蝶）。

| 形态特征 | 多年生草本，高 0.5 ~ 1.3 m。茎直立，单一或 2 ~ 3 丛生，具 4 棱，常从叶腋抽出小枝，无毛。叶对生，叶片披针形或长圆状披针形，长（2 ~）4 ~ 10 cm，宽（0.4 ~）1 ~ 2.7（~ 3.5）cm，先端急尖，基部心形，抱茎，全缘，两面无毛，具透明腺点。花数朵成顶生聚伞花序，或单生于上部叶腋着生小枝的先端；花梗长 0.5 ~ 3 cm，无毛；萼片卵形，长（3 ~）5 ~ 15（~ 25）mm，宽 1.5 ~ 7 mm，先端急尖或钝；花瓣黄色，倒卵状披针形，长 1.5 ~ 4 cm，宽 0.5 ~ 2 cm，先端圆钝；雄蕊多数，连合成 5 束，长 1 ~ 1.5 cm；子房棕褐色，花柱 5，离生，与子房近等长。蒴果圆锥形。种子圆柱形，

黄海棠

长 0.9 ~ 2.2 cm，宽 0.5 ~ 1.2 cm，表面具蜂窝状纹，一侧具细长的狭膜质翅。花期 7 ~ 8 月，果期 8 ~ 9 月。

| **生境分布** | 生于山坡林下、林缘、灌丛、草丛或草甸中、溪旁及河岸湿地等；也可庭园栽培。分布于宁夏贺兰山（贺兰、永宁、平罗）、六盘山（泾源）等，泾源其他区域也有分布。

| **资源情况** | 野生资源较丰富。

| **采收加工** | 春、秋季采割，鲜用或晒干。

| **药材性状** | 本品为干燥全草。叶通常脱落。茎红棕色，中空，节处有叶痕，先端具果实 3 ~ 5。果实圆锥形，长约 1.5 cm，直径约 0.8 cm，外表红棕色，先端 5 瓣裂，裂片先端细尖，坚硬，内面灰白色，中轴处着生多数种子。种子红棕色，圆柱形，细小。果实气微香。以去根、有叶、茎红棕色、种粒饱满者为佳。

| **功能主治** | 微苦，寒。归肝经。凉血止血，活血调经，清热解毒。用于头痛，吐血，咯血，衄血，崩漏，黄疸，跌打损伤，湿疹，黄水疮。

| **用法用量** | 内服煎汤，4.5 ~ 9 g。外用适量，鲜品捣敷；或绞汁涂敷；或研末调敷。

藤黄科 Guttiferae 金丝桃属 Hypericum

赶山鞭
Hypericum attenuatum Choisy

| 药 材 名 | 赶山鞭（药用部位：全草。别名：小金丝桃、野金丝桃）。

| 形态特征 | 多年生草本，高（15～）30～74 cm。茎直立，圆柱形，具2纵棱，全株散生黑色腺点。叶长卵形、倒卵形或椭圆形，长（0.8～）1.5～2.5（～3.8）cm，宽（0.3～）0.5～1.2 cm，先端钝或急尖，基部渐狭，稍抱茎，全缘，无毛，两面及边缘散生黑色腺点。花数朵，成顶生聚伞状圆锥花序；花小，直径1.5～2 cm；萼片5，宽披针形，外面及边缘具黑色腺点；雄蕊3束，短于花瓣，花药上有黑色腺点；花柱3，离生。蒴果卵圆形，长0.6～10 mm，成熟后先端3裂。种子圆柱形，表面蜂窝状，一侧具狭翅。花期7～8月，果期8～9月。

赶山鞭

| **生境分布** | 生于林缘、灌丛、草地。分布于宁夏六盘山及西吉等。

| **资源情况** | 野生资源较少。

| **采收加工** | 秋季采割，晒干或鲜用。

| **功能主治** | 苦，平。归心经。止血，镇痛，通乳。用于咯血，崩漏，风湿痹痛，跌打损伤，缺乳，乳痈，创伤出血，痈疖肿毒。

| **用法用量** | 内服煎汤，9 ~ 15 g。外用适量，鲜品捣敷；或干品研末撒敷。

藤黄科 Guttiferae 金丝桃属 Hypericum

突脉金丝桃 *Hypericum przewalskii* Maxim.

| 药 材 名 | 大对经草（药用部位：全草。别名：大花金丝桃、大叶刘寄奴、老君茶）。

| 形态特征 | 多年生草本，高 30 ～ 50 cm。茎直立，圆柱形，单生或数个丛生，无毛。叶对生，叶片卵形、卵状椭圆形或长椭圆形，长 2 ～ 5 cm，宽 1 ～ 2.5（～ 3）cm，先端圆钝，基部心形或圆形，抱茎，全缘，上面绿色，下面淡绿色，两面无毛，具透明腺点，下面叶脉隆起。聚伞花序顶生或单生叶腋；花梗长 3 ～ 4 cm，无毛；萼片长椭圆形或椭圆状披针形，长 8 ～ 10 mm，宽 2 ～ 4 mm，先端圆钝或急尖；花瓣倒卵状披针形，长约 2 cm，宽约 5 mm，黄色，先端圆钝；雄蕊多数，合生成 5 束，与花瓣近等长；花柱细长，上部 5 裂，稍短于雄蕊。蒴果圆锥形，5 室。花期 6 月，果期 7 ～ 8 月。

突脉金丝桃

| 生境分布 | 生于山坡和林边草丛中。分布于宁夏六盘山（泾源、隆德）及海原等。

| 资源情况 | 野生资源较少。

| 采收加工 | 夏、秋季采割，晒干。

| 药材性状 | 本品根呈棕黄色。茎圆柱形，直径 3 ~ 5 mm，少分枝，灰绿色，质脆。叶多破碎，完整者呈长卵形，对生，全缘。花 1 至数朵顶生，黄色。蒴果圆锥形，长约 1.3 cm，萼宿存，表面黄棕色，有 5 纵棱，质稍硬。气微，味微苦、涩。

| 功能主治 | 苦、微辛，平。归肺、心、肾经。清暑，利尿，调经。用于跌打损伤，外伤出血，小便不利，月经不调。

| 用法用量 | 内服煎汤，9 ~ 15 g。外用适量，研末撒。

柽柳科 Tamaricaceae 水柏枝属 *Myricaria*

宽苞水柏枝
Myricaria bracteata Royle

| 药 材 名 | 宽苞水柏枝（药用部位：幼嫩枝条）。

| 形态特征 | 直立灌木，高 0.5 ~ 3 m。由基部多分枝，幼枝红棕色或黄绿色。叶密生于当年生枝上，卵状披针形、线状披针形或狭矩圆形，长 2 ~ 4（~ 7）mm，宽 0.5 ~ 2 mm，先端钝或锐尖，基部略扩展，常具狭膜质边缘。总状花序顶生于当年生枝上，密集成穗状；苞片卵形或椭圆形，长 7 ~ 8 mm，宽 4 ~ 5 mm，先端锐尖，边缘膜质；花梗长约 1 mm；花 5 基数，萼片披针形、矩圆形或椭圆形，长 4 mm，宽 1 ~ 2 mm，略短于花瓣，先端常内弯，具宽膜质；边缘；花瓣倒卵形或倒卵状矩圆形，长 5 ~ 6 mm，宽 2 ~ 2.5 mm，淡红色或紫红色，先端圆钝，基部狭缩，花后凋存；雄蕊 8 ~ 10，略短于花瓣，

宽苞水柏枝

花丝下部 1/2 ~ 2/3 合生。蒴果狭圆锥形，长 8 ~ 10 mm。花期 6 ~ 7 月，果期 8 ~ 9 月。

| 生境分布 | 生于湖边沙地或沟渠边。分布于宁夏中宁、沙坡头、海原、大武口、灵武、青铜峡等。

| 资源情况 | 野生资源较少。

| 采收加工 | 春、夏季采收，阴干或晒干。

| 功能主治 | 清热解毒，疏风解表，升阳发散，止咳透疹。用于麻疹不透高热，风湿性关节痛，疥癣，皮肤瘙痒，血热，酒毒，瘾疹，风疹。

柽柳科 Tamaricaceae 水柏枝属 *Myricaria*

三春水柏枝 *Myricaria paniculata* P. Y. Zhang et Y. J. Zhang

三春水柏枝

药材名

水柏枝（药用部位：嫩枝。别名：砂柳、臭红柳）。

形态特征

直立灌木，高 1 ~ 3 m。老枝暗紫红色或淡黄棕色，幼枝淡黄绿色。叶密生于当年生枝上，披针形、卵状披针形或线形，长 2 ~ 4（~ 6）mm，宽 0.5 ~ 1 mm，先端急尖或钝。通常一年开两次花，春季总状花序侧生于去年生枝上，长 4 ~ 8 cm，直径约 1 cm，夏、秋季总状花序集成圆锥花序生于当年生枝先端；春季花序上的苞片椭圆形，夏、秋季花序上的苞片卵形，长 4 ~ 6.5 mm，宽 2 ~ 3 mm，先端稍钝或具尾状尖，边缘宽膜质；萼片卵状披针形或矩圆状披针形，长 3 ~ 4 mm，宽 1 ~ 1.5 mm，较花瓣稍短，边缘宽膜质，先端渐尖，内弯；花瓣矩圆状披针形或倒卵状椭圆形，长 4 ~ 5 mm，宽 1.5 ~ 2.2 mm，先端钝或近圆形，紫红色，花后宿存；雄蕊 10，花丝下部 1/2 ~ 2/3 合生。蒴果狭圆锥形，长 8 ~ 10 mm。花期 3 ~ 9 月，果期 5 ~ 10 月。

| **生境分布** | 生于河边或砾石河滩地。分布于宁夏六盘山（泾源、隆德、原州）等，泾源、隆德、原州其他区域也有分布。 |

| **资源情况** | 野生资源较少。 |

| **采收加工** | 春、夏季采收，剪取嫩枝，晒干。 |

| **药材性状** | 本品呈圆柱形，表面红棕色，平滑无毛。质脆，易折断，断面中央有髓。 |

| **功能主治** | 辛、甘，微温。解表透疹，祛风止痒。用于麻疹透发不畅，发热，咳嗽，风湿痹痛，风疹瘙痒，癣症。 |

| **用法用量** | 内服煎汤，3～9 g。外用适量，煎汤洗。 |

柽柳科 Tamaricaceae 水柏枝属 Myricaria

宽叶水柏枝 *Myricaria platyphylla* Maxim.

| 药 材 名 | 沙红柳（药用部位：嫩枝。别名：喇嘛棍、胖柳）。

| 形态特征 | 直立灌木。高约 2 m，多分枝；老枝红褐色或灰褐色，当年生枝灰
白色或黄灰色，光滑。叶大，疏生，开展，宽卵形或椭圆形，长
7 ~ 12 mm，宽 3 ~ 8 mm，先端渐尖，基部扩展呈圆形或宽楔形，
不抱茎；叶腋多生绿色小枝，小枝上的叶较小，卵形或长椭圆形。
总状花序侧生，稀顶生，长 9 ~ 14 cm，基部被多数覆瓦状排列的
鳞片，鳞片卵形，边缘宽膜质；苞片宽卵形或椭圆形，长约 7 mm，
宽约 4 mm，稍短于花萼，先端钝，基部狭缩，楔形，具宽膜质边；
花梗长约 2 mm；萼片长椭圆形或卵状披针形，长 4 ~ 5 mm，宽
1.5 ~ 2.5 mm，略短于花瓣，先端钝，具狭膜质边；花瓣倒卵形，

宽叶水柏枝

长 5 ~ 6 mm，先端钝圆，基部狭缩，淡红色或粉红色；花丝 2/3 部分合生；子房卵圆形，长 5 mm，柱头头状；果实圆锥形，长约 10 mm。种子多数，长圆形，先端具芒柱。花期 4 ~ 6 月，果期 7 ~ 8 月。

| 生境分布 | 生于河滩、湖滩地、沙地或沙丘基部。分布于宁夏沙坡头等。

| 资源情况 | 野生资源稀少。

| 采收加工 | 春、夏季采收，晒干。

| 药材性状 | 本品呈圆柱形，表面灰白色，光滑。质脆，易折断，断面中央有黄白色髓部。

| 功能主治 | 辛、甘，温。发表透疹。用于麻疹不透。

| 用法用量 | 内服煎汤，3 ~ 9 g。外用适量，煎汤洗。

| 附　注 | （1）由于土地的沙化、沙漠的扩移、湿地的减少和溪、河的断流，宽叶水柏枝居群的数量急剧下降。第四次全国中药资源普查表明，本种在宁夏已成为水柏枝属中的濒危物种。

（2）本种与心叶水柏枝 *Myricaria pulcherrima* Batal. 极相似，区别在于本种的总状花序侧生，叶基部不呈心形，不抱茎。

桎柳科 Tamaricaceae 红砂属 Reaumuria

红砂

Reaumuria soongarica (Pall.) Maxim.

| 药 材 名 | 红砂（药用部位：枝叶。别名：杉柳、海葫芦根）。

| 形态特征 | 矮小灌木。高 15 ~ 25 cm。茎多分枝，老枝灰黄色，幼枝色稍淡。叶常 3 ~ 5 簇生，肉质，短圆柱状或倒披针状线形，先端钝，浅灰绿色，具腺。花单生叶腋或在小枝上集成疏松的穗状；苞片 3，长椭圆形，长约 1 mm，宽约 0.6 mm，绿色，具白色膜质边缘；花小型，无柄，花萼钟形，中下部联合，上部 5 齿裂，裂片三角状卵形，边缘膜质；花瓣 5，粉红色或白色，矩圆形，长约 3.5 mm，宽约 2 mm，先端钝，弯曲成兜形，基部狭楔形，里面中下部具 2 矩圆形鳞片，雄蕊通常 6，稀 8 或更多，离生，与花瓣近等长；子房长椭圆形，花柱 3。蒴果长圆状卵形，长约 4.5 mm，直径约 1.6 mm，

红砂

光滑无毛，3瓣裂；种子长矩圆形，长约2 mm，全体被灰白色长柔毛。花期7～8月，果期8～9月。

| **生境分布** | 生于荒漠、半荒漠的山麓洪积平原、山地丘陵、风蚀残丘、山前砂砾质和砾质洪积扇、戈壁等。分布于宁夏贺兰、惠农、平罗、利通、青铜峡、沙坡头、中宁、灵武、红寺堡、同心、兴庆、大武口等。

| **资源情况** | 野生资源丰富。

| **采收加工** | 夏、秋季采收，剪取枝叶，晒干。

| **药材性状** | 本品近无梗，肥厚，较短，呈短圆柱形，长1～5 mm，宽0.5 mm，鳞片状。

| **功能主治** | 用于湿疹，皮炎等。

| **用法用量** | 外用适量，煎汤洗。

| **附　　注** | （1）红砂可耐极端干旱和盐碱，其适宜生长的土壤一般为灰棕沙漠土，在荒漠灰钙土上也有生长，并出现在盐化以至强盐化土上。

（2）《中国植物志》（网络版）记载红砂 *Reaumuria soongarica* (Pallas) Maximowicz 为琵琶柴属 *Reaumuria*，《宁夏植物志》（2007年版）、《中国植物志》（英文版）均记载为红砂属 *Reaumuria*。

柽柳科 Tamaricaceae 红砂属 Reaumuria

黄花红砂 *Reaumuria trigyna* Maxim.

| 药 材 名 | 黄花红砂（药用部位：枝叶）。

| 形态特征 | 小灌木。高 10 ~ 30 cm。多分枝，老枝灰白色或灰黄色，树皮条状剥裂，当年生枝从老枝顶部生出，幼枝淡绿色，较细。叶肉质，圆柱形，常 2 ~ 5 簇生，长 5 ~ 15 mm，直径 0.5 ~ 1 mm，先端圆，微弯曲。花单生叶腋，花梗纤细，长 8 ~ 10 mm；苞片宽卵形，基部扩展，先端短突尖，覆瓦状排列，密接于花萼基部；萼片 5，离生，与苞片同形，几同大；花瓣 5，黄色，矩圆状倒卵形，长约 5 mm，里面下部具 2 鳞片状附属物；雄蕊 15；子房倒卵形，花柱 3，长于子房，长约 3.5 mm。蒴果矩圆形，长 8 ~ 10 mm，无毛，3 瓣裂。花期 7 ~ 8 月，果期 8 ~ 9 月。

黄花红砂

| 生境分布 | 生于草原化荒漠的砂砾地、石质或土石质干旱山坡。分布于宁夏青铜峡等。

| 资源情况 | 野生资源较少。

| 采收加工 | 夏、秋季采收，剪取枝叶，晒干。

| 功能主治 | 祛湿止痒。用于湿疹，皮炎等。

| 用法用量 | 外用适量，煎汤洗。

| 附　　注 | 《中国植物志》（网络版）记载黄花红砂 *Reaumuria trigyna* Maxim. 由红砂属 *Reaumuria* 修订为琵琶柴属 *Reaumuria*，《宁夏植物志》（2007 年版）记载为红砂属 *Reaumuria*。

柽柳科 Tamaricaceae 柽柳属 *Tamarix*

白花柽柳
Tamarix androssowii Litw.

药 材 名	白花柽柳（药用部位：嫩枝、叶。别名：柽柳）。
形态特征	灌木或小乔木。茎直立，暗棕红色或紫红色，光亮；当年生木质化生长枝直伸，高 1.5 m 以上，淡红绿色，营养小枝几从生长枝上成直角伸出。生长枝上的叶淡绿色，微具耳，营养枝上的叶卵形，有内弯的尖头，边缘膜质，叶基钝下延，全叶 2/3 贴茎生。总状花序长 2 ~ 3（~ 5）cm，宽 3 ~ 4（~ 5）mm，单生或 1 ~ 3 簇生，侧生在去年生的生长枝上，营养小枝同时成簇生出，基部有总梗长 0.5 ~ 1 cm，疏生鳞片状苞叶；苞片长圆状卵形，先端钝，具有软骨质钻状尖头，略向内弯，比花梗短或等长；花梗长 1 ~ 1.5 mm；花 4 基数；花萼长 0.7 ~ 1 mm，比花瓣短 1/3，萼片卵形，突尖，

白花柽柳

具龙骨状突起，边缘膜质，具细裂齿，花后开展；花瓣白色或淡白色，倒卵形，互相靠合，花后略开张，果时大多宿存；花盘小，肥厚，紫红色，4裂，裂片向上渐收缩为花丝的基部；雄蕊4，花丝与花瓣等长或略长，基部变宽，生花盘裂片先端（假顶生），花药暗紫红色或黄色，先端具尖突，果时宿存；子房狭圆锥形，花柱3（稀4），棍棒状，短。蒴果小，狭圆锥形；种子黄褐色。花期4月下旬至5月上旬。秋季偶在新枝先端开花，花5基数。

| **生境分布** | 生于荒漠河谷沙地、流沙边缘。分布于宁夏兴庆、金凤、永宁等。

| **资源情况** | 野生资源较少。

| **采收加工** | 未开花时采下幼嫩枝梢，阴干。

| **功能主治** | 解表透疹，祛风利尿。

| **附　　注** | 本种生长迅速，耐沙埋、沙压。

柽柳科 Tamaricaceae 柽柳属 Tamarix

柽柳
Tamarix chinensis Lour.

| 药 材 名 | 西河柳（药用部位：嫩枝叶。别名：柽柳、赤柽柳、西湖柳）。

| 形态特征 | 乔木或灌木。老枝直立，暗褐红色，幼枝稠密细弱，常开展而下垂，红紫色或暗紫红色，有光泽；嫩枝繁密纤细，悬垂。叶鲜绿色，从去年生木质化生长枝上生出的绿色营养枝上的叶长圆状披针形或长卵形，稍开展，先端尖，基部背面有龙骨状隆起，常呈薄膜质；上部绿色营养枝上的叶钻形或卵状披针形，半贴生，先端渐尖而内弯，基部变窄，长 1 ~ 3 mm，背面有龙骨状突起。每年开花 2 ~ 3 次。总状花序侧生在去年生木质化的小枝上，长 3 ~ 6 cm，宽 5 ~ 7 mm，花大而少，小枝亦下倾；有短总花梗，或近无梗，梗生有少数苞叶或无；苞片线状长圆形或长圆形，渐尖，与花梗等长或稍长；花

柽柳

梗纤细，较萼短；花5出；萼片5，狭长卵形，具短尖头，外面2，背面具隆脊，较花瓣略短；花瓣5，粉红色，通常卵状椭圆形或椭圆状倒卵形，长约2 mm，较花萼微长，果时宿存；花盘5裂，裂片先端圆或微凹，紫红色，肉质；子房圆锥状瓶形，花柱3，棍棒状。蒴果圆锥形。花期4～9月。

| 生境分布 | 生于河流冲积平原、盐碱滩地或潮湿盐碱荒地。分布于宁夏西吉、原州、彭阳、贺兰、惠农、平罗、西夏、永宁、兴庆、灵武、金凤、大武口等。

| 资源情况 | 野生资源丰富。

| 采收加工 | 夏季花未开时采收，阴干。

| 药材性状 | 本品枝呈细圆柱形，直径0.5～1.5 mm。表面灰绿色，有多数互生的鳞片状小叶。质脆，易折断。稍粗的枝表面红褐色，叶片常脱落而残留凸起的叶基，断面黄白色，中心有髓。气微，味淡。

| 功能主治 | 甘、辛，平。归心、肺、胃经。发表透疹，祛风除湿。用于麻疹不透，风湿痹痛。

| 用法用量 | 内服煎汤，3～6 g。外用适量，煎汤擦洗。

柽柳科 Tamaricaceae 柽柳属 Tamarix

长穗柽柳

Tamarix elongata Ledeb.

| 药 材 名 | 长穗柽柳（药用部位：嫩枝。别名：柽柳）。

| 形态特征 | 大灌木。枝短而粗壮，挺直，灰色；营养小枝淡黄绿色。生长枝上的叶披针形、线状披针形或线形，渐尖或急尖，基部宽心形，背面隆起，半抱茎，具耳；营养小枝上的叶心状披针形或披针形，半抱茎，短下延，微具耳，向上披针形紧缩。在生长枝的叶腋内，秋季生出长达 5 mm 的浅黄色花芽。总状花序侧生在去年生枝上，春季于发叶前或发叶时出现，单生，粗壮，基部有具苞片的总花梗，总花梗长 1 ~ 2 cm，苞片线状披针形或宽线形，渐尖，淡绿色或膜质，长 3 ~ 6 mm，明显超出花萼（连花梗）或与花萼等长，花时略向外倾，花末向外反折；花梗比花萼略短或等长。花较大，4 基数，花萼深

长穗柽柳

钟形，基部略结合，萼片卵形，钝或急尖，边缘膜质，具牙齿；花瓣卵状椭圆形或长圆状倒卵形，两侧不等，先端圆钝；雄蕊 4（偶有 6 ~ 7），与花瓣等长或略长，花丝基部变宽；花药钝或先端具小突起，粉红色；子房卵状圆锥形，几无花柱，柱头 3。蒴果，果皮枯草质，淡红色或橙黄色。春季 4 ~ 5 月开花。秋季偶 2 次开花，2 次花为 5 基数。

| **生境分布** | 生于沙地或盐碱地。分布于宁夏青铜峡、兴庆等。

| **资源情况** | 野生资源较少。

| **采收加工** | 未开花时采下幼嫩枝梢，阴干。

| **功能主治** | 甘、辛，平。透疹解表，疏风止咳，清热解毒。

柽柳科 Tamaricaceae 柽柳属 Tamarix

多花柽柳
Tamarix hohenackeri Bunge

| 药 材 名 | 多花柽柳（药用部位：嫩枝、叶。别名：柽柳）。

| 形态特征 | 灌木或小乔木。老枝树皮灰褐色，二年生枝条暗红紫色。绿色营养枝上的叶小，线状披针形或卵状披针形，长渐尖或急尖，向内弯，边缘干膜质，略具齿，半抱茎；木质化生长枝上的叶几抱茎，卵状披针形，渐尖，基部膨胀，下延。总状花序侧生在去年生的木质化的生长枝上，多为数个簇生，无总花梗；总状花序顶生在当年生幼枝先端，集生成疏松或稠密的短圆锥花序；苞片条状长圆形、条形或倒卵状狭长圆形，略具龙骨状肋，突尖，常呈干薄膜质，长 1 ~ 2 mm，比花梗略长，或与花萼（包括花梗）等长；花梗与花萼等长或略长；花 5 基数，萼片卵圆形，长 1 mm，先端钝尖，

多花柽柳

边缘膜质，牙齿状，内面 3 比外面 2 略钝；花瓣卵形，卵状椭圆形或近圆形，比花萼长 1 倍，玫瑰色或粉红色，花冠呈鼓形或球形，果时宿存；花盘肥厚，暗紫红色，5 裂，裂片先端钝圆或微凹；雄蕊 5，与花瓣等长或略长，花丝渐狭细，着生在花盘裂片间，花药心形，钝；花柱 3，棍棒状匙形，长为子房的一半。蒴果长 4 ~ 5 mm，超出花萼 4 倍。春季开花 5 ~ 6 月上旬，夏季开花直到秋季。

| 生境分布 | 生于荒漠河岸林中，或荒漠河、湖沿岸的轻度盐渍化土壤上。分布于宁夏沙坡头、中宁等。

| 资源情况 | 野生资源较少。

| 采收加工 | 未开花时采下幼嫩枝梢，阴干。

| 功能主治 | 甘、咸，平。祛风除湿，利尿，解表。用于麻疹难透，风疹身痒，感冒，咳喘，风湿痹痛。

| 用法用量 | 内服煎汤，32 ~ 65 g；或研末冲服。外用适量，煎汤洗。

柽柳科 Tamaricaceae 柽柳属 Tamarix

短穗柽柳
Tamarix laxa Willd.

| 药 材 名 | 短穗柽柳（药用部位：嫩枝、花）。

| 形态特征 | 灌木。树皮灰色，幼枝灰色、淡红灰色或棕褐色，小枝短而直伸，脆而易折断。叶黄绿色，披针形或卵状长圆形至菱形，渐尖或急尖，先端具短尖头，基部变狭而略下延，边缘狭膜质。总状花序侧生在去年生的老枝上，长达4 cm，直径5～7（～8）mm，着花稀疏，被稀疏长圆形的棕色鳞被；苞片卵形，长椭圆形，先端钝，边缘膜质，上半部软骨质，常向内弯，淡棕色或淡绿色，长不超过花梗的一半；花梗长约2 mm；花4基数，花萼长约1 mm，萼片4，卵形，钝，渐尖，果时外弯，边缘宽膜质，外面2具龙骨状突起；花瓣4，粉红色，稀淡白粉红色，略呈长圆状椭圆形至长圆状倒卵形，长约2 mm，充分开展，并向外反折，花后脱落；雄蕊4，与花瓣等长或略长，花丝基部变宽，生花盘裂片先端（假顶生），花药红紫色，钝，

短穗柽柳

有小头或突尖。花柱 3，先端有头状柱头。蒴果狭，长 3 ~ 4（~ 5）mm，草质。花期 4 ~ 5 月上旬，偶见秋季 2 次在当年枝开少量的花，秋季花 5 基数。

| 生境分布 | 生于原野荒地、路旁、田间、沙丘、海滩、山坡等地。分布于宁夏惠农、平罗、利通、沙坡头、中宁、金凤、大武口等。

| 资源情况 | 野生资源丰富。

| 采收加工 | 花期前剪取嫩枝，阴干；花期采集花，阴干。

| 功能主治 | 辛、甘，平。疏风，解毒，透疹，止咳，清热。

柽柳科 Tamaricaceae 柽柳属 Tamarix

细穗柽柳
Tamarix leptostachya Bge.

| **药 材 名** | 细穗柽柳（药用部位：嫩枝、果穗）。 |

| **形态特征** | 灌木。当年的生长枝灰紫色或红色。生长枝的叶狭卵形或卵状披针形，基部稍下延，半抱茎，先端锐尖；营养枝的叶狭卵形或卵状披针形，基部下延，先端锐尖。总状花序长卵状纤细，在当年生枝上顶生，簇生至顶生，密度大，球形或卵圆锥状；花序梗长 0.5 ~ 2.5 cm；上升的苞片钻形，长约 1.2 mm，等长于花梗或花萼，先端渐尖。花梗等于或者稍超过花萼。花瓣 5，小。花萼长 0.7 ~ 0.9 mm；萼片卵形，边缘狭膜质，先端渐尖。花瓣略带紫色、红色或粉红色，倒卵形，长约 1.5 mm，宽 0.5 mm，长约花萼的 2 倍，先端钝，下弯，早落。花盘 5 裂，偶有再分成 10 小裂片。雄蕊 5，与萼片对生；花 |

细穗柽柳

丝外露，长约为花瓣的 2 倍，基部膨大，着生在花盘裂片先端，或花盘裂片再分成小裂片，然后在裂片之间着生雄蕊；花药心形，不具细尖。子房圆锥形；花柱 3，蒴果小，长 1.8 mm，宽 0.5 mm，长为花萼的 2 倍以上。花期 6 ~ 7 月。

| **生境分布** | 生于沟渠、路旁或盐碱荒地。分布于宁夏西吉、沙坡头等。

| **资源情况** | 野生资源较少。

| **采收加工** | 未开花时采下幼嫩枝梢，阴干。

| **功能主治** | 甘，平。发汗，解表，透疹，利尿。

柽柳科 Tamaricaceae 柽柳属 Tamarix

多枝柽柳 *Tamarix ramosissima* Ledeb.

| 药 材 名 | 多枝柽柳（药用部位：枝叶。别名：红柳、西河柳）。

| 形态特征 | 灌木或小乔木。老枝深灰色；当年的生长枝橙黄色或带红色，生长
枝的叶长披针形，半抱茎，稍下延；营养枝宽卵形球状或三角状心
形，长 2 ~ 5 mm，基部下延，近抱茎，先端锐尖。总状花序顶生在
当年生枝上，丛生至顶生圆锥花序；花序梗长 2 ~ 10 mm；苞片披
针形、卵状披针形、线状钻形或卵状长圆形，等长于或超过花萼，
先端渐尖。花梗短于或近等长于花萼。花瓣 5；花萼长 0.5 ~ 1 mm；
萼片宽椭圆状卵形或卵形，先端渐尖或钝；内部 3 比外部 2 宽，
边缘狭膜质，有不规则的牙齿。花瓣粉红色或紫色，倒卵形至宽椭
圆状倒卵形，比花萼长 1/3。花盘 5 裂，裂片微缺的在先端。雄蕊

多枝柽柳

5，等长于或者长约超过花冠；花丝在基部不膨大，着生于花盘裂片间；花药钝或在先端具钝突起。子房圆锥形，三棱状；花柱 3，棍棒状，长为子房长的 1/4 ～ 1/3。蒴果三棱状，圆锥形，长 3 ～ 5 mm。花期 5 ～ 9 月。

| **生境分布** | 生于低洼湿地或沼泽边缘。分布于宁夏大武口、平罗、沙坡头等。

| **资源情况** | 野生资源较少。

| **功能主治** | 甘、辛，平。散风，解表，透疹。用于麻疹不透，风湿痹痛。

| **用法用量** | 内服煎汤，3 ～ 6 g。外用适量，煎汤擦洗。

鸡腿堇菜 *Viola acuminata* Ledeb.

| 药 材 名 | 鸡腿堇菜（药用部位：全草。别名：走边疆、红铧头草）。

| 形态特征 | 多年生草本。根茎倾斜或直伸，密生浅棕色根。茎直立，丛生，具纵棱，无毛或上部疏被柔毛。叶互生，心形、卵状心形或三角状卵形，长 1.5 ~ 4.5 cm，宽 1 ~ 3 cm，先端短渐尖或渐尖，基部心形或深心形，稍下延，边缘具钝锯齿，两面被柔毛，背面毛较密；叶柄长 2 ~ 4 cm，无毛或上部被柔毛；托叶大，披针形或椭圆形，长 1 ~ 1.5 cm，边缘具撕裂状长齿，表面及边缘具柔毛。花单生叶腋，花梗细长，长 3 ~ 7 cm，无毛或被短柔毛，上部具 2 线形苞片；萼片线形或线状披针形，长 8 ~ 10 mm，被柔毛，基部附属物短；花瓣淡紫红色，侧瓣里面具须毛，距囊状，长 2 ~ 3 mm，末端钝圆。

鸡腿堇菜

蒴果椭圆形，长约 1 cm，无毛，通常有黄褐色腺点，先端渐尖。花期 5 ～ 6 月。

| 生境分布 | 生于杂木林下、林缘、灌丛、山坡草地或溪谷湿地等处。分布于宁夏泾源、隆德等。

| 资源情况 | 野生资源较少。

| 采收加工 | 夏、秋季采收，鲜用或晒干。

| 药材性状 | 本品多皱缩成团。根数条，棕褐色。茎数枝丛生，托叶羽状深裂，多卷缩成条状，叶片心形。有时可见椭圆形蒴果。气微，味微苦。

| 功能主治 | 淡，寒。归心、肝、大肠经。清热解毒，消肿止痛。用于肺热咳嗽，急性传染性肝炎，疮疖肿毒，跌打损伤。

| 用法用量 | 内服煎汤，9 ～ 15 g，鲜品 30 ～ 60 g；或捣汁服。外用适量，捣敷。

菫菜科 Violaceae 菫菜属 Viola

双花菫菜 *Viola biflora* L.

| 药 材 名 | 双花菫菜（药用部位：全草。别名：谷穗补、短距菫菜）。

| 形态特征 | 多年生草本。根茎短，直伸，生棕褐色根。地上茎细弱，直立或斜伸，无毛。叶肾形，先端圆形，基部心形或深心形，边缘具圆钝齿，两面散生平贴毛或背面无毛；基生叶具细长柄，长 5 ~ 8 cm，无毛；茎生叶叶柄较短；托叶卵形或椭圆形，长 3 ~ 4 mm，宽 2 ~ 2.5 mm，先端尖，无毛。花单生于茎上部叶腋，花梗细弱，长 2 ~ 4 cm，无毛，中部以上具 2 钻形的小苞片；萼片披针形，长 3 ~ 4 mm，宽约 1 mm，先端稍钝，全缘，无毛或边缘具缘毛，基部附属物不明显；花瓣黄色，距短，圆形。蒴果椭圆形，长 4 ~ 7 mm，无毛。花期 5 月，果期 6 ~ 7 月。

双花菫菜

生境分布	生于林下或林缘草地。分布于宁夏贺兰、西夏、同心、泾源、彭阳、原州、隆德、红寺堡等。
资源情况	野生资源较少。
采收加工	夏季采收，洗净，鲜用或晒干。
功能主治	辛、微酸，平。归肺、肝经。活血散瘀，止血。用于跌打损伤，吐血，急性肺炎，肺出血。
用法用量	内服煎汤，9 ~ 15 g。外用适量，捣敷。
附　　注	《中华本草·藏药卷》记载双花堇菜也作藏药使用。

董菜科 Violaceae 董菜属 Viola

球果堇菜
Viola collina Bess.

| 药 材 名 | 地核桃（药用部位：全草。别名：山核桃、箭头草）。

| 形态特征 | 多年生草本。根茎粗壮，直生、斜伸或平卧，棕褐色，生多数棕色或浅棕色根。无地上茎。叶基生，多数丛生；叶片心形、圆心形或宽卵状心形，长 3.5 ~ 7 cm，宽 3 ~ 6 cm，先端短尖或急尖，基部心形或深心形，边缘具钝锯齿，上面绿色，下面淡绿色，两面密生平贴柔毛；叶柄长 4 ~ 18 cm，具纵棱，密被倒生或开展的白色柔毛；托叶披针形，膜质，边缘具疏锯齿，早落。花梗细弱，长 4 ~ 5 mm，被倒生柔毛，中部具 2 极小的苞片；萼片卵形或卵状椭圆形，被毛。果实近球形，直径 5 ~ 8 mm，密生柔毛；种子卵形，白色。花期 5 月，果期 6 ~ 7 月。

球果堇菜

| **生境分布** | 生于林缘、灌丛、沟旁、溪边。分布于宁夏泾源、海原、原州等。 |

| **资源情况** | 野生资源较少。 |

| **采收加工** | 夏、秋季间采收，洗净，鲜用或晒干。 |

| **药材性状** | 本品多皱缩成团，深绿色或枯绿色。根茎稍长，主根呈圆锥形。全株有毛茸，叶基生，湿润展平后，叶片呈心形或近圆形，先端钝或圆，基部稍呈心形，边缘有浅锯齿。花基生，具柄，淡棕紫色，两侧对称。蒴果球形，具毛茸，果柄下弯。气微，味微苦。 |

| **功能主治** | 苦、涩，凉。归肺、肝经。清热解毒，消肿止血。用于疮疡肿毒，肺痈，跌打损伤，刀伤出血，外感咳嗽。 |

| **用法用量** | 内服煎汤，9 ~ 15 g，鲜品 15 ~ 30 g；或浸酒。外用适量，捣敷。 |

| **附　　注** | 《中华本草》记载本种又名毛果堇菜。 |

董菜科 Violaceae **董菜属** Viola

裂叶董菜

Viola dissecta Ledeb.

| 药 材 名 | 裂叶董菜（药用部位：全草。别名：疗毒草）。

| 形态特征 | 多年生草本。根茎短，直生，白色，生浅棕色根。无地上茎。叶基生，叶片半圆形或宽三角状半圆形，长 3 ~ 6 cm，宽 4 ~ 8 cm，掌状 3 全裂，裂片倒卵形或倒卵状楔形，中裂片 3 深裂，侧裂片 2 深裂，小裂片再羽状深裂，最终裂片线形，长 0.5 ~ 1.5 cm，宽 2 ~ 2.5 mm，上面被短毛，背面无毛；叶柄长 4 ~ 13 cm，无毛；托叶线形，长约 1 cm，宽约 2 mm，膜质，1/2 以上与叶柄合生，无毛，边缘具少数圆锥形细齿。花梗由叶丛中抽出，较叶短，长 3 ~ 10 cm，无毛，黄白色，中部以上具 2 钻形苞片；萼片卵状椭圆形或椭圆形，长 5 ~ 7 mm，宽 2 ~ 3 mm，先端尖，边缘膜质，折皱，无毛，基

裂叶董菜

部附属物小；花瓣淡紫红色，距长管状，长 7 ~ 8 mm；子房无毛。果实椭圆形，长 8 ~ 10 mm，无毛。花期 5 月，果期 6 ~ 7 月。

| 生境分布 | 生于山坡草地、杂木林缘、灌丛下、田边、路旁或固定沙丘向阳处等。分布于宁夏隆德、西吉、原州、彭阳、贺兰、惠农等。

| 资源情况 | 野生资源较少。

| 采收加工 | 夏、秋季采挖，洗净，鲜用或晒干。

| 药材性状 | 本品全草多皱缩成团。湿润展平后，叶基生，叶片掌状 3 ~ 5 全裂，裂片再羽状深裂，裂片线形。花淡棕紫色。气微，味微苦。

| 功能主治 | 微苦，凉。归心、脾、肾经。清热解毒，消痈肿。用于无名肿毒，疮疖，麻疹热毒。

| 用法用量 | 内服煎汤，15 ~ 30 g。外用适量，捣敷。

菫菜科 Violaceae 菫菜属 Viola

紫花地丁

Viola philippica Cav.

紫花地丁

| 药 材 名 |

紫花地丁（药用部位：全草。别名：地丁）。

| 形态特征 |

多年生草本。无地上茎，高 5 ~ 18 cm。根茎短，垂直，淡褐色，长 4 ~ 12 mm，直径 2 ~ 8 mm，节密生，有数条淡褐色或近白色的细根。叶多数，基生，莲座状；叶片下部者通常较小，呈三角状卵形或狭卵形，上部者较长，呈长圆形、狭卵状披针形或长圆状卵形，先端圆钝，基部截形或楔形，稀微心形，边缘具较平的圆齿，两面无毛或被细短毛，有时仅下面沿叶脉被短毛，果期叶片增大，长 7 ~ 10 cm，宽 2 ~ 3 cm；叶柄在花期通常长于叶片 1 ~ 2 倍，上部具极狭的翅。花紫菫色或淡紫色，稀呈白色，喉部色较淡并带有紫色条纹；花梗多数，细弱，与叶片等长或高出于叶片；萼片卵状披针形或披针形，长 5 ~ 8 mm，先端渐尖；花瓣倒卵形或长圆状倒卵形，侧方花瓣长 0.9 ~ 1.2 cm，里面无毛或有须毛，下方花瓣连距长 1.3 ~ 2 cm，里面有紫色脉纹。蒴果长圆形，种子卵球形，淡黄色。花果期 4 ~ 9 月。

| **生境分布** | 生于田间、荒地、山坡草丛、林缘或灌丛中。分布于宁夏泾源、隆德、原州、彭阳、贺兰、平罗、西夏、沙坡头、中宁、兴庆、大武口等。

| **资源情况** | 野生资源较丰富。

| **采收加工** | 春、夏季采挖带果实全草，除去杂质，晒干。

| **药材性状** | 本品多皱缩成团。主根呈长圆锥形，直径 1 ~ 3 mm；淡黄棕色，有细纵皱纹。叶基生，灰绿色，展平后呈披针形或卵状披针形，长 1.5 ~ 6 cm，宽 1 ~ 2 cm；先端钝，基部截形或稍心形，边缘具钝锯齿，两面有毛；叶柄细，长 2 ~ 6 cm，上部具明显狭翅。花茎纤细；花瓣 5，紫堇色或淡棕色；花距细管状。蒴果椭圆形或 3 裂，种子多数，淡棕色。气微，味微苦而稍黏。

| **功能主治** | 苦、辛，寒。归心、肝经。清热解毒，凉血消肿。用于疔疮肿毒，痈疽发背，毒蛇咬伤。

| **用法用量** | 内服煎汤，15 ~ 30 g。外用适量，鲜品捣敷。

| **附　注** | （1）本种喜光，喜湿润的环境，耐荫，耐寒，不择土壤，适应性极强。
（2）本种也被作为多种民族药使用。

黄瑞香 *Daphne giraldii* Nitsche

药 材 名	祖师麻（药用部位：根皮、茎皮。别名：祖司麻、麻药子、麻豆豆）。
形态特征	落叶或常绿灌木或亚灌木。小枝有毛或无毛；冬芽小，具数鳞片。叶互生，稀近对生，具短柄，无托叶。花通常两性，稀单性，整齐，通常组成顶生头状花序，稀为圆锥、总状或穗状花序，有时花序腋生，通常具苞片，花白色、玫瑰色、黄色或淡绿色；萼筒短或伸长，钟形、筒状或漏斗状管形，外面具毛或无毛，先端4裂，稀5裂，裂片开展，覆瓦状排列，通常大小不等；无花瓣；雄蕊8或10，2轮，不外露，有时花药部分伸出喉部，通常包藏于萼筒的近顶部和中部；花盘杯状、环状，或一侧发达呈鳞片状；子房1室，通常无柄，有1下垂胚珠，花柱短，柱头头状。浆果肉质或干燥而革质，常被近干燥的

黄瑞香

萼筒包围，有时萼筒全部脱落而裸露，通常为红色或黄色；种子 1，种皮薄；胚肉质，无胚乳，子叶扁平而隆起。花期 6 月，果期 7 ~ 8 月。

| **生境分布** | 生于山坡林缘、草甸或疏林中。分布于宁夏泾源、海原、隆德、西吉、彭阳等。

| **资源情况** | 野生资源较少。

| **采收加工** | 秋季采收，连根挖出或拔出后，洗净泥土，剥取根皮、茎皮，捆成小把，晒干。

| **药材性状** | 本品根皮呈不规则长条状，卷曲，长 10 ~ 60 cm，宽 0.5 ~ 2 cm，厚 0.1 ~ 0.3 cm。外表面棕黄色或灰黄色，呈层状剥落或粗糙感，具多数突起的横长皮孔，可见残留须根。内表面黄白色，略光滑，有细纵纹。质硬韧，不易折断，断面显绵毛状纤维性，灰白色。气特异，味微苦而后具持久的麻舌感。茎皮呈不规则条状，厚 0.5 ~ 1.5 mm。外表面灰褐色、灰黄棕色至灰棕红色，表皮易剥落，剥落处呈黄绿色，光滑或稍粗糙，具叶或小枝脱落的圆形或椭圆形疤痕及残留芽苞和幼枝；内表面淡灰绿色，有细纵纹。质柔韧，不易折断。

| **功能主治** | 苦、辛，温；有小毒。归肺、心经。祛风通络，活血止痛。用于风湿痹痛，跌扑损伤，头痛，胃痛，关节炎，类风湿性关节炎。

| **用法用量** | 内服煎汤，5 ~ 10 g；或煅研为散。

瑞香科 Thymelaeaceae 瑞香属 Daphne

唐古特瑞香
Daphne tangutica Maxim.

唐古特瑞香

药材名

祖师麻（药用部位：根皮、茎皮）。

形态特征

常绿灌木。不规则多分枝；枝肉质，较粗壮，幼枝灰黄色，分枝短，较密，几无毛或散生黄褐色粗柔毛，老枝淡灰色或灰黄色，微具光泽，叶迹较小。叶互生，革质或亚革质，披针形至长圆状披针形或倒披针形，先端钝形，尖头通常钝形；稀凹下，幼时具1束白色柔毛，基部下延于叶柄，楔形，全缘，反卷，上面深绿色，下面淡绿色；叶柄短或几无叶柄，无毛。花外面紫色或紫红色，内面白色，头状花序生于小枝先端；苞片早落，卵形或卵状披针形，先端钝尖，具1束白色柔毛，边缘具白色丝状纤毛，其余两面无毛；花序梗长 2～3 mm，有黄色细柔毛，花梗极短或几无花梗，具淡黄色柔毛；萼筒圆筒形，无毛，具显著的纵棱，裂片4，卵形或卵状椭圆形，开展，先端钝形，脉纹显著；雄蕊8，2轮，下轮着生于萼筒的中部稍上面，上轮着生于萼筒的喉部稍下面，花丝极短，花药橙黄色，长圆形，略伸出喉部；花盘环状，小，长不到 1 mm，边缘为不规则浅裂；子房长圆状倒卵形，无毛，花柱粗短。果实卵形或近球形，无毛，幼时绿色，成熟时红色，干燥后紫黑色；种子卵形。花期 4 ～ 5 月，果期 5 ～ 7 月。

| 生境分布 | 生于林下、灌丛半阴坡及湿润沟谷地带。分布于宁夏六盘山（隆德、泾源、原州）及金凤等。

| 资源情况 | 野生资源较少。

| 采收加工 | 秋季采挖，洗净，剥取根皮和茎皮，切碎，晒干。

| 功能主治 | 苦；有小毒。祛风除湿，止痛散瘀。用于风湿疼痛，关节炎，风湿关节痛。

| 附　注 | （1）本种与黄瑞香的区别在于：花玫瑰红色；叶条状披针形，长 3 ～ 8 cm，宽 0.5 ～ 1.8 cm，叶片皱缩，边缘反卷。
（2）《宁夏中药志》记载的甘肃瑞香（《中华本草》记载为陕甘瑞香）*Daphne tangutica* Maxim. 与唐古特瑞香的拉丁学名相同，为同一植物。

瑞香科 Thymelaeaceae 草瑞香属 Diarthron

草瑞香
Diarthron linifolium Turcz.

| 药 材 名 | 草瑞香（药用部位：根皮及茎皮）。

| 形 态 特 征 | 一年生草本。多分枝，扫帚状，小枝纤细，圆柱形，淡绿色，无毛，茎下部淡紫色。叶互生，稀近对生，散生于小枝上，草质，线形至线状披针形或狭披针形，先端钝圆形，基部楔形或钝形，全缘，微反卷，有时散生少数白色纤毛，上面绿色，下面淡绿色，两面无毛，中脉在下面显著，纤细，上面不甚明显，无侧脉或不明显；叶柄极短或无。花绿色，顶生总状花序；无苞片；花梗短，长约 1 mm，先端膨大，萼筒细小，筒状，无毛或微被丝状柔毛，裂片 4，卵状椭圆形，长约 0.8 mm，渐尖，直立或微开展；雄蕊 4，稀 5，1 轮，着生于萼筒中部以上，不伸出，花丝长约 0.5 mm，花药极小，宽卵形；

草瑞香

花盘不明显；子房具柄，椭圆形，无毛，花柱纤细，柱头棒状略膨大。果实卵形或圆锥状，黑色，为横断的宿存的萼筒所包围，果实上部的萼筒长约 1 mm，宿存，基部具关节；果皮膜质，无毛。花期 5 ~ 7 月，果期 6 ~ 8 月。

| **生境分布** | 生于沙质荒地。分布宁夏泾源等。

| **资源情况** | 野生资源较少。栽培资源较少。

| **功能主治** | 活血止痛。外用于风湿痛。

| **用法用量** | 外用，6 ~ 12 g。

瑞香科 Thymelaeaceae 狼毒属 Stellera

瑞香狼毒
Stellera chamaejasme L.

| **药 材 名** | 瑞香狼毒（药用部位：根。别名：狗娃花、红火柴头、小狼毒）。 |

| **形态特征** | 多年生草本或灌木，通常具木质的根茎。叶散生，稀对生，披针形，全缘。花白色、黄色或淡红色，顶生无梗的头状或穗状花序，萼筒筒状或漏斗状，在子房上面有关节，果实成熟时横断，下部膨胀包围子房，果实成熟时宿存，裂片 4，稀 5 ~ 6，开展，大小近相等；无花瓣；雄蕊 8，稀 10 或 12，2 轮，包藏于萼筒内，稀上轮花药一部分伸出；花盘生于一侧，针形或线形鳞片状，膜质，全缘或近 2 裂；子房几无柄，花柱短，柱头头状或卵形，具粗硬毛状突起。小坚果干燥，基部被宿存的萼筒包围，果皮膜质。 |

| **生境分布** | 生于山地阳坡、草原。分布于宁夏贺兰山（永宁、西夏、贺兰、大 |

瑞香狼毒

武口）、罗山（同心、红寺堡）及原州、彭阳、隆德、泾源、西吉等。

| 资源情况 | 野生资源丰富。

| 采收加工 | 秋季采挖，除去残茎及须根，洗净，晒干。

| 药材性状 | 本品呈圆锥形或圆柱形，有时分枝，扭曲或稍弯曲，长 15 ~ 30 cm。表面棕黄色至棕红色，有扭曲的纵皱纹及横长皮孔，根头部常有分枝及多数地上茎的残基，下部有支根痕和残留细根。质坚韧，不易折断，折断面皮部类白色，具白色绒毛状纤维；木部淡黄色，绵毛状纤维少。气微，味微甜。

| 功能主治 | 辛、苦，平；有毒。归肺、心、肾经。消痰逐水，散结，杀虫。用于水肿臌胀，痰饮咳喘，鼠瘘，瘰疬，酒渣鼻，疥癣，胃癌，肝癌，肺癌，乳腺癌。

| 用法用量 | 内服煎汤，1 ~ 2.5 g。外用适量，磨汁涂；或研末调敷。

| 附　注 | 《宁夏植物志》记载狼毒属有 8 种，分布于亚洲温带。我国有 6 种，分布于西南部至东南部；宁夏产 1 种，即本种，与《中国植物志》《中国中药资源志要》记载的狼毒 *Stellera chamaejasme* L.、《宁夏中药志》记载的瑞香狼毒 *Stellera chamaejasme* L. 的拉丁学名一致。

胡颓子科 Elaeagnaceae 胡颓子属 Elaeagnus

沙枣
Elaeagnus angustifolia L.

药 材 名	沙枣（药用部位：果实。别名：沙枣子、四味果）、沙枣叶（药用部位：叶）、沙枣树皮（药用部位：树皮）、沙枣花（药用部位：花）、沙枣胶（药用部位：茎枝胶汁）。
形态特征	落叶乔木或小乔木。无刺或具刺，棕红色，发亮；幼枝密被银白色鳞片，老枝鳞片脱落，红棕色，光亮。叶薄纸质，矩圆状披针形至线状披针形，长 3 ~ 7 cm，宽 1 ~ 1.3 cm，先端钝尖或钝形，基部楔形，全缘，上面幼时具银白色圆形鳞片，成熟后部分脱落，带绿色，下面灰白色，密被白色鳞片，有光泽，侧脉不甚明显；叶柄纤细，银白色，长 5 ~ 10 mm。花银白色，直立或近直立，密被银白色鳞片，芳香，常 1 ~ 3 花簇生新枝基部最初 5 ~ 6 叶的叶腋；花

沙枣

梗长 2 ~ 3 mm；萼筒钟形，长 4 ~ 5 mm，在裂片下面不收缩或微收缩，在子
房上骤收缩，裂片宽卵形或卵状矩圆形，先端钝渐尖，内面被白色星状柔毛；
雄蕊几无花丝，花药淡黄色，矩圆形，长 2.2 mm；花柱直立，无毛，上端甚弯
曲；花盘明显，圆锥形，包围花柱的基部，无毛。果实椭圆形，长 9 ~ 12 mm，
直径 6 ~ 10 mm，粉红色，密被银白色鳞片；果肉乳白色，粉质；果柄短，粗壮，
长 3 ~ 6 mm。花期 5 ~ 6 月，果期 9 月。

| 生境分布 | 生于荒漠、田边或路边，亦有栽培。分布于宁夏贺兰、惠农、平罗、西夏、沙坡头、中宁、盐池、同心、金凤、大武口、青铜峡、利通、兴庆等。 |

| 资源情况 | 野生、栽培资源均丰富。 |

采收加工	沙枣：秋季果实成熟时采摘，晒干。
	沙枣叶：夏、秋季采收，除去杂质，晒干。
	沙枣树皮：春、夏、秋季剥下树皮，取其内皮，晒干。
	沙枣花：夏季采集，晒干或鲜用。
	沙枣胶：刮取干燥或半干的胶，除去树皮等杂质，干燥。

| 药材性状 | 沙枣：本品呈椭圆形或近球形，长 1 ~ 2.5 cm，直径 0.7 ~ 1.5 cm。表面黄色、黄棕色或红棕色，具光泽，被银白色鳞片，一端具果柄或果柄痕，另一端略凹陷，两端各有放射状短沟纹 8。果肉淡黄白色，疏松；细颗粒状。果核卵形，表面有灰白色至灰棕色棱线和褐色条纹 8，纵向相间排列，一端有小突尖，质坚硬，剖开后内面有银白色鳞片及长绢毛。种子 1。气微香，味甜、酸、涩。 |
| | 沙枣叶：本品多皱缩、卷曲，展平后呈矩形状椭圆形或椭圆状披针形，长 3 ~ 7 cm，宽 1 ~ 1.3 cm。先端钝或尖，基部楔形或宽楔形，全缘或微波状，上表面灰绿色，两面被有银白色鳞片，下表面较密。叶柄长 0.5 ~ 1 cm，密被银白色鳞叶。质脆。气微香，味微辛、涩。 |

| **功能主治** | 沙枣：甘、酸、涩，平。归脾、胃、肺、肝、肾经。养肝益肾，健脾调经。用于肝虚目眩，肾虚腰痛，脾虚腹泻，消化不良，带下，月经不调。

沙枣叶：甘、微涩，凉。归大肠经。清热解毒。用于痢疾，泄泻，肠炎。

沙枣树皮：涩、微苦，凉。归心、肝、脾经。收敛止痛，清热凉血。用于带下，烫火伤，外伤出血。

沙枣花：甘、涩，温。归肺经。止咳平喘。用于久咳气喘。

沙枣胶：辛、苦，平。归肺经。接骨疗伤。用于骨折。

| **用法用量** | 沙枣：内服煎汤，15 ~ 30 g。

沙枣叶：内服煎汤，15 ~ 30 g。

沙枣树皮：内服煎汤，9 ~ 15 g。外用适量，研末调敷。

沙枣花：内服煎汤，3 ~ 6 g。

沙枣胶：外用适量。

胡颓子科 Elaeagnaceae 胡颓子属 Elaeagnus

牛奶子

Elaeagnus umbellata Thunb.

| 药 材 名 | 牛奶子（药用部位：根、叶、果实。别名：甜枣、麦粒子）。

| 形态特征 | 落叶直立灌木。具长 1 ～ 4 cm 的刺；小枝甚开展，多分枝，幼枝密
被银白色和少数黄褐色鳞片，有时全被深褐色或锈色鳞片，老枝鳞
片脱落，灰黑色；芽银白色或褐色至锈色。叶纸质或膜质，椭圆形
至卵状椭圆形或倒卵状披针形，先端钝或渐尖，基部圆形至楔形，
全缘或皱卷至波状，上面幼时具白色星状短柔毛或鳞片，成熟后全
部或部分脱落，干燥后淡绿色或黑褐色，下面密被银白色和散生少
数褐色鳞片，侧脉 5 ～ 7 对，两面均略明显；叶柄白色。花较叶先
开放，黄白色，芳香，密被银白色盾形鳞片，1 ～ 7 花簇生于新枝
基部，单生或成对生于幼叶叶腋；花梗白色；萼筒圆筒状漏斗形，

牛奶子

稀圆筒形，在裂片下面扩展，向基部渐窄狭，在子房上略收缩，裂片卵状三角形，长 2 ~ 4 mm，先端钝尖，内面几无毛或疏生白色星状短柔毛；雄蕊的花丝极短，长约为花药的一半，花药矩圆形；花柱直立，疏生少数白色星状柔毛和鳞片，长 6.5 mm，柱头侧生。果实几球形或卵圆形，长 5 ~ 7 mm，幼时绿色，被银白色或有时全被褐色鳞片，成熟时红色；果柄直立，粗壮，长 4 ~ 10 mm。花期 4 ~ 5 月，果期 7 ~ 8 月。

| **生境分布** | 生于山坡林缘、河边或山谷灌丛中。分布于宁夏泾源、兴庆、金凤、原州、大武口等。

| **资源情况** | 野生资源较少。

| **采收加工** | 夏、秋季采收，根，洗净，切片，晒干；叶、果实，晒干。

| **功能主治** | 苦、酸，凉。归大肠、肝经。清热止咳，利湿解毒。用于肺热咳嗽，泄泻，痢疾，淋证，带下，崩漏，乳痈。

| **用法用量** | 内服煎汤，根或叶 15 ~ 30 g，果实 3 ~ 9 g。

胡颓子科 Elaeagnaceae 沙棘属 Hippophae

沙棘 *Hippophae rhamnoides* L.

| 药 材 名 | 沙棘（药用部位：果实。别名：沙枣、醋柳果）。

| 形态特征 | 落叶直立灌木或小乔木。具刺；幼枝密被鳞片或星状绒毛，老枝灰黑色；冬芽小，褐色或锈色。单叶互生，对生或3叶轮生，线形或线状披针形，两端钝形，两面具鳞片或星状柔毛，成熟后上面通常无毛，侧脉无或不明显；叶柄极短，长1～2 mm。单性花，雌雄异株；雌株花序轴发育成小枝或棘刺，雄株花序轴花后脱落；雄花先开放，生于早落苞片腋内，无花梗，花萼2裂，雄蕊4，2与花萼裂片互生，2与花萼裂片对生，花丝短，花药矩圆形，雌花单生于叶腋，具短梗，花萼囊状，先端2齿裂，子房上位，1心皮，1室，1胚珠，花柱短，微伸出花外，急尖。果实为坚果，被肉质化的萼管包围，核果状，近圆形或长矩圆形，长5～12 mm；种子1，倒卵形或椭圆形，骨质。

沙棘

花期 4 ~ 5 月，果期 9 ~ 10 月。

| **生境分布** | 生于向阳山坡、干涸河床、砂壤土或黄土丘陵。分布于宁夏西吉、原州、彭阳、贺兰、盐池、金凤等。

| **资源情况** | 野生资源丰富。

| **采收加工** | 秋、冬季果实成熟或冻硬时采收，除去杂质，干燥。

| **药材性状** | 本品呈类球形或扁球形，有的数个粘连，单个直径 5 ~ 8 mm。表面橙黄色或棕红色，皱缩，基部具短小果柄或果柄痕，先端有残存花柱。果肉油润，质柔软。种子 1，斜卵形，长约 4 mm，宽约 2 mm，表面褐色，有光泽，骨质，中间有 1 纵沟，种皮较硬，种仁乳白色，有油性。气微，味酸、甘、涩。

| **功能主治** | 酸、涩，温。归肝、胃、大肠、小肠经。止咳祛痰，消食化滞，活血散瘀。用于咳嗽痰多，消化不良，食积腹痛，瘀血经闭，跌扑瘀肿。

| **用法用量** | 内服煎汤，3 ~ 9 g。

| **附　注** | （1）本种既可药用，又可食用，是目前世界上含有天然维生素种类最多的珍贵树种之一。本种果实除作药用外，还可鲜食，或加工成果汁、果酒、果酱、果脯、果冻、饮料、保健品等。

（2）宁夏泾源、原州等地有大量人工种植，用于生产沙棘汁、沙棘露。

胡颓子科 Elaeagnaceae 沙棘属 Hippophae

中国沙棘 *Hippophae rhamnoides* L. subsp. *sinensis* Rousi

中国沙棘

| 药 材 名 |

中国沙棘（药用部位：果实。别名：沙棘）。

| 形态特征 |

落叶灌木或乔木。棘刺较多，粗壮，顶生或侧生；嫩枝褐绿色，密被银白色而带褐色鳞片，或有时具白色星状柔毛，老枝灰黑色，粗糙；芽大，金黄色或锈色。单叶通常近对生，与枝条着生相似，纸质，狭披针形或矩圆状披针形，长 30 ~ 80 mm，宽 4 ~ 10（~ 13）mm，两端钝形或基部近圆形，基部最宽，上面绿色，初被白色盾形毛或星状柔毛，下面银白色或淡白色，被鳞片，无星状毛；叶柄极短，几无或长 1 ~ 1.5 mm。果实圆球形，直径 4 ~ 6 mm，橙黄色或橘红色；果柄长 1 ~ 2.5 mm；种子小，阔椭圆形至卵形，有时稍扁，长 3 ~ 4.2 mm，黑色或紫黑色，具光泽。花期 4 ~ 5 月，果期 9 ~ 10 月。

| 生境分布 |

生于向阳的山嵴、谷地、干涸河床、山坡、多砾石土壤、砂壤土或黄土上。分布于宁夏泾源、海原、隆德、原州、彭阳等。

| **资源情况** | 野生资源较少。 |

| **采收加工** | 9 ~ 10 月果实成熟时采收，鲜用或晒干。 |

| **功能主治** | 止咳化痰，健胃消食，活血散瘀。用于咳嗽痰多，肺脓肿，消化不良，食积腹痛，胃痛，肠炎，闭经。 |

| **用法用量** | 内服煎汤，3 ~ 9 g；或入丸、散剂。外用适量，捣敷；或研末撒。 |

千屈菜科 Lythraceae 千屈菜属 *Lythrum*

千屈菜 *Lythrum salicaria* L.

| **药 材 名** | 千屈菜（药用部位：全草。别名：对叶莲、鸡骨草）。

| **形态特征** | 多年生草本，高 30 ~ 100 cm。全株有柔毛，有时无毛。茎直立，多分枝，具 4 棱。叶对生或 3 叶轮生；叶片披针形或阔披针形，长 4 ~ 6（ ~ 10）cm，宽 8 ~ 15 mm，先端钝或短尖，基部圆形或心形，有时略抱茎，全缘，无柄。花生于叶腋组成小聚伞花序，花梗及总梗极短，花枝呈大型穗状花序；苞片阔披针形至三角状卵形，长 5 ~ 12 mm；萼筒长 5 ~ 8 mm，有纵棱 12，裂片 6，三角形；附属体针状，直立，长 1.5 ~ 2 mm；花瓣 6，红紫色或淡紫色，倒披针状长椭圆形，基部楔形；雄蕊 12，6 长 6 短，伸出萼筒之外；子房无柄，2 室，花柱圆柱状，柱头头状。蒴果扁圆形，包于萼内。

千屈菜

种子多数,细小。花期 7 ～ 8 月。

| **生境分布** | 生于湖边、沟渠边或低洼湿地。分布于宁夏惠农、青铜峡、中宁、灵武、金凤、大武口、沙坡头、兴庆、西夏、贺兰、平罗、永宁等。

| **资源情况** | 野生资源较少。栽培资源较丰富,亦作为绿化景观植物。

| **采收加工** | 夏、秋季采收,除去杂质和泥土,晒干或切段,晒干。

| **药材性状** | 本品茎呈方柱状,灰绿至黄绿色,直径 1 ～ 2 mm,有分枝,质硬易折断,断面边缘纤维状,中空。叶片灰绿色,质脆,多皱缩破碎,完整叶对生或 3 片轮生,叶片狭披针形,全缘,无柄。先端具穗状花序,花两性,每 2 ～ 3 小花生于叶状苞片内,花萼灰绿色,筒状;花瓣紫色。蒴果椭圆形,全包于宿存萼内。微臭,味微苦。

| **功能主治** | 苦,凉。归大肠、肝经。清热解毒,凉血止血。用于痢疾,泄泻,便血,血崩,疮疡溃烂,吐血,衄血,外伤出血。

| **用法用量** | 内服煎汤,10 ～ 30 g。外用适量,研末敷;或捣敷;或煎汤洗。

柳叶菜科 Onagraceae 露珠草属 Circaea

高山露珠草 *Circaea alpina* L.

高山露珠草

药材名

高山露珠草（药用部位：全草。别名：就就草、蛆儿草）。

形态特征

多年生草本。根圆锥形，具多数支根。茎直立，单生，具纵棱，密被白色柔毛，常带紫红色。叶对生，叶片卵状三角形或卵形，长1.5～4 cm，宽1～2.5 cm，先端渐尖，茎下部叶常急尖，基部圆形、近截形或微心形，边缘疏具粗锯齿，上面绿色，散生柔毛，下面常带紫红色，密生柔毛，边缘具缘毛；叶柄长1～4 cm，被柔毛。总状花序顶生和腋生，花序轴疏被短柔毛，长3～5 cm；萼片卵形，长约1 mm，紫红色，反折；花瓣白色或淡紫红色，倒卵形，与萼片近等长，先端凹缺；雄蕊2，花丝细弱；子房1室，花柱细，与花丝近等长，柱头头状。果实倒卵状棒形，长约2 mm，被钩状毛。花期6～7月，果期7～8月。

生境分布

生于林下、林缘、山谷水边或阴湿的石缝中。分布于宁夏泾源等。

| **资源情况** | 野生资源较少。 |

| **采收加工** | 7～8月采收，晒干。 |

| **功能主治** | 甘、苦，微寒。养心安神，消食，止咳，解毒，止痒。用于心悸，失眠，多梦，疳积，咳嗽，疮疡脓肿，湿疣，癣痒。 |

| **用法用量** | 内服煎汤，6～15 g；或研末。外用适量，捣敷；或煎汤洗。 |

柳叶菜科 Onagraceae 柳叶菜属 Epilobium

毛脉柳叶菜 Epilobium amurense Hausskn.

| **药 材 名** | 毛脉柳叶菜（药用部位：全草。别名：柳叶菜）。

| **形态特征** | 多年生草本，高20～40 cm。茎直立，单生，不分枝，具2不明显的纵棱，沿棱密生白色曲柔毛。叶对生，狭卵形或卵状椭圆形，长1.5～4 cm，宽5～15 mm，先端渐尖或稍钝，基部圆形或宽楔形，边缘具不整齐的疏锯齿，两面被白色曲柔毛，背面沿叶脉及边缘稍密；无叶柄。花单生于茎上部叶腋，花梗极短；花萼裂片长椭圆形，长约2.5 mm，宽约1 mm，背面疏生柔毛；花瓣粉红色，倒卵形，长约5 mm，先端2浅裂；花柱长约3 mm，柱头头状球形。蒴果稍具棱，沿棱被白色曲柔毛。花期7～8月，果期8～9月。

| **生境分布** | 生于山谷溪边。分布于宁夏隆德、泾源、原州等。

毛脉柳叶菜

资源情况	野生资源较少。
采收加工	7～8 月采收，晒干或鲜用。
功能主治	微苦，平；有小毒；归脾、肝、肾经。利水消肿。用于水肿，胸腔积液，腹水。
用法用量	内服煎汤，6～15 g。

柳叶菜科 Onagraceae 柳叶菜属 Epilobium

柳兰

Epilobium angustifolium L.

| 药 材 名 | 柳兰（药用部位：全草或根茎）。

| 形态特征 | 多年生粗壮草本。根茎匍匐于地表土层，木质化。茎不分枝或上部分枝，圆柱状，无毛，下部多少木质化，表皮撕裂状脱落。叶螺旋状互生，稀近基部对生，茎下部的叶近膜质，披针状长圆形至倒卵形，中上部的叶近革质，线状披针形或狭披针形，先端渐狭，基部钝圆或有时宽楔形。花序总状，直立，无毛；苞片下部的叶状，上部的很小，三角状披针形，长不及 1 cm。花在芽时下垂，到开放时直立展开；花蕾倒卵状；子房淡红色或紫红色，被贴生灰白色柔毛；花药长圆形，初期红色，开裂时变紫红色，产生带蓝色的花粉，花丝长 7 ~ 14 mm；花柱长 8 ~ 14 mm，开放时强烈反折，后恢复

柳兰

直立，下部被长柔毛；柱头白色，深 4 裂，裂片长圆状披针形，上面密生小乳突。蒴果长 4 ～ 8 cm，密被贴生的白灰色柔毛；种子狭倒卵状，先端短渐尖，具短喙，褐色，表面近光滑但具不规则的细网纹；种缨丰富，灰白色，不易脱落。花期 6 ～ 9 月，果期 8 ～ 10 月。

| **生境分布** | 生于山坡林缘、林间开阔地、山地路旁，常集成小群落生长。分布于宁夏泾源、隆德等。

| **资源情况** | 野生资源较少。

| **采收加工** | 全草，夏、秋季采收，晾干。根茎，秋季采挖根部，除去须根、泥土及杂质，晾干。

| **功能主治** | 辛、苦，平；有小毒。归肝、大肠经。调经活血，消肿止痛，下乳，止泻。用于月经不调，骨折，关节扭伤，乳少，痢疾，泄泻。

| **用法用量** | 内服煎汤，1 ～ 1.5 g。外用适量，鲜品捣敷；或干品研粉，酒调服。

| **附　注** | 《中国植物志》（英文版）将本种由柳叶菜属 *Epilobium* 修订为柳兰属 *Chamerion*，将本种拉丁学名由 *Epilobium angustifolium* L. 修订为 *Chamerion angustifolium* (L.) Holub。

柳叶菜科 Onagraceae 柳叶菜属 Epilobium

光滑柳叶菜
Epilobium amurense Hausskn. subsp. *cephalostigma* (Hausskn.) C. J. Chen

| 药 材 名 | 光滑柳叶菜（药用部位：全草）。

| 形态特征 | 多年生草本。茎直立，单生，茎常多分枝，上部周围只被曲柔毛，无腺毛，中下部具不明显的棱线，但不贯穿节间，棱线上近无毛。叶对生，叶长圆状披针形至狭卵形，基部楔形；叶柄长 1.5 ~ 6 mm，边缘具不整齐的疏锯齿，两面被白色曲柔毛，背面沿叶脉及边缘稍密。花较小，长 4.5 ~ 7 mm；单生于茎上部叶腋，花梗极短；花萼裂片长椭圆形，长约 2.5 mm，宽约 1 mm，萼片均匀地被稀疏的曲柔毛；花瓣粉红色，倒卵形，长约 5 mm，先端 2 浅裂；花柱长约 3 mm，柱头头状球形。蒴果稍具棱，沿棱被白色曲柔毛。花期 6 ~ 8（~ 9）月，果期 8 ~ 9（~ 10）月。

光滑柳叶菜

| 生境分布 | 生于山谷溪边、溪沟边、林缘、草坡湿润处。分布于宁夏贺兰山（贺兰、永宁、西夏）及原州、泾源、隆德等。 |

| 资源情况 | 野生资源较少。 |

| 采收加工 | 秋季采收，晒干，生用。 |

| 功能主治 | 苦、涩，温。归肾经。收敛止血，止痢。 |

| 用法用量 | 内服煎汤，6 ~ 15 g。 |

柳叶菜科 Onagraceae 柳叶菜属 Epilobium

柳叶菜 *Epilobium hirsutum* L.

柳叶菜

| 药 材 名 |

柳叶菜（药用部位：全草。别名：地母怀胎草、水丁香）、柳叶菜花（药用部位：花。别名：地母怀胎草花、水丁香花）、柳叶菜根（药用部位：根。别名：地母怀胎草根、水丁香根）。

| 形态特征 |

多年生粗壮草本。地下匍匐根茎，茎上疏生鳞片状叶，先端常生莲座状叶芽。茎在中上部多分枝，周围密被伸展长柔毛，常混生较短而直的腺毛，花序上尤如此，稀密被白色绵毛。叶草质，对生，茎上部的互生，无柄，并多少抱茎；茎生叶披针状椭圆形至狭倒卵形或椭圆形，稀狭披针形，先端锐尖至渐尖，基部近楔形，边缘每侧具 20 ～ 50 细锯齿，两面被长柔毛，有时在背面混生短腺毛。总状花序直立；苞片叶状。花直立，花蕾卵状长圆形；子房灰绿色至紫色，密被长柔毛与短腺毛；花梗长 0.3 ～ 1.5 cm；萼片长圆状线形，背面隆起成龙骨状；花瓣常玫瑰红色，或粉红色、紫红色，宽倒心形，先端凹缺，深 1 ～ 2 mm；花药乳黄色，长圆形；花丝外轮者长 5 ～ 10 mm，内轮者长 3 ～ 6 mm；花柱直立，白色或粉红色，无毛，稀疏生长柔毛；柱头白色，4深裂，裂片长圆形，初时直立，彼此合生，开放时展开，不久下弯，外面无毛或有稀疏的毛，长稍高过雄蕊。蒴果长 2.5 ~ 9 cm，毛被同子房；种子倒卵状，先端具很短的喙，深褐色，表面具粗乳突；种缨黄褐色或灰白色，易脱落。花期 6 ~ 8 月，果期 7 ~ 9 月。

| **生境分布** | 生于山沟、溪边或沼泽地。分布于宁夏泾源、隆德等。

| **资源情况** | 野生资源较少。

| **采收加工** | 柳叶菜：秋季采收，洗净，晒干。
柳叶菜花：夏、秋季采收，阴干。
柳叶菜根：秋季采挖，洗净，切段，晒干。

| **药材性状** | 柳叶菜：本品茎密生展开的白色长柔毛及短腺毛。下部叶对生，上部叶互生；无柄，有叶延，略抱茎，两面被柔毛；叶片长圆状披针形至披针形，基部楔形，边缘具细齿。花两性，单生于叶腋，浅紫色，长 1 ~ 1.2 cm；萼筒圆柱形外面被毛；花瓣宽倒卵形，先端凹缺，2 裂；蒴果圆柱形，被长柔毛及短腺毛；种子椭圆形，棕色。
柳叶菜花：本品为总状花序；花两性，单生于叶腋，浅紫色，长 1 ~ 1.2 cm；萼筒圆柱形，外面被毛；花瓣宽倒卵形，先端凹缺，2 裂。
柳叶菜根：本品为匍匐根。

| **功能主治** | 柳叶菜：苦、微甘，平。归大肠、小肠经。活血调经，止血，安胎，清热除湿，驱虫。用于月经不调，月经过多，便血，痢疾，黄疸，胎动不安，蛔虫病。
柳叶菜花：苦、微甘，凉。归肝、胃经。清热止痛，调经涩带。用于牙痛，咽喉肿痛，目赤肿痛，月经不调，带下过多。
柳叶菜根：苦，平。归肝、胃经。理气消积，活血止痛，解毒消肿。用于食积，脘腹疼痛，闭经，痛经，带下，咽肿，牙痛，口疮，目赤肿痛，疮肿，跌打瘀肿，骨折，外伤出血。

| **用法用量** | 柳叶菜：内服煎汤，6 ~ 15 g；或鲜品捣汁。外用适量，捣敷；或捣汁涂。
柳叶菜花：内服煎汤，9 ~ 15 g。
柳叶菜根：内服煎汤，6 ~ 15 g。外用适量，捣敷；或研末敷。

柳叶菜科 Onagraceae 柳叶菜属 Epilobium

细籽柳叶菜

Epilobium minutiflorum Hausskn.

| 药 材 名 | 细籽柳叶菜（药用部位：全草或根、花）。

| 形态特征 | 多年生直立草本。自茎基部生出短的肉质根出条或多叶莲座状芽。多分枝，周围尤上部密被曲柔毛，下部常近无毛。叶对生，花序上的叶互生，长圆状披针形至狭卵形，先端近钝或锐尖，基部楔形或近圆形，边缘每边具 20 ~ 41 细锯齿；叶柄长 1 ~ 6 mm，上部的近无柄。花序花前稍下垂，被灰白色柔毛与稀疏的腺毛。花直立；子房长 1.5 ~ 4 cm，密被灰白色柔毛与稀疏腺毛；花梗长 0.4 ~ 1.5 cm；萼片长圆状披针形，长 2.4 ~ 4 mm，宽 0.7 ~ 1.2 mm，稍龙骨状，先端锐尖；花瓣白色，稀粉红色或玫瑰红色，长圆形、菱状卵形或倒卵形，先端的凹缺深 0.5 ~ 1 mm，花药长圆状披针形；

细籽柳叶菜

花丝外轮者长 1.5 ~ 2.5 mm，内轮者长 1 ~ 2 mm；花柱直立，长 1.4 ~ 2.5 mm，无毛；柱头棍棒状，稀近头状，长 0.7 ~ 1.5 mm，直径 0.8 ~ 1.1 mm，开花时围以外轮花药。蒴果长 3 ~ 8 cm，被曲柔毛稀变无毛；果柄长 0.5 ~ 2 cm。种子狭倒卵状，先端具透明的长喙，褐色，表面具细乳突；种缨白色，长 5 ~ 7 mm，易脱落。花期 6 ~ 8 月，果期 7 ~ 10 月。

| 生境分布 | 生于山谷溪边、沼泽边、沟渠旁。分布于宁夏六盘山（泾源、隆德、原州）、贺兰山（贺兰、大武口、惠农）及沙坡头、中宁、青铜峡、永宁、兴庆、灵武等引黄灌区。

| 资源情况 | 野生资源较少。

| 采收加工 | 秋季采收，洗净，晒干。

| 功能主治 | 全草，用于跌打损伤，疖疮痈肿，外伤出血。根，淡，平。理气，活血，止血。用于胃痛，食滞饱胀，闭经。花，淡，平。清热解毒，调经止痛。用于牙痛，目赤，咽喉肿痛，月经不调，带下。

| 附　注 | 《中国中药资源志要》记载的新疆柳叶菜 *Epilobium minutiflorum* Hausskn. 与柳叶菜功效相似，且与《中国植物志》记载的细籽柳叶菜 *Epilobium minutiflorum* Hausskn. 拉丁学名一致，为同一植物。

柳叶菜科 Onagraceae 柳叶菜属 Epilobium

沼生柳叶菜 *Epilobium palustre* L.

沼生柳叶菜

药材名

水湿柳叶菜（药用部位：全草）。

形态特征

多年生直立草本。自茎基部底下或地上生出纤细的越冬匍匐枝，长 5 ~ 50 cm，稀疏的节上生成对的叶，顶生肉质鳞芽，翌年鳞叶变褐色，生茎基部。茎不分枝或分枝，有时中部叶腋有退化枝，圆柱状，无棱线，周围被曲柔毛，有时下部近无毛。叶对生，花序上的互生，近线形至狭披针形，先端锐尖或渐尖，有时稍钝，基部近圆形或楔形；叶柄缺或稀长 1 ~ 3 mm。花序花前直立或稍下垂，密被曲柔毛，有时混生腺毛。花近直立；花蕾椭圆状卵形；子房长 1.6 ~ 2.5（~ 3）cm；密被曲柔毛与稀疏的腺毛；花梗长 0.8 ~ 1.5 cm；萼片长圆状披针形，长 2.5 ~ 4.5 mm，宽 1 ~ 1.2 mm，先端锐尖，密被曲柔毛与腺毛；花瓣白色至粉红色或玫瑰紫色，倒心形，先端的凹缺深 0.8 ~ 1 mm；花药长圆状；花丝外轮者长 2 ~ 2.8 mm，内轮者长 1.2 ~ 1.5 mm；花柱长 1.4 ~ 3.8 mm，直立，无毛；柱头棍棒状至近圆柱状，开花时稍伸出外轮花药。蒴果长 3 ~ 9 cm，被曲柔毛；果柄长 1 ~ 5 cm。

种子菱形至狭倒卵状，先端具长喙，褐色，表面具细小乳突；种缨灰白色或褐黄色，长 6 ~ 9 mm，不易脱落。花期 6 ~ 8 月，果期 8 ~ 9 月。

| **生境分布** | 生于湖塘、沼泽、河谷、溪沟旁、亚高山或高山草地湿润处。分布于宁夏沙坡头等。

| **资源情况** | 野生资源较少。

| **采收加工** | 秋季采收，洗净，晒干。

| **功能主治** | 淡，平。疏风清热，镇咳，止泻。用于风热咳嗽，声嘶，咽喉肿痛，泄泻。

| **用法用量** | 内服煎汤，15 ~ 30 g。

| **附　　注** | 《中国植物志》记载的沼生柳叶菜 *Epilobium palustre* L. 与《中华本草》记载的水湿柳叶菜 *Epilobium palustre* L. 拉丁学名一致，为同一植物。

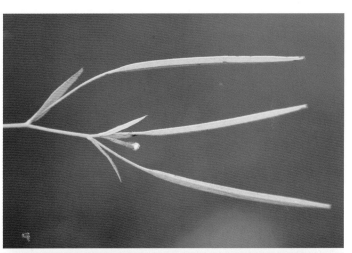

柳叶菜科 Onagraceae 柳叶菜属 Epilobium

长籽柳叶菜

Epilobium pyrricholophum Franch. et Savat.

| 药 材 名 | 心胆草（药用部位：全草）。

| 形态特征 | 多年生草本。自茎基部生出纤细的越冬匍匐枝条，其节上叶小，近圆形，边缘近全缘，先端钝形。茎圆柱状，常多分枝，或在小型植株上不分枝，周围密被曲柔毛与腺毛。叶对生，花序上的叶互生，排列密，长过节间，近无柄，卵形至宽卵形，茎上部的叶有时披针形，先端锐尖或下部的近钝形，基部钝或圆形，有时近心形，边缘每边具 7 ~ 15 锐锯齿，两面尤脉上被曲柔毛，茎上部的还混生腺毛。花序直立，密被腺毛与曲柔毛。花直立；花蕾狭卵状；子房长 1.5 ~ 3 cm。密被腺毛；花梗长 0.4 ~ 0.7 cm；萼片披针状长圆形，被曲柔毛与腺毛；花瓣粉红色至紫红色。倒卵形至倒心形，

长籽柳叶菜

先端凹缺深 1 ~ 1.4 mm；花药卵状；花丝外轮者长 2.5 ~ 3.5 mm，内轮者长 1.8 ~ 2.5 mm；花柱直立，长 2.8 ~ 4 mm，无毛；柱头棍棒状或近头状，稍高出外轮雄蕊或近等高。蒴果长 3.5 ~ 7 cm，被腺毛；种子狭倒卵状，先端渐尖，具 1 明显长约 0.1 mm 的喙，褐色，表面具细乳突；种缨红褐色，常宿存。花期 7 ~ 9 月，果期 8 ~ 11 月。

| **生境分布** | 生于山谷溪边或湿地。分布于宁夏六盘山（泾源、隆德）等，泾源、隆德其他区域也有分布。

| **资源情况** | 野生资源较少。

| **采收加工** | 夏、秋季采收，洗净，晒干或鲜用。

| **药材性状** | 本品根茎上生多数须根。叶对生，上部互生，近无柄，完整叶片卵形或卵状披针形，长约 5 cm，宽约 2 cm，先端钝尖，边缘具不规则疏齿。花单生茎顶叶腋。蒴果线状长圆柱形，长达 6 cm，种子长椭圆形，长约 1.5 mm，先端具一簇淡棕黄色种缨。气微，味微苦。

| **功能主治** | 苦、微甘，平。归大肠、小肠经。清热利湿，止血安胎，解毒消肿。用于月经不调，痛经，痢疾，虫证等。

| **用法用量** | 内服煎汤，6 ~ 15 g。外用适量，捣敷；或研粉调敷。

柳叶菜科 Onagraceae 柳叶菜属 Epilobium

滇藏柳叶菜
Epilobium wallichianum Hausskn.

| 药 材 名 | 大花柳叶菜（药用部位：全草。别名：胆黄草、通经草）。

| 形态特征 | 多年生草本。直立或上升，自茎基部生出多叶的根出条。茎四棱形，不分枝或分枝，花序上被曲柔毛与腺毛。叶对生，花序上的互生，在茎上常排列很稀疏，长圆形、狭卵形或椭圆形，纸质，先端钝圆或锐尖，基部近圆形、近心形或宽楔形。花序下垂，被混生的曲柔毛与腺毛。花通常多少下垂；花蕾卵状或近球状卵形，子房长1.8 ~ 4 cm，被混生的曲柔毛与腺毛；花梗长0.4 ~ 1.2 cm；萼片披针状长圆形，长4 ~ 8 mm，宽1 ~ 2 mm，被稀疏的曲柔毛与腺毛。花瓣粉红色至玫瑰紫色，倒心形，先端凹缺深0.7 ~ 1.2 mm；花药长圆状；花丝外轮者长3.5 ~ 6.2 mm，内轮者长1.5 ~ 3.2 mm，花

滇藏柳叶菜

柱长 4 ~ 8.5 mm，直立，基部通常有稀疏的白毛；柱头头状至宽棍棒状，开花时稍伸出花药。蒴果长 3.8 ~ 7.5 cm，疏被曲柔毛与腺毛；果柄长 1 ~ 2.5 cm。种子长圆状倒卵形，先端有短的喙，褐色，表面具乳突；种缨污白色，易脱落。花期（5 ~）7 ~ 8 月，果期 8 ~ 9 月。

| 生境分布 | 生于山谷溪边或林下阴湿处。分布于宁夏海原及六盘山（隆德、泾源、原州）等。

| 资源情况 | 野生资源较少。

| 采收加工 | 秋季采收，洗净，晒干。

| 功能主治 | 苦、涩，凉；有小毒。祛风除湿，活血止血，解毒消肿。用于风湿痹痛，外伤出血，疮疡肿毒，月经不调，水肿，烫火伤等。

| 用法用量 | 内服煎汤，6 ~ 15 g。外用适量，捣敷；或绞汁涂。

| 附　注 | 《中华本草》记载大花柳叶菜 *Epilobium wallichianum* Hausskn. 又名滇藏柳叶菜 *Epilobium wallichianum* Hausskn.。

柳叶菜科 Onagraceae 月见草属 Oenothera

月见草 *Oenothera biennis* L.

| **药材名** | 月见草（药用部位：种子、花、根）。 |

| **形态特征** | 直立二年生粗状草本。基生莲座，叶丛紧贴地面；茎不分枝或分枝，被曲柔毛与伸展长毛，在茎枝上端常混生有腺毛。基生叶倒披针形，先端锐尖，基部楔形；叶柄长 1.5 ~ 3 cm。茎生叶椭圆形至倒披针形，先端锐尖至短渐尖，基部楔形，边缘每边有 5 ~ 19 稀疏钝齿；叶柄长不及 1.5 cm。花序穗状，不分枝，或在主序下面具次级侧生花序；苞片叶状，芽时长及花的 1/2，长大后椭圆状披针形，自下向上由大变小，近无柄，果实宿存，花蕾锥状长圆形，先端具长约 3 mm 的喙；花后脱落；萼片绿色，有时带红色，长圆状披针形，长 1.8 ~ 2.2 cm，下部宽大处 4 ~ 5 mm，先端骤缩成尾状，长 3 ~ 4 mm， |

月见草

在芽时直立，彼此靠合，开放时自基部反折，但又在中部上翻；花瓣黄色，稀
淡黄色，宽倒卵形，先端微凹缺；花丝近等长；子房绿色，圆柱状，具 4 棱，
密被伸展长毛与短腺毛，有时混生曲柔毛；花柱长伸出花管部分长 0.7 ~ 1.5 cm。
蒴果圆锥状圆柱形，向上变狭，直立。绿色，毛被同子房，但渐变稀疏，具明
显的棱。种子在果中呈水平状排列，暗褐色，棱形，具棱角，各面具不整齐洼点。

| **生境分布** | 生于开阔荒坡路旁。分布于宁夏西夏、金凤、平罗等。

| **资源情况** | 栽培资源较丰富。

| **采收加工** | 种子，当果实大部分成熟时，割取地上部分，捆成小捆，蒴果向上立置，以防
种子脱落，晒干后敲打脱粒，收集种子，除去杂质。花，当花初开时采收，阴干，
注意不宜在阳光下暴晒，以保持色泽鲜艳。根，秋季采挖，除去泥土，晒干。

| 药材性状 | 本品种子呈不规则的卵形或类三角形，具棱，长 1 ~ 1.5 mm，宽 0.8 ~ 1.2 mm。表面深褐色至黑褐色，一端较尖，一侧较平直或微凹，另一侧较凸，略呈弧形。质较轻，种皮较脆。气微，味淡。花皱缩成团或条状，长 2.5 ~ 3.5 cm，萼裂片 4，披针形，绿色；花瓣 4，倒卵形，长约 3 cm，金黄色；雄蕊 8，花丝等长；柱头膨大，4 裂。质轻易碎。气微，味微咸。 |

| 功能主治 | 甘，温。归肝经。祛风湿，强筋骨。用于风湿病，筋骨疼痛。 |

| 用法用量 | 内服煎汤，15 ~ 30 g。 |

| 附　注 | 本种在宁夏大面积种植，采收其种子，多作为提取月见草油的原料；采其花为茶，已销售多年。 |

五加科 Araliaceae 五加属 *Acanthopanax*

红毛五加 *Acanthopanax giraldii* Harms

| 药 材 名 | 红毛五加皮（药用部位：茎皮、根皮。别名：五爪刺、川加皮、刺加皮）。

| 形态特征 | 灌木。枝灰色；小枝灰棕色，无毛或稍有毛，密生直刺，稀无刺；刺向下，细长针状。叶有小叶 5，稀 3；叶柄长 3 ~ 7 cm，无毛，稀有细刺；小叶片薄纸质，倒卵状长圆形，稀卵形，长 2.5 ~ 6 cm，宽 1.5 ~ 2.5 cm，先端尖或短渐尖，基部狭楔形，两面均无毛，边缘有不整齐细重锯齿，侧脉约 5 对，两面不甚明显，网脉不明显；无小叶柄或几无小叶柄。伞形花序单个顶生，直径 1.5 ~ 2 cm，有花多数；总花梗粗短，长 5 ~ 7 mm，稀长至 2 cm，有时几无总花梗，无毛；花梗长 5 ~ 7 mm，无毛；花白色；萼长约 2 mm，近全

红毛五加

缘，无毛；花瓣5，卵形，长约2mm；雄蕊5，花丝长约2mm；子房5室；花柱5，基部合生。果实球形，有5棱，黑色，直径8mm。花期6～7月，果期8～10月。

| **生境分布** | 生于丘陵、林缘或灌丛中。分布于宁夏泾源、隆德、原州等。

| **资源情况** | 野生资源较丰富。

| 采收加工 | 6～7月间，砍下茎枝，用木棒敲打，使木部与皮部分离，剥取茎皮，晒干。全年均可采根，洗净，剥取根皮，晒干。 |

| 药材性状 | 本品干燥茎皮呈细筒状，长短不一，完整者长 20～30 cm，直径 0.7～1.2 cm，厚约 0.5 mm。外表面黄色，密被褐色或淡黄棕色刺毛，茎皮上有凸起状芽，节间长 5～13 cm。内表面黄绿色或灰绿色，光滑。质脆，易折断。气微，味弱。以皮完整、洁净、无木心者为佳。 |

| 功能主治 | 辛，温。归肝、肾经。祛风湿，强筋骨，活血利水。用于风寒湿痹，拘挛疼痛，筋骨痿软，足膝无力，心腹疼痛，疝气，跌打损伤，骨折，体虚浮肿。 |

| 用法用量 | 内服煎汤，3～15 g；或泡酒。外用适量，研末调敷。 |

| 附　注 | 《中国植物志》（英文版）记载五加属 *Acanthopanax* 已修订为五加属 *Eleutherococcus*，本种的拉丁学名已修订为 *Eleutherococcus giraldii* (Harms) Nakai。 |

五加科 Araliaceae 五加属 Acanthopanax

毛梗红毛五加

Acanthopanax giraldii Harms var. *hispidus* Hoo

毛梗红毛五加

| 药 材 名 |

毛梗红毛五加皮（药用部位：茎皮、根皮）。

| 形态特征 |

落叶灌木。枝灰白色，疏或密生细刺，刺向下斜伸或平展。小叶5，稀3，小叶片倒披针形，长3～10 cm，宽1～4 cm，先端渐尖或长渐尖，基部渐狭，边缘具不整齐的重锯齿，叶片背面密生褐色短硬毛；无小叶柄或几无小叶柄；叶柄长5～12 cm，具纵棱，无毛，无刺或先端具数个细刺。伞形花序单个顶生，总花梗长1～3 cm，密生褐色短硬毛；花梗长4～8 mm，疏具柔毛；花萼杯状，长约1.5 mm，无毛，近全缘；花瓣5，三角状宽卵形，长约2 mm，先端尖，反折；雄蕊5，花丝长约2 mm；花柱5，长约1 mm，基部合生。果实近球形，无毛。花期6月，果期7～8月。

| 生境分布 |

生于灌丛林中。分布于宁夏隆德、泾源等。

| 资源情况 |

野生资源较少。

| 采收加工 | 6 ~ 7 月间砍下茎枝，用木棒敲打，使木部与皮部分离，剥取茎皮，晒干。全年均可采根，洗净，剥取根皮，晒干。 |

| 功能主治 | 辛，温；无毒。归肝、肾经。祛风湿，强筋骨，活血利水。用于风寒湿痹，拘挛疼痛，筋骨痿软，足膝无力，心腹疼痛，疝气，跌打损伤，骨折，体虚浮肿。 |

| 附 注 | 《宁夏植物志》记载本品是红毛五加 *Eleutherococcus giraldii* (Harms) Nakai 的变种。《中国植物志》记载毛梗红毛五加拉丁学名为 *Acanthopanax giraldii* Harms var. *hispidus* Hoo。 |

五加科 Araliaceae 五加属 Acanthopanax

藤五加

Acanthopanax leucorrhizus (Oliv.) Harms

| 药 材 名 | 藤五加（药用部位：茎皮、根皮）。

| 形态特征 | 灌木。有时蔓生状，枝无毛，节上有刺1至数个或无刺，稀节间散生多数倒刺；刺细长，基部不膨大，下向。叶有小叶5，稀3～4；叶柄长5～10 cm或更长，先端有时有小刺，无毛；小叶片纸质，长圆形至披针形，或倒披针形，稀倒卵形，先端渐尖，稀尾尖，基部楔形，长6～14 cm，宽2.5～5 cm，两面均无毛，边缘有锐利重锯齿，两面隆起而明显，网脉不明显；小叶柄长3～15 mm。伞形花序单个顶生，或数个组成短圆锥花序，直径2～4 cm，有花多数；总花梗长2～8 cm，稀更长；花梗长1～2 cm；花绿黄色；花萼无毛，边缘有5小齿；花瓣5，长卵形，长约2 mm，开花时反曲；

藤五加

雄蕊5，花丝长2mm；子房5室，花柱全部合生成柱状。果实卵球形，有5棱，直径5～7mm；宿存花柱短，长1～1.2mm。花期6～8月，果期8～10月。

| 生境分布 | 生于海拔1 600～2 800 m的山谷丛林中。分布于宁夏泾源、原州、海原、隆德等。

| 资源情况 | 野生资源较少。

| 采收加工 | 茎皮全年均可采收。秋季挖根，洗净，剥取根皮，晒干。

| 功能主治 | 辛、微苦，温。祛风湿，通经络，强筋骨。用于风湿痹痛，拘挛麻木，腰膝酸软，半身不遂，跌打损伤，水肿，皮肤湿痒，阴囊湿肿。

| 用法用量 | 内服煎汤，9～15 g；或浸酒。外用适量，捣敷；或煎汤洗。

| 附　　注 | 《中国植物志》（英文版）记载五加属*Acanthopanax*已修订为五加属*Eleutherococcus*，本种拉丁学名已修订为*Eleutherococcus leucorrhizus* Oliver。

五加科 Araliaceae 楤木属 Aralia

白背叶楤木
Aralia chinensis L. var. *nuda* Nakai

| 药 材 名 | 楤木（药用部位：根皮、茎皮、根、叶、花。别名：黄花楤木、狼牙棒、刺五加）。

| 形态特征 | 落叶灌木或乔木。树皮灰色，枝具疏生直刺，小枝密生褐色茸毛和针刺。二回或三回羽状复叶，叶轴疏生直刺；叶柄粗壮；托叶与叶柄基部合生，有小叶7～11，无柄或具短柄，顶生小叶柄长2～3 cm，基部另有1对小叶；小叶片卵形或长卵形，长5～12 cm，宽3～8 cm，先端渐尖或短渐尖，基部圆形，上面绿色，背面灰白色，两面无毛或上面疏生糙毛，下面脉上疏生刺毛，边缘有锯齿或不整齐的重锯齿，2小叶片之间有1棕色长刺。伞形花序组成大型圆锥花序，长30～60 cm，分枝长20～30 cm，花序轴密生短柔毛或几无毛，伞

白背叶楤木

形花序直径约 1.5 cm，花多数，总梗长 1 ~ 4 cm；苞片披针形，膜质；花梗长 5 ~ 7 mm；花萼无毛，具 5 三角形短齿；花瓣 5，卵状三角形，黄色；雄蕊 5；子房 5 室，花柱 5，离生或基部合生。果实球形，黑色，具 5 棱。花期 7 ~ 8 月，果期 8 ~ 9 月。

| 生境分布 | 生于山坡疏林、灌丛、路旁、山谷。分布于宁夏隆德、泾源、西吉、原州等。

| 资源情况 | 野生资源较少。

| 采收加工 | 全年均可采收，剥取茎皮及根皮，截段，晒干。9 ~ 10 月挖根，晒干。春、夏季采收叶，鲜用或晒干。7 ~ 9 月花开时采收花，阴干。

| 功能主治 | 根皮、茎皮，祛风除湿，利水消肿，补肾壮骨，活血止痛，健胃。用于风湿痹痛，水肿，淋浊，带下，消渴，胃痛，跌扑损伤，瘰疬，痈肿，糖尿病，肾炎，胃溃疡，肝硬化腹水。根，祛风湿，利小便，散瘀血，消肿毒。用于风湿性关节炎，肾炎水肿，肝硬化腹水，急、慢性肝炎，胃痛，淋浊，血崩，跌打损伤，瘰疬，痈肿。叶，清热解毒，利水消肿。用于腹泻，痢疾；炖肉食可用于水肿。花，止血。用于吐血。

| 用法用量 | 根皮、茎皮，内服煎汤，15 ~ 50 g。根，内服煎汤，15 ~ 30 g；或浸酒。外用适量，捣敷。花，内服煎汤，9 ~ 15 g。

| 附　注 | 《宁夏植物志》记载 *Aralia chinensis* L. var. *nuda* Nakai 为黄花楤木的拉丁学名。

五加科 Araliaceae 人参属 Panax

大叶三七

Panax pseudo-ginseng Wall. var. *japonicus* (A. Mey.) Hoo et Tseng

| 药 材 名 | 竹节参（药用部位：根茎。别名：竹节三七、扣子七）、参叶（药用部位：叶）。

| 形态特征 | 多年生草本。根茎细长，横走，节部膨大，呈串珠状。茎直立，单一，具纵棱，无毛。叶为掌状复叶，3 ~ 4 轮生于茎顶，小叶 5 ~ 7，倒卵状椭圆形或棱状椭圆形，长 1 ~ 7 cm，宽 0.8 ~ 3 cm。先端长渐尖，基部渐狭，下延，边缘具细锐重锯齿，两面无毛或仅边缘具刚毛；小叶柄长 2 ~ 8 mm；叶柄长 2 ~ 5 cm，无毛或其先端具簇生刚毛。伞形花序单个顶生，总花梗较叶长，长可达 15 cm，无毛；花梗长约 1 cm，无毛；苞片小，三角状披针形，长 0.2 ~ 0.3 mm；花萼杯状，长约 1.3 mm，无毛，边缘具 5 三角

大叶三七

状小齿；花瓣 5，黄绿色；雄蕊 5，花丝短；子房 2 室，花柱 2，在雄花中合生。花期 6 ～ 7 月。

| 生境分布 |　生于山坡林下或阴湿处。分布于宁夏泾源、隆德、原州等。

| 资源情况 |　野生资源较少。

| 采收加工 |　竹节参：秋季采挖，除去茎叶、泥土和须根，晒干。

参叶：枝叶茂盛时采收，阴干，扎成小把。

| 功能主治 |　竹节参：甘、微苦，温。归肝、脾、肺经。清热凉血，防暑生津，化痰止咳。用于脏腑内热，头昏目眩，关节疼痛，风热咳嗽，暑热津伤，口渴咽干，神昏等。

参叶：甘、微苦，微寒。清热，生津，利咽。用于热邪伤津，口干舌燥，心烦神倦，风火牙痛。

| 用法用量 |　竹节参：内服煎汤，6 ～ 9 g。

参叶：内服煎汤，3 ～ 12 g；或浸酒。

五加科 Araliaceae 人参属 Panax

羽叶三七

Panax pseudoginseng Wall. var. *bipinnatifidus* (Seem.) Li

| 药 材 名 | 竹节参（药用部位：根茎。别名：竹节三七、扣子七）。

| 形态特征 | 多年生直立草本。根茎细长横卧，多为串珠状，稀为典型竹鞭状。茎圆柱状，疏生刺毛；掌状复叶 3 ~ 5，轮生茎端；小叶 5 ~ 7，小叶柄亦有刺毛；小叶片长圆形，2 回羽状深裂，稀为 1 回羽状深裂，裂片又有不整齐的小裂片状锯齿，叶片薄，上面深绿色，下面淡绿色；伞形花序单一，顶生；花梗丝状；花两性；花萼钟状，先端 5 裂；花瓣 5，卵状三角形；核果浆果状。花期 5 ~ 6 月，果期 8 ~ 9 月。

| 生境分布 | 生于山谷林荫蔽下。分布于宁夏隆德、泾源等。

| 资源情况 | 野生资源较少。

羽叶三七

| 采收加工 | 9 ～ 10 月采挖，除去泥土及细根，晒干或烘干。

| 药材性状 | 本品干燥者细长，节部膨大如环，旁生少数纤细不定根，节间呈细圆柱形，长4 ～ 6 cm，直径约 2 mm，表面浅棕黄色，有浅的纵皱纹，近节处稍宽。质较坚硬，断面黄白色，有多数细小孔隙。气微，味苦、略甜。

| 功能主治 | 微苦、甘，微温。归肾经。化瘀止血，消肿定痛。用于咯血，吐血，衄血，尿血，便血，血痢，崩漏，外伤出血，月经不调，闭经，产后瘀血腹痛，跌打肿痛，劳伤腰痛，胸胁痛，胃脘痛，疮疡。

| 用法用量 | 内服煎汤，9 ～ 15 g。或入丸、散剂；或浸酒。外用适量，研末敷。

| 附　注 | 《宁夏中药志》记载羽叶三七 *Panax pseudoginseng* Wall. var. *bipinnatifidus* (Seem.) Li 的根茎作竹节参药用；《中华本草》记载羽叶竹节参 *Panax japonicus* C. A. Mey. var *bipinnatifidus* (Seem.) C. Y. Wuet K.M. Feng 作羽叶三七药用。

山茱萸科 Cornaceae 山茱萸属 Cornus

山茱萸
Cornus officinalis Sieb. et Zucc.

| 药 材 名 | 山茱萸（药用部位：果肉）。

| 形态特征 | 落叶乔木或灌木。树皮灰褐色；小枝细圆柱形，无毛或稀被贴生短柔毛；冬芽顶生及腋生，卵形至披针形，被黄褐色短柔毛。叶对生，纸质，卵状披针形或卵状椭圆形，先端渐尖，基部宽楔形或近圆形，全缘，上面绿色，无毛，下面浅绿色；叶柄细圆柱形，上面有浅沟，下面圆形，稍被贴生疏柔毛。伞形花序生于枝侧，有总苞片 4，卵形，厚纸质至革质，长约 8 mm，带紫色，两侧略被短柔毛，开花后脱落；总花梗粗壮，微被灰色短柔毛；花小，两性，先叶开放；花萼裂片 4，阔三角形；花瓣 4，舌状披针形，长 3.3 mm，黄色，向外反卷；雄蕊 4，与花瓣互生，花丝钻形，花药椭圆形，2 室；花盘

山茱萸

垫状，无毛；子房下位，花托倒卵形，长约 1 mm，密被贴生疏柔毛，花柱圆柱形，长 1.5 mm，柱头截形；花梗纤细，长 0.5 ~ 1 cm，密被疏柔毛。核果长椭圆形，红色至紫红色；果核骨质，狭椭圆形，长约 12 mm，有几条不整齐的肋纹。花期 3 ~ 4 月，果期 9 ~ 10 月。

| **生境分布** | 生于山坡中下部地段以及谷地或河两岸等。宁夏兴庆有栽培。

| **资源情况** | 野生资源较少。

| **采收加工** | 秋末冬初果皮变红时采收果实，用文火烘或置沸水中略烫后，及时除去果核，干燥。

| **药材性状** | 本品肉质果皮破裂皱缩，不完整或呈扁筒状，长约 1.5 cm，宽约 0.5 cm。新品表面为紫红色，陈久者则多为紫黑色，有光泽，基部有时可见果柄痕，先端有 1 四边形宿存萼痕迹。质柔润，不易碎。无臭，味酸而涩、苦。以无核、皮肉肥厚、色红、油润者佳。

| **功能主治** | 酸、涩，微温。归肝、肾经。补益肝肾，收敛固脱。用于头晕目眩，耳聋耳鸣，腰膝酸软，遗精滑精，小便频数，虚汗不止，妇女崩漏。

| **用法用量** | 内服煎汤，5 ~ 10 g；或入丸、散剂。

| **附　　注** | 本种为暖温带阳性树种，较耐阴又喜充足的光照。

山茱萸科 Cornaceae 山茱萸属 Cornus

红瑞木

Cornus alba L.

| 药 材 名 | 红瑞木（药用部位：树皮、枝叶、果实。别名：椋子木）。

| 形态特征 | 灌木。树皮紫红色；幼枝有淡白色短柔毛，后即秃净而被蜡状白粉，老枝红白色，散生灰白色圆形皮孔及略为凸起的环形叶痕。叶对生，纸质，椭圆形，稀卵圆形，先端突尖，基部楔形或阔楔形，全缘或波状反卷。伞房状聚伞花序顶生，较密，被白色短柔毛；总花梗圆柱形，被淡白色短柔毛；花小，白色或淡黄白色，花萼裂片4，尖三角形，短于花盘，外侧有疏生短柔毛；花瓣4，卵状椭圆形，先端急尖或短渐尖，上面无毛，下面疏生贴生短柔毛；雄蕊4，长5～5.5 mm，着生于花盘外侧，花丝线形，微扁，长4～4.3 mm，无毛，花药淡黄色，2室，卵状椭圆形，"丁"字形着生；柱头盘状，

红瑞木

宽于花柱，子房下位，花托倒卵形，被贴生灰白色短柔毛；花梗纤细，被淡白色短柔毛，与子房交接处有关节。核果长圆形，微扁，成熟时乳白色或蓝白色，花柱宿存；核菱形，侧扁，两端稍尖呈喙状，长5 mm，宽3 mm，每侧有脉纹3。花期6～7月，果期8～10月。

| **生境分布** | 生于杂木林或针阔叶混交林中，亦作园林绿化树种。分布于宁夏惠农、平罗、灵武、金凤、大武口等。

| **资源情况** | 野生资源较少。

| **采收加工** | 树皮、枝叶，全年均可采收，切段，晒干。果实，秋季成熟时采收，干燥。

| **功能主治** | 树皮、枝叶，清热解毒，止痢，止血。用于湿热痢疾，肾炎，风湿关节痛，目赤肿痛，中耳炎，咯血，便血。果实，滋肾强壮。用于肾虚腰痛，体弱羸瘦。

| **用法用量** | 树皮、枝叶，内服煎汤，6～9 g。外用适量，煎汤洗；或研末撒。果实，内服煎汤，3～9 g；或泡酒。

山茱萸科 Cornaceae 山茱萸属 Cornus

梾木
Cornus macrophylla Wallich

| **药 材 名** | 椋子木（药用部位：心材）、丁榔皮（药用部位：树皮）、白对节子叶（药用部位：叶）、梾木根（药用部位：根）。 |

| **形态特征** | 乔木或灌木。树皮黑灰色，纵裂；幼枝绿色，有棱角，疏被灰白色贴生短柔毛或近无毛，老枝灰褐色，有黄白色圆形皮孔。叶对生，厚纸质，椭圆形、长椭圆形或长圆状卵形，先端急尖或突然渐尖，基部圆形或宽楔形，边缘微波状；叶柄粗壮，长 1 ~ 2.5 cm，幼时密被淡褐色贴生短柔毛，老时近无毛，上面有浅沟，下面圆形，基部稍膨大而呈鞘状。伞房状聚伞花序顶生，密被黄色短柔毛；花小，白色；花萼裂片 4，三角形，不整齐，长于花盘，外侧有浅褐色及灰色短柔毛；花瓣 4，舌状长圆形或长卵形，先端短渐尖，上面近 |

梾木

无毛，下面有褐色及灰白色贴生短柔毛；雄蕊4，与花瓣近等长，花丝线形，白色，无毛，花药2室，蓝色，长圆形；花柱圆柱形，略有纵沟及灰白色平贴短柔毛，柱头头状，子房下位，花托倒卵形，密被浅褐色及少数灰白色贴生短柔毛；花梗细圆柱形，密被锈色短柔毛。核果近球形，黑色，被有灰褐色平贴短柔毛；果核扁圆形，骨质，略有8不完整的浅肋纹。花期7～8月，果期9～10月。

| 生境分布 | 生于杂木林中。分布于宁夏泾源、原州、兴庆等。

| 资源情况 | 野生资源较少。

| 采收加工 | 椋子木：全年均可采收。

丁榔皮：全年均可采收，剥取树皮，切段，晒干。

白对节子叶：春、夏季采收，晒干。

梾木根：秋后采根，洗净，切片，晒干。

| 功能主治 | 椋子木：甘、咸，平。活血止痛，养血安胎。用于跌打骨折，瘀血肿痛，血虚萎黄，胎动不安。

丁榔皮：苦，平。祛风通络，利湿止泻。用于筋骨疼痛，肢体瘫痪，痢疾，水泻腹痛。

白对节子叶：苦、辛，平。祛风通络，疗疮止痒。用于风湿痛，中风瘫痪，疮疡，风疹。

梾木根：清热平肝，活血通络。用于头痛，眩晕，咽喉肿痛，关节酸痛。

| 用法用量 | 椋子木：内服煎汤，3～10 g；或泡酒。

丁榔皮：内服煎汤，6～15 g。

白对节子叶：内服煎汤，9～15 g；或泡酒。外用适量，煎汤洗。

山茱萸科 Cornaceae 山茱萸属 Cornus

毛梾
Cornus walteri Wangerin

| 药 材 名 | 毛梾枝叶（药用部位：枝叶）。

| 形态特征 | 落叶乔木。树皮厚，黑褐色，纵裂而又横裂成块状；幼枝对生，绿色，略有棱角，密被贴生灰白色短柔毛，老后黄绿色，无毛。叶对生，纸质，椭圆形、长椭圆形或阔卵形，先端渐尖，基部楔形，有时稍不对称；伞房状聚伞花序顶生，花密，宽 7 ~ 9 cm，被灰白色短柔毛；总花梗长 1.2 ~ 2 cm；花白色，有香味；花萼裂片 4，绿色，齿状三角形，长约 0.4 mm，与花盘近等长，外侧被黄白色短柔毛；花瓣 4，长圆状披针形，上面无毛，下面有贴生短柔毛；雄蕊 4，无毛，花丝线形，微扁，长 4 mm，花药淡黄色，长圆卵形，2 室，"丁"字形着生；花柱棍棒形，长 3.5 mm，被稀疏的贴生短柔毛，柱头小，

毛梾

头状，子房下位，花托倒卵形，密被灰白色贴生短柔毛；花梗细圆柱形，有稀疏短柔毛。核果球形，直径 6～7（～8）mm，成熟时黑色，近无毛；果核骨质，扁圆球形，有不明显的肋纹。花期 5 月，果期 9 月。

| **生境分布** | 生于杂木林或密林下。分布于宁夏原州、同心等。

| **资源情况** | 野生资源较少。

| **采收加工** | 春、夏季采收，鲜用或晒干。

| **功能主治** | 解毒敛疮。用于漆疮。

| **用法用量** | 外用适量，鲜品捣涂；或煎汤洗；或研末撒。

伞形科 Umbelliferae 当归属 Angelica

重齿当归

Angelica biserrata (Shan et Yuan) Yuan et Shan

重齿当归

| 药 材 名 |

独活（药用部位：根。别名：香独活、绩独活、川独活）。

| 形态特征 |

多年生高大草本。根类圆柱形，棕褐色，有特殊香气。茎高 1 ~ 2 m，中空，常带紫色，光滑或稍有浅纵沟纹，上部有短糙毛。叶 2 回三出羽状全裂，宽卵形；茎生叶叶柄长 30 ~ 50 cm，基部膨大成长 5 ~ 7 cm 的长管状、半抱茎的厚膜质叶鞘，开展，背面无毛或稍被短柔毛，末回裂片膜质，卵圆形至长椭圆形，先端渐尖，基部楔形，边缘有不整齐的尖锯齿，或重锯齿，齿端有内曲的短尖头，顶生的末回裂片多 3 深裂，基部常沿叶轴下延成翅状，侧生的具短柄或无柄，两面沿叶脉及边缘有短柔毛。花序托叶简化成囊状膨大的叶鞘，无毛，偶被疏短毛。复伞形花序顶生和侧生，花序梗长 5 ~ 16（~ 20）cm，密被短糙毛；总苞片 1，长钻形，有缘毛，早落；伞幅 10 ~ 25，密被短糙毛；伞形花序有花 17 ~ 28（~ 36）；小总苞片 5 ~ 10，阔披针形，比花梗短，先端有长尖，背面及边缘被短毛。花白色，无萼齿，花瓣倒卵形，先端内凹，花柱基扁圆盘状。果实椭圆形，侧翅与果体等宽或略狭，背棱线形，隆起。花期 8 ~ 9 月，果期 9 ~ 10 月。

| 生境分布 | 生于海拔 1 200 ~ 2 000 m 的阴湿山坡、林下草丛中或稀疏灌丛中。分布于宁夏隆德、原州等。

| 资源情况 | 野生资源较少。

| 采收加工 | 春初苗刚发芽或秋末茎叶枯萎时采挖，除去须根及泥沙，炕至半干，堆置 2 ~ 3 天，发软后再炕至全干。

| 药材性状 | 本品根头及主根粗短略呈圆柱形，长 1.5 ~ 4 cm，直径 1.5 ~ 3.5 cm，下部有数条弯曲的支根，长 12 ~ 30 cm，直径 0.5 ~ 1.5 cm。表面粗糙，灰棕色，具不规则纵皱纹及横裂纹，并有多数横长皮孔及细根痕；根头部有环纹，具多列环状叶柄痕，中央为凹陷的茎痕。质坚硬断面灰黄白色，形成层环棕色，皮部有棕色油点（油管），木部黄棕色；根头横断面有大型髓部，偶尔有油点。香气特异，味苦、辛，微麻舌。以条粗壮、油润、香气浓者为佳。

| 功能主治 | 辛、苦，微温。归肾、膀胱经。祛风胜湿，散寒止痛。用于风寒湿痹，腰膝疼痛，头痛齿痛。

| 用法用量 | 内服煎汤，3 ~ 10 g；或浸酒；或入丸、散剂。外用适量，煎汤洗。

| 附　注 | （1）《中国植物志》记载了重齿当归 *Angelica biserrata* (Shan et Yuan) Yuan et Shan；《中华人民共和国药典》记载了重齿毛当归 *Angelica pubcscens* Maxim. f. *biserrata* Shan et Yuan。《中华本草》记载，重齿当归 *Angelica biserrata* (Shan et Yuan) Yuan et Shan [*Angelica pubescens* Maxim. f. *biserrata* Shan et Yuan, *Angelica pubescens* auct. non Maxim.] 又名重齿毛当归。
（2）独活始载于《神农本草经》，被列为上品。据历代本草考证，古代应用的独活有多种，《中药材品种论述》将当时市售的独活分为独活、牛尾独活和九眼独活三大类，共计 15 种。《全国中草药汇编》记载独活的基原为伞形科当归属植物毛独活 *Angelica pubcscens* Maxim. 和疏叶独活 *Angelica laxifoliata* Diels。此外，该书还记载各地市售独活品种达 12 种之多。《中药大辞典》记载独活的基原为伞形科植物重齿毛当归（毛独活）*Angelica pubescens* Maxim. f. *biserrata* Shan et Yuan、毛当归 *Angelica pubcscens* Maxim.、紫茎独活 *Angelica porphyocaulis* Nakai et Kitag、牛尾独活 *Heracleum hemsleyanum* Diels 等，共计 13 种。尽管 1985 年版至 2020 年版《中华人民共和国药典》均记载独活来源于伞形科植物重齿毛当归 *Angelica pubescens* Maxim. f. *biserrata* Shan et Yuan，但仍未能改变独活在各地习用品种甚多的局面。

伞形科 Umbelliferae 当归属 Angelica

白芷

Angelica dahurica (Fisch. ex Hoffm.) Benth. et Hook. f. ex Franch. et Sav.

| 药 材 名 | 白芷（药用部位：根。别名：祁白芷、兴安白芷）。

| 形态特征 | 多年生高大草本，高 1 ~ 2.5 m。根圆柱形或长圆锥形，有分枝，外表皮黄褐色至褐色，有浓烈气味。茎基部通常带紫色，中空，有纵长沟纹。基生叶 1 回羽状分裂，有长柄，叶柄下部有管状抱茎边缘膜质的叶鞘；茎上部叶 2 ~ 3 回羽状分裂，叶片卵形至三角形，下部为囊状膨大的膜质叶鞘，无毛或稀有毛，常带紫色；末回裂片长圆形，卵形或线状披针形，多无柄，急尖，边缘有不规则的白色软骨质粗锯齿，具短尖头，基部两侧常不等大，沿叶轴下延成翅状；花序下方的叶简化成无叶的、显著膨大的囊状叶鞘。复伞形花序顶生或侧生，花序梗长 5 ~ 20 cm，花序梗、伞幅和花梗均有短糙毛；

白芷

伞幅 18 ~ 40，中央主伞有时伞幅多至 70；总苞片通常缺或有 1 ~ 2，成长卵形膨大的鞘；小总苞片 5 ~ 10，线状披针形，膜质，花白色；无萼齿；花瓣倒卵形，先端内曲成凹头状；子房无毛或有短毛；花柱比短圆锥状的花柱基长 2 倍。果实长圆形至卵圆形，黄棕色，有时带紫色，无毛，背棱扁，厚而钝圆，近海绵质，远较棱槽宽，侧棱翅状，较果体狭。花期 7 ~ 8 月，果期 8 ~ 9 月。

| 生境分布 | 生于林下、林缘、溪旁、灌丛或山谷草地。分布于宁夏彭阳、原州、泾源、隆德、西吉等。

| 资源情况 | 野生资源较少。

| 采收加工 | 夏、秋季间叶黄时采挖，除去须根及泥沙，晒干或低温干燥。

| 药材性状 | 本品呈圆柱形或长圆锥形，长 7 ~ 20 cm，直径 1 ~ 2 cm，表面灰黄色至黄棕色，光滑，具支根痕，皮孔样横向突起散生，先端有凹陷的茎痕。质硬，断面灰白色粉性，皮部散在多数小点，形成层环圆形。气芳香，味辛、微苦。

| 功能主治 | 辛，温。归胃、大肠、肺经。散风除湿，通窍止痛，消肿排脓。用于感冒头痛，眉棱骨痛，鼻塞，鼻渊，牙痛，带下，疮疡肿痛。

| 用法用量 | 内服煎汤，3 ~ 9 g。

伞形科 Umbelliferae 当归属 Angelica

当归

Angelica sinensis (Oliv.) Diels

| 药材名 | 当归（药用部位：根。别名：西当归、岷当归等）。

| 形态特征 | 多年生植物，高 0.4 ~ 1 m。根圆筒状，分枝，细根很多，肉质，强烈芳香。茎略带紫色的绿色，上面分枝。基部和下部叶柄长 5 ~ 20 cm，略带紫色或绿色，卵形的鞘，膜质边缘；叶片卵形，2 ~ 3 回三出羽状，3 ~ 4 对，下部和中长具小叶柄；小叶卵形或卵状披针形，2 ~ 3 浅裂，粗糙的边缘不规则骤尖有锯齿，沿叶脉和边缘稀被毛。花序梗 8 ~ 20 cm，具短柔毛或近无毛；苞片无或 2，线形；伞幅 10 ~ 30，不等长，粗糙；小苞片 2 ~ 4，线形；小伞形花序 13 ~ 36，开花；在果期的花梗纤细，1 ~ 3 cm。萼齿不明显，很少小，卵形。花瓣白色，很少紫红色。果实椭圆形或近圆形；背棱丝状，

当归

凸出，侧棱具宽的薄翅，翅与身体等宽或更宽；每棱槽具油管 1，合生面具油管 2 或无。花期 6 ~ 7 月，果期 7 ~ 9 月。

| **生境分布** | 生于海拔 1 500 ~ 2 700 m 的森林、灌木状的灌丛。分布于宁夏泾源、隆德、原州、西吉等。

| **资源情况** | 野生资源较少。

| **采收加工** | 秋末采挖，除去须根和泥沙，待水分稍蒸发后，捆成小把，用烟火慢慢熏干。

| **药材性状** | 本品略呈圆柱形，下部有支根 3 ~ 5 或更多，长 15 ~ 25 cm。表面浅棕色至棕褐色，具纵皱纹和横长皮孔样突起。根头直径 1.5 ~ 4 cm，具环纹，上端圆钝，或具数个明显凸出的根茎痕，有紫色或黄绿色的茎和叶鞘的残基；主根表面凹凸不平；支根直径 0.3 ~ 1 cm，上粗下细，多扭曲，有少数须根痕。质柔韧，断面黄白色或淡黄棕色，皮部厚，有裂隙和多数棕色点状分泌腔，木部色较淡，形成层环黄棕色。有浓郁的香气，味甘、辛、微苦。柴性大、干枯无油或断面呈绿褐色者不可供药用。

| **功能主治** | 甘、辛，温。归肝、心、脾经。补血活血，调经止痛，润肠通便。用于血虚萎黄，眩晕心悸，月经不调，经闭痛经，虚寒腹痛，风湿痹痛，跌扑损伤，痈疽疮疡，肠燥便秘。

| **用法用量** | 内服煎汤，6 ~ 12 g；或入丸、散剂；或浸酒；或敷膏。

伞形科 Umbelliferae 峨参属 Anthriscus

峨参 *Anthriscus sylvestris* (L.) Hoffm.

| 药 材 名 | 峨参（药用部位：根。别名：田七、金山田七、广三七）、峨参叶（药用部位：叶）。

| 形态特征 | 二年生或多年生草本。茎较粗壮，高 0.6 ~ 1.5 m，多分枝，近无毛或下部有细柔毛。基生叶有长柄，柄长 5 ~ 20 cm，基部有长约 4 cm，宽约 1 cm 的鞘；叶片卵形，2 回羽状分裂，1 回羽片有长柄，卵形至宽卵形，有 2 回羽片 3 ~ 4 对，2 回羽片有短柄，卵状披针形，长 2 ~ 6 cm，宽 1.5 ~ 4 cm，羽状全裂或深裂，末回裂片卵形或椭圆状卵形，有粗锯齿，长 1 ~ 3 cm，宽 0.5 ~ 1.5 cm。背面疏生柔毛；茎上部叶有短柄或无柄，基部呈鞘状，有时边缘有毛。复伞形花序直径 2.5 ~ 8 cm，伞幅 4 ~ 15。不等长；小总苞片 5 ~ 8，卵形至

峨参

披针形，先端尖锐，反折，边缘有睫毛或近无毛；花白色，通常带绿色或黄色；花柱较花柱基长 2 倍。果实长卵形至线状长圆形，光滑或疏生小瘤点，先端渐狭成喙状，合生面明显收缩，果柄先端常有 1 环白色小刚毛，分生果横剖面近圆形。花果期 4 ~ 5 月。

| **生境分布** | 生于山坡林下、路旁或山谷溪边石缝中。分布于宁夏原州等。

| **资源情况** | 野生资源较丰富。

| **采收加工** | 峨参：春、秋季挖取根，剪去须尾，刮去外皮，用沸水烫后，晒干，或微火炕干。
峨参叶：夏、秋季间采收，鲜用或晒干。

| **药材性状** | 峨参：本品根呈圆锥形，略弯曲，多分叉，下部渐细，半透明，长 3 ~ 12 cm，中部直径 1 ~ 1.5 cm。外表黄棕色或灰褐色，有不规则的纵皱纹，上部有细密环纹，可见凸起的横长皮孔，有的侧面有疔疤。质坚实，沉重，断面黄色或黄棕色，角质样。气微，味微辛、微麻。

| **功能主治** | 峨参：甘、辛，微温。归脾、胃、肺经。益气健脾，活血止痛。用于脾虚腹胀，乏力食少，肺虚咳喘，体虚自汗，老人夜尿频数，气虚水肿，劳伤腰痛，头痛，痛经，跌打瘀肿。
峨参叶：甘、辛，平。止血，消肿。用于创伤出血，肿痛。

| **用法用量** | 峨参：内服煎汤，9 ~ 15 g；或浸酒。外用适量，研末调敷。
峨参叶：外用适量，鲜品捣敷，干品研末撒或调敷。

旱芹

伞形科 Umbelliferae 芹属 Apium

旱芹

Apium graveolens L.

药材名

旱芹（药用部位：根、茎、果实。别名：芹菜、药芹、香芹）。

形态特征

二年生或多年生草本。高 15 ~ 150 cm，有强烈香气。根圆锥形，支根多数，褐色。茎直立，光滑，有少数分枝，并有棱角和直槽。根生叶有柄，柄长 2 ~ 26 cm，基部略扩大成膜质叶鞘；叶片长圆形至倒卵形，通常 3 裂达中部或 3 全裂，裂片近菱形，边缘有圆锯齿或锯齿；较上部的茎生叶有短柄，叶片阔三角形，通常分裂为 3 小叶，小叶倒卵形，中部以上边缘疏生钝锯齿以至缺刻。复伞形花序顶生或与叶对生，花序梗长短不一，有时缺少，通常无总苞片和小总苞片；伞幅细弱；小伞形花序有花 7 ~ 29，花梗长 1 ~ 1.5 mm；萼齿小或不明显；花瓣白色或黄绿色，圆卵形，先端有内折的小舌片；花丝与花瓣等长或稍长于花瓣，花药卵圆形；花柱基扁压，花柱幼时极短，成熟时长约 0.2 mm，向外反曲。分生果圆形或长椭圆形，果棱尖锐，合生面略收缩。花期 4 ~ 7 月。

| 生境分布 | 生于田间。宁夏各地均有栽培。

| 资源情况 | 栽培资源丰富。

| 采收加工 | 根、茎，春、夏、秋季均可采收，鲜用或晒干。果实，秋季果实成熟时割取果序，晒干，打下果实，除去杂质。

| 功能主治 | 甘、辛、微苦，凉。归肝、胃、肺经。平肝，清热，祛风，利水，止血，解毒。用于肝阳眩晕，风热头痛，咳嗽，黄疸，小便淋痛，尿血，崩漏，带下，疮疡肿毒。

| 用法用量 | 内服煎汤，9 ~ 15 g，鲜品30 ~ 60 g；或绞汁；或入丸剂。外用适量，捣敷；或煎汤洗。

| 附　　注 | 《中华本草》记载旱芹 *Apium graveolens* L. 的带根全草作旱芹药用。

锥叶柴胡
Bupleurum bicaule Helm

锥叶柴胡

| 药 材 名 |

锥叶柴胡（药用部位：全草）。

| 形态特征 |

多年生丛生草本，高 12 ~ 20 cm。直根发达，外皮深褐色或红褐色，表面皱缩，有较明显的横纹和突起，质地坚硬，木质化，断面纤维状，很少分枝，根颈分枝极多，每一分枝的基部均簇生有残叶鞘。茎常多数，细弱，纵棱明显，上端有少数短分枝。叶全部线形，先端渐尖，有锐尖头，基部变狭成叶柄；茎生叶很少，基部不收缩而半抱茎，5 ~ 7 脉，向上渐小，侧枝上的叶更小如针形。复伞形花序少，直径 1 ~ 2 cm；伞幅 4 ~ 7；小伞形花序直径 3 ~ 6 mm，花 7 ~ 13；总苞片常无或 1 ~ 3，长 1 ~ 3 mm，宽 1 mm，脉 1 ~ 3；小总苞片 5，披针形，短于小伞形花序，先端尖锐，3 脉；花梗长 0.7 ~ 1.3 mm；花直径 1 ~ 1.5 mm，花瓣鲜黄色，小舌片先端浅 2 裂，较小，中脉不凸起；花柱基深黄色。果实广卵形，两侧略扁，两端截形，蓝褐色，棱凸出，细线状，淡棕色。花期 7 ~ 8 月，果期 8 ~ 9 月。

生境分布	生于山坡向阳的草原上或干旱多砾石的草地上。分布于宁夏沙坡头等。
资源情况	野生资源较少。
采收加工	秋季采收，晒干。
功能主治	苦，微寒。归肝、胆、脾经。和解退热，疏肝解郁，升提中气。用于感冒发热，寒热往来，胸胁胀痛，肝气郁结，头痛目眩，月经不调，脱肛，子宫脱垂。
用法用量	内服煎汤，9 ~ 15 g。

伞形科 Umbelliferae 柴胡属 Bupleurum

多伞北柴胡 Bupleurum chinense DC. f. chiliosciadium (Wolff) Shan et Y. Li

| **药 材 名** | 多伞北柴胡（药用部位：根）。

| **形态特征** | 多年生草本植物，高可达 85 cm。主根坚硬较粗大，棕褐色，茎分枝细而多，表面有细纵槽纹，实心。基生叶倒披针形或狭椭圆形，先端渐尖，基部收缩成柄，叶表面鲜绿色，背面淡绿色，常有白霜；茎顶部叶同形。复伞形花序，花序梗细，水平伸出，形成疏松的圆锥状；小伞形花序多，直径约 5 mm，伞幅亦短，长 1.5 ～ 2 cm。总苞片甚小，狭披针形，花瓣鲜黄色，上部向内折，中肋隆起，花柱基深黄色，果实广椭圆形，棕色。花期 9 月，果期 10 月。

| **生境分布** | 生于山坡草地。分布于宁夏六盘山（泾源、隆德、原州）、贺兰山（贺

多伞北柴胡

兰、平罗、大武口、惠农）及同心等。

| **资源情况** | 野生资源较少。

| **采收加工** | 春、秋季采挖，除去茎苗、泥土，晒干。

| **功能主治** | 解表退热，疏肝解郁，升举阳气。用于外感发热，寒热往来，疟疾，肝郁胁痛，头痛头眩，月经不调，气虚下陷之脱肛、子宫脱垂、胃下垂。

| **用法用量** | 内服煎汤，3 ~ 10 g；或入丸、散剂。外用适量，煎汤洗；或研末调敷。解热生用，用量宜大；疏肝醋炒，用量宜中；升阳生用，用量宜小。

| **附　　注** | 本变型与原种的区别在于分枝细而多，小伞形花序多，直径约 5 mm，伞幅亦短，长 1.5 ~ 2 cm。

伞形科 Umbelliferae 柴胡属 Bupleurum

空心柴胡

Bupleurum longicaule Wall. ex DC. var. *franchetii* de Boiss.

| 药 材 名 | 空心柴胡（药用部位：根及根茎。别名：竹叶柴胡、银柴胡）。

| 形态特征 | 多年生草本。茎高 50 ~ 100 cm，通常单生，挺直，中空，嫩枝常带紫色，节间长，叶稀少。基部叶狭长圆状披针形，长 10 ~ 19 cm，宽 7 ~ 15 mm，先端尖，下部稍窄抱茎，无明显的柄，9 ~ 13 脉，中部基生叶狭长椭圆形，13 ~ 17 脉；序托叶狭卵形至卵形，先端急尖或圆，基部无耳。总苞片 1 ~ 2，不等大或早落；小伞直径 8 ~ 15 mm，有花 8 ~ 15。果实长 3 ~ 3.5 mm，宽 2 ~ 2.2 mm，有浅棕色狭翼。

| 生境分布 | 生于山坡草地上，少有生林下。分布于宁夏泾源、彭阳、海原等。

| 资源情况 | 野生资源较少。

空心柴胡

| 采收加工 | 春、秋季采挖，除去茎苗、泥土，晒干。

| 功能主治 | 微苦，微寒。疏肝解郁，升阳举陷。用于感冒发热等。

| 附　　注 | 本种与小叶黑柴胡 *Bupleurum smithii* Wolff var. *parvifolium* Shan et Y. Li、短茎柴胡 *Bupleurum pusillum* Krylov、秦岭柴胡 *Bupleurum longicaule* Wall. ex DC. var. *giraldii* Wolff 均为中药材黑柴胡的基原。

伞形科 Umbelliferae 柴胡属 Bupleurum

秦岭柴胡

Bupleurum longicaule Wall. ex DC. var. *giraldii* Wolff

秦岭柴胡

| 药 材 名 |

秦岭柴胡（药用部位：根）。

| 形态特征 |

多年生草本。高 20 ~ 40 cm，单生或丛生，少分枝，叶稀疏。下部叶倒披针形，先端钝或圆，中部以下收缩成长柄，连叶柄长 6 ~ 10 cm，宽 10 ~ 17 mm，5 ~ 7 脉；茎生叶无柄，卵圆形至广卵形，上部有的近心形，长 1.5 ~ 5 cm，宽 1 ~ 2 cm，先端钝尖，基部扩大成近心形抱茎，11 ~ 15 脉；伞幅 4 ~ 6，长 3 ~ 4 cm；总苞片 2 ~ 3，与茎上部叶相似而较小，不等大；小总苞片 5 ~ 7，椭圆状披针形，广卵形至近圆形，先端钝尖或圆，5 ~ 7 脉，比花略长。

| 生境分布 |

生于海拔 1 600 ~ 2 700 m 的山坡草丛中。分布于宁夏隆德、泾源等。

| 资源情况 |

野生资源较少。

| **采收加工** | 春、秋季采挖，除去茎叶及泥沙，干燥。

| **功能主治** | 发表祛风，清肝利胆。用于感冒，虚劳骨蒸，月经不调，肝气不舒，消渴。

| **用法用量** | 内服煎汤，3 ~ 9 g。

| **附　　注** | （1）本种为长颈柴胡 *Bupleurum longicaule* Wall. ex DC. 的一个变种。本变种和正种长颈柴胡的主要区别在于，正种的叶线形，伞幅 3 ~ 5，序托叶卵形等。

（2）本种与空心柴胡 *Bupleurum longicaule* Wall. ex DC. var. *franchetii* de Boiss.、小叶黑柴胡 *Bupleurum smithii* Wolff var. *parvifolium* Shan et Y. Li、短茎柴胡 *Bupleurum pusillum* Krylov 均为中药材黑柴胡的基原。

伞形科 Umbelliferae 柴胡属 Bupleurum

竹叶柴胡

Bupleurum marginatum Wall. ex DC.

竹叶柴胡

药 材 名

竹叶柴胡（药用部位：根。别名：紫柴胡、竹叶防风）。

形态特征

多年生高大草本。根木质化，直根发达，外皮深红棕色，纺锤形，有细纵皱纹及稀疏的小横突起，长 10 ~ 15 cm，直径 5 ~ 8 mm，根的先端常有一段红棕色的地下茎，木质化，长 2 ~ 10 cm，有时扭曲缩短与根较难区分。茎高 50 ~ 120 cm，绿色，硬挺，基部常木质化，带紫棕色，茎上有淡绿色的粗条纹，实心。叶背面绿白色，革质或近革质，叶缘软骨质，较宽，白色，下部叶与中部叶同形，长披针形或线形，先端急尖或渐尖，有硬尖头，基部微收缩抱茎，9 ~ 13 脉，向叶背显著凸出，淡绿白色，茎上部叶同形，但逐渐缩小，7 ~ 15 脉。复伞形花序很多，顶生花序往往短于侧生花序；伞幅 3 ~ 4（~ 7），不等长；总苞片 2 ~ 5，很小，不等大，披针形或小如鳞片；小伞形花序直径 4 ~ 9 mm；小总苞片 5，披针形，短于花梗，先端渐尖，有小突尖头，基部不收缩，1 ~ 3 脉，有白色膜质边缘，小伞形花序有花（6 ~）8 ~ 10（~ 12）；花瓣浅黄色，先端反折处较平而不凸起，小舌片较大，方形；花梗长 2 ～ 4.5 mm，较粗，花柱基厚盘状，宽于子房。果实长圆形，棕褐色。花期 6 ～ 9 月，果期 9 ～ 11 月。

| **生境分布** | 生于海拔 1 500 ～ 2 500 m 的山坡草地或林下。分布于宁夏泾源、西吉、隆德、原州等。

| **资源情况** | 野生资源较少。

| **采收加工** | 春、秋季采挖，除去茎叶及泥沙，干燥。

| **功能主治** | 苦、微寒。归肝、肺经。解表和里，升阳，疏肝解郁。用于寒热往来，感冒发热，肝郁气滞，月经不调，胸胁疼痛，气虚下陷，久泻脱肛。

| **用法用量** | 内服煎汤，3 ～ 10 g。

伞形科 Umbelliferae 柴胡属 Bupleurum

窄竹叶柴胡

Bupleurum marginatum Wall. ex DC. var. *stenophyllum* (Wolff) Shan et Y. Li

窄竹叶柴胡

| 药 材 名 |

竹叶柴胡（药用部位：全草或根）。

| 形态特征 |

多年生草本，高 25 ~ 60 cm。根木质化，直根发达，外皮深红棕色，纺锤形，根的先端常有一段红棕色的地下茎，木质化，长 2 ~ 10 cm，茎基部常木质化，带紫棕色，茎上有淡绿色的粗条纹，实心。叶鲜绿色，背面绿白色，革质或近革质，叶缘软骨质，较宽，白色，下部叶与中部叶同形，长披针形或线形，叶狭长，骨质边缘较窄；基生叶紧密排成 2 列。复伞形花序少，直径 1.5 ~ 4 cm；伞幅 3 ~ 4（~ 7），不等长，长 1 ~ 3 cm；总苞片 2 ~ 5，很小，不等大，披针形或小如鳞片；小伞形花序直径 4 ~ 9 mm；小总苞片 5，披针形，花梗短；小总苞片长过花梗。花瓣浅黄色，先端反折处较平而不凸起，小舌片较大，方形；花梗长 2 ~ 4.5 mm，较粗，花柱基厚盘状，宽于子房。果实长圆形，棕褐色，棱狭翼状。花期 6 ~ 9 月，果期 9 ~ 11 月。

| 生境分布 |

生于海拔 1 700 ~ 2 600 m 的高山地区林下、

山坡、溪边或路旁。分布于宁夏泾源、彭阳、西吉、隆德、原州等。

| **资源情况** | 野生资源较少。

| **采收加工** | 春、秋季采收全草，除去杂质。春、秋季采挖根，除去茎苗、泥土，晒干。

| **功能主治** | 苦，微寒。解表和里，升阳解郁。用于寒热往来，胸满，胁痛，口苦，耳聋，头眩，疟疾，中气不足，脱肛，月经不调，阴挺。

| **用法用量** | 内服煎汤，3 ~ 10 g。

| **附　　注** | （1）本种为竹叶柴胡 *Bupleurum marginatum* Wall. ex DC. 的变种。
（2）《中国中药资源志要》记载窄竹叶柴胡 *Bupleurum marginatum* Wall. ex DC. var. *stenophyllum* (Wolff) Shan et Y. Li 的全草或根可药用，功效同北柴胡。

伞形科 Umbelliferae 柴胡属 Bupleurum

短茎柴胡
Bupleurum pusillum Krylov

短茎柴胡

| 药 材 名 |

短茎柴胡（药用部位：根）。

| 形态特征 |

多年生草本。丛生，呈蓝灰绿色，根粗短，木质化。茎高 2 ~ 10 cm，下部微触地，再斜上，分枝曲折。基部节间很短，基生叶簇生，并有枯萎残余叶柄，叶基有时带紫红色，基生叶线形或狭倒披针形，质较厚，3 ~ 5 平行脉，先端尖锐，基部略狭，边缘干燥时常内卷；茎生叶较短而阔，披针形或狭卵形，7 ~ 9 脉，先端尖锐，基部无柄，抱茎，边缘有细白边。复伞形花序顶生及侧生，直径 1 ~ 2.5 cm；花序梗长 1 ~ 3 cm；总苞片 1 ~ 4，不等大，卵状披针形；伞幅 3 ~ 6，不等长，长 1.5 ~ 4 mm；小总苞片 5，很少 6 或 7，绿色，背有白粉，质厚，卵形，长 4.5 ~ 5 mm，宽 1.2 ~ 2 mm，与小伞形花序等长或略长，先端尖锐，有硬尖头，3 脉向背部凸出；小伞形花序直径 4 ~ 6 mm；花 10 ~ 15；花梗长约 1 mm；花瓣黄色，舌片先端 2 裂；花柱基深黄色。子房棱显著，棱间有白粉。果实卵圆状椭圆形，棕色。花期 6 ~ 7 月，果期 8 ~ 9 月。

| 生境分布 | 生于向阳干旱的山坡草地、石砾堆或灌丛间。分布于宁夏贺兰山（贺兰、永宁、西夏、大武口）、罗山（同心、红寺堡）及原州、海原、西吉等。

| 采收加工 | 春、秋季采挖，除去茎苗、泥土，晒干。

| 资源情况 | 野生资源较少。

| 功能主治 | 解表退热，疏肝解郁，升举阳气。用于外感发热，寒热往来，疟疾，肝郁胁痛，头痛头眩，月经不调，气虚下陷之脱肛、子宫脱垂、胃下垂。

| 用法用量 | 内服煎汤，3 ~ 10 g；或入丸、散剂。外用适量，煎汤洗；或研末调敷。解热生用，用量宜大；疏肝醋炒，用量宜中；升阳生用，用量宜小。

伞形科 Umbelliferae 柴胡属 Bupleurum

黑柴胡
Bupleurum smithii Wolff

| 药 材 名 | 黑柴胡（药用部位：根。别名：小五台柴胡）。

| 形态特征 | 多年生草本。常丛生，高 25 ~ 60 cm，根黑褐色，质松，多分枝。植株变异较大。数茎直立或斜升，粗壮，有显著的纵槽纹，上部有时有少数短分枝。叶多，质较厚，基部叶丛生，狭长圆形、长圆状披针形或倒披针形，先端钝或急尖，有小突尖，基部渐狭成叶柄，叶柄宽狭变化很大，长短也不一致，叶基带紫红色，扩大抱茎，叶脉 7 ~ 9，叶缘白色，膜质；中部的茎生叶狭长圆形或倒披针形，下部较窄成短柄或无柄，先端短渐尖，基部抱茎，叶脉 11 ~ 15；花序托叶长卵形，长 1.5 ~ 7.5 cm，最宽处 1 ~ 1.7 cm，基部扩大，有时有耳，先端长渐尖，叶脉 21 ~ 31；总苞片 1 ~ 2 或无；伞幅

黑柴胡

4 ～ 9，挺直，不等长，长 0.5 ～ 4 cm，有明显的棱；小总苞片 6 ～ 9，卵形至阔卵形，很少披针形，先端有小短尖头，黄绿色，长过小伞形花序半倍至一倍；小伞花序直径 1 ～ 2 cm，花梗长 1.5 ～ 2.5 mm；花瓣黄色，有时背面带淡紫红色；花柱基干燥时紫褐色。果实棕色，卵形，棱薄，狭翼状。花期 7 ～ 8 月，果期 8 ～ 9 月。

| 生境分布 | 生于海拔 1 400 ～ 2 600 m 的山坡草地、山谷、山顶阴处。分布于宁夏泾源、海原、隆德、原州等。

| 资源情况 | 野生资源较丰富。

| 采收加工 | 春、秋季采挖，除去茎苗、泥土，晒干。

| 药材性状 | 本品呈圆柱形或圆锥形，常弯曲，长 3 ～ 7 cm，直径 0.2 ～ 0.7 cm。表面黑褐色或棕褐色，粗糙，有多数疣状突起及须根断痕；根头增粗，有数个分枝根茎，具芽痕，先端残留数个茎基，基部少有或无膜质叶基。质较松脆，易折断，断面略平坦，皮部浅棕色，具多数裂隙，木部黄白色，有放射状裂隙。气微香，味微苦。

| 功能主治 | 苦，微寒。疏风散热，舒肝，调经，升阳。用于感冒发热，寒热往来，疟疾，胸胁胀满，月经不调，气虚下陷之子宫脱垂、脱肛等。

| 用法用量 | 内服煎汤，3 ～ 9 g。

| 附 注 | （1）《宁夏中药材标准》（1993 年版、2018 年版）记载黑柴胡药材来源于小叶黑柴胡 *Bupleurum smithii* Wolff var. *parvifolium* Shan et Y. Li 的干燥根。

（2）《甘肃省中药材标准》（2009 年版）记载黑柴胡 *Bupleurum smithii* Wolff、小叶黑柴胡 *Bupleurum smithii* Wolff var. *parvifolium* Shan et Y. Li 或黄花鸭跖柴胡 *Bupleurum commelynoideum* Boiss. var. *flaviflorum* Shan et Y. Li 的干燥根或根茎为黑柴胡药材。

伞形科 Umbelliferae 柴胡属 Bupleurum

小叶黑柴胡 *Bupleurum smithii* Wolff var. *parvifolium* Shan et Y. Li

| 药 材 名 | 黑柴胡（药用部位：根。别名：柴胡、小叶黑柴胡）。

| 形态特征 | 小叶黑柴胡是黑柴胡的变种。多年生草本。植株矮小，高 15 ～ 40 cm。茎丛生更密，茎细而微弯成弧形，下部微触地。叶变窄，变小，长 6 ～ 11 cm，宽 3 ～ 7 mm。小伞形花序小，直径 8 ～ 11 mm；小总苞有时减少至 5，长 3.5 ～ 6 mm，宽 2.5 ～ 3.5 mm，稍稍超过小伞形花序。

| 生境分布 | 生于山坡草地，偶见于林下。分布于宁夏泾源、隆德、西吉、原州、贺兰、西夏等。

| 资源情况 | 野生资源丰富。

小叶黑柴胡

| **采收加工** | 春、秋季采挖，除去茎苗、泥土，晒干。

| **药材性状** | 本品呈圆柱形或圆锥形，常弯曲，主根长 4 ~ 7 cm，直径 0.2 ~ 0.5 cm。表面黑褐色或棕褐色，粗糙，有多数凸起的须根痕，根头膨大，多分枝，常残留茎基及棕褐色膜质叶基。质较松脆，易折断，断面略平坦，皮部浅棕色，具多数裂隙，木部黄白色，有放射状裂隙。气微香，味微苦、辛，具败油气。

| **功能主治** | 微苦，微寒。归肝、胆经。疏风散热，舒肝，升阳。用于感冒发热，寒热往来，疟疾，胸胁胀满，月经不调，子宫脱垂，脱肛等。

| **用法用量** | 内服煎汤，6 ~ 12 g。

| **附　注** | （1）本种是黑柴胡 *Bupleurum smithii* Wolff 的变种。药材名为黑柴胡。

（2）《宁夏中药材标准》（1993 年版、2018 年版）记载本种药材为小叶黑柴胡 *Bupleurum smithii* Wolff var. *parvifolium* Shan et Y. Li 的干燥根及根茎，《甘肃省中药材标准》（2009 年版）将黑柴胡 *Bupleurum smithii* Wolff、小叶黑柴胡 *Bupleurum smithii* Wolff var. *parvifolium* Shan et Y. Li 或黄花鸭跖柴胡 *Bupleurum commelynoideum* Boiss. var. *flaviflorum* Shan et Y. Li 作为黑柴胡药材的基原。

（3）柴胡始载于《神农本草经》，被列为中品。历代本草所述柴胡种类复杂。宁夏柴胡的野生资源丰富，柴胡属植物种类较多，主要有柴胡 *Bupleurum chinense* DC. 和狭叶柴胡 *Bupleurum scorzonerifolium* Willd.，前者习称"北柴胡"，后者习称"南柴胡"，为《中华人民共和国药典》（2015 年版）收载品种，是宁夏柴胡的主要来源。小叶黑柴胡 *Bupleurum smithii* Wolff var. *parvifolium* Shan et Y. Li. 在宁夏分布较广，蕴藏量大。宁夏将小叶黑柴胡作柴胡收购、销售和应用多年，可作为柴胡的新资源开发利用。本种为《宁夏中药材标准》（1993 年版）所收载品种。

伞形科 Umbelliferae 柴胡属 Bupleurum

银州柴胡

Bupleurum yinchowense Shan et Y. Li

银州柴胡

| 药 材 名 |

银州柴胡（药用部位：根）。

| 形态特征 |

多年生草本，高 25 ~ 50 cm。主根极发达，长圆柱形，稍增粗，淡红棕色或橙黄棕色，略带白霜，表面较平滑，有少数短横纹突起，质地较细密，根颈先端分出数茎。茎基部节间很短，节部偶有稀疏的薄膜质枯叶柄残存物，茎纤细，略呈"之"字形弯曲或不明显，有细纵槽纹，基部常带紫色，中部以上常分枝。叶小，薄纸质。基生叶常早落，倒披针形，先端圆或急尖，有小突尖头，中部以下收缩成长柄；中部茎生叶倒披针形，先端长圆或急尖，有小硬尖头，基部很快收缩，几成短叶柄。复伞形花序小而多，花序梗纤细；总苞片无或 1 ~ 2，针形，先端尖锐，1 ~ 3 脉；伞幅（3 ~ ）4 ~ 6（ ~ 9），极细，长 4 ~ 11 mm；小总苞片 5，线形，很小，紧贴花梗，先端尖锐，1 ~ 3 脉，短于果柄；小伞形花序直径 2.5 ~ 4 mm，花 6 ~ 9；花梗略不等长；花很小；花瓣黄色，中肋棕色，小舌片大，几与花瓣的一半等长，长方形，先端微凹；花柱基淡黄色，扁盘形，宽于子房。果实广卵形，深褐色。棱在嫩果时明显，翼状，成熟后细线形。花期 8 月，果期 9 月。

| **生境分布** | 生于干燥山坡及多沙地带瘠薄的土壤中。分布于宁夏隆德、西吉等。

| **资源情况** | 野生资源较少。

| **采收加工** | 春、秋季采挖，除去茎苗、泥土，晒干。

| **功能主治** | 解表退热，疏肝解郁，升举阳气。用于外感发热，寒热往来，疟疾，肝郁胁痛，头痛头眩，月经不调，气虚下陷之脱肛、子宫脱垂、胃下垂。

| **用法用量** | 内服煎汤，3 ～ 10 g；或入丸、散剂。外用适量，煎汤洗；或研末调敷。解热生用，用量宜大；疏肝醋炒，用量宜中；升阳生用，用量宜小。

伞形科 Umbelliferae 葛缕子属 Carum

田葛缕子

Carum buriaticum Turcz.

药材名

狗缨子（药用部位：根。别名：前胡）。

形态特征

多年生草本，高 50 ~ 80 cm。根圆柱形，长达 18 cm，直径 0.5 ~ 2 cm。茎通常单生，稀 2 ~ 5，基部有叶鞘纤维残留物，自茎中、下部以上分枝。基生叶及茎下部叶有柄，长 6 ~ 10 cm，叶片长圆状卵形或披针形，长 8 ~ 15 cm，宽 5 ~ 10 cm，3 ~ 4 回羽状分裂，末回裂片线形，长 2 ~ 5 mm，宽 0.5 ~ 1 mm；茎上部叶通常 2 回羽状分裂，末回裂片细线形，长 5 ~ 10 mm，宽约 0.5 mm。总苞片 2 ~ 4，线形或线状披针形；伞幅 10 ~ 15，长 2 ~ 5 cm；小总苞片 5 ~ 8，披针形；小伞形花序有花 10 ~ 30，无萼齿；花瓣白色。果实长卵形，长 3 ~ 4 mm，宽 1.5 ~ 2 mm，每棱槽内具油管 1，合生面具油管 2。花果期 5 ~ 10 月。

生境分布

生于田边、路旁、河岸、林下或山地草丛中。分布于宁夏隆德、西吉、彭阳、原州、同心等。

田葛缕子

| 资源情况 | 野生资源丰富。

| 采收加工 | 9 ~ 10 月果实成熟时采挖，洗净，晒干，切段。

| 药材性状 | 本品呈圆锥形或圆柱形，长 10 ~ 20 cm，直径 0.5 ~ 1.5 cm。表面棕灰色，栓皮易碎脱落，具多数疣状突起及横向皱纹。质松脆，易折断，断面平坦，皮部浅棕色，木部黄色。气微，味辛。

| 功能主治 | 苦、辛，微寒。归肝经。散风清热，降气化痰。用于感冒头痛，肺热咳嗽，痰多色黄。

| 用法用量 | 内服煎汤，3 ~ 9 g。

| 附　　注 | 本种在《中国植物志》（英文版）中记载为葛缕子属 *Carum* 田葛缕子 *Carum buriaticum* Turcz.，在《宁夏植物志》中记载为茴蒿属 *Carum* 田茴蒿 *Carum buriaticum* Turcz. Ye。本种条目以《中国植物志》（英文版）所载为依据。

伞形科 Umbelliferae 葛缕子属 Carum

葛缕子

Carum carvi L.

| **药 材 名** | 葛缕子（药用部位：果实、根。别名：野胡萝卜、藏茴香、马缨子）。

| **形态特征** | 多年生草本，高 30 ~ 70 cm。根圆柱形，长 4 ~ 25 cm，直径 5 ~ 10 mm，表皮棕褐色。茎通常单生，稀 2 ~ 8。基生叶及茎下部叶的叶柄与叶片近等长，或略短于叶片，叶片长圆状披针形，长 5 ~ 10 cm，宽 2 ~ 3 cm，2 ~ 3 回羽状分裂，末回裂片线形或线状披针形，长 3 ~ 5 mm，宽约 1 mm，茎中、上部叶与基生叶同形，较小，无柄或有短柄。无总苞片，稀 1 ~ 3，线形；伞幅 5 ~ 10，极不等长，长 1 ~ 4 cm，无小总苞或偶有 1 ~ 3，线形；小伞形花序有花 5 ~ 15，花杂性，无萼齿，花瓣白色，或带淡红色，花梗不等长，花柱长约为花柱基的 2 倍。果实长卵形，长 4 ~ 5 mm，宽约 2 mm，成熟后

葛缕子

黄褐色，果棱明显。花果期 5 ～ 8 月。

| **生境分布** | 生于河滩草丛中、林下或高山草甸。分布于宁夏海原、原州、同心等。

| **资源情况** | 野生资源较丰富。

| **采收加工** | 果实，7 ～ 8 月割取带成熟果实的全株，晒干，打下种子，去其杂质。根，夏、秋季采挖，除去地上部分及须根，洗去泥沙，稍晾，置沸水中烫后去外皮，晒干或烘干。

| **功能主治** | 果实，甘、微辛，温。归肾、脾、胃经。芳香健胃，祛风理气。用于胃痛，腰痛，小肠气痛。根，微辛，温。发表祛风，胜湿止痛。用于风寒感冒，头痛身痛，风湿痹痛，破伤风。

| **用法用量** | 果实，内服煎汤，3 ～ 6 g。根，内服煎汤，3 ～ 10 g。

| **附　注** | （1）本种在《中国植物志》（英文版）中记载为葛缕子属 *Carum* 葛缕子 *Carum carvi* L.，在《宁夏植物志》中记载为蒿属 *Carum* 蒿 *Carum carvi* L.。本种条目以《中国植物志》（英文版）所载为依据。

（2）《中华本草》《全国中草药汇编》《中药大辞典》均记载本种药材名为藏茴香，《宁夏中药志》记载本种药材名为葛缕子。

（3）《宁夏中药志》记载宁夏原州地区称本种及同属植物田葛缕子为马缨子，多年来将本种的根部作防风入药，现已纠正。

（4）与葛缕子同等入药的还有同属植物田葛缕子，其分种区别如下。

1. 茎生叶的叶鞘具白色或淡黄色的宽膜质边缘；花白色或淡红色；无小总苞片，或具 1 ～ 2 而早落······································葛缕子 *Carum carvi* L.

1. 茎生叶的叶鞘边缘具白色狭膜质边缘；花白色；小总苞片 8 ～ 12············ ···田葛缕子 *Carum buriaticum* Turcz.

伞形科 Umbelliferae 毒芹属 Cicuta

毒芹
Cicuta virosa L.

毒芹

药材名

毒芹（药用部位：根茎。别名：走马芹、野芹菜花）。

形态特征

多年生粗壮草本，高 70 ~ 100 cm。主根短缩，支根多数，肉质或纤维状，根茎有节，内有横隔膜，褐色。茎单生，直立，圆筒形，中空，有条纹，基部有时略带淡紫色，上部有分枝，枝条上升开展。基生叶叶柄长 15 ~ 30 cm，叶鞘膜质，抱茎；叶片呈三角形或三角状披针形，2 ~ 3 回羽状分裂；最下部的 1 对羽片有长 1 ~ 3.5 cm 的柄，羽片 3 裂至羽裂，裂片线状披针形或窄披针形，边缘疏生钝或锐锯齿，两面无毛或脉上有糙毛，较上部的茎生叶有短柄，叶片的分裂形状如同基生叶；最上部的茎生叶 1 ~ 2 回羽状分裂，末回裂片狭披针形，边缘疏生锯齿。复伞形花序顶生或腋生，花序梗长 2.5 ~ 10 cm，无毛；总苞片通常无或有 1 线形的苞片；伞幅 6 ~ 25；小总苞片多数，线状披针形，先端长尖，中脉 1。小伞形花序有花 15 ~ 35；萼齿明显，卵状三角形；花瓣白色，倒卵形或近圆形，先端有内折的小舌片，中脉 1；花丝长约 2.5 mm，花药近卵圆形；花柱基幼时扁压，光滑；花柱短，向外反折。分生果近卵圆形。花果期 7 ～ 8 月。

| **生境分布** | 生于海拔 1 500 ～ 2 700 m 的杂木林下、沼泽草甸、湿地或水沟边。分布于宁夏隆德、泾源等。

| **资源情况** | 野生资源较少。

| **采收加工** | 春、夏、秋季采挖。除去地上部分，洗净，鲜用或晒干。

| **药材性状** | 根茎粗大，短柱状或块状，长 2 ～ 4（～ 5）cm，直径 2 ～ 3.5 cm。表面棕黄色或枯草黄色，纵切面观可见髓部中空并具若干横隔；先端连接粗大茎基，茎中空，节处有横隔；条状须根多数，生块茎上者簇生，生茎基上者于节部轮生，长 8 ～ 15 cm，直径 2 ～ 4 mm，表面黄棕色，具纵皱纹，并见支根或支根痕。质松，易折断，断面黄白色，皮部多见裂隙及棕色细点状油室，木部圆形，亦见纵向裂隙。气特异而久贮转微弱，味微辛。

| **功能主治** | 辛、微甘，温；有大毒。归肝、肾经。拔毒，祛瘀，止痛。用于急、慢性骨髓炎，痛风，风湿痛。

| **用法用量** | 外用适量，捣敷；或研末调敷。禁止内服。

| **附　　注** | 毒芹含有毒物质毒芹素（Cicutoxin）和毒芹碱（Cicutin），误食会引起中毒。

伞形科 Umbelliferae 蛇床属 Cnidium

蛇床 *Cnidium monnieri* (L.) Cuss.

| 药 材 名 | 蛇床子（药用部位：果实。别名：野胡萝卜子、蛇珠、蛇粟）。

| 形态特征 | 一年生草本，高 10 ~ 60 cm。根圆锥状，较细长。茎直立或斜上，多分枝，中空，表面具深条棱，粗糙。下部叶具短柄，叶鞘短宽，边缘膜质，上部叶柄全部鞘状；叶片卵形至三角状卵形，2 ~ 3 回三出羽状全裂，羽片卵形至卵状披针形，长 1 ~ 3 cm，宽 0.5 ~ 1 cm，先端常略呈尾状，末回裂片线形至线状披针形，长 3 ~ 10 mm，宽 1 ~ 1.5 mm，具小尖头，边缘及脉上粗糙。复伞形花序直径 2 ~ 3 cm；总苞片 6 ~ 10，线形至线状披针形，长约 5 mm，边缘膜质，具细睫毛；伞幅 8 ~ 20，不等长，长 0.5 ~ 2 cm，棱上粗糙；小总苞片多数，线形，长 3 ~ 5 mm，边缘具细睫毛；小伞形花序具

蛇床

花 15 ~ 20，萼齿无；花瓣白色，先端具内折小舌片；花柱基略隆起，花柱长 1 ~ 1.5 mm，向下反曲。分生果长圆状。花期 4 ~ 7 月，果期 6 ~ 10 月。

| 生境分布 | 生于田边、路旁、草地或河边湿地。分布于宁夏贺兰山（贺兰、大武口、西夏）及泾源、沙坡头、中宁、惠农、平罗、永宁、兴庆、灵武等引黄灌区。

| 资源情况 | 野生资源较少。

| 采收加工 | 夏、秋季果实成熟时采收，晒干；或割取地上部分晒干，打落果实，筛净或簸去杂质。

| 药材性状 | 本品呈椭圆形，长 2 ~ 3 mm，直径 1 ~ 2 mm。表面灰黄色或灰褐色，先端有小突起，基部偶有细梗。悬果瓣的背面有薄而凸起的纵棱 5，接合面平坦，可见 2 棕色略凸起的纵棱线。悬果瓣横切面略呈五角星状，纵棱间各有椭圆形油管 1，接合面具油管 2，共有 6 个。气香，味辛、凉，有麻舌感。以果粒饱满、灰黄色、香气浓郁、无杂质灰屑者为佳。

| 功能主治 | 辛、苦，温；有小毒。归肾经。温肾壮阳，燥湿杀虫，祛风止痒。用于阳痿，阴囊湿痒，女子宫寒不孕，寒湿带下，阴痒肿痛，风湿痹痛，湿疮疥癣。

| 用法用量 | 内服煎汤，3 ~ 9 g；或入丸、散剂。外用适量，煎汤熏洗；或制成坐药、栓剂；或研细末调敷。

伞形科 Umbelliferae 芫荽属 Coriandrum

芫荽
Coriandrum sativum L.

| 药 材 名 | 胡荽（药用部位：全草。别名：香菜、芫荽）、芫荽茎（药用部位：茎梗。别名：芫荽棋）、芫荽子（药用部位：果实。别名：香菜子、胡荽子）。

| 形态特征 | 一年生或二年生有强烈气味的草本，高 20 ~ 100 cm。根纺锤形，细长，有多数纤细的支根。茎圆柱形，直立，多分枝，有条纹，通常光滑。根生叶有柄，柄长 2 ~ 8 cm；叶片 1 ~ 2 回羽状全裂，羽片广卵形或扇形半裂，长 1 ~ 2 cm，宽 1 ~ 1.5 cm，边缘有钝锯齿、缺刻或深裂，上部的茎生叶 3 至多回羽状分裂，末回裂片狭线形，先端钝，全缘。伞形花序顶生或与叶对生，花序梗长 2 ~ 8 cm；伞幅 3 ~ 7；小总苞片 2 ~ 5，线形，全缘；小伞形花序有孕花 3 ~ 9，花白色或带淡紫色；萼齿通常大小不等，小的卵状三角形，大的长

芫荽

卵形；花瓣倒卵形，先端有内凹的小舌片，辐射瓣长 2 ~ 3.5 mm，宽 1 ~ 2 mm，通常全缘，有 3 ~ 5 脉；花丝长 1 ~ 2 mm，花药卵形，长约 0.7 mm；花柱幼时直立，果实成熟时向外反曲。果实圆球形，背面主棱及相邻的次棱明显。花果期 4 ~ 11 月。

| **生境分布** | 生于田间地头，多为栽培。宁夏各地均有栽培。

| **资源情况** | 栽培资源较丰富。

| **采收加工** | 胡荽：全年均可采收，洗净，晒干。
芫荽茎：春季采收，洗净，晒干。
芫荽子：8 ~ 9 月果实成熟时采收，晒干。

| **药材性状** | 胡荽：本品叶多卷缩脱落，呈草黄色；茎亦枯萎，直径约 1 mm；根须卷曲，具浓烈的特殊香味。以色带青色、香气浓厚者为佳。
芫荽子：本品近球形，直径 2 ~ 3.5 mm，淡黄棕色或黄棕色，先端可见极短的柱头残痕，多分裂为 2，周围有 5 萼齿残痕，有不甚明显而呈波浪形弯曲的初生棱脊 10 及较为明显而纵直的次生棱脊 10，主棱脊与次生棱脊相间排列，有时可见长约 1.5 cm 的小果柄或果柄痕。小分果背面隆起，腹面中央下凹，具 3 纵棱线，中央较直，两侧呈弧形弯曲。气香，味微辣。以籽粒饱满、洁净、无杂质者为佳。

| **功能主治** | 胡荽：辛，温。归肺、脾、肝经。发表透疹，消食开胃，止痛解毒。用于风寒感冒，麻疹、痘疹透发不畅，食积，脘腹胀痛，呕恶，头痛，牙痛，脱肛，丹毒，疮肿初起，蛇咬伤。
芫荽茎：辛，温。归肺、胃经。宽中健胃，透疹。用于胸脘胀闷，消化不良，麻疹不透。
芫荽子：健胃消积，理气止痛，透疹解毒。用于食积，食欲不振，脘腹胀痛，呕恶反胃，泻痢，肠风便血，脱肛，疝气，麻疹、痘疹不透，秃疮，头痛，牙痛，耳痛。

| **用法用量** | 胡荽：内服煎汤，9 ~ 15 g，鲜品 15 ~ 30 g；或捣汁。外用适量，煎汤洗；或捣敷。
芫荽茎：内服煎汤，3 ~ 9 g。外用适量，煎汤喷涂。
芫荽子：内服煎汤，6 ~ 12 g；或入丸、散剂。外用适量，煎汤含漱或熏洗。

胡萝卜

| 伞形科 | Umbelliferae | 胡萝卜属 | *Daucus*

胡萝卜

Daucus carota L. var. *sativa* Hoffm.

| 药 材 名 |

胡萝卜（药用部位：根。别名：黄萝卜、胡芦菔、红萝卜）。

| 形态特征 |

二年生草本，高达 120 cm。根肉质，长圆锥形，粗肥，呈橙红色或黄色。茎单生。基生叶 2 ～ 3 回羽状全裂，末回裂片线形或披针形，先端尖锐，有小尖头；茎生叶近无柄，有叶鞘，末回裂片小或细长。复伞形花序；花序梗长 10 ～ 55 cm，有糙硬毛；总苞片多数，呈叶状，羽状分裂，裂片线形；伞幅多数，果期外缘的伞幅向内弯曲；小总苞片 5 ～ 7，不分裂或 2 ～ 3 裂；花通常白色，有时带淡红色；花梗不等长。果实圆卵形，棱上有白色刺毛。花期 5 ～ 7 月。

| 生境分布 |

生于田间。宁夏各地均有栽培。

| 资源情况 |

栽培资源丰富。

| 采收加工 |

秋、冬季采挖，除去茎叶、须根，洗净。

| 功能主治 | 甘、辛，平。归脾、肝、肺经。健脾和中，滋肝明目，化痰止咳，清热解毒。用于脾虚食少，体虚乏力，脘腹痛，泻痢，视物昏花，雀目，咳喘，百日咳，咽喉肿痛，麻疹，水痘，疖肿，烫火伤，痔漏。 |

| 用法用量 | 内服煎汤，30 ~ 120 g；或生食；或捣汁；或煮食。外用适量，煮熟捣敷；或切片烧热敷。 |

伞形科 Umbelliferae 阿魏属 Ferula

硬阿魏
Ferula bungeana Kitagawa

药 材 名	砂茴香（药用部位：全草。别名：沙茴香、沙吊吊、面吊吊）、砂茴香子（药用部位：种子。别名：沙前胡籽）。
形态特征	多年生草本。植株被密集的短柔毛，蓝绿色。根圆柱形，直径达8 mm，根颈上残存有枯萎的棕黄色叶鞘纤维。茎细，单一，从下部向上分枝成伞房状，2～3回分枝，下部枝互生，上部枝对生或轮生，枝上的小枝互生或对生。基生叶莲座状，有短柄，柄的基部扩展成鞘；叶片广卵形至三角形，2～3回羽状全裂，末回裂片长椭圆形或广椭圆形，再羽状深裂，小裂片楔形至倒卵形，常3裂，形似角状齿，先端具细尖，被密集的短柔毛，灰蓝色，肥厚，不早枯；茎生叶少，向上简化，叶片1～2回羽状全裂，裂片细长，至上部无叶片，叶鞘披针形。复伞形花序生于茎、枝和小枝先端，直径4～12 cm，

硬阿魏

至果期达 25 cm，总苞片缺或有 1～3，圆锥形；伞幅 4～15，开展，不等长；无侧生花序；小伞形花序有花 5～12，小总苞片线状披针形，不等长；萼齿卵形；花瓣黄色，椭圆形或广椭圆形，先端渐尖，向内弯曲；花柱基扁圆锥形，边缘增宽，花柱延长，柱头增粗。分生果广椭圆形，背腹扁压，果棱凸起。花期 5～6 月，果期 6～7 月。

| 生境分布 | 生于沙丘、沙地、戈壁滩冲沟、旱田、路边或砾石质山坡上。分布于宁夏盐池、同心、兴庆、金凤等。

| 资源情况 | 野生资源较少。

| 采收加工 | 砂茴香：夏、秋季采挖，晒干。
砂茴香子：夏、秋季果实成熟时采收，晒干。

| 药材性状 | 砂茴香：本品根呈长圆柱形，质柔软。断面皮部类白色。气微香，味微甜。

| 功能主治 | 砂茴香：甘、微苦，凉。归肺经。清热宣肺，祛痰散结，消肿止痛。用于感冒发热，咽喉肿痛，咳喘，骨关节结核，瘰疬，疮疡，腰扭伤。
砂茴香子：辛、甘，平。理气健胃。用于脘腹胀痛，消化不良。

| 用法用量 | 砂茴香：内服煎汤，6～20 g。
砂茴香子：内服研末，1～3 g。

| 附　注 | 砂茴香药材的基原在《中国植物志》（英文版）中记载为硬阿魏 *Ferula bungeana* Kitagawa，在《宁夏植物志》中记载为沙茴香 *Ferula bungeana* Kitagawa，两者拉丁学名一致。

伞形科 Umbelliferae 独活属 Heracleum

多裂独活

Heracleum dissectifolium K. T. Fu

多裂独活

| 药 材 名 |

多裂独活（药用部位：根）。

| 形态特征 |

多年生草本，高 60 ～ 100 cm，有毛。根长圆锥形，浅黄褐色。茎直立，有棱槽，中空，上部多分枝。基生叶上有叶柄，长3.5 ～ 7 cm，基部有长而宽的叶鞘；1 ～ 2回羽状全裂，1 回裂片 3 ～ 4 对，斜卵形；小裂片卵状披针形，最下 1 对全裂；茎生叶 3 回三出羽状深裂，无柄。复伞形花序顶生和侧生；总苞片缺；伞幅 30 ～ 50，不等长，具细毛，小总苞片少数，线形，被有细毛；花瓣白色，二型；花柱近直立。果实椭圆形或近圆形，长 4 ～ 6 mm，光滑。花期 7 ～ 8 月，果期 8 ～ 9 月。

| 生境分布 |

生于林缘草地。分布于宁夏隆德、彭阳、西吉、原州等。

| 资源情况 |

野生资源较少。

| 采收加工 | 春季或秋季采挖，除去茎叶，洗净，切片，晒干。

| 功能主治 | 辛、苦，微温。祛风除湿，消肿止痛。用于风寒湿痹，腰膝酸痛，四肢拘挛，跌打肿痛。

| 用法用量 | 内服煎汤，3～9 g。外用适量，煎汤洗。

| 附　　注 | 《宁夏中药志》记载宁夏六盘山地区亦有本种的同属植物狭叶短毛独活（变种）*Heracleum moellendorffii* Hance var. *subbipinnatum* (Franch.) Kitagawa、永宁独活 *Heracleum yungningense* Hand.-Mazz. 分布。

伞形科 Umbelliferae 独活属 Heracleum

短毛独活
Heracleum moellendorffii Hance

| 药 材 名 | 短毛独活（药用部位：根。别名：牛尾独活）。

| 形态特征 | 多年生草本，高 1 ~ 2 m。根圆锥形，粗大，多分歧，灰棕色。茎直立，有棱槽，上部开展分枝。叶有柄，长 10 ~ 30 cm；叶片广卵形，薄膜质，三出式分裂，裂片广卵形至圆形、心形，不规则的 3 ~ 5 裂，长 10 ~ 20 cm，宽 7 ~ 18 cm，裂片边缘具粗大的锯齿，尖锐至长尖，小叶柄长 3 ~ 8 cm；茎上部叶有显著宽展的叶鞘。复伞形花序顶生和侧生，花序梗长 4 ~ 15 cm；总苞片少数，线状披针形；伞幅 12 ~ 30，不等长；小总苞片 5 ~ 10，披针形；花梗细长，长 4 ~ 20 mm；萼齿不显著；花瓣白色，二型；花柱基短圆锥形，花柱叉开。分生果球状倒卵形，先端凹陷，背部扁平，直径约 8 mm，有稀疏的柔毛或近光滑。花期 7 月，果期 8 ~ 10 月。

短毛独活

| 生境分布 | 生于林下、林缘。分布于宁夏泾源、隆德等。

| 资源情况 | 野生资源较少。

| 采收加工 | 4 ~ 10 月采挖，除去地上茎及泥土，晒干。

| 药材性状 | 本品呈长圆锥形，长 30 ~ 80 cm，多分枝或单一，稍弯曲，直径可达 2 cm，表面灰白色、浅灰棕色或灰棕色，有时上端有密集的细环纹，中下部具不规则皱缩沟纹，质坚韧，折断面不平整，皮部黄白色，略显粉性，散在深黄色油点，有裂隙，可有棕色环（形成层），内心淡黄色，显菊花纹理。香气特异，味微苦、麻。

| 功能主治 | 辛、苦，微温。归肺、肝经。祛风除湿，发表散寒，止痛。用于风湿关节痛，伤风头痛，腰腿酸痛。

| 用法用量 | 内服煎汤，9 ~ 12 g。外用适量，捣敷。

伞形科 Umbelliferae 欧当归属 Levisticum

欧当归 *Levisticum officinale* Koch.

欧当归

| 药 材 名 |

欧当归（药用部位：根）。

| 形态特征 |

多年生草本。全株有香气，高 1 ~ 2.5 m。根茎肥大，支根多数，顶部多有叶鞘残基。茎直立，光滑无毛，基部直径 3 ~ 4 cm，带紫红色，有光泽，中空，有纵沟纹。基生叶和茎下部叶 2 ~ 3 回羽状分裂，叶柄基部膨大，叶鞘紫红色；茎上部叶通常仅 1 回羽状分裂；叶片宽倒卵形至宽三角形，茎生叶叶柄较短，最上部的叶多简化成先端 3 裂的小叶片；末回裂片倒卵形至卵状菱形，近革质，叶缘上部 2 ~ 3 裂，有少数不整齐的粗大锯齿，叶缘下部全缘，先端锐尖或有长尖，基部楔形。复伞形花序直径约 12 cm，伞幅 12 ~ 20，总苞片 7 ~ 11，小总苞片 8 ~ 12，均为宽披针形至线状披针形，先端长渐尖，反曲，边缘白色，膜质，有稀疏的短糙毛；小伞形花序近圆球形，花黄绿色，萼齿不明显，花瓣椭圆形，基部有短爪，先端略凹入，花柱基短圆锥状。分生果椭圆形，黄褐色，背部稍扁压。花期 6 ~ 8 月，果期 8 ~ 9 月。

生境分布	生于山林草地。宁夏隆德、彭阳等有栽培。
资源情况	栽培资源较少。
采收加工	春、秋季采挖，除去茎叶，洗净，晒干或烘干。
药材性状	本品呈圆柱形，根头部膨大，先端有 2 个以上的茎痕及叶柄残基。有的分枝，长短不等，直径 0.7 ~ 2 cm。表面灰棕色或棕色，有纵皱纹及横长皮孔状疤痕。断面黄白色或棕黄色。气微，味微甜而麻舌。
功能主治	辛、苦，微温。活血调经，利尿。用于经闭，痛经，头晕，头痛，肢体麻木，水肿。
用法用量	内服煎汤，6 ~ 15 g；或入丸、散剂。

伞形科 Umbelliferae 藁本属 Ligusticum

川芎
Ligusticum chuanxiong Hort.

| 药 材 名 | 川芎（药用部位：根茎。别名：芎藭、西芎）。

| 形态特征 | 多年生草本，高 40 ～ 60 cm。根茎发达，形成不规则的结节状拳形团块，具浓烈香气。茎直立，圆柱形，具纵条纹，上部多分枝，下部茎节膨大成盘状。茎下部叶具柄，柄长 3 ～ 10 cm，基部扩大成鞘；叶片轮廓卵状三角形，3 ～ 4 回三出羽状全裂，羽片 4 ～ 5 对，卵状披针形，长 6 ～ 7 cm，宽 5 ～ 6 cm，末回裂片线状披针形至长卵形，长 2 ～ 5 mm，宽 1 ～ 2 mm，具小尖头；茎上部叶渐简化。复伞形花序顶生或侧生；总苞片 3 ～ 6，线形，长 0.5 ～ 2.5 cm；伞幅 7 ～ 24，不等长，长 2 ～ 4 cm，内侧粗糙；小总苞片 4 ～ 8，线形，长 3 ～ 5 mm，粗糙；萼齿不发育；花瓣白色，倒卵形至心形，长 1.5 ～ 2 mm，先端具内折小尖头；花柱基圆锥状，花柱 2，长

川芎

2 ～ 3 mm，向下反曲。幼果两侧扁压。花期 7 ～ 8 月，幼果期 9 ～ 10 月。

| 生境分布 | 生于气候阴凉的高山阳坡或低山半阴半阳山地。宁夏隆德、彭阳等有栽培。

| 资源情况 | 栽培资源较少。

| 采收加工 | 夏季当茎上的节盘显著凸出，并略带紫色时采挖，除去泥沙，晒后烘干，再去须根。

| 药材性状 | 本品为不规则结节状拳形团块，直径 2 ～ 7 cm。表面灰褐色或褐色，粗糙皱缩，有多数平行隆起的轮节，先端有凹陷的类圆形茎痕，下侧及轮节上有多数小瘤状根痕。质坚实，不易折断，断面黄白色或灰黄色，散有黄棕色的油室，形成层环呈波状。气浓香，味苦、辛，稍有麻舌感，微回甜。

| 功能主治 | 辛，温。归肝、胆、心包经。活血行气，祛风止痛。用于胸痹心痛，胸胁刺痛，跌扑肿痛，月经不调，经闭，痛经，癥瘕腹痛，头痛，风湿痹痛。

| 用法用量 | 内服煎汤，3 ～ 10 g。

| 附　　注 | 《中华人民共和国药典》（2020 年版）记载川芎的拉丁学名为 *Ligusticum chuanxiong* Hort.，《中国植物志》（英文版）已将本种的拉丁学名修订为 *Ligusticum sinense* cv. Chuanxiong。

伞形科 Umbelliferae 藁本属 Ligusticum

藁本
Ligusticum sinense Oliv.

| 药 材 名 | 藁本（药用部位：根及根茎。别名：香藁本、微茎）。

| 形态特征 | 多年生草本，高达 1 m。根茎块状，生多数支根和须根，黑褐色。茎直立，圆柱形，中空，具纵条纹，粗糙。基生叶具长柄，叶片宽三角形，2 回三出羽状全裂；一回羽片卵形，3 ～ 4 对；二回羽片无柄，2 ～ 4 对；小羽片先端渐尖至尾状渐尖。复伞形花序顶生或侧生，果时直径 6 ～ 8 cm；总苞片 6 ～ 10，线形，长约 6 mm；伞幅 14 ～ 30，长达 5 cm，四棱形，粗糙；小总苞片 10，线形，长 3 ～ 4 mm；花白色，花梗粗糙；萼齿不明显；花瓣倒卵形，先端微凹，具内折小尖头；花柱基隆起，花柱长，向下反曲。双悬果卵形，分生果背棱凸起，侧棱略扩大成翅状。花期 8 ～ 9 月，果期 10 月。

藁本

| **生境分布** | 生于潮湿的林下或山谷水边。分布于宁夏六盘山（泾源、隆德）等。

| **资源情况** | 野生资源较少。

| **采收加工** | 秋季茎叶枯萎或翌年春季出苗时采挖，除去泥沙，晒干或烘干。

| **药材性状** | 本品根茎呈不规则结节状圆柱形，稍扭曲，有分枝，长 3 ~ 10 cm，直径 1 ~ 2 cm。表面棕褐色或暗棕色，粗糙，有纵皱纹，上侧残留数个凹陷的圆形茎基，下侧有多数点状凸起的根痕和残根。体轻，质较硬，易折断，断面黄色或黄白色，纤维状。气浓香，味辛、苦、微麻。

| **功能主治** | 辛，温。归膀胱经。祛风散寒，除湿止痛。用于风寒感冒，巅顶头痛，风湿关节痹痛。

| **用法用量** | 内服煎汤，3 ~ 10 g。

| **附　注** | 《中华人民共和国药典》记载本种药材来源于伞形科植物藁本 *Ligusticum sinense* Oliv. 或辽藁本 *Ligusticum jeholense* Nakai et Kitagawa 的干燥根及根茎。

伞形科 Umbelliferae 藁本属 Ligusticum

岩茴香 *Ligusticum tachiroei* (Franch. et Sav.) Hiroe et Constance

岩茴香

| 药 材 名 |

岩茴香（药用部位：根。别名：细叶藁本、桂花三七、柏子三七）。

| 形态特征 |

多年生草本，高 15 ～ 30 cm。根颈粗短；根常分叉。茎直立，不分枝或少分枝，中空，具纵条棱，无毛。基生叶和茎下部叶卵形，基部略扩大成鞘；3 回羽状全裂，末回裂片线形，全缘。复伞形花序少数，直径 2 ～ 4 cm；总苞片 2 ～ 4，线状披针形，中下部边缘白色膜质，常早落；伞幅 6 ～ 10，长 1 ～ 1.5 cm；小总苞片 5 ～ 8，线状披针形。分生果卵状长圆形，主棱突出。花期 7 ～ 8 月，果期 8 ～ 9 月。

| 生境分布 |

生于海拔 1 200 ～ 2 500 m 的河岸湿地、石砾荒原或岩石缝间。分布于宁夏隆德等。

| 资源情况 |

野生资源较少。

| 采收加工 | 秋季采挖，除去茎叶，洗净，切片，晒干。 |

| 药材性状 | 本品根呈圆锥形，粗大。表面棕褐色，先端有残留茎痕，有多数支根痕。质坚实，不易折断，断面黄白色，有形成层环。气郁香，味微苦而辛。 |

| 功能主治 | 辛，微温。归肺、肝经。疏风发表，行气止痛，活血调经。伤风感冒，头痛，胸痛，脘腹胀痛，风湿痹痛，月经不调，崩漏，跌打伤肿。 |

| 用法用量 | 内服煎汤，6 ～ 15 g；或研粉。 |

| 附　　注 | 《中国植物志》（英文版）记载的岩茴香 *Ligusticum tachiroei* (Franch. et Sav.) Hiroe et Constance 与《宁夏植物志》所载细叶藁本 *Ligusticum tachiroei* (Franch. et Sav.) Hiroe et Constance 的拉丁学名相同。 |

伞形科 Umbelliferae 羌活属 Notopterygium

宽叶羌活

Notopterygium franchetii H. de Boissieu

宽叶羌活

|药材名|

羌活（药用部位：根及根茎。别名：条羌、大头羌）。

|形态特征|

多年生草本，高 80 ~ 180 cm。有发达的根茎，基部多残留叶鞘。茎直立，少分枝，圆柱形，中空，有纵直细条纹，带紫色。基生叶及茎下部叶有柄，柄长 1 ~ 22 cm，下部有抱茎的叶鞘；叶大，三出式二至三回羽状复叶，一回羽片 2 ~ 3 对，有短柄或近无柄，末回裂片无柄或有短柄，长圆状卵形至卵状披针形，长 3 ~ 8 cm，宽 1 ~ 3 cm，先端钝或渐尖，基部略带楔形，边缘有粗锯齿，脉上及叶缘有微毛；茎上部叶少数，叶片简化，仅有 3 小叶，叶鞘发达，膜质。复伞形花序顶生和腋生，花序梗长 5 ~ 25 cm；总苞片 1 ~ 3，线状披针形，长约 5 mm，早落；伞幅 10 ~ 17 （ ~ 23）；小伞形花序直径 1 ~ 3 cm，有多数花；小总苞片 4 ~ 5，线形；花梗长 0.5 ~ 1 cm；萼齿卵状三角形；花瓣淡黄色，倒卵形，长 1 ~ 1.5 mm，先端渐尖或钝，内折；雄蕊的花丝内弯，花药椭圆形，黄色；花柱 2，短，花柱基隆起，略呈平压状。分生果近圆形，背腹稍压扁，背棱、中棱及侧棱均扩展成翅，但发展不均匀，翅宽约 1 mm。花期 7 月，果期 8 ～ 9 月。

| **生境分布** | 生于海拔 1 700 ～ 2 600 m 的林缘或灌丛内。分布于宁夏原州、彭阳、隆德、泾源等。

| **资源情况** | 野生资源较少。

| **采收加工** | 春、秋季采挖，除去须根及泥沙，晒干。

| **药材性状** | 本品根茎呈类圆柱形，先端具茎和叶鞘残基，根呈类圆锥形，有纵皱纹和皮孔；表面棕褐色，近根茎处有较密的环纹，长 8 ～ 15 cm，直径 1 ～ 3 cm，习称"条羌"。有的根茎粗大，不规则结节状，顶部具数个茎基，根较细，习称"大头羌"。质松脆，易折断，断面略平坦，皮部浅棕色，木部黄白色。气味较淡。

| **功能主治** | 辛、苦，温。归膀胱、肾经。散寒，祛风，除湿，止痛。用于风寒感冒头痛，风湿痹痛，肩背酸痛。

| **用法用量** | 内服煎汤，3 ～ 9 g。

| **附　　注** | （1）《中国植物志》（英文版）已将宽叶羌活 *Notopterygium forbesii* de Boiss. 修订为宽叶羌活 *Notopterygium franchetii* H. de Boissieu。

（2）《中华人民共和国药典》记载本种药材来源于伞形科植物羌活 *Notopterygium incisum* Ting ex H. T. Chang 或宽叶羌活 *Notopterygium franchetii* H. de Boiss. 的干燥根及根茎。

伞形科 Umbelliferae 羌活属 Notopterygium

羌活

Notopterygium incisum Ting ex H. T. Chang

| 药 材 名 | 羌活（药用部位：根及根茎。别名：蚕羌、竹节羌）。

| 形态特征 | 多年生草本，高 60 ～ 120 cm。根茎粗壮，伸长呈竹节状。根颈部有枯萎叶鞘。茎直立，圆柱形，中空，有纵直细条纹，带紫色。基生叶及茎下部叶有柄，柄长 1 ～ 22 cm，下部有长 2 ～ 7 cm 的膜质叶鞘；叶为三出式三回羽状复叶，末回裂片长圆状卵形至披针形，长 2 ～ 5 cm，宽 0.5 ～ 2 cm，边缘缺刻状浅裂至羽状深裂；茎上部叶常简化，无柄，叶鞘膜质，长而抱茎。复伞形花序直径 3 ～ 13 cm，侧生者常不育；总苞片 3 ～ 6，线形；伞幅 7 ～ 18（～ 39）；小伞形花序直径 1 ～ 2 cm；小总苞片 6 ～ 10，线形；花多数，花梗长 0.5 ～ 1 cm；萼齿卵状三角形，长约 0.5 mm；花瓣白色，卵形至长

羌活

圆状卵形，长 1 ~ 2.5 mm，先端钝，内折；雄蕊的花丝内弯，花药黄色，椭圆形；花柱 2，很短，花柱基平压稍隆起。分生果长圆状，背腹稍压扁，主棱扩展成宽约 1 mm 的翅，但发展不均匀。花期 7 月，果期 8 ~ 9 月。

| 生境分布 | 生于海拔 2 000 ~ 2 700 m 的林缘或灌丛内。分布于宁夏原州、泾源等。

| 资源情况 | 野生资源较少。

| 采收加工 | 春、秋季采挖，除去须根及泥沙，晒干。

| 药材性状 | 本品为圆柱状略弯曲的根茎，长 4 ~ 13 cm，直径 0.6 ~ 2.5 cm，先端具茎痕。表面棕褐色至黑褐色，外皮脱落处呈黄色。节间缩短，呈紧密隆起的环状，形似蚕，习称"蚕羌"；节间延长，形如竹节状，习称"竹节羌"。节上有多数点状或瘤状突起的根痕及棕色破碎鳞片。体轻，质脆，易折断，断面不平整，有多数裂隙，皮部黄棕色至暗棕色，油润，有棕色油点，木部黄白色，射线明显，髓部黄色至黄棕色。气香，味微苦而辛。

| 功能主治 | 辛、苦，温。归膀胱、肾经。散寒，祛风，除湿，止痛。用于风寒感冒头痛，风湿痹痛，肩背酸痛。

| 用法用量 | 内服煎汤，3 ~ 10 g。

伞形科 Umbelliferae 水芹属 Oenanthe

水芹
Oenanthe javanica (Bl.) DC.

| 药 材 名 | 水芹（药用部位：全草。别名：水芹菜、野芹菜）。

| 形态特征 | 多年生草本，高 15 ~ 80 cm，茎直立，下部节生根，且具较长的根茎，节上生多数须根及茎叶。叶片三角形，1 ~ 2 回羽状分裂，末回裂片卵形至菱状披针形，边缘具不整齐的钝锯齿。复伞形花序顶生，无总苞片；伞幅 6 ~ 16，不等长，长 1 ~ 3 cm，直立和展开；小总苞片 2 ~ 8，线形，长 2 ~ 4 mm；小伞形花序有花 20 余朵，花梗长 2 ~ 4 mm；萼齿线状披针形，长与花柱基相等；花瓣白色，倒卵形；花柱基圆锥形，花柱直立或两侧分开，长 2 mm。果实近四角状椭圆形或筒状长圆形，侧棱较背棱和中棱隆起，木栓质，分生果横剖面近五边状的半圆形。花期 6 ~ 7 月，果期 8 ~ 9 月。

水芹

| 生境分布 | 生于水沟边或稻田边。分布于青铜峡、隆德、泾源、沙坡头、金凤等。

| 资源情况 | 野生资源较少。

| 采收加工 | 9 ~ 10 月采收，洗净，鲜用或晒干。

| 药材性状 | 本品多皱缩成团，茎细而弯曲。匍匐茎节处有须状根。叶皱缩，展平后，基生叶三角形或三角状卵形，1 ~ 2 回羽状分裂，最终裂片卵形至菱状披针形，长 2 ~ 5 cm，宽 1 ~ 2 cm，边缘有不整齐尖齿或圆锯齿，叶柄长 7 ~ 15 cm，质脆，易碎。气微香，味微辛、苦。

| 功能主治 | 甘、辛，凉。归肺、肝、膀胱经。清热除烦，凉血，利水。用于暴热烦渴，酒后热毒，崩中带下，瘰疬，黄疸，小便淋痛，跌打损伤，骨折，高血压，尿路感染，肝炎。

| 用法用量 | 内服煎汤，30 ~ 60 g；或捣汁。外用适量，捣敷；或捣汁涂。

伞形科 Umbelliferae 前胡属 Peucedanum

石防风 *Peucedanum terebinthaceum* (Fisch.) Fisch. ex Turcz.

石防风

药材名

石防风（药用部位：根。别名：前胡、珊瑚菜、山葵）。

形态特征

多年生草本，高 30 ~ 120 cm。根颈稍粗，其上存留棕色叶鞘纤维，直径 0.5 ~ 1.5 cm；根长圆锥形，直生，老株常多根，坚硬，木质化，表皮灰褐色。通常为单茎，直立，圆柱形，具纵条纹，稍凸起，下部光滑无毛，上部有时有极短柔毛，从基部开始分枝。基生叶有长柄，叶柄长 8 ~ 20 cm；叶片椭圆形至三角状卵形，2 回羽状全裂，第 1 回羽片 3 ~ 5 对，下部羽片具短柄，上部羽片无柄，末回裂片披针形或卵状披针形，基部楔形，边缘浅裂或具 2 ~ 3 锯齿；茎生叶与基生叶同形，但较小，无叶柄，仅有宽阔叶鞘抱茎，边缘膜质。复伞形花序多分枝，花序梗先端有短绒毛或糙毛，伞幅 8 ~ 20，不等长，带棱角近方形，内侧多有糙毛；总苞片无或有 1 ~ 2，线状披针形，先端尾尖状；小总苞片 6 ~ 10，线形，比花梗长或稍短；花瓣白色，具淡黄色中脉，倒心形；萼齿细长圆锥形，很显著；花柱基圆锥形，花柱向下弯曲，比花柱基长。分生果椭圆形或卵状椭圆形，背部扁压，背棱和中棱线形凸起，侧棱翅状，厚实。花期 7 ~ 9 月，果期 9 ~ 10 月。

| 生境分布 | 生于山坡草地、林下或林缘。分布于宁夏泾源、隆德等。

| 资源情况 | 野生资源较少。

| 采收加工 | 春、秋季采挖，除去地上部分及泥土，洗净，晒干。

| 药材性状 | 本品呈圆柱状或类纺锤形，有的分枝。外表灰黄色或黑褐色，接近根头部有环状横纹，以下具纵纹及横裂皮孔；顶部有茎基残留。断面类白色，纤维性强，有放射状的轮层。气味微香。以干燥、质实、气香者为佳。

| 功能主治 | 苦、辛，凉。归肺经。发散风热，降气化痰。用于风热感冒，咳喘痰多，痰热喘满，咳痰黄稠，胸胁胀痛，头风眩痛。

| 用法用量 | 内服煎汤，3 ~ 9 g；或研末。

伞形科 Umbelliferae 前胡属 Peucedanum

长前胡
Peucedanum turgeniifolium Wolff

长前胡

药材名

长前胡（药用部位：根）。

形态特征

多年生草本。根颈粗壮，存留有多数棕色枯鞘纤维；根细长圆柱形，下部通常具 2 ~ 4 分枝，表皮褐色或灰褐色。茎通常单一，劲直，圆柱形，髓部充实，具纵长细条纹稍凸起，自下部开始分枝，分枝呈叉状二歧式，常带淡紫色，下部光滑，上部粗糙，有短毛。抽茎前，叶片 3 ~ 4，具长柄；叶片卵圆形，2 回羽状三出式分裂，末回裂片较宽，卵形或倒卵状楔形，边缘具粗锯齿；抽茎后，基生叶数片，具短柄，基部具狭窄叶鞘抱茎，略带紫色；叶片长卵形，2 ~ 3 回羽状分裂，第 1 回羽片 3 ~ 4 对，下部羽片具长柄，上部者无柄，末回裂片线形，倒披针形或倒卵形，基部呈楔形，先端裂片基部渐狭呈楔形，边缘具 2 ~ 3 粗锯齿或呈浅裂状，叶柄及下表面常有短糙毛，边缘具短睫毛。复伞形花序顶生和侧生，花序梗粗壮，先端多糙毛；总苞片无，伞形花序；伞幅 5 ~ 12（ ~ 20），极不等长，有短毛；小总苞片 8 ~ 12，线形或线状披针形，先端长渐尖，密生短柔毛；每小伞形花序有花 10 ~ 20，花梗不等长，有毛；花瓣近圆形，白色，外部有稀疏柔毛；萼齿细小不显著；花柱向下弯曲，花柱基圆锥形。分生果卵状椭圆形，背部扁压。花期7～9月，果期9～10月。

| **生境分布** | 生于海拔2 000～2 600 m的高山阳性山坡、草地、灌丛或河谷滩地上。分布于宁夏隆德、泾源等。

| **资源情况** | 野生资源较少。

| **采收加工** | 秋季采挖，除去茎叶，洗净，晒干。

| **药材性状** | 本品为不规则的薄片，表面黄白色；周边棕红色，偶有须根，质坚实。有特异的芳香，味微辛。

| **功能主治** | 苦、辛，微寒。归肺经。宣散风热，降气祛痰。用于风热感冒，咳喘痰黄，头痛，胸闷。

| **用法用量** | 内服煎汤，3～9 g。

伞形科 Umbelliferae 茴芹属 Pimpinella

菱叶茴芹 *Pimpinella rhomboidea* Diels

菱叶茴芹

| 药 材 名 |

菱叶茴芹（药用部位：根）。

| 形态特征 |

多年生草本，高 0.5 ～ 1 m。根圆柱形。茎
直立，上部具分枝。基生叶具长柄；叶片
2 回三出分裂，先端渐尖，基部楔形或截
形；茎上部叶无柄，叶片 3 裂，裂片边缘
具不规则的缺刻状齿或粗齿。复伞形花序
顶生和侧生；无总苞片或稀有 1 ～ 5；伞幅
10 ～ 25，近等长；小总苞片 2 ～ 5，线形；
花杂性，无萼齿；花瓣白色，先端全缘或
微凹；花柱基圆锥形，花柱向两侧弯曲。
果实卵球形，果棱不明显，无毛。花果期
6 ～ 9 月。

| 生境分布 |

生于海拔 1 200 ～ 2 500 m 的林下、沟边灌
丛或草地上。分布于宁夏隆德等。

| 资源情况 |

野生资源较少。

| 采收加工 | 秋季采挖，除去茎叶，洗净，晒干。

| 功能主治 | 辛、苦，微温。疏风除湿。用于风湿疼痛，风寒感冒。

伞形科 Umbelliferae 棱子芹属 Pleurospermum

鸡冠棱子芹
Pleurospermum cristatum de Boiss.

鸡冠棱子芹

| 药 材 名 |

鸡冠棱子芹（药用部位：根）。

| 形态特征 |

二年生草本，高 70 ~ 120 cm。根圆锥状，灰褐色，多少分枝。茎直立，中空，不分枝或上部分枝，具纵条棱，无毛。基生叶及茎下部叶三角状宽卵形或心状卵形，2 回羽状分裂；1 回裂片卵状长椭圆形，具短柄或无柄；末回裂片宽卵形、菱状卵形或卵状椭圆形，先端渐尖，基部下延，边缘具不整齐的裂片、缺刻或锯齿，两面无毛；叶柄长 6 ~ 15 cm，基部具鞘；茎上部叶小而简化，具短柄或无柄。复伞形花序顶生和侧生，顶生者较大；总苞片 3 ~ 7，狭倒卵形，长 1 ~ 2.5 cm，宽 4 ~ 8 mm，先端急尖，全缘，具狭白色边缘，伞幅 8 ~ 15，略等长，长 1 ~ 3 cm，具纵棱，棱上微被短毛；小总苞片 1 ~ 6，倒卵状披针形或长椭圆形，先端急尖，边缘具狭白色边；小伞形花序具花 15 ~ 25；花梗长 1 ~ 4 mm。果实卵状椭圆形或近圆形，长 4 ~ 5 mm，果棱凸起，呈明显的鸡冠状。花期 6 ~ 7 月，果期 7 ~ 8 月。

| **生境分布** | 生于海拔 1 300 ～ 2 600 m 的山坡林缘或山沟草地上。分布于宁夏六盘山（隆德、泾源）及原州等。 |

| **资源情况** | 野生资源较少。 |

| **采收加工** | 秋季采挖，除去茎叶，洗净，晒干。 |

| **功能主治** | 解表，祛风散寒。 |

松潘棱子芹

Pleurospermum franchetianum Hemsl.

松潘棱子芹

| 药 材 名 |

松潘棱子芹（药用部位：根、果实）。

| 形态特征 |

二年生或多年生草本，高 40 ~ 70 cm。根圆锥状，暗褐色，下部少有分枝。茎直立，粗壮，中空，基部直径 5 ~ 12 mm，有条棱，不分枝。基生叶和茎下部叶有长柄，叶柄基部扩展成膜质鞘状；叶片卵形，长 7 ~ 10 cm，近 3 回三出羽状分裂，末回裂片披针状长圆形，边缘有不整齐缺刻，沿叶脉和边缘微被粗糙毛；茎上部的叶简化，无柄，仅托以叶鞘。顶生复伞形花序有短的花序梗，花都能育；侧生复伞形花序有长花序梗，花不育；总苞片 8 ~ 12，狭长圆形，先端 3 ~ 5 裂，边缘白色；伞幅多数，长 3.5 ~ 7 cm；小总苞片 8 ~ 10，匙形，长 10 ~ 15 mm，全缘或先端 3 浅裂，有宽的白色边缘；花多数，花梗长 6 ~ 10 mm；花瓣白色，倒卵形，基部明显有爪；花药暗紫色。果实椭圆形，表面密生水泡状微凸起，主棱波状，侧棱翅状。花期 7 ~ 8 月，果期 9 月。

| 生境分布 | 生于林缘草地或阴坡石崖上。分布于宁夏隆德、泾源等。

| 资源情况 | 野生资源较少。

| 采收加工 | 秋季采挖，除去茎叶，洗净，晒干。

| 功能主治 | 滋补健胃。

伞形科 Umbelliferae 防风属 Saposhnikovia

防风

Saposhnikovia divaricata (Turcz.) Schischk.

| 药 材 名 | 防风（药用部位：根。别名：关防风、铜芸、屏风）。

| 形态特征 | 多年生草本，高 30 ~ 80 cm。根粗壮，细长圆柱形，分歧，淡黄棕色。根头处被有纤维状叶残基及明显的环纹。茎单生，自基部分枝较多，斜上升，与主茎近等长，有细棱，基生叶丛生，有扁长的叶柄，基部有宽叶鞘。叶片卵形或长圆形，2 回或近 3 回羽状分裂，第 1 回裂片卵形或长圆形，有柄，长 5 ~ 8 cm，第 2 回裂片下部具短柄，末回裂片狭楔形，长 2.5 ~ 5 cm，宽 1 ~ 2.5 cm。茎生叶与基生叶相似，但较小，顶生叶简化，有宽叶鞘。复伞形花序多数，生于茎和分枝，先端花序梗长 2 ~ 5 cm；伞幅 5 ~ 7，长 3 ~ 5 cm，无毛；小伞形花序有花 4 ~ 10；无总苞片；小总苞片 4 ~ 6，线形或披针形，

防风

先端长，长约 3 mm，萼齿短三角形；花瓣倒卵形，白色，长约 1.5 mm，无毛，先端微凹，具内折小舌片。双悬果狭圆形或椭圆形，幼时有疣状突起，成熟时渐平滑。花期 8 ~ 9 月，果期 9 ~ 10 月。

| **生境分布** | 生于山坡、丘陵草地。分布于宁夏原州、泾源、西吉、同心等。

| **资源情况** | 野生资源较少。

| **采收加工** | 春、秋季采挖未抽花茎植株的根，除去须根和泥沙，晒干。

| **药材性状** | 本品呈长圆锥形或长圆柱形，下部渐细，有的略弯曲，长 15 ~ 30 cm，直径 0.5 ~ 2 cm，表面灰棕色或棕褐色，粗糙，有纵皱纹、多数横长皮孔样突起及点状的细根痕。根头部有明显密集的环纹，有的环纹上残存棕褐色毛状叶基。体轻，质松，易折断，断面不平坦，皮部棕黄色至棕色，有裂隙，木部黄色。气特异，味微甘。

| **功能主治** | 辛、甘，微温。归膀胱、肝、脾经。祛风解表，胜湿止痛，止痉。用于感冒头痛，风湿痹痛，风疹瘙痒，破伤风。

| **用法用量** | 内服煎汤，5 ~ 10 g。

伞形科 Umbelliferae 西风芹属 Seseli

内蒙西风芹 Seseli intramongolicum Y. C. Ma

内蒙西风芹

药材名

内蒙西风芹（药用部位：根。别名：贺兰山防风、内蒙古邪蒿）。

形态特征

多年生草本，高 30 ~ 60 cm。根颈粗短，存留多数枯鞘纤维；根圆柱形，直径 4 ~ 8 mm，有时分叉，灰棕色，近木质化。茎单一，或于根颈处指状分叉，数茎呈丛生状，直立，圆柱形，髓部充实，表面有纵长极细条纹，光滑无毛，中下部开始分枝，常呈二叉状多次分枝。基生叶多数，叶柄长 5 ~ 9 cm，基部有卵形具膜质边缘的叶鞘抱茎；叶片长圆形或长圆状卵形，2 回羽状全裂，第 1 回羽片 3 ~ 5 对，下部羽片有柄，向上渐无柄，末回裂片线形，先端有小尖头，边缘反曲，光滑无毛；茎生叶较小，无柄，仅有宽阔叶鞘；裂片少而狭长。花序多分枝，复伞形花序；伞幅 2 ~ 5，呈棱角状凸起，光滑无毛；无总苞片，小伞形花序有花 7 ~ 15；小总苞片 7 ~ 10，卵状披针形，边缘膜质，比花梗短，下半部或基部联合；萼齿细小，三角形；花瓣近圆形，小舌片近长方形，内曲，白色，中脉黄棕色；子房密被乳头状毛；花柱细，外曲，花柱基圆锥形，基底呈皱波状。分生果长圆形，横剖面五角状近圆形，果棱线状凸起，密被乳头状毛。花期 7 ~ 8 月，果期 8 ~ 9 月。

| **生境分布** | 生于海拔 1 500 ~ 2 200 m 的山坡干燥地或石隙中。分布于宁夏贺兰山（大武口、贺兰、西夏）及平罗、同心等。

| **资源情况** | 野生资源较少。

| **采收加工** | 春、秋季采挖，除去须根及泥沙，晒干。

| **药材性状** | 本品呈长圆柱形，长 15 ~ 30 cm，直径 4 ~ 7 mm。表面棕黄色，具纵皱纹，根头部具棕褐色纤维状叶鞘残基，剥落后可见环纹。体轻，质松，易折断，断面皮部浅棕色，有裂隙，木部浅黄色。气微香，味微甘。

| **附　　注** | 内蒙西风芹 *Seseli intramongolicum* Y. C. Ma，又称内蒙古邪蒿，银川地区曾以此根误作防风使用。《宁夏中草药手册》称本种药材为贺兰山防风，以示与防风之区别。

伞形科 Umbelliferae 迷果芹属 Sphallerocarpus

迷果芹
Sphallerocarpus gracilis (Bess.) K.-Pol.

| 药 材 名 | 迷果芹（药用部位：根及根茎）。

| 形态特征 | 多年生草本，高 50 ～ 120 cm。根块状或圆锥形。茎圆形，多分枝，有细条纹，下部密被或疏生白毛，上部无毛或近无毛。基生叶早落或凋存；茎生叶 2 ～ 3 回羽状分裂，2 回羽片卵形或卵状披针形，先端长尖，基部有短柄或近无柄；末回裂片边缘羽状缺刻或齿裂，通常表面绿色，背面淡绿色，无毛或疏生柔毛；叶柄长 1 ～ 7 cm，基部有阔叶鞘，鞘棕褐色，边缘膜质，被白色柔毛，脉 7 ～ 11；花序托叶的柄呈鞘状，裂片细小。复伞形花序顶生和侧生；伞幅 6 ～ 13，不等长，有毛或无；小总苞片通常 5，长卵形以至广披针形，常向下反曲，边缘膜质，有毛；小伞形花序有花 15 ～ 25；花梗不等

迷果芹

长；萼齿细小；花瓣倒卵形，长约 1.2 mm，宽 1 mm，先端有内折的小舌片；花丝与花瓣同长或稍超出，花药卵圆形，长约 0.5 mm。果实椭圆状长圆形，两侧微扁。花果期 7 ~ 10 月。

| 生境分布 | 生于林缘草地、山坡路旁或村庄附近。分布于宁夏原州、海原等。

| 资源情况 | 野生资源较少。

| 采收加工 | 秋季采挖，洗净泥土，晒干。

| 药材性状 | 本品根茎呈圆柱状，长 7 ~ 9 cm，直径 0.5 ~ 0.7 cm，先端常带有茎基残基，表面棕褐色，具纵向细纹理及横向环节，断面黄色，细腻，中空。主根短，长约 1 cm，下有支根 4 ~ 6，直径 0.1 ~ 0.3 cm，表面棕黄色，具横向棕色皮孔样疤痕及支根痕，断面黄白色，纤维状。气微香，味微麻舌。

| 功能主治 | 辛、苦、甘，温。益肾，壮阳，祛风燥湿。用于黄水病，腰肾寒证。

| 用法用量 | 内服煎汤，6 ~ 9 g。

| 附　　注 | 《中国藏药》记载本种名为"加果"。据藏本草记载，加果有滋补、解蛇毒之功效。

伞形科 Umbelliferae 窃衣属 Torilis

小窃衣 *Torilis japonica* (Houtt.) DC.

| 药 材 名 | 窃衣（药用部位：全草或果实。别名：破子草、华南鹤虱、水防风）。

| 形态特征 | 一年生或多年生草本，高 20 ~ 120 cm。主根细长，圆锥形，棕黄色，支根多数。茎有纵条纹及刺毛。叶柄长 2 ~ 7 cm，下部有窄膜质的叶鞘；叶片长卵形，1 ~ 2 回羽状分裂，两面疏生紧贴的粗毛，第 1 回羽片卵状披针形，先端渐窄，边缘羽状深裂至全缘，有长 0.5 ~ 2 cm 的短柄，末回裂片披针形至长圆形，边缘有条裂状的粗齿至缺刻或分裂。复伞形花序顶生或腋生，花序梗长 3 ~ 25 cm，有倒生的刺毛；总苞片 3 ~ 6，通常线形，极少叶状；伞幅 4 ~ 12，开展，有向上的刺毛；小总苞片 5 ~ 8，线形或钻形；小伞形花序有花 4 ~ 12，花梗长 1 ~ 4 mm，短于小总苞片；萼齿细小，三角形或

小窃衣

三角状披针形；花瓣白色、紫红色或蓝紫色，倒圆卵形，先端内折，外面中间至基部有紧贴的粗毛；花丝长约 1 mm，花药圆卵形；花柱基部平压状或圆锥形，花柱幼时直立，果实成熟时向外反曲。果实圆卵形，通常有内弯或呈钩状的皮刺；皮刺基部阔展，粗糙。花果期 4 ～ 10 月。

| **生境分布** | 生于杂木林下、林缘、路旁、河沟边或溪边草丛。分布于宁夏隆德、泾源等。

| **资源情况** | 野生资源较少。

| **采收加工** | 全草，夏末秋初采收，晒干或鲜用。果实，秋季果实成熟时采集，除去杂质。

| **药材性状** | 本品全草高 20 ～ 120 cm。主根细长，圆锥形，棕黄色，支根多数。茎有纵条纹及刺毛。叶柄长 2 ～ 7 cm，下部有窄膜质的叶鞘；叶片长卵形，1 ～ 2 回羽状分裂，两面疏生紧贴的粗毛。复伞形花序顶生或腋生，花序梗长 3 ～ 25 cm，有倒生的刺毛。花瓣白色、紫红色或蓝紫色，倒圆卵形，先端内折，外面中间至基部有紧贴的粗毛。果实为长圆形的双悬果，多裂为分果，分果长 3 ～ 4 mm，宽 1.5 ～ 2 mm。表面棕绿色或棕黄色，先端有微凸的残留花柱，基部圆形，常残留有小果柄。背面隆起，密生钩刺，刺的长短与排列均不整齐，状似刺猬。接合面凹陷成槽状，中央有 1 脉纹。体轻。搓碎时有特异香气。味微辛、苦。

| **功能主治** | 苦、辛，平；有小毒。归脾、大肠经。活血消肿，收敛杀虫。用于慢性腹泻，蛔虫病；外用于痈疮溃疡久不收口，滴虫性阴道炎。

| **用法用量** | 内服煎汤，6 ～ 9 g。外用适量，捣汁涂；或煎汤洗。

| **附　　注** | 《宁夏中药志》记载小窃衣 *Torilis japonica* (Houtt.) DC. 的果实作窃衣药用；《中华本草》记载小窃衣 *Torilis japonica* (Houtt.) DC. 和窃衣 *Torilis scabra* (Thunb.) DC. 的果实或全草作窃衣药用。

窃衣

Torilis scabra (Thunb.) DC.

| **药 材 名** | 窃衣（药用部位：全草或果实。别名：鹤虱、粘粘草、破子衣）。

| **形态特征** | 一年生或二年生草本，高 30 ～ 50 cm。根圆柱形，棕黄色，具支根。茎单生，上部具分枝，具纵条棱，疏被倒贴生的短硬毛。叶片卵形，长 5 ～ 10 cm，2 回羽状分裂，1 回羽片狭卵形或卵状披针形，2 回羽片椭圆形或卵状长椭圆形，边缘羽状深裂或缺刻，两面被贴生短硬毛。叶柄长 2 ～ 8 cm。复伞形花序顶生或与叶对生；总花梗长 1 ～ 8 cm，被向上的贴生短硬毛；总苞片 1，线形，长约 1.5 cm，被贴生短硬毛；伞幅 2 ～ 4，长 1 ～ 3 cm，被向上的贴生短硬毛；小总苞片数个，线形，长 2 ～ 4 mm；小伞形花序具 3 ～ 7 花；花梗长 1 ～ 2 mm；萼齿三角形；花瓣白色或淡紫红色。果实长圆形，长

窃衣

4 ~ 7 mm，被内弯的钩状皮刺。花期 7 月，果期 8 ~ 9 月。

| 生境分布 | 生于林缘、路边、荒地。分布于宁夏六盘山（隆德、泾源）及原州等。

| 采收加工 | 夏末秋初采收，晒干或鲜用。

| 功能主治 | 苦、辛，平。归脾、大肠经。杀虫止泻，收湿止痒。用于虫积腹痛，泻痢，疮疡溃烂，阴痒带下，荨麻疹。

| 用法用量 | 内服煎汤，10 ~ 15 g。外用适量，煎汤冲洗。

鹿蹄草科 Pyrolaceae 鹿蹄草属 Pyrola

红花鹿蹄草

Pyrola asarifolia Michaux subsp. *incarnata* (de Candolle) E. Haber & H. Takahashi

红花鹿蹄草

药材名

鹿衔草（药用部位：全草。别名：鹿蹄草、小秦王草、破血丹）。

形态特征

常绿草本状小半灌木，高 15 ~ 30 cm。根茎细长，横生，斜升，有分枝。叶 3 ~ 7，基生，薄革质，稍有光泽，近圆形、圆卵形或卵状椭圆形，先端圆钝，基部近圆形或圆楔形，近全缘或有不明显的浅齿，两面有时带紫色，脉稍隆起；叶柄较叶片长达 1 倍，稀近等长，有时带紫色。花葶常带紫色，有 2（~ 3）褐色的鳞片状叶，较大，狭长圆形或长圆状卵形，先端急尖或短尖头。总状花序，有 7 ~ 15 花，花倾斜，稍下垂，花冠广开，碗形，紫红色；花梗长 6 ~ 7.5 mm，果期 7 ~ 12 mm，腋间有膜质苞片，披针形，长 7 ~ 8 mm，长于花梗，稀近等长，先端渐尖；萼片三角状宽披针形，长 3.5 ~ 5 mm，先端渐尖，基部宽 1.5 ~ 2 mm；花瓣倒圆卵形；雄蕊 10，花丝无毛，花药长 2 ~ 2.5 mm，有小角，成熟为紫色；花柱长 6 ~ 10 mm，倾斜，上部向上弯曲，先端有环状突起，伸出花冠；柱头 5 圆裂。蒴果扁球形，带紫红色。花期 6 ~ 7 月，

果期 8 ～ 9 月。

| 生境分布 | 生于海拔 1 000 ～ 2 500 m 的针叶林、针阔叶混交林或阔叶林下。分布于宁夏贺兰、永宁、西夏等。

| 资源情况 | 野生资源较少。

| 采收加工 | 栽后 3 ～ 4 年采收，在 9 ～ 10 月结合分株进行。采大留小，扯密留稀，每隔 6 ～ 10 cm 留苗 1 株。以后每隔 1 年，又可采收 1 次，除去杂草，晒至发软，堆积发汗，盖麻袋等物，使叶片变紫红色或紫褐色后，晒干或炕干。

| 药材性状 | 本品花深紫红色；萼片三角状披针形，渐尖头。

| 功能主治 | 甘、苦，温。归肝、肾经。补肾强骨，祛风除湿，止咳，止血。用于肾虚腰痛；风湿痹痛，筋骨痿软，新久咳嗽，吐血，衄血，崩漏，外伤出血。

| 用法用量 | 内服煎汤，15 ～ 30 g；或研末，6 ～ 9 g。外用适量，捣敷；或研末撒；或煎汤洗。

| 附　注 | （1）本种喜阴湿，森林一经采伐，则很难正常生长发育。
（2）《宁夏中药志》记载药材鹿衔草来源于圆叶鹿蹄草 *Pyrola rotundifolia* L. 的全草。《中华人民共和国药典》（2020 年版）记载药材鹿衔草来源于鹿蹄草 *Pyrola*

calliantha H. Andres 或普通鹿蹄草 *Pyrola decorata* H. Andres 的干燥全草。《中药大辞典》记载药材鹿衔草来源于鹿蹄草 *Pyrola calliantha* H. Andres 或圆叶鹿蹄草 *Pyrola rotundifolia* L. 的全草。《中华本草》记载药材鹿衔草来源于普通鹿蹄草 *Pyrola decorata* H. Andres、鹿蹄草 *Pyrola calliantha* H. Andres、日本鹿蹄草 *Pyrola japonica* Klenze ex Alef.、红花鹿蹄草 *Pyrola asarifolia* Michaux subsp. *incarnata* (de Candolle) E. Haber & H. Takahashi 的全草。

鹿蹄草科 Pyrolaceae 鹿蹄草属 Pyrola

圆叶鹿蹄草

Pyrola rotundifolia L.

| 药 材 名 | 鹿衔草（药用部位：全草）。

| 形态特征 | 多年生常绿草本。高 15 ~ 25 cm。根茎细长，横走。叶基生，2 ~ 8；叶片椭圆形、宽卵形或近圆形，先端圆钝，基部圆形或圆楔形，有时微凹，全缘，上面暗绿色，下面灰蓝色或带紫红色。花葶直立，具苞片 1 ~ 3，披针形，先端尖，基部稍抱茎，膜质；总状花序具 8 ~ 10 花；苞片线状披针形，膜质，具 3 脉；萼裂片披针形，先端急尖或钝；花瓣白色或稍带粉红色，倒卵圆形或宽倒卵形，先端圆；雄蕊 10；花丝锥形；花药黄色，椭圆形，顶孔开裂；花柱上部稍粗大，柱头具不明显的 5 浅裂。蒴果扁球形。花期 7 月，果期 8 ~ 9 月。

圆叶鹿蹄草

| 生境分布 | 生于海拔 2 500 ~ 2 800 m 的云杉林下潮湿苔藓层或石缝中。分布于宁夏贺兰山（贺兰、平罗）及泾源、隆德等。

| 资源情况 | 野生资源较少。

| 采收加工 | 全年均可采挖，除去杂质，晒至叶片发软稍皱时，再堆压发热，当叶片呈紫红色或紫褐色时，晒干。

| 药材性状 | 本品长 15 ~ 25 cm，全体无毛。茎短。根茎细长，近圆柱形，稍弯曲，稍具棱条；表面红棕色或紫褐色，微有光泽。叶基生，具长柄；叶片较厚，近圆形或卵圆形，长 3 ~ 5 cm，宽 2 ~ 4 cm，先端钝圆或钝尖，全缘或有疏细小齿，叶缘向背面稍反卷，主脉向两面凸出，下表面有时具白粉。偶可见花葶，长 10 ~ 20 cm，紫棕色；总状花序，有 8 ~ 10 花；苞片披针形，膜质。蒴果扁球形，棕褐色。气微，味淡、微苦。

| 功能主治 | 甘、苦，温。归肝、肾经。祛风湿，强筋骨，止血。用于风湿痹痛，腰膝无力，月经过多，久咳劳嗽。

| 用法用量 | 内服煎汤，9 ~ 15 g。

鹿蹄草科 Pyrolaceae 水晶兰属 Monotropa

松下兰 *Monotropa hypopitys* L.

松下兰

药 材 名

松下兰（药用部位：全草或根）。

形态特征

多年生草本。高 8 ～ 27 cm。全株半透明，肉质。叶鳞片状，直立，互生，上部较稀疏，下部较紧密，卵状长圆形或卵状披针形，长 1 ～ 1.5 cm，宽 5 ～ 7 mm，先端钝，近全缘，上部常有不整齐锯齿。总状花序有 3 ～ 8 花；花初下垂，后渐直立；花冠筒状钟形，长 1 ～ 1.5 cm，直径 5 ～ 8 mm；苞片卵状长圆形或卵状披针形；萼片长圆状卵形，长 0.7 ～ 1 cm，早落；花瓣 4 ～ 5，长圆形或倒卵状长圆形，长 1.2 ～ 1.4 cm，先端钝，上部有不整齐锯齿，早落；雄蕊 8 ～ 10，花丝无毛；子房无毛，中轴胎座，4 ～ 5 室；花柱直立，长 2.5 ～ 4（～ 5）mm。蒴果椭圆状球形，长 0.7 ～ 1 cm，直径 5 ～ 7 mm。花期 6 ～ 7（～ 8）月，果期 7 ～ 8（～ 9）月。

生境分布

生于海拔 1 800 m 左右的山地阔叶林或针阔叶混交林下。分布于宁夏南华山（海原）等。

| **资源情况** | 野生资源稀少。

| **采收加工** | 6 ~ 8 月采收，多鲜用。

| **功能主治** | 全草，苦，平。归肺、脾经。镇咳，补虚。用于痉挛性咳嗽，气管炎及虚弱证。根，利尿。用于小便不利。

| **用法用量** | 内服煎汤，9 ~ 15 g。

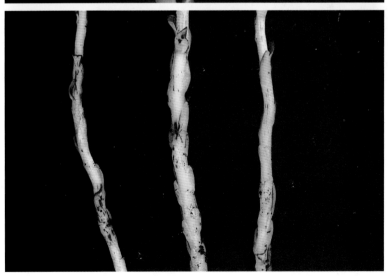

报春花科 Primulaceae 点地梅属 Androsace

直立点地梅 *Androsace erecta* Maxim.

直立点地梅

| 药 材 名 |

直立点地梅（药用部位：全草）。

| 形态特征 |

一年生或二年生草本。主根细长，具少数支根。茎通常单生，直立，高（2～）10～35 cm，被稀疏或密集的多细胞柔毛。叶在茎基部多少簇生，通常早枯；茎叶互生，椭圆形至卵状椭圆形，长4～15 mm，宽1.2～6 mm，先端锐尖或稍钝，具软骨质骤尖头，基部短渐狭，边缘增厚、软骨质，两面均被柔毛；叶柄极短，长约1 mm或近无，被长柔毛。花多朵组成伞形花序，生于无叶的枝端，偶有单生于茎上部叶腋者；苞片卵形至卵状披针形，长约3.5 mm，叶状，具软骨质边缘和骤尖头，被稀疏的短柄腺体；花梗长1～3 cm，疏被短柄腺体；花萼钟状，长3～3.5 mm，分裂达中部，裂片狭三角形，先端具小尖头，外面被稀疏的短柄腺体，具不明显的2纵沟；花冠白色或粉红色，直径2.5～4 mm，裂片小，长圆形，宽0.8～1.2 mm，微伸出花萼。蒴果长圆形，稍长于花萼。花期4～6月，果期7～8月。

| 生境分布 | 生于海拔 1 800 ～ 2 200 m 的田边、路旁或山坡。分布于宁夏隆德、西吉等。

| 资源情况 | 野生资源较少。

| 采收加工 | 春、夏季开花时采集全草，除去枯叶、泥土和杂质，晒干。

| 功能主治 | 利水消肿。

报春花科 Primulaceae 点地梅属 Androsace

西藏点地梅
Androsace mariae Kanitz

| 药材名 | 西藏点地梅（药用部位：全草）。

| 形态特征 | 多年生草本。高 7 ~ 15 cm。主根暗褐色，具多数纤细支根。匍匐茎纵横蔓延，暗褐色，莲座状叶丛多数，集成疏丛或密丛，基部有宿存老叶。叶灰绿色，矩圆形、匙形或倒披针形，长 1 ~ 2（~ 3）cm，宽 2 ~ 5 mm，先端急尖或渐尖，有软骨质硬尖头，基部下延成柄状，全缘，具缘毛。花葶 1 ~ 2，高 2 ~ 8（~ 12）cm，被柔毛或短腺毛；伞形花序具 4 ~ 10 花；苞片长约 5 mm，披针形或条形，被柔毛和缘毛；花梗细长，直立或弯曲；花萼钟状，长约 3 mm，5 中裂，裂片三角形；花冠淡紫红色，喉部黄色，有绛红色环状突起，花冠裂片宽倒卵形，边缘微波状；子房倒圆锥形，柱头稍膨大。蒴果倒卵形，先端 5 ~ 7 裂，稍超出花萼。种子数枚，褐色，微小。花期 5 ~ 6 月，

西藏点地梅

果期 6 ~ 7 月。

| **生境分布** | 生于海拔 1 500 ~ 2 500 m 的山地、林缘灌丛下或阴湿石质山坡。分布于宁夏贺兰山（贺兰、西夏）及隆德、原州、同心等，贺兰其他区域也有分布。

| **资源情况** | 野生资源较少。

| **采收加工** | 春、夏季开花时采集全草，除去枯叶、泥土和杂质，晒干。

| **药材性状** | 本品根呈圆锥形，具多数细支根，主根直径 2 ~ 5 mm，长 5 ~ 10 cm；表面暗紫色或棕红色；质较硬。根头膨大，聚集多数残叶或叶基，抽出多数匍匐茎，直径 1.5 ~ 3 mm，长 3 ~ 10 cm，暗紫色，具节，节膨大且残存枯叶基。叶灰绿色，莲座状排列，下面具多数黄褐色枯叶，常卷缩。花葶 1 ~ 2，具柔毛，顶生伞形花序；花瓣蓝紫色或黄棕色。无臭，味微苦。

| **功能主治** | 苦、辛，寒。归肺、心、肝经。清热解毒，消肿止痛。用于咽喉肿痛，口舌生疮，目赤肿痛，偏、正头痛，跌打损伤。

| **用法用量** | 内服煎汤，9 ~ 15 g。

报春花科 Primulaceae 点地梅属 Androsace

北点地梅 *Androsace septentrionalis* L.

北点地梅

| 药 材 名 |

北方点地梅（药用部位：带根全草。别名：喉咙草）。

| 形态特征 |

一年生草本。高 30 ~ 40 cm。直根系，主根细长，支根较少。叶基生，呈莲座状，倒披针形或椭圆状披针形，长 2 ~ 4 cm，宽 3 ~ 8 mm，先端渐尖，基部渐狭或下延成翅状柄，全缘或中部以上具疏锯齿，两面无毛或上面疏被短毛。花葶数个至多数，直立，下部常呈紫红色，无毛；伞形花序具 3 花或多花；苞片细小，钻形，长约 2 mm；花梗细，不等长，长 3 ~ 7 cm，无毛；花萼宽钟形，长约 4 mm，无毛，5 浅裂，裂片狭三角形，先端尖，中脉隆起，长约 1 mm；花冠白色，坛状；花冠筒短于花萼，长约 1.5 mm，喉部紧缩，具与花冠裂片对生的突起 5，花冠裂片倒卵状椭圆形，长约 1.2 mm，宽约 0.5 mm，先端近全缘。蒴果倒卵状球形，长约 5 mm，先端 5 齿裂。花期 6 ~ 7 月，果期 7 ~ 8 月。

| 生境分布 |

生于海拔 1 300 ~ 2 300 m 的山谷灌丛或林

缘草地。分布于宁夏贺兰山（贺兰、平罗、永宁、西夏）及同心等。

| **资源情况** | 野生资源较少。

| **采收加工** | 夏、秋季连根拔起，洗净，晒干。

| **药材性状** | 本品主根直径 0.5 ~ 2 mm，表面黄棕色或灰棕色，有支根或支根痕；质稍硬而脆，易折断，断面黄白色或淡黄色。叶莲座状丛生，多破碎，完整者呈倒披针形、长圆状披针形或狭菱形，先端钝或稍锐尖，下部渐狭，中部以上边缘具稀疏牙齿，上面有极短的毛，叶面黄绿色；质脆，易碎。花葶长短不一，黄绿色或下部暗紫色，具分叉毛；伞形花序 3 花或多花；花冠白色。有时可见先端 5 瓣裂的蒴果，浅橙黄色，内有多数种子。气微，味淡。

| **功能主治** | 苦、辛，微寒。清热解毒，消肿止痛。用于风火赤眼，咽喉红肿，疮疡肿痛。

| **用法用量** | 内服煎汤，9 ~ 30 g。

| 报春花科 | Primulaceae | 点地梅属 | Androsace

点地梅 *Androsace umbellata* (Lour.) Merr.

| **药 材 名** | 喉咙草（药用部位：全草或果实。别名：佛顶珠）。

| **形态特征** | 一年生或二年生草本。主根不明显，具多数须根。叶全部基生，近圆形或卵圆形，直径 5 ~ 20 mm，先端钝圆，基部浅心形至近圆形，边缘具三角状钝牙齿，两面均被贴伏的短柔毛；叶柄长 1 ~ 4 cm，被开展的柔毛。花葶通常数枚自叶丛中抽出，高 4 ~ 15 cm，被白色短柔毛；伞形花序具 4 ~ 15 花；苞片卵形至披针形，长 3.5 ~ 4 mm；花梗纤细，长 1 ~ 3 cm，果期伸长可达 6 cm，被柔毛并杂生短柄腺体；花萼杯状，长 3 ~ 4 mm，密被短柔毛，分裂近达基部，裂片菱状卵圆形，具 3 ~ 6 纵脉，果期增大，呈星状展开；花冠白色，直径 4 ~ 6 mm；花冠筒长约 2 mm，短于花萼，喉部黄色，裂片倒卵状长圆形，长 2.5 ~ 3 mm，宽 1.5 ~ 2 mm。蒴果近球形，直径

点地梅

2.5 ~ 3 mm；果皮白色，近膜质。花期 2 ~ 4 月，果期 5 ~ 6 月。

| **生境分布** | 生于海拔 1 200 ~ 2 300 m 的山坡草地。分布于宁夏贺兰山（贺兰）及灵武等，贺兰其他区域也有分布。

| **资源情况** | 野生资源稀少。

| **采收加工** | 春季开花时采集，除去泥土，晒干。

| **药材性状** | 本品全草皱缩，被白色节状细柔毛，根细须状。叶基生，多皱缩碎落，完整者近圆形或卵圆形，黄绿色，直径 5 ~ 20 mm，边缘具三角状钝牙齿，两面均被贴伏的短柔毛；叶柄长 1 ~ 4 cm，有白毛。花葶纤细，有的可见顶生伞形花序，小花浅黄色，或已结成近球形蒴果，具深裂的宿萼。质脆，易碎。气微，味辛而微苦。

| **功能主治** | 苦、辛，微寒。归肺、肝、脾经。清热解毒，消肿止痛。用于咽喉肿痛，口疮，牙痛，头痛，赤眼，风湿痹痛，哮喘，淋浊，疔疮肿毒，烫火伤，蛇咬伤，跌打损伤。

| **用法用量** | 内服煎汤，9 ~ 15 g；或研末；或浸酒；或开水泡，代茶饮。外用适量，鲜品捣敷；或煎汤洗；或含漱。

报春花科 Primulaceae 海乳草属 Glaux

海乳草 *Glaux maritima* L.

| 药 材 名 | 海乳草（药用部位：全草）。

| 形态特征 | 多年生草本。高 4 ~ 10 cm。根须状，肉质；根茎直伸，节上生膜质鳞片及少数短纤细根。茎直立，常带紫红色，具纵棱，无毛，下部多分枝。叶交互对生，较密集，椭圆形、卵状椭圆形、矩圆形或线状矩圆形，长 2 ~ 10 mm，宽 1 ~ 3.5 mm，先端尖或圆钝，基部渐狭，全缘，无毛，两面被腺点，无柄。花小，单生叶腋；花梗短，长 0.5 ~ 1 mm，无毛；花萼钟形，粉红色，萼筒长 2 ~ 2.2 mm，花萼裂片倒卵状椭圆形或倒卵形，长约 3 mm，先端圆；雄蕊 5，着生于萼筒基部；花丝线形，长约 4 mm；花药卵状椭圆形，长 0.8 ~ 1 mm；子房卵形，长约 1.2 mm，花柱长约 3 mm，柱头稍增大。蒴果近球形，长约 3 mm，先端 5 瓣裂。花期 5 ~ 6 月，果期 7 月。

海乳草

| **生境分布** | 生于海拔 1 200 ～ 1 900 m 的低洼湿地或轻盐碱地。分布于宁夏贺兰、金凤、海原、兴庆、永宁、灵武等。

| **资源情况** | 野生资源较丰富。

| **功能主治** | 清热解毒。

报春花科 Primulaceae 珍珠菜属 Lysimachia

狼尾花
Lysimachia barystachys Bunge

狼尾花

药 材 名

狼尾巴花（药用部位：全草或根茎。别名：虎尾草、珍珠菜）。

形态特征

多年生草本。高 50 ～ 100 cm。全株被灰白色柔毛。根茎细长，横走，两侧生须根；根茎红褐色，根淡棕灰色。茎直立，红紫色或基部带红褐色。叶互生或近对生，长卵圆形至披针形，长 5 ～ 10 cm，宽 6 ～ 18 mm，先端钝、急尖或渐尖，基部渐狭，全缘，两面及边缘密被柔毛；具短柄或近无柄。总状花序顶生，花密集，常向一侧；花序轴长 4 ～ 6 cm，花后延长，果期长可达 30 cm；花梗长 4 ～ 6 mm；花萼 5 裂，裂片长卵形，边缘膜质，近无毛；花冠白色，5 深裂，裂片倒卵形，长为花萼的 3 ～ 4 倍；雄蕊 5，长约为花冠的一半；花丝有微毛，基部连合；子房 1 室。蒴果球形，直径约 2.5 mm，先端有棒状宿存花柱。花期 6 ～ 7 月，果期 7 ～ 8 月。

生境分布

生于海拔 1 500 ～ 2 500 m 的山坡、路旁及溪边草丛等阴湿处。分布于宁夏泾源、隆德、原州等。

| **资源情况** | 野生资源较少。

| **采收加工** | 夏、秋季采挖全草，除去泥土，晒干。春、秋季采挖根茎，洗净，晒干。

| **药材性状** | 本品根茎细长，橙红色，着生淡棕灰色须根。茎圆柱形，上部微四棱形，直径2～4 mm；表面紫红色、棕黄色或绿色，被灰白色柔毛；质脆，易折断，中空。叶多卷缩破碎，展平后完整者呈披针形，全缘，两面多柔毛。茎端有总状花序，弯曲，花密集，花蕾状似珍珠。蒴果球形。无臭，味酸、微涩。

| **功能主治** | 辛、涩，平。归肝、脾经。活血调经，利水消肿，清热解毒，开胃。用于月经不调，痛经，带下，水肿，小儿疳积，痢疾，风湿痹痛，跌打损伤，乳痈，痈疽，毒蛇咬伤。

| **用法用量** | 内服煎汤，15～30 g。外用适量，鲜品捣敷；或煎汤熏洗。

报春花科 Primulaceae 报春花属 Primula

粉报春 *Primula farinosa* L.

粉报春

| 药 材 名 |

粉报春（药用部位：全草）。

| 形态特征 |

多年生草本。叶丛生；叶柄甚短或与叶片近等长；叶长圆状倒卵形、窄椭圆形或长圆状披针形，长 1 ~ 7 cm，先端近圆或钝，基部渐窄，具稀疏小牙齿或近全缘，下面被青白色或黄色粉。花葶高 0.3 ~ 1.5（~ 3）cm，无毛；伞形花序顶生，通常多花；苞片长 3 ~ 8 mm，基部成浅囊状；花梗长 0.3 ~ 1.5 cm；花萼钟状，长 4 ~ 6 mm，具 5 棱，分裂达全长的 1/3 ~ 1/2，裂片卵状长圆形或三角形，有时带紫黑色，边缘具短腺毛；花冠淡紫红色，冠筒长 5 ~ 6 mm，冠檐直径 0.8 ~ 1 cm，裂片楔状倒卵形，先端 2 深裂。蒴果筒状，长于花萼。花期 5 ~ 6 月。

| 生境分布 |

生于海拔 1 250 ~ 2 500 m 的山地阴坡、草甸。分布于宁夏贺兰山（贺兰）及红寺堡等，贺兰其他区域也有分布。

| **资源情况** | 野生资源较少。

| **功能主治** | 解毒消肿，疗疮。用于痈疽，创伤，黄水疮。

| **用法用量** | 外用适量。

报春花科 Primulaceae 报春花属 Primula

苞芽粉报春

Primula gemmifera Batal.

| 药 材 名 | 苞芽粉报春（药用部位：全草）。

| 形态特征 | 多年生草本。根茎短，密生细长须根。叶基生，多数，矩圆形或矩圆状倒披针形，长（1.5 ~ ）3 ~ 10 cm，宽（5 ~ ）7 ~ 15 mm，先端圆钝，基部渐狭成具翅的长柄或近无柄，边缘具细小牙齿，两面无毛。伞形花序 1 ~ 2 轮，每轮具 3 ~ 15 花；苞片线状披针形，长3 ~ 7 mm，先端渐尖，基部膨大成浅囊状，边缘具短腺毛；花梗纤细，不等长，长 7 ~ 28 mm，疏被短腺毛；花萼卵形或卵状宽钟形，长3 ~ 5 mm，直径 1.5 ~ 4 mm，萼齿三角形，长 1 ~ 2 mm，边缘具短腺毛；花冠高脚碟状，蓝紫色；花冠筒长约 8.5 mm，喉部稍增粗，直径约 1.5 mm；花冠裂片三角状倒心形，长约 6 mm，先端 2 深裂；雄蕊 5，着生于花冠筒的中部；花丝短；花药椭圆形，长约 1.5 mm；

苞芽粉报春

子房扁球形，长约 0.8 mm；花柱长约 7 mm，柱头头状。蒴果卵状椭圆形，长5 ～ 6 mm，褐色，先端 5 齿裂。花期 6 ～ 7 月，果期 7 ～ 8 月。

| **生境分布** | 生于海拔 2 100 m 左右的山谷溪边或河滩地。分布于宁夏隆德等。

| **资源情况** | 野生资源较少。

| **功能主治** | 用于水肿，炭疽。

胭脂花
Primula maximowiczii Regel

| 药 材 名 | 段报春（药用部位：全草。别名：胭脂花）。

| 形态特征 | 多年生草本。根茎短，具多数粗壮须根，红褐色或褐色。叶基生，多数，倒卵状披针形、椭圆状倒披针形或矩圆状倒披针形，长5 ~ 25 cm（连叶柄），宽1.5 ~ 4 cm，先端圆钝或急尖，基部渐狭，下延成宽翅状柄或近无柄，边缘具不规则的牙齿，两面无毛。花葶单一，直立，粗壮，高20 ~ 80 cm，直径2.5 ~ 10 mm，具纵条棱，无毛；伞形花序1 ~ 3轮，每轮具4 ~ 15花；苞片线状披针形，长7 ~ 15 mm，宽1 ~ 2 mm，先端渐尖，无毛；花梗不等长，长1 ~ 5 cm，无毛；花萼筒状钟形，长8 ~ 13 mm，直径约4 mm，无毛；花萼裂片狭卵形或三角状披针形，长3 ~ 4 mm，先端渐尖，边缘具短腺毛；花冠高脚碟状；花冠筒紫红色，长1.5 ~ 2 cm，上部

胭脂花

稍增粗，直径约 3.5 mm；花冠裂片线状矩圆形，长 6 ～ 8 mm，宽 1.5 ～ 2 mm，橘红色，全缘；雄蕊 5，着生于花冠喉部稍下；花丝短；花药矩圆形，长约 3 mm，基着；子房椭圆形，长约 4 mm；花柱长 3 ～ 4 mm，柱头头状。朔果椭圆状圆柱形，长 13 ～ 17 mm，直径约 5 mm，先端 5 齿裂。花期 5 ～ 6 月，果期 7 月。

| 生境分布 | 生于海拔 1 300 ～ 2 100 m 的林下、路边草地或阴坡草地。分布于宁夏泾源、隆德、海原等。

| 资源情况 | 野生资源较少。

| 采收加工 | 5 ～ 6 月采收，晒干。

| 药材性状 | 本品须状根多而粗壮，表面黄白色，质脆，易折断，断面淡黄色。基生叶多皱缩破碎。花萼长短不一，黄棕色、暗红紫色或紫色；有时可见伞形花序，1 ～ 3 轮；花紫红色，气微，味淡。

| 功能主治 | 辛，平。祛风止痛。用于癫痫，头痛。

| 用法用量 | 内服煎汤，9 ～ 15 g。

| 附　注 | 《中国植物志》（英文版）记载的胭脂花与《宁夏植物志》记载的段报春的拉丁学名相同，两者为同一植物。

天山报春

Primula nutans Georgi

| 药 材 名 | 天山报春（药用部位：全草）。

| 形态特征 | 多年生草本。根茎短，须根纤细。叶基生，椭圆形、卵状椭圆形或近圆形，长 7 ~ 15 mm，宽 6 ~ 10 mm，先端圆钝，基部圆形或宽楔形，全缘，两面无毛；叶柄长 5 ~ 15 mm，两侧具狭翅，无毛。花葶单一，直立，高 20 ~ 30 cm，微具纵棱，无毛；伞形花序 1 轮，具 2 ~ 5 花；苞片椭圆形，长 4 ~ 6 mm，宽 1.5 ~ 2.5 mm，先端钝，基部具耳状附属物，无毛；花梗不等长，长 1.8 ~ 3 cm；花萼筒状钟形，长 6 ~ 7 mm，裂片三角状卵形，长约 1.5 mm，先端尖，边缘具细腺毛；花冠紫红色，高脚碟状；花冠筒长 10 ~ 12 mm，下部细，上部稍增粗，喉部具 1 圈舌状鳞片；花冠裂片倒三角状心形，长约 5 mm，先端 2 深裂；雄蕊 5，着生于花冠筒中部；花丝极短；花药

天山报春

长椭圆形，长约 1.8 mm，基着；子房椭圆形，长约 2.5 mm；长柱花的花柱长约
1 cm，柱头头状。花期 6 月。

| **生境分布** | 生于海拔 2 100 ～ 2 500 m 的荒地及路边草地。分布于宁夏贺兰山（贺兰、西夏、永宁）及隆德等。

| **资源情况** | 野生资源较少。

| **功能主治** | 苦，寒。清热解毒，止血止痛，敛疮。

报春花科 Primulaceae 报春花属 Primula

樱草

Primula sieboldii E. Morren

樱草

| 药 材 名 |

翠蓝草（药用部位：根及根茎。别名：樱草根、野白菜、翠蓝报春）。

| 形态特征 |

多年生草本。根茎倾斜或平卧，向下发出多数纤维状须根。叶 3 ~ 8 丛生，卵状矩圆形至矩圆形，长 4 ~ 10 cm，宽（2 ~ ）3 ~ 7 cm，先端钝圆，基部心形，稀近圆形或截形，边缘圆齿状浅裂（深约达叶片的 1/8），裂片具钝牙齿，上面深绿色，下面淡绿色，两面均被灰白色多细胞长柔毛，侧脉 6 ~ 8 对，在下面显著；叶柄长 4 ~ 12 （ ~ 18）cm，通常密被柔毛。花葶高 12 ~ 25 （ ~ 30）cm，被毛；伞形花序顶生，5 ~ 15 花；苞片线状披针形，长 4 ~ 10 mm，微被毛或近无毛；花梗长 4 ~ 30 mm，被毛同苞片；花萼钟状，长 6 ~ 8 mm，果时增大，长可达 15 mm，分裂达全长的 1/2 ~ 2/3，裂片披针形至卵状披针形，稍开展，外面疏被短柔毛或无毛，边缘具小睫毛；花冠紫红色至淡红色，稀白色，花冠筒长 9 ~ 13 mm，冠檐直径 1 ~ 2 （ ~ 3）cm；花冠裂片倒卵形，先端 2 深裂，小裂片全缘或具小圆齿。长花柱花：雄蕊着生处稍低于花冠筒中部，花柱长近达花冠筒口。短花柱花：雄蕊先端接近花冠筒口，花柱略超过花冠筒中部。蒴果近球形，长约为花萼的一半。花期 5 月，果期 6 月。

| 生境分布 | 生于海拔 1 400 ～ 2 500 m 的山地沟谷、林下及河滩草地。分布于宁夏贺兰山（贺兰、永宁、西夏、平罗）等。

| 资源情况 | 野生资源较少。

| 采收加工 | 夏末及秋季挖取根及根茎，除去残茎叶，洗净，晒干。

| 药材性状 | 本品根长 5 ～ 10 cm，直径约 1 m；表面棕褐色，上部具环纹；质脆，易碎断。根茎呈短柱状或块状，长 1 ～ 2 cm，直径 5 ～ 8 mm；表面粗糙，上端具疏松的深褐色叶残基，中下部具多数细根或细根痕；质松脆，易折断，断面皮部棕褐色，木部黄白色。气微，味微苦。

| 功能主治 | 甘，平。归肺经。止咳化痰，平喘。用于咳嗽痰喘，咽喉肿痛。

| 用法用量 | 内服煎汤，6 ～ 12 g。

甘青报春 *Primula tangutica* Duthie

甘青报春

药 材 名

唐古特报春（药用部位：花、种子）。

形态特征

多年生草本。全株无粉。根茎粗短，具多数须根。叶丛基部无鳞片；叶椭圆形、椭圆状倒披针形至倒披针形，连柄长 4 ~ 15（~ 20）cm，先端钝圆或稍锐尖，基部渐狭窄，边缘具小牙齿，稀近全缘，干时坚纸质，两面均有褐色小腺点，中肋稍宽，侧脉纤细，不明显；叶柄不明显或长达叶片的 1/2，很少与叶片近等长。花葶稍粗壮，通常高 20 ~ 60 cm；伞形花序 1 ~ 3 轮，每轮 5 ~ 9 花；苞片线状披针形，长 6 ~ 10（~ 15）mm；花梗长 1 ~ 4 cm，被微柔毛，开花时稍下弯；花萼筒状，长 1 ~ 1.3 cm，分裂达全长的 1/3 或 1/2，裂片三角形或披针形，边缘具小缘毛；花冠朱红色，裂片线形，长 7 ~ 10 mm，宽约 1 mm。长花柱花：花冠筒与花萼近等长，雄蕊着生处距花冠筒基部约 2.5 mm，花柱长约 6 mm。短花柱花：花冠筒长于花萼约 0.5 倍，雄蕊着生处约与花萼等高，花柱长约 2 mm。蒴果筒状，长于宿存萼 3 ~ 5 mm。花期 6 ~ 7 月，果期 8 月。

生境分布	生于海拔 1 600 ～ 2 500 m 的林下、林缘。分布于宁夏泾源等。
资源情况	野生资源较少。
采收加工	6 ～ 7 月采收花，10 月采收种子，晾干或鲜用。
功能主治	辛、苦、涩，微寒。清热解毒，降血压。用于痈肿疮疖，烫火伤，高血压。
用法用量	内服煎汤，9 ～ 15 g。外用适量，鲜品捣敷。

白花丹科 Plumbaginaceae 补血草属 Limonium

黄花补血草 *Limonium aureum* (L.) Hill

药 材 名	黄花补血草（药用部位：花。别名：干饭花、黄花苍蝇架）。
形态特征	多年生草本。高 10 ~ 50 cm。全株几无毛。茎基往往被残存的叶柄和红褐色芽鳞。叶基生，常早凋，通常长圆状匙形至倒披针形，长 1.5 ~ 5 cm，宽 3 ~ 15 mm，先端圆或钝，有时急尖，下部渐狭成平扁的柄。花序圆锥状；花序轴 2 至多数，绿色，密被疣状突起，由下部作数回叉状分枝，往往呈"之"字形曲折，下部的多数分枝成为不育枝，末级的不育枝短而常略弯；穗状花序位于上部分枝先端，由 3 ~ 7 小穗组成；小穗含 2 ~ 3 花；外苞宽卵形，先端钝或急尖；萼长 5 ~ 8 mm，漏斗状，萼筒直径 1 ~ 2 mm，基部偏斜，全部沿脉和脉间密被长毛，萼檐金黄色，干后变橙黄色；花冠橙黄色。花期 6 ~ 8 月，果期 7 ~ 8 月。

黄花补血草

| **生境分布** | 生于海拔 1 100 ～ 1 700 m 的土质含盐的砾石滩、黄土坡及沙地。分布于宁夏贺兰山（贺兰、平罗、大武口、惠农）及吴忠和中卫、灵武、红寺堡等，平罗、大武口其他区域也有分布。 |

| **资源情况** | 野生资源较丰富。 |

| **采收加工** | 夏、秋季采收花枝，晒干，收集花。 |

| **功能主治** | 淡，凉。归心、肝、膀胱经。止痛，清热解毒，补血。用于神经痛，月经量少，耳鸣，乳汁不足，感冒。 |

| **用法用量** | 内服煎汤，3 ～ 4.5 g。外用适量，煎汤含漱或外洗。 |

▨白花丹科▨ Plumbaginaceae ▨补血草属▨ *Limonium*

二色补血草
Limonium bicolor (Bunge) Kuntze

| 药 材 名 |　二色补血草（药用部位：全草或根。别名：苍蝇花、白玲子）。

| 形态特征 |　多年生草本。高 20 ~ 70 cm。除萼外全株无毛。叶基生，花期叶常存在，匙形至长圆状匙形，长 3 ~ 15 cm，宽 0.5 ~ 3.5 cm，先端通常圆或钝，基部渐狭成平扁的柄。花序圆锥状；花序轴单生，或 2 ~ 5 各由不同的叶丛中生出，通常有 3 ~ 4 棱角，有时具沟槽，偶可主轴圆柱状，往往自中部以上作数回分枝，末级小枝二棱形；不育枝少，位于分枝下部或单生于分叉处；穗状花序有柄至无柄，排列在花序分枝的上部至先端，由 3 ~ 5（~ 9）小穗组成；小穗含 2 ~ 5 花；外苞长圆状宽卵形，第一内苞长 6 ~ 7 mm；花萼长 6 ~ 8 mm，漏斗状，萼檐初时淡紫红色或粉红色，后来变白，宽为花萼全长的 1/2，开张幅径与萼的长度相等；花冠黄色。花期 5 ~ 7 月，果期

二色补血草

6 ~ 8 月。

| 生境分布 | 生于海拔 1 500 ~ 2 200 m 的干燥沙地、平原、路旁、丘陵、轻度盐碱地或山坡。宁夏各地均有分布。

| 资源情况 | 野生资源较多。

| 采收加工 | 夏季开花前采收全草，除去杂质，晒干。春季萌动期挖取根部，去除残茎、叶，洗净，晒干。

| 药材性状 | 本品根呈圆柱形，细长，表面红褐色至黑褐色，颈部略膨大。基生叶多皱缩破碎，完整者展平后呈匙形或倒卵状匙形，先端钝圆或具凸尖，基部下延成叶柄，叶柄常带红褐色；叶片全缘或具不规则浅齿。花序轴单一或多数，表面呈灰绿色，具纵条棱及纵沟槽，多回分枝，小枝先端为穗状花序，2 ~ 5 花，偏斜排列；花萼漏斗状，萼檐宽阔，白色，约与萼筒近等长，筒部较窄，黄绿色，具毛；花冠黄色，多包于萼内。气微，味淡。以叶绿、花多者为佳。

| 功能主治 | 咸、苦，温。归脾、胃经。益气血，散瘀止血。用于病后体弱，胃脘痛，消化不良，月经不调，崩漏，带下，尿血，痔血。

| 用法用量 | 内服煎汤，15 ~ 30 g。

| 附　注 | 据《新华本草纲要》记载，本种原名蝎子花菜，首载于《救荒本草》。《植物名实图考》记载："《救荒本草》：蝎子花菜又名蛇蚤花，一名野菠菜，生田野中，苗初搨地生，叶似初生菠菜叶而瘦细，叶间撺生茎叉，高一尺余，茎有线楞。"该书所述植物形态与本种基本相符。

白花丹科 Plumbaginaceae 补血草属 Limonium

大叶补血草

Limonium gmelinii (Willd.) Kuntze

大叶补血草

药材名

大叶矶松（药用部位：全草。别名：补血草）。

形态特征

多年生草本。高 30 ~ 70 cm。叶基生，较厚硬，长圆状倒卵形、长椭圆形或卵形，宽大，长 5 ~ 30 cm，宽 3 ~ 8 cm，先端通常钝或圆，基部渐狭成柄，下表面常带灰白色，开花时叶不凋落。花序呈大型伞房状或圆锥状；花序轴常单生，圆柱状，光滑，节部具大型褐色鳞片（下部者长达 2 cm），通常由中部以上作三至四回分枝，小枝细而直，无不育枝或仅在分叉处具 1 简单不育枝；穗状花序多少有柄，密集在末级分枝的上部至先端，由 2 ~ 7 小穗紧密排列而成；小穗含 1 ~ 2（~ 3）花；外苞长 1 ~ 1.5 mm，宽卵形，先端急尖或钝，有窄膜质边缘，第一内苞长 2 ~ 2.5 mm，先端有极窄的膜质边缘而常钝或圆，两侧的膜质边缘约与草质部等宽或略宽；花萼长 3 ~ 3.5 mm，倒圆锥形，萼筒基部和内方两脉上被毛，萼檐淡紫色至白色，裂片先端钝，脉不达于裂片基部，间生裂片有时略明显；花冠蓝紫色。花期 7 ~ 9 月，果期 8 ~ 9 月。

| 生境分布 | 栽培种。栽培于荒沙土地。宁夏金凤等地有栽培。

| 资源情况 | 栽培资源稀少。

| 采收加工 | 夏、秋季采收，洗净，晒干。

| 功能主治 | 甘，平。散瘀止血。用于瘀血崩漏，宫颈癌。

| 用法用量 | 内服煎汤，15 ～ 30 g。

白花丹科 Plumbaginaceae 鸡娃草属 Plumbagella

鸡娃草
Plumbagella micrantha (Ledeb.) Spach

| 药 材 名 | 鸡娃草（药用部位：全草。别名：蓝雪草、小蓝雪草、刺矾松）。

| 形态特征 | 一年生草本。高达 30（~ 55）cm。茎直立，分枝，常具细皮刺。叶无柄，基部抱茎下延；茎下部叶匙形或倒卵状披针形，上部叶窄披针形或卵状披针形，渐小。花序顶生，初近头状，后呈短穗状，具 4 ~ 12 小穗，小穗具 2 ~ 3 花；苞片叶状，宽卵形，草质；小苞片 2，膜质；花小，具短梗；萼草质，绿色，管状圆锥形，长 4 ~ 4.5 mm，果时稍增大变硬；萼筒无腺体，稍具 5 棱，果时每棱具 1 ~ 2 鸡冠状突起；花萼裂片与筒部近等长，沿两侧边缘有具柄腺体；花冠窄钟状，淡蓝紫色，稍长于萼，花冠裂片直立；雄蕊下位，与花冠筒近等长；花药窄卵圆形，淡黄色，长约 0.5 mm；子房卵圆形，花柱 1，先端具 5 分枝，柱头面位于分枝内侧，具有柄头状腺体。蒴果暗红

鸡娃草

褐色，具 5 淡色条纹。种子红褐色，卵形。花期 7 ~ 8 月，果期 7 ~ 9 月。

| 生境分布 | 生于海拔 2 200 ~ 2 500 m 的路边、耕地和山坡草地。分布于宁夏泾源、海原、西吉、原州等。

| 资源情况 | 野生资源较多。

| 采收加工 | 夏季植株茂盛时采收，除去残根及杂质，鲜用或晒干。

| 功能主治 | 苦，寒。归肺经。解毒，杀虫止痒。用于头癣，体癣，手癣，足癣，牛皮癣，疣痣，恶肉，神经性皮炎。

| 用法用量 | 外用适量，鲜品捣敷。

| 附 注 | 《中国植物志》（英文版）记载的鸡娃草与《宁夏中药志》记载的小蓝雪花的拉丁学名均为 *Plumbagella micrantha* (Ledeb.) Spach，两者为同一植物。

柿科 Ebenaceae 柿属 Diospyros

柿
Diospyros kaki Thunb.

药 材 名	柿蒂（药用部位：花萼）、柿子（药用部位：果实）、柿饼（药材来源：果实经加工而成的柿饼）、柿霜（药材来源：果实被制成柿饼时外表所生的白色粉霜）、柿皮（药用部位：外果皮）、柿叶（药用部位：叶）、柿花（药用部位：花）、柿木皮（药用部位：树皮）、柿根（药用部位：根）。
形态特征	落叶乔木。高 14（~ 27）m。冬芽卵圆形，先端钝。叶纸质，卵状椭圆形、倒卵形或近圆形，长 5 ~ 18 cm，宽 3 ~ 9 cm；新叶疏被柔毛；老叶上面深绿色，有光泽，无毛，下面绿色，有柔毛或无毛，中脉在上面凹下，有微柔毛，侧脉 5 ~ 7 对；叶柄长 0.8 ~ 2 cm。花雌雄异株，稀雄株有少数雌花，雌株有少数雄花；聚伞花序腋生。雄花序长 1 ~ 1.5 cm，弯垂，被柔毛或绒毛，有 3（~ 5）花；花序

柿

梗长约 5 mm，有微小苞片。雄花：长 0.5 ~ 1 cm，花梗长约 3 mm；花萼钟状，两面有毛，4 深裂，裂片卵形，长约 7 mm，有睫毛；花冠钟形，不长过花萼 2 倍，黄白色，被毛，4 裂，裂片卵形或心形，开展；雄蕊 16 ~ 24；退化子房微小。雌花：单生叶腋，长约 2 cm；花萼绿色，直径约 3 cm 或更大，4 深裂，萼管近球状钟形，肉质，直径 0.7 ~ 1 cm，裂片开展，宽卵形或半圆形，长约 1.5 cm；花冠淡黄白色或带紫红色，壶形或近钟形，较花萼短小，长和直径均 1.2 ~ 1.5 cm，4 裂，冠管近四棱形，直径 0.6 ~ 1 cm，裂片卵形，长 0.5 ~ 1 cm；退化雄蕊 8，有长柔毛。果实球形、扁球形、方球形或卵圆形，直径 3.5 ~ 8.5（~ 10）cm，基部常有棱，成熟后黄色或橙黄色，果肉柔软多汁，橙红色或大红色，有数粒种子，栽培品种常无种子或有少数种子；宿存花萼方形或近圆形，宽 3 ~ 4 cm，裂片宽 1.5 ~ 2 cm，无毛，有光泽；果柄长 0.6 ~ 1.2 cm。种子褐色，椭圆状，长约 2 cm，侧扁。花期 5 ~ 6 月，果期 9 ~ 10 月。

| 生境分布 | 栽培种。常栽植于住宅小区绿化空地或房前空地。宁夏银川及大武口有零星栽培。

| 资源情况 | 栽培资源稀少。

| 采收加工 | 柿蒂：秋、冬季收集成熟柿子的果蒂，去柄，晒干。

柿子：霜降至立冬间采摘，脱涩红熟后食用。

柿饼：秋季将未成熟的果实摘下，剥除外果皮，日晒夜露1个月后，将其放置于席圈内，再经1个月左右即得。

柿霜：柿饼晾晒后其上生有白色粉霜，用帚刷下即得。

柿皮：将未成熟的果实摘下，削取外果皮，鲜用。

柿叶：霜将后采收，晒干。

柿花：4～5月花落时采收，除去杂质，晒干或研成末。

柿木皮：全年均可采收，剥取树皮，晒干。

柿根：9～10月采挖，洗净，鲜用或晒干。

| 药材性状 | 柿蒂：本品呈扁圆形，直径1.5～2.5 cm。中央较厚，微隆起，有果实脱落后的圆形疤痕，边缘较薄，4裂，裂片多反卷，易碎；基部有果柄或圆孔状的果柄痕。外表面黄褐色或红棕色，内表面黄棕色，密被细绒毛。质硬而脆。气微，味涩。

| 功能主治 | 柿蒂：苦、涩，平。归胃经。降逆止呃。用于呃逆。

柿子：甘、涩，凉。归心、肺、大肠经。清热解毒，润肺生津。用于咳嗽，吐血，热渴，疔疮，热痢，便血。

柿饼：甘，平、微温。润肺止血，健脾涩肠。用于咯血，吐血，便血，尿血，脾虚，消化不良，泄泻，痢疾，喉干喑哑，颜面黑斑。

柿霜：甘，凉。归心、肺、胃经。润肺止咳，生津利咽，止血。用于肺热燥咳，咽干喉痛，口舌生疮，吐血，咯血，消渴。

柿皮：甘、涩，寒。清热解毒。用于疔疮，无名肿毒。

柿叶：苦，寒；无毒。归肺经。止咳定喘，生津止渴，活血止血。用于咳喘，消渴，各种内出血，痈疮。

柿花：甘，平。归脾、肺经。降逆和胃，解毒收敛。用于呕吐，吞酸。

柿木皮：涩，平。清热解毒，止血。用于烫火伤。

柿根：涩，平。清热解毒，凉血止血。用于血崩，血痢，痔疮，蜘蛛背。

|用法用量| 柿蒂：内服煎汤，5～10 g。

柿子：内服适量，作食品；或煎汤；或烧炭研末；或捣汁冲服。

柿饼：内服适量，嚼食；或煎汤；或烧存性，入散剂。

柿霜：冲服，3～9 g；或入丸剂噙化。外用适量，撒敷。

柿皮：外用鲜品，贴敷。

柿叶：内服煎汤，3～9 g；或适量泡茶。外用适量，研末敷。

柿花：内服煎汤，3～6 g。外用适量，研末搽。

柿木皮：内服研末，5～6 g。外用适量，烧灰，调敷。

柿根：内服煎汤，30～60 g。外用适量，鲜品捣敷。

通泉草科 Mazaceae 野胡麻属 Dodartia

野胡麻 *Dodartia orientalis* L.

| 药 材 名 | 野胡麻（药用部位：全草。别名：多德草、倒爪草、紫花草）。

| 形态特征 | 多年生草本，高 15 ~ 50 cm，无毛或幼嫩时疏被柔毛。根粗壮而长，带肉质，须根少。茎直立，单生或数枝丛生，有多回细长分枝，具棱角，全株呈扫帚状，近基部被棕黄色膜质鳞片。叶疏生，茎下部的对生或近对生，上部的常互生，条形或宽条形，长 0.5 ~ 4 cm，宽 1 ~ 3 mm，全缘或有疏齿；无柄。总状花序顶生，伸长，花常 3 ~ 7，疏离；花梗极短，长 0.5 ~ 1 mm；花萼钟状，近革质，长约 4 mm，萼齿 5，宽三角形，近相等；花冠紫色或深紫红色，长 1 ~ 2.5 cm，花冠筒长筒状，檐部二唇形，上唇短而伸直，卵形，先端 2 浅裂，下唇较上唇长 2 ~ 3 倍，褶襞密被多细胞腺毛，

野胡麻

3 裂，侧裂片近圆形，中裂片凸出，舌状；雄蕊 4，二强，着生于花冠喉部内，花药紫色，肾形；子房卵圆形，长 1.5 mm，花柱伸直，柱头 2 裂，无毛。蒴果圆球形，直径约 5 mm，褐色，先端微凹，具短尖头；种子多数，卵形，长 0.5 ~ 0.7 mm，黑色。花期 6 ~ 7 月，果期 8 ~ 9 月。

| **生境分布** | 生于海拔 1 200 ~ 2 000 m 的多沙的山坡、田野、田边、路旁、碱地及河岸沙地等。分布于宁夏贺兰山（贺兰、平罗、大武口、惠农）及沙坡头、中宁、海原、西夏、永宁、兴庆、灵武、金凤等引黄灌区，惠农其他地区也有分布。

| **资源情况** | 野生资源较丰富。

| **采收加工** | 秋季结果期采收，除去杂质，晒干。

| **药材性状** | 本品根呈圆柱形，细长，直径 0.5 ~ 1.1 cm，肉质，须根少；表面黄棕色，具皱纹；质较脆，易折断，断面皮部淡黄棕色，木部白色。茎近基部被棕黄色鳞片，多回分枝，枝伸直，细瘦，全株呈扫帚状，黑褐色或暗绿色。单叶对生或近对生，无柄；叶片皱缩或破碎，暗绿色或近黑色，完整者呈条形或宽条形，全缘或具波状疏齿。总状花序生长于枝端；花梗短，稀疏排列；花冠紫色或深紫红色。气微，味微苦。

| **功能主治** | 清热解毒，祛风止痒。用于肺热咳喘，咽喉肿痛，乳痈，瘰疬，热淋，皮肤瘙痒，神经衰弱，荨麻疹，湿疹。

| **用法用量** | 内服煎汤，15 ~ 30 g。外用适量，煎汤洗。

通泉草科 Mazaceae 通泉草属 Mazus

通泉草 *Mazus pumilus* (N. L. Burman) Steenis

| 药 材 名 | 绿兰花（药用部位：全草。别名：脓泡药、汤湿草）。

| 形态特征 | 一年生矮小草本，高 3 ~ 30 cm，无毛或疏生短柔毛。主根伸长，垂直或稍弯曲向下，须根纤细，多数，散生或簇生。茎直立，少分枝，上升或倾卧状上升，着地部分节上常长出不定根，不分枝。基生叶少至多数，有时呈莲座状或早落，倒卵状匙形至卵状倒披针形，膜质至薄纸质，长 3 ~ 6 cm，先端全缘或有不明显的疏齿，基部楔形，下延成带翅的叶柄；茎生叶对生或互生，少数，与基生叶相似或与之等大。总状花序生长于茎、枝先端，常在近基部即生花，伸长或上部呈束状，通常超过 3 花，花稀疏；花萼钟状，花期长约 6 mm，萼片与萼筒近等长，卵形，先端急尖，脉不明显；花冠白色、紫色

通泉草

或蓝色，长约 10 mm，上唇裂片卵状三角形，下唇中裂片较小，稍凸出，倒卵圆形；子房无毛。蒴果球形；种子小，黄色，种皮上有网纹。花果期 4 ～ 10 月。

| **生境分布** | 生于海拔 1 500 ～ 2 500 m 的草坡、沟边、路旁及林缘。分布于宁夏大武口、灵武等。

| **资源情况** | 野生资源较少。

| **采收加工** | 春、夏、秋季均可采收，洗净，鲜用或晒干。

| **功能主治** | 苦、甘、凉。清热解毒，利湿通淋，健脾消积。用于热毒痈肿，脓疱疮，疔疮，烫火伤，尿路感染，腹水，黄疸性肝炎，消化不良，小儿疳积。

| **用法用量** | 内服煎汤，10 ～ 15 g。外用适量，鲜品捣敷。

木犀科 Oleaceae 雪柳属 Fontanesia

雪柳
Fontanesia phillyreoides subsp. *fortunei* (Carriere) Yaltirik

| 药 材 名 | 雪柳（药用部位：根）。

| 形态特征 | 落叶灌木。高达 5 m。小枝直立，淡灰黄色；幼枝黄绿色或绿色，四棱形，无毛。单叶对生，卵状披针形或狭卵形，长 2.5 ~ 6.5 cm，宽 1 ~ 2.5 cm，先端渐尖，基部楔形，稀近圆形，全缘，腹面叶脉稍凹陷，背面隆起，两面无毛；叶柄长 1 ~ 3 mm，无毛。花小，淡红色或白色而带绿色，组成腋生总状花序或圆锥花序侧枝顶生；花萼小，4 裂，裂片菱状卵形，长约 0.5 mm；花瓣 4，卵状披针形，长 3 ~ 4 mm，先端钝，基部合生；雄蕊 2；花丝长约 3 mm；花药基着，长约 3 mm；子房上位，长约 1 mm，2 室，稀 3 室；花柱圆柱状，长约 2.5 mm，柱头 2 裂。翅果扁平，倒卵状椭圆形或椭圆形，长 8 ~ 10 mm，宽 4 ~ 5 mm，周围具翅，先端微凹，花柱宿存。花

雪柳

期 5 ~ 6 月，果期 9 ~ 10 月。

| **生境分布** | 栽培种。栽培于沙荒地。宁夏金凤等地有零星栽培。

| **资源情况** | 栽培资源稀少。

| **功能主治** | 用于脚气病。

木犀科 Oleaceae 连翘属 Forsythia

连翘
Forsythia suspensa (Thunb.) Vahl

| 药 材 名 | 连翘（药用部位：果实。别名：连壳）、连翘茎叶（药用部位：嫩茎叶）、连翘根（药用部位：根）。

| 形态特征 | 灌木。高 2 ~ 3 m。枝条细长，开展或下垂；小枝浅棕色，皮孔明显，稍四棱形，节间中空无髓。单叶对生，具柄；叶片卵形、宽卵形或椭圆状卵形，少为 3 全裂，长 4 ~ 10 cm，宽 2 ~ 5 cm，先端尖，基部宽楔形或圆形，边缘有不等的锯齿。花较叶先开放，单生或数朵簇生叶腋；花萼 4 深裂，裂片长圆形，有睫毛；花冠 4 裂，裂片倒卵状椭圆形，金黄色；雄蕊 2，着生于花冠基部，花丝极短；子房上位，花柱细长，柱头 2 裂。蒴果狭卵形，稍扁，木质，外有散生的瘤点，2 室，长约 2 cm，成熟时 2 裂。种子多数，棕色，扁平，一侧有薄翅，歪斜。花期 4 ~ 5 月，果期 8 ~ 9 月。

连翘

| **生境分布** | 栽培种。栽植于公园绿地或道路边。宁夏银川及隆德、原州等地有栽培。 |

| **资源情况** | 栽培资源较少。 |

| **采收加工** | 连翘：秋季果实初熟尚带绿色时采收，除去杂质，蒸熟，晒干，习称"青翘"；果实熟透时采收，晒干，除去杂质，习称"老翘"。
连翘茎叶：夏、秋季采集，鲜用或晒干。
连翘根：秋、冬季挖取根部，洗净，切段或片，晒干。 |

| **药材性状** | 连翘：本品呈长卵形至卵形，稍扁，长 1.5 ~ 2.5 cm，直径 0.5 ~ 1.3 cm。表面有不规则的纵皱纹和多数凸起的小斑点，两面各有 1 明显的纵沟。先端锐尖，基部有小果柄或已脱落。青翘多不开裂，表面绿褐色，凸起的灰白色小斑点较少；质硬；种子多数，黄绿色，细长，一侧有翅。老翘自先端开裂或裂成 2 瓣，表面黄棕色或红棕色，内表面多为浅黄棕色，平滑，具 1 纵隔；质脆；种子棕色，多已脱落。气微香，味苦。 |

| **功能主治** | 连翘：苦，微寒。归肺、心、小肠经。清热解毒，消肿散结，疏散风热。用于痈疽，瘰疬，乳痈，丹毒，风热感冒，温病初起，温热入营，高热烦渴，神昏发斑，热淋涩痛。
连翘茎叶：苦，寒。清热解毒。用于心肺积热。
连翘根：苦，寒。清热解毒，退黄。用于黄疸，发热。 |

| **用法用量** | 连翘：内服煎汤，6 ~ 15 g。
连翘茎叶：内服煎汤，6 ~ 9 g。
连翘根：内服煎汤，15 ~ 30 g。 |

木犀科 Oleaceae 连翘属 Forsythia

金钟花 *Forsythia viridissima* Lindl.

| 药 材 名 | 金钟花（药用部位：果壳、根或叶。别名：土连翘）。

| 形态特征 | 落叶灌木。高可达3 m。全株除花萼裂片边缘具睫毛外，其余均无毛。枝棕褐色或红棕色，直立；小枝绿色或黄绿色，呈四棱形，皮孔明显，具片状髓。叶片长椭圆形至披针形，或倒卵状长椭圆形，长3.5～15 cm，宽1～4 cm，先端锐尖，基部楔形，通常上半部具不规则锐锯齿或粗锯齿，稀近全缘，上面深绿色，下面淡绿色，两面无毛，中脉和侧脉在上面凹入，下面凸起；叶柄长6～12 mm。花1～3（～4）着生于叶腋，先于叶开放；花梗长3～7 mm；花萼长3.5～5 mm，裂片绿色，卵形、宽卵形或宽长圆形，长2～4 mm，具睫毛；花冠深黄色，长1.1～2.5 cm，花冠管长5～6 mm，裂片狭长圆形至长圆形，长0.6～1.8 cm，宽3～8 mm，内面基部具

金钟花

橘黄色条纹，反卷；在雄蕊长 3.5 ~ 5 mm 的花中雌蕊长 5.5 ~ 7 mm，在雄蕊长 6 ~ 7 mm 的花中雌蕊长约 3 mm。果实卵形或宽卵形，长 1 ~ 1.5 cm，宽 0.6 ~ 1 cm，基部稍圆，先端喙状渐尖，具皮孔；果柄长 3 ~ 7 mm。花期 3 ~ 4 月，果期 8 ~ 11 月。

| **生境分布** | 栽培种。栽植于公园绿地或道路边。宁夏各地均有栽培。

| **资源情况** | 栽培资源较少。

| **采收加工** | 果壳，夏、秋季采收，晒干。根，全年均可采挖，洗净，切段，鲜用或晒干。叶，春、夏、秋季均可采收，鲜用或晒干。

| **功能主治** | 苦，凉。清热解毒，泻火，散结。用于感冒发热，目赤肿痛。

| **用法用量** | 内服煎汤，10 ~ 15 g，鲜品加倍。外用适量，煎汤洗。

木犀科 Oleaceae 梣属 Fraxinus

白蜡树

Fraxinus chinensis Roxb.

| 药 材 名 | 秦皮（药用部位：枝皮或干皮。别名：梣皮）。

| 形态特征 | 乔木，高达 25 m。二年生枝淡灰色或带黄色，无毛，散生点状皮孔；当年枝幼时具柔毛，后渐光滑。单数羽状复叶，通常具 7 小叶，小叶片椭圆状卵形或矩圆状披针形，先端渐尖，基部楔形或圆形，边缘有锯齿或波状齿，上面无毛，下面沿脉具柔毛；无柄或具短柄。圆锥花序生于当年枝先端或叶腋，花单性，雌雄异株；花萼钟状，先端不规则 4 裂；无花冠；雄花具 2 雄蕊；花药卵状椭圆形，与花丝近等长。翅果倒披针形或菱状倒披针形，长 3 ~ 4 cm，宽 4 ~ 6 mm。花期 5 月，果期 10 月。

| 生境分布 | 生于海拔 1 600 ~ 2 000 m 的沟谷杂木林中。分布于宁夏泾源、海原、

白蜡树

隆德、原州、同心、兴庆等。

| **资源情况** | 野生资源较少。

| **采收加工** | 春、秋季修整树枝或伐木时剥取枝皮或干皮，晒干，或趁鲜切丝，晒干。

| **药材性状** | 枝皮呈卷筒状或槽状，长 10 ~ 60 cm，厚 1.5 ~ 3 mm。外表面灰白色、灰棕色至黑棕色或相间呈斑状，平坦或稍粗糙，并有灰白色圆点状皮孔及细斜皱纹，有的具分枝痕。内表面黄白色或棕色，平滑。质硬而脆，断面纤维性，黄白色。气微，味苦。干皮为长条状块片，厚 3 ~ 6 mm。外表面灰棕色，具龟裂状沟纹及红棕色圆形或横长的皮孔。质坚硬，断面纤维性较强。

| **功能主治** | 苦、涩，寒。归肝、胆、大肠经。清热燥湿，收涩止痢，止带，明目。用于湿热泻痢，赤白带下，目赤肿痛，目生翳膜。

| **用法用量** | 内服煎汤，6 ~ 12 g。外用适量，煎汤洗。

| **附　　注** | 秦皮始载于《神农本草经》，被列为下品。《新修本草》记载："此树似檀，叶细，皮有白点而不粗错，取皮渍水便碧色，书纸看之皆青色者是真。"《本草纲目》记载："秦皮，本作梣皮。其木小而岑高，故以为名。"高诱注《淮南子》云："梣，苦枥木也。"这些描述与梣属 *Fraxinus* 植物的特征基本相符。

木犀科 Oleaceae 梣属 Fraxinus

水曲柳
Fraxinus mandshurica Rupr.

| **药 材 名** | 水曲柳（药用部位：树皮）。

| **形态特征** | 落叶乔木。小枝无毛。羽状复叶在枝端对生，长 25 ~ 35 cm；叶轴小叶着生处簇生黄褐色曲柔毛或脱落无毛；小叶 7 ~ 11，纸质，长圆形或卵状长圆形，长 5 ~ 20 cm，先端渐尖或尾尖，基部楔形或圆钝，稍歪斜，具细齿，上面无毛或疏被白色硬毛，下面沿脉被黄色曲柔毛；小叶近无柄。圆锥花序生于去年生枝上，先叶开放；花序轴与分枝具窄翅状锐棱。雄花与两性花异株，无花冠，无花萼；雄花花梗细，长 3 ~ 5 mm，两性花花梗细长。翅果长圆形或倒圆状披针形，长 3 ~ 3.5 cm，宽 6 ~ 9 mm，中部最宽，先端钝圆、平截或微凹，翅下延至坚果基部，扭曲。花期 4 ~ 6 月，果期 8 ~ 9 月。

| **生境分布** | 栽培种。栽植于农田边或水渠、道路边。宁夏银川及灵武、中宁、

水曲柳

同心等有栽培。

| 资源情况 | 栽培资源较少。

| 采收加工 | 秋季整枝时，剥取树皮，切片，晒干。

| 药材性状 | 本品呈卷筒状或槽状，厚约 2 mm。外表面灰褐色，有浅裂纹及皮孔；内表面灰棕色，较平滑。质坚硬，断面纤维性。气微，味苦。

| 功能主治 | 苦，寒。归肝、肺、大肠经。清热燥湿，清肝明目。用于湿热泻痢，带下，肝热目赤，目生翳膜，银屑病。

| 用法用量 | 内服煎汤，6 ~ 12 g。外用适量，煎汤洗。

花曲柳

Fraxinus chinensis Roxb. subsp. *rhynchophylla* (Hance) E. Murray

| 药 材 名 | 秦皮（药用部位：树皮）。

| 形态特征 | 落叶大乔木。高 12 ~ 15 m。树皮灰褐色，光滑，老时浅裂。冬芽阔卵形，先端尖，黑褐色，具光泽，内侧密被棕色曲柔毛。当年生枝淡黄色，通直，无毛；去年生枝暗褐色，皮孔散生。羽状复叶长15 ~ 35 cm；叶柄长 4 ~ 9 cm，基部膨大；叶轴上面具浅沟，小叶着生处具关节，节上有时簇生棕色曲柔毛；小叶 5 ~ 7，革质，阔卵形、倒卵形或卵状披针形，长 3 ~ 11 (~ 15) cm，宽 2 ~ 6 (~ 8) cm，营养枝的小叶较宽大；顶生小叶显著大于侧生小叶，下方 1 对最小，先端渐尖、骤尖或尾尖，基部钝圆、阔楔形至心形，两侧略歪斜或下延至小叶柄，叶缘呈不规则粗锯齿，齿尖稍向内弯，有时也呈波状，通常下部近全缘，上面深绿色，中脉略凹入，脉上有时疏被

花曲柳

柔毛，下面色淡，沿脉腋被白色柔毛，渐秃净，细脉在两面均凸起；小叶柄长 0.2 ~ 1.5 cm，上面具深槽。圆锥花序顶生或腋生当年生枝梢，长约 10 cm；花序梗细而扁，长约 2 cm；苞片长披针形，先端渐尖，长约 5 mm，无毛，早落；花梗长约 5 mm；雄花与两性花异株；花萼浅杯状，长约 1 mm，萼片三角形，无毛；无花冠。两性花：具雄蕊 2，长约 4 mm；花药椭圆形，长约 3 mm；花丝长约 1 mm；雌蕊具短花柱，柱头二叉深裂。雄花：花萼小；花丝细，长达 3 mm。翅果线形，长约 3.5 cm，宽约 5 mm，先端钝圆、急尖或微凹，翅下延至坚果中部，坚果长约 1 cm，略隆起；具宿存萼。花期 4 ~ 5 月，果期 9 ~ 10 月。

| **生境分布** | 栽培种。宁夏西吉等地引进栽培。

| **资源情况** | 栽培资源稀少。

| **采收加工** | 栽后 5 ~ 8 年，当树干直径达 15 cm 以上时，于春、秋季剥取树皮，将其切成长 30 ~ 60 cm 的短节，晒干。

| **功能主治** | 苦、涩，寒。归肝、胆、大肠经。清热燥湿，收敛固涩，明目。用于热痢，泄泻，赤白带下，目赤肿痛，目生翳膜。

| **用法用量** | 内服煎汤，6 ~ 12 g。外用适量，煎汤洗。

木犀科 Oleaceae 素馨属 Jasminum

迎春花
Jasminum nudiflorum Lindl.

| 药 材 名 | 迎春花（药用部位：花。别名：金腰带）、迎春花叶（药用部位：叶）、迎春花根（药用部位：根。别名：金腰带根）。

| 形 态 特 征 | 落叶灌木。直立或匍匐，高 0.3 ~ 5 m，枝条下垂。枝稍扭曲，光滑无毛，小枝四棱形，棱上多少具狭翼。叶对生，三出复叶，小枝基部常具单叶；叶轴具狭翼，叶柄长 3 ~ 10 mm，无毛；叶片和小叶片幼时两面稍被毛，老时仅叶缘具睫毛；小叶片卵形、长卵形或椭圆形、狭椭圆形，稀倒卵形，先端锐尖或钝，具短尖头，基部楔形，叶缘反卷，中脉在上面微凹入，在下面凸起，侧脉不明显；顶生小叶片较大，长 1 ~ 3 cm，宽 0.3 ~ 1.1 cm，无柄或基部延伸成短柄；侧生小叶片长 0.6 ~ 2.3 cm，宽 0.2 ~ 11 cm，无柄；单叶为卵形或椭圆形，有时近圆形，长 0.7 ~ 2.2 cm，宽 0.4 ~ 1.3 cm。花单生

迎春花

于去年生小枝的叶腋，稀生于小枝先端；苞片小叶状，披针形、卵形或椭圆形，长 3 ~ 8 mm，宽 1.5 ~ 4 mm；花梗长 2 ~ 3 mm；花萼绿色，裂片 5 ~ 6，窄披针形，长 4 ~ 6 mm，宽 1.5 ~ 2.5 mm，先端锐尖；花冠黄色，直径 2 ~ 2.5 cm，花冠筒长 0.8 ~ 2 cm，基部直径 1.5 ~ 2 mm，向上渐扩大，裂片 5 ~ 6，长圆形或椭圆形，长 0.8 ~ 1.3 cm，宽 3 ~ 6 mm，先端锐尖或圆钝。花期 6 月。

| **生境分布** | 栽培种。栽植于公园绿地。宁夏银川有少量栽培。

| **资源情况** | 栽培资源稀少。

| **采收加工** | 迎春花：春季采花，鲜用或晒干。
迎春花叶：夏季采叶，鲜用或晒干。
迎春花根：全年均可采挖，洗净泥土，切片或段，晒干。

| **药材性状** | 迎春花：本品皱缩成团，展开后可见狭窄的黄绿色叶状苞片；萼片 5 ~ 6，条形或长圆状披针形，与萼筒等长或较长。
迎春花叶：本品多卷曲皱缩，小叶展平后呈卵形或矩圆状卵形，长 1 ~ 3 cm，先端凸尖，边缘有短睫毛，下面无毛，灰绿色。气微香，味微苦、涩。

| **功能主治** | 迎春花：甘、涩，平。清热利尿，解毒。用于发热头痛，小便热痛，下肢溃疡。
迎春花叶：苦，平。解毒消肿，止血，止痛。用于跌打损伤，外伤出血，口腔炎，痈疖肿毒，外阴瘙痒。
迎春花根：苦，平。清热息风，活血调经。用于肺热咳嗽，小儿惊风，月经不调。

| **用法用量** | 迎春花：内服煎汤，10 ~ 15 g。外用适量，捣敷。
迎春花叶：内服煎汤，10 ~ 20 g。外用适量，煎汤洗；或捣敷。
迎春花根：内服煎汤，15 ~ 30 g。外用适量，研末撒；或调敷。

水蜡树
Ligustrum obtusifolium Sieb. et Zucc.

| **药 材 名** | 水蜡树（药用部位：叶）。

| **形态特征** | 直立灌木或小乔木。高 2 ~ 10 m。小枝黄褐色或褐色，圆柱形，幼枝圆柱形，节处压扁，无毛，具细小圆形或长圆形皮孔。叶片近革质，长圆形、长卵形或椭圆形，稀披针形，长 7 ~ 14 cm，宽 2.5 ~ 5.5 cm，先端锐尖或圆钝，基部宽楔形、楔形或近截形，两面光滑无毛，上面具光泽，中脉在上面凹入，下面凸起，侧脉 8 ~ 10 对，在两面微凸起；叶柄长 1 ~ 2 cm，无毛。圆锥花序顶生，长 6.5 ~ 25 cm，宽 5 ~ 14 cm，花多朵，排列疏松；花序轴和分枝轴具棱，被短柔毛，后渐脱落；小苞片叶状，披针形，长 1.2 ~ 3.5 cm，宽 0.3 ~ 1.5 cm；花梗长 3 ~ 5 mm，纤细，具棱，无毛；花萼长约 1 mm，具浅齿；花冠长 4 ~ 5 mm，花冠筒长 1 ~ 2 mm，裂片长 2.5 ~ 3 mm，稍长

水蜡树

于花冠筒；雄蕊伸出花冠管外，花丝长约 5 mm，花药长约 1.8 mm；子房近球形，无毛；花柱长 2 ～ 2.5 mm，短于雄蕊，柱头棒状。果实椭圆形，呈黑色。花期 7 ～ 8 月，果期 10 ～ 12 月。

| **生境分布** | 栽培种。栽植于道路边或公园绿地。宁夏惠农、平罗、兴庆、大武口、灵武等地有栽培。

| **资源情况** | 栽培资源较丰富。

| **功能主治** | 清热祛暑，消炎利尿。

小叶女贞 *Ligustrum quihoui* Carr.

小叶女贞

| 药 材 名 |

水白蜡（药用部位：叶。别名：对节子条）。

| 形态特征 |

半常绿小灌木。高 1 ～ 2 m。小枝黄褐色，微被短柔毛。对生叶，椭圆形或卵状椭圆形，长 2 ～ 5 cm，宽 1 ～ 2.5 cm，先端圆钝，有时微凹，基部楔形，全缘，两面无毛；叶柄长 2 ～ 4 mm，被短柔毛。圆锥花序顶生，长 5 ～ 20 cm；总花梗微被短柔毛；花萼钟形，长 1.5 ～ 2 mm，先端 4 裂，裂片半圆形；花冠白色，花冠筒较花萼长，裂片 4，与花冠筒近等长；雄蕊 2，长超出花冠裂片。核果近球形，直径约 6 mm，黑色。花期 7 ～ 8 月，果期 10 月。

| 生境分布 |

栽培种。栽培于公园绿地或道路边。宁夏利通、青铜峡、盐池等地有栽培。

| 资源情况 |

栽培资源稀少。

| 采收加工 |

全年或夏、秋季采收，鲜用或晒干。

| 功能主治 | 苦，凉。清热解暑，解毒消肿。用于伤暑发热，风火牙痛，咽喉肿痛，口舌生疮，烫火伤。

| 用法用量 | 内服煎汤，9 ~ 15 g；或代茶饮。外用适量，研粉香油调敷；或鲜品捣汁涂患处。

| 附　　注 | 《中国中药资源志要》记载小叶女贞 *Ligustrum quihoui* Carr. 的树皮作水白蜡树皮药用。

木犀科 Oleaceae 丁香属 Syringa

紫丁香

Syringa oblata Lindl.

紫丁香

| 药 材 名 |

紫丁香（药用部位：叶及树皮。别名：龙背）。

| 形态特征 |

灌木或小乔木。高可达 5 m。树皮灰褐色或灰色。小枝、花序轴、花梗、苞片、花萼、幼叶两面以及叶柄均无毛而密被腺毛。小枝较粗，疏生皮孔。叶片革质或厚纸质，卵圆形至肾形，宽常大于长，长 2 ~ 14 cm，宽 2 ~ 15 cm，先端短凸尖至长渐尖或锐尖，基部心形、截形至近圆形，或宽楔形，上面深绿色，下面淡绿色；萌枝上叶片常呈长卵形，先端渐尖，基部截形至宽楔形；叶柄长 1 ~ 3 cm。圆锥花序直立，由侧芽抽生，近球形或长圆形，长 4 ~ 16（~ 20）cm，宽 3 ~ 7（~ 10）cm；花梗长 0.5 ~ 3 mm；花萼长约 3 mm，萼齿渐尖、锐尖或钝；花冠紫色，长 1.1 ~ 2 cm，花冠管圆柱形，长 0.8 ~ 1.7 cm，裂片呈直角开展，卵圆形、椭圆形至倒卵圆形，长 3 ~ 6 mm，宽 3 ~ 5 mm，先端内弯略呈兜状或不内弯；花药黄色，位于距花冠管喉部 0 ~ 4 mm 处。果实倒卵状椭圆形、卵形至长椭圆形，长 1 ~ 1.5（~ 2）cm，宽 4 ~ 8 mm，先端长渐尖，光滑。花期 4 ~ 5 月，果期 6 ~ 10 月。

| **生境分布** | 生于海拔 1 800 ～ 2 200 m 的山谷溪边、山坡丛林或滩地水边。分布于宁夏六盘山（泾源、隆德）、贺兰山（西夏）、罗山（同心）及中卫、盐池、海原等，隆德其他区域也有分布。栽培于庭院。宁夏银川及中卫等地亦有栽培。

| **资源情况** | 野生资源丰富。栽培资源较丰富。

| **采收加工** | 夏、秋季采收，晒干或鲜用。

| **功能主治** | 苦，寒。归胃、肝、胆经。清热解毒，利湿，退黄。用于急性泻痢，黄疸性肝炎，火眼，疮疡。

| **用法用量** | 内服煎汤，2 ～ 6 g。

木犀科 Oleaceae 丁香属 Syringa

白丁香

Syringa oblata Lindl. var. *alba* Hort. ex Rehd.

| 药 材 名 | 白丁香（药用部位：叶及树皮）。

| 形态特征 | 灌木或小乔木。高可达 5 m。树皮灰褐色或灰色。幼枝及小枝被短柔毛，小枝较粗，疏生皮孔。叶片革质或厚纸质，卵圆形至肾形，叶片较紫丁香小，基部通常为截形、圆楔形至近圆形，或近心形；叶柄长 1 ~ 3 cm。圆锥花序直立，由侧芽抽生，近球形或长圆形，长 4 ~ 16（~ 20）cm，宽 3 ~ 7（~ 10）cm；花梗长 0.5 ~ 3 mm；花萼长约 3 mm，萼齿渐尖、锐尖或钝；花冠白色，长 1.1 ~ 2 cm，花冠管圆柱形，长 0.8 ~ 1.7 cm，裂片呈直角开展，卵圆形、椭圆形至倒卵圆形，长 3 ~ 6 mm，宽 3 ~ 5 mm，先端内弯略呈兜状或不内弯；花药黄色，位于距花冠管喉部 0 ~ 4 mm 处。果实倒卵状椭圆形、卵形至长椭圆形，长 1 ~ 1.5（~ 2）cm，宽 4 ~ 8 mm，

白丁香

先端长渐尖，光滑。花期 4 ~ 5 月，果期 6 ~ 10 月。

| **生境分布** | 生于海拔 1 100 ~ 2 100 m 的山坡、沟谷。分布于宁夏贺兰、西吉等。宁夏银川及原州、西夏、金凤等地亦有栽培。

| **资源情况** | 野生资源较丰富。栽培资源较少。

| **采收加工** | 夏、秋季采收，晒干或鲜用。

| **功能主治** | 苦，寒。归胃、肝、胆经。清热解毒，利湿退黄。用于急性泻痢，黄疸性肝炎，火眼，疮疡。

| **用法用量** | 内服煎汤，2 ~ 6 g。

| **附　注** | 《宁夏中药资源》记载白丁香 *Syringa oblata* Lindl. var. *alba* Hort. ex Rehd. 的枝杆亦可药用。

木犀科 Oleaceae 丁香属 Syringa

羽叶丁香

Syringa pinnatifolia Hemsl.

| 药 材 名 | 羽叶丁香（药用部位：枝杆、根。别名：山沉香）。

| 形态特征 | 直立灌木。高 1.5 ～ 3 m。小枝灰褐色，无毛；老枝灰黑色。奇数羽状复叶，对生，叶轴无毛，腹面具槽；小叶 7 ～ 9，矩圆形或矩圆状卵形，长 0.8 ～ 2 cm，宽 0.5 ～ 1 cm，先端圆钝，具小尖头，基部偏斜，宽楔形至近圆形，全缘，上面绿色，两面无毛，先端 3 小叶基部常连合；小叶近无柄。圆锥花序侧生，总花梗及花梗均无毛；花萼钟形，先端具不规则的浅齿，无毛；花冠白色或淡粉红色，4 裂，裂片卵圆形，先端稍钝，花冠筒细长；雄蕊 2，着生于花冠筒喉部。蒴果长椭圆形，黑褐色，先端尖，成熟时开裂，上面具灰白色斑点。花期 5 月，果期 6 ～ 7 月。

| 生境分布 | 生于海拔 1 700 ～ 2 100 m 的高山灌丛中。分布于宁夏贺兰山（贺兰、

羽叶丁香

西夏、永宁）、香山（中卫）等。

| **资源情况** | 野生资源较少。

| **采收加工** | 全年皆可采收，选择枯株，木部呈紫色者采收根或茎部，削去栓皮及白色部分，取紫色或紫褐色部分，晒干。

| **药材性状** | 本品根呈类圆柱形，常弯曲扭转，有的一端分枝或一端渐细，歪向一侧。表面凹凸不平，有刀痕，显光泽，顺扭曲方向有纵向细裂缝；棕褐色并散有扭曲的浅棕色、黄棕色条纹或斑片。长短不一，粗细不等，一般长 20 ~ 35 cm，直径 2.5 ~ 5 cm。质坚硬，敲之发出清脆声，难折断；整齐的断面可见棕褐色分泌物与浅棕色木部相间排列成数个偏心性半圆形环。气芳香，味微弱。

| **功能主治** | 辛，微温。归胃、肾经。降气，温中，暖肾。用于脘腹胀痛，寒喘，子宫下垂，脱肛，皮肤擦伤。

| **用法用量** | 内服煎汤，3 ~ 5 g；或研末冲服。外用适量，烧灰调涂；或烧烟熏。

木犀科 Oleaceae 丁香属 Syringa

巧玲花 *Syringa pubescens* Turcz.

| 药 材 名 | 关东丁香（药用部位：叶）。

| 形态特征 | 灌木。高 1 ~ 4 m。树皮灰褐色。小枝带四棱形，无毛，疏生皮孔。叶片卵形、椭圆状卵形、菱状卵形或卵圆形，长 1.5 ~ 8 cm，宽 1 ~ 5 cm，先端锐尖至渐尖或钝，基部宽楔形至圆形，叶缘具睫毛，上面深绿色，无毛，稀有疏被短柔毛，下面淡绿色，被短柔毛、柔毛至无毛，常沿叶脉或叶脉基部密被或疏被柔毛，或为须状柔毛；叶柄长 0.5 ~ 2 cm，细弱，无毛或被柔毛。圆锥花序直立，通常由侧芽抽生，稀顶生，长 5 ~ 16 cm，宽 3 ~ 5 cm；花序轴与花梗、花萼略带紫红色，无毛，稀有略被柔毛或短柔毛；花序轴明显四棱形；花梗短；花萼长 1.5 ~ 2 mm，截形或萼齿锐尖、渐尖或钝；花冠紫色，盛开时呈淡紫色，后渐近白色，长 0.9 ~ 1.8 cm；花冠筒细弱，

巧玲花

近圆柱形，长 0.7 ~ 1.7 cm；花冠裂片展开或反折，长圆形或卵形，长 2 ~ 5 mm，先端略呈兜状而具喙；花药紫色，长约 2.5 mm，位于花冠筒中部略上，距喉部 1 ~ 3 mm 处。果实通常为长椭圆形，长 0.7 ~ 2 cm，宽 3 ~ 5 mm，先端锐尖或具小尖头，或渐尖，皮孔明显。花期 5 ~ 6 月，果期 6 ~ 8 月。

| 生境分布 |　生于海拔 1 100 ~ 1 900 m 的山坡灌丛、草地、林下或岩石坡地。分布于宁夏泾源、隆德、兴庆等。

| 资源情况 |　野生资源较多。

| 采收加工 |　夏、秋季采收，晒干或鲜用。

| 功能主治 |　辛，微温。清热解毒，消炎。用于急性黄疸性肝炎。

| 用法用量 |　内服煎汤，2 ~ 6 g。

木犀科 Oleaceae 丁香属 Syringa

暴马丁香

Syringa reticulata (Blume) Hara subsp. *amurensis* (Rupr.) P. S. Green et M. C. Chang

暴马丁香

药材名

暴马子（药用部位：树皮。别名：白丁香、棒棒木）。

形态特征

落叶小乔木或大乔木。高达 6 m。树皮暗灰褐色，有横纹；小枝灰褐色，皮孔明显，椭圆形，外凸。单叶对生，叶片卵形或宽卵形，长 5 ~ 12 cm，宽 3 ~ 9 cm，先端渐尖或骤尖，基部圆形、截形或广楔形，全缘，上面绿色，有光泽，下面灰绿色，无毛或疏生短毛；叶柄长 1 ~ 2 cm。顶生大型圆锥花序，长 10 ~ 25 cm，花排列疏松；花梗长 1 ~ 2 mm；花萼钟状，4 裂；花冠白色，花冠管比花萼稍长，先端 4 裂，裂片椭圆形，与花冠筒近等长；雄蕊 2，明显伸出花冠外。蒴果长圆形，长 1.5 ~ 2.5 cm，先端稍尖，果皮光滑或有小突起，成熟时 2 裂；种子每室 2，周围具纸质翅。花期 6 ~ 7 月，果期 7 ~ 8 月。

生境分布

生于海拔 2 100 ~ 2 300 m 的山坡林缘、河岸及混交林下。分布于宁夏泾源等地。栽植于公园、道路边或荒山。宁夏原州、西夏、永宁、沙坡头、盐池、兴庆、金凤、大武口等地亦有栽培。

| **资源情况** | 野生资源一般。栽培资源较丰富。

| **采收加工** | 全年均可采收，鲜用或晒干。

| **药材性状** | 本品呈浅槽状或板状，微凹，长短不一，厚 2 ~ 7 mm。外表面暗灰褐色，嫩皮平滑，有光泽，老皮粗糙，有龟裂纹；横向皮孔椭圆形，淡棕色，栓皮薄而韧，可横向剥离，脱落处显浅黄色至浅黄绿色，微带光泽。内表面淡黄色至淡黄褐色。质脆，易折断，断面不整齐。气微香，味苦。

| **功能主治** | 苦、辛，微温。归肺经。清热化痰，止咳平喘，利尿。用于肺热咳嗽痰多，哮喘，水肿。

| **用法用量** | 内服煎汤，15 ~ 30 g；或入丸、散剂。

玄参科 Scrophulariaceae 醉鱼草属 Buddleja

互叶醉鱼草 *Buddleja alternifolia* Maxim.

| **药 材 名** | 互叶醉鱼草（药用部位：叶、花）。

| **形态特征** | 小灌木。高达 2 m。枝开展，弧形弯曲，幼时灰绿色，密被星状毛，老枝灰黄色，毛渐脱落。单叶互生，披针形或狭披针形，长 3 ~ 6 cm，宽 4 ~ 6 mm，先端渐尖或钝，基部楔形，全缘，上面暗绿色，疏被星状毛，下面密被灰白色柔毛及星状毛；具叶柄或近无柄。花生于前一年生枝的叶腋，花多数簇生或成圆锥花序；花萼筒状，长约 4 mm，檐部 4 裂，外面密被灰白色柔毛；花冠紫红色或紫堇色，筒部长约 6 mm，外面疏被星状毛或无毛，裂片 4，卵形或宽椭圆形，长约 2 mm；雄蕊 4，无花丝，着生于花冠筒中部；子房光滑。蒴果卵状长圆形，长约 4 mm，深褐色，2 瓣裂；种子多数，具短翅。花期 5 ~ 6 月。

互叶醉鱼草

| 生境分布 | 生于海拔 1 100 ~ 2 000 m 的干旱山坡。分布于宁夏平罗、西夏、沙坡头、同心、兴庆、金凤、大武口、灵武等。

| 采收加工 | 夏、秋季采收，晒干。

| 功能主治 | 苦、甘、涩，微寒。归肺、肝、胃经。收敛止血，消肿生肌。用于咯血吐血，外伤出血，疮疡肿毒，皮肤皲裂，肺结核，溃疡病出血。

| 用法用量 | 内服煎汤，6 ~ 15 g；研粉吞服，3 ~ 6 g。外用适量。不宜与乌头类药材同用。

| 附　　注 | 根据最新的 APG Ⅳ 分类系统，本种已由马钱科 Loganiaceae 修订为玄参科 Scrophulariaceae。

龙胆科 Gentianaceae 百金花属 Centaurium

百金花
Centaurium pulchellum (Swartz) Druce var. altaicum (Griseb.) Kitag. et Hara

百金花

| 药 材 名 |

埃蕾（药用部位：带花全草）。

| 形态特征 |

一年生草本。高 10 ~ 20 cm。根圆柱状，分枝或不分枝。茎纤细，呈假二歧分枝，具 4 纵棱，无毛，有时带紫色。叶对生；茎基部的叶长椭圆形，长 1.5 ~ 2.5 cm，宽 4 ~ 6 mm，先端急尖或钝，基部宽楔形，全缘，无毛；茎生叶披针形，长 6 ~ 12 mm，宽 2 ~ 4 mm，先端渐尖；无叶柄。二歧聚伞花序松散；花梗细，长 3 ~ 5 mm，具纵棱，无毛；花萼筒形，长 6 ~ 7 mm，5 深裂，裂片线状披针形，长约 5 mm，先端渐尖，边缘膜质；花冠高脚碟状，白色或淡红色，花冠筒细长，长约 8 mm，裂片 5，卵状椭圆形，长约 4 mm，宽约 1.5 mm，先端钝；雄蕊 5，着生于花冠喉部，花丝长约 3 mm，花药长约 1 mm，扭转；子房上位，花柱长约 2.5 mm，柱头 2 裂。蒴果圆柱形，长 7 ~ 8 mm。种子小，黑褐色。

| 生境分布 |

生于海拔 1 100 ~ 1 700 m 的低洼湿地、荒地及池沼边。分布于宁夏贺兰等。

| 资源情况 | 野生资源较少。

| 采收加工 | 夏季开花时采收，洗净泥土，晒干。

| 药材性状 | 本品根纤细，直径约 1 mm，有须状支根，表面淡黄色或淡褐黄色。茎细，具 4 纵棱，有分枝，长短不等，直径约 1 mm，表面黄绿色，光滑无毛；质脆，易折断，断面中空。叶对生，多脱落或破碎，完整叶片呈椭圆形或披针形，表面黄绿色或灰绿色，光滑无毛，无叶柄。花冠近高脚碟状，先端 5 裂，裂片矩圆形，白色或淡黄色。气微，味微苦。

| 功能主治 | 苦，寒。归肝经。清热解毒，退黄。用于头痛，发热，牙痛，肝炎，胆囊炎，扁桃体炎。

| 用法用量 | 内服煎汤，6 ~ 9 g。

龙胆科 Gentianaceae 喉毛花属 Comastoma

喉毛花 *Comastoma pulmonarium* (Turcz.) Toyokuni

| **药材名** | 喉毛花（药用部位：全草）。

| **形态特征** | 一年生草本。高 5 ~ 30 cm。茎直立，单生，草黄色，近四棱形，具分枝，稀不分枝。基生叶少数，无柄，矩圆形或矩圆状匙形，长 1.5 ~ 2.2 cm，宽 0.45 ~ 0.7 cm，先端圆形，基部渐狭，中脉明显；茎生叶无柄，卵状披针形，长 0.6 ~ 2.8 cm，宽 0.3 ~ 1 cm，茎上部及分枝上叶变小，叶脉 1 ~ 3，仅在下面明显，先端钝或急尖，基部钝，半抱茎。聚伞花序或单花顶生；花梗斜伸，不等长，长至 4 cm；花 5 数；花萼开张，一般长为花冠的 1/4，深裂近基部，裂片卵状三角形、披针形或狭椭圆形，通常长 6 ~ 8 mm，先端急尖，边缘粗糙，有糙毛，背面有细而不明显的 1 ~ 3 脉；花冠淡蓝色，具深蓝色纵脉纹，筒形或宽筒形，直径 6 ~ 7 mm，稀达 10 mm，长

喉毛花

9 ～ 23 mm，通常长 15 ～ 20 mm，浅裂，裂片直立，椭圆状三角形、卵状椭圆形或卵状三角形，长 5 ～ 6 mm，先端急尖或钝，喉部具 1 圈白色副冠，副冠 5 束，长 3 ～ 4 mm，上部流苏状条裂，裂片先端急尖，花冠筒基部具 10 小腺体；雄蕊着生于花冠筒中上部；花丝白色，线形，长约 3 mm，疏被柔毛，并下延花冠筒上成狭翅；花药黄色，狭矩圆形，长 1 mm；子房无柄，狭矩圆形，无花柱，柱头 2 裂。蒴果无柄，椭圆状披针形，通常长 2 ～ 2.7 cm。种子淡褐色，近圆球形或宽矩圆形，直径 0.8 ～ 1 mm，光亮。花果期 7 ～ 11 月。

| **生境分布** | 生于海拔约 2 100 m 的河滩、山坡草地、林下、灌丛及高山草甸。分布于宁夏隆德等。

| **资源情况** | 野生资源较少。

| **采收加工** | 夏、秋季开花时采收，洗净泥土，晒干。

| **功能主治** | 苦，寒。祛风除湿，清热解毒。

龙胆科 Gentianaceae 龙胆属 Gentiana

达乌里秦艽 *Gentiana dahurica* Fisch.

| **药材名** | 秦艽（药用部位：根。别名：小秦艽、秦胶）。

| **形态特征** | 多年生草本。高达 25 cm。枝丛生。莲座丛叶披针形或线状椭圆形，长 5 ~ 15 cm，先端渐尖，基部渐窄；叶柄宽扁，长 2 ~ 4 cm。茎生叶线状披针形或线形，长 2 ~ 5 cm。聚伞花序顶生或腋生；花序梗长达 5.5 cm；花梗长达 3 cm；萼筒膜质，黄绿色或带紫红色，长 0.7 ~ 1 cm，不裂，稀一侧开裂，裂片 5，不整齐，线形，绿色，长 3 ~ 8 mm；花冠深蓝色，有时喉部具黄色斑点，长 3.5 ~ 4.5 cm，裂片卵形或卵状椭圆形，长 5 ~ 7 mm，先端钝，全缘，褶整齐，三角形或卵形，长 1.5 ~ 2 mm，先端钝，全缘或边缘啮蚀状。蒴果内藏，椭圆状披针形，长 2.5 ~ 3 cm，无柄。种子具细网纹。花果期 7 ~ 9 月。

| **生境分布** | 生于海拔 1 600 ~ 2 200 m 的田边、路边、河滩、阳坡及干草原。分

达乌里秦艽

布于宁夏泾源、隆德、海原、西吉、原州、同心等。

| 资源情况 | 野生资源较丰富。

| 采收加工 | 春、秋季采挖，除去泥沙，趁鲜时搓去黑皮，晒干。

| 药材性状 | 本品呈类圆锥形或类圆柱形，长 8 ~ 15 cm，直径 0.2 ~ 1 cm。表面棕黄色。主根通常 1，残存的茎基有纤维状叶鞘，下部多分枝。断面黄白色。

| 功能主治 | 辛、苦，平。归胃、肝、胆经。祛风湿，清湿热，止痹痛。用于风湿痹痛，筋脉拘挛，骨节酸痛，日晡潮热，小儿疳积发热。

| 用法用量 | 内服煎汤，5 ~ 10 g；或浸酒；或入丸、散剂。外用适量，研末撒。

| 附　注 | 《中华人民共和国药典》（2020 年版　一部）规定秦艽来源于龙胆科植物秦艽 *Gentiana macrophylla* Pall.、麻花秦艽 *Gentiana straminea* Maxim.、粗茎秦艽 *Gentiana crassicaulis* Duthie ex Burk. 或小秦艽 *Gentiana dahurica* Fisch. 的干燥根。达乌里秦艽即小秦艽。

龙胆科 Gentianaceae 龙胆属 Gentiana

鳞叶龙胆
Gentiana squarrosa Ledeb.

| 药 材 名 | 石龙胆（药用部位：全草）。

| 形态特征 | 一年生矮小草本。高达 8 cm。茎密被黄绿色或杂有紫色乳突，基部多分枝，枝铺散，斜升。叶缘厚软骨质，密被乳突；叶柄白色膜质，边缘被短睫毛。基生叶卵形、宽卵形或卵状椭圆形，长 0.6 ~ 1 cm；茎生叶倒卵状匙形或匙形，长 4 ~ 7 mm。花单生枝顶；花梗长 2 ~ 8 mm；花萼倒锥状筒形，长 5 ~ 8 mm，被细乳突，裂片外反，卵圆形或卵形，长 1.5 ~ 2 mm，基部圆，缢缩成爪，边缘软骨质，密被细乳突；花冠蓝色，筒状漏斗形，长 0.7 ~ 1 cm，裂片卵状三角形，长 1.5 ~ 2 mm，褶卵形，长 1 ~ 1.2 mm，全缘或具细齿。蒴果倒卵状长圆形，长 3.5 ~ 5.5 mm，先端具宽翅，两侧具窄翅。种子具亮白色细网纹。花果期 4 ~ 9 月。

鳞叶龙胆

| **生境分布** | 生于海拔 1 100 ～ 2 300 m 的山坡草地或路边。分布于宁夏泾源、隆德、海原、彭阳、原州、西吉等。

| **资源情况** | 野生资源较多。

| **采收加工** | 春末夏初开花时采收全草，除去泥土及杂质，晒干。

| **药材性状** | 本品卷曲。根细小，棕色。茎纤细，近四棱形，多分枝，表面灰黄色或黄绿色，密被短腺毛；质脆，易折断，断面黄色。叶对生，基部合生成筒而抱茎；脱落或破碎，完整叶呈倒卵形或倒披针形，先端反卷，具芒刺，边缘软骨质，表面黄绿色或灰绿色；质脆，易碎。单花顶生；花萼钟状，5 裂，裂片卵形，先端有芒刺；花冠钟状，长约 8 mm，裂片 5，卵形，先端锐尖，褶三角形，淡黄色。气微，味微苦。

| **功能主治** | 苦、辛，寒。归肺、肝、心经。清热利湿，解毒消肿。用于咽喉肿痛，肠痈，白带，尿血，疮疡肿毒，瘰疬。

| **用法用量** | 内服煎汤，10 ～ 15 g，鲜品 15 ～ 30 g。外用适量，鲜品捣敷；或干品研末调敷。

龙胆科 Gentianaceae 龙胆属 Gentiana

麻花艽
Gentiana straminea Maxim.

| 药 材 名 | 秦艽（药用部位：根）。

| 形态特征 | 多年生草本。高达 35 cm。枝丛生。莲座丛叶宽披针形或卵状椭圆形，长 6 ~ 20 cm，两端渐窄；叶柄长 2 ~ 4 cm。茎生叶线状披针形或线形，长 2.5 ~ 8 cm；叶柄宽，长 0.5 ~ 2.5 cm。聚伞花序顶生或腋生，花序疏散；花序梗长达 9 cm；花梗长达 4 cm；萼筒膜质，黄绿色，长 1.5 ~ 2.8 cm，一侧开裂，萼齿 2 ~ 5，钻形，稀线形；花冠黄绿色，喉部具绿色斑点，有时外面带紫色或蓝灰色，漏斗形，长（3 ~）3.5 ~ 4.5 cm，裂片卵形或卵状三角形，长 5 ~ 6 mm，先端钝，全缘，褶偏斜，三角形，长 2 ~ 3 mm，先端钝，全缘或边缘啮蚀状。蒴果内藏，椭圆状披针形。种子具细网纹。花果期 7 ~ 10 月。

| 生境分布 | 生于海拔 2 500 m 左右的高山草地。分布于宁夏西吉、海原等。

麻花秦艽

| **资源情况** | 野生资源较少。 |

采收加工　春、秋季采挖，除去泥沙，晒软，堆置"发汗"，至表面呈红黄色或灰黄色时，摊开晒干，或不经"发汗"直接晒干。

药材性状　本品呈类圆锥形，多由数个小根纠聚而膨大，直径可达 7 cm。表面棕褐色，粗糙，有裂隙呈网状孔纹。质松脆，易折断，断面多呈枯朽状。

功能主治　辛、苦，平。归胃、肝、胆经。祛风湿，清湿热，止痹痛。用于风湿痹痛，筋脉拘挛，骨节酸痛，日晡潮热，小儿疳积发热。

用法用量　内服煎汤，5 ～ 10 g；或浸酒；或入丸、散剂。外用适量，研末撒。

附　注　《中华人民共和国药典》（2020 年版　一部）规定的秦艽药材的基原之一为麻花秦艽 *Gentiana straminea* Maxim.，与《中国植物志》（英文版）记载的麻花艽 *Gentiana straminea* Maxim. 为同一植物。

龙胆科 Gentianaceae 假龙胆属 Gentianella

尖叶假龙胆
Gentianella acuta (Michx.) Hulten

| 药 材 名 | 尖叶假龙胆（药用部位：全草）。

| 形态特征 | 一年生草本。高 24 ~ 35 cm。主根细长。茎直立，单一，上部有短的分枝，近四棱形。基生叶早落。茎生叶无柄，披针形或卵状披针形，长 1.5 ~ 3.5 cm，宽 0.3 ~ 1 cm，先端急尖，基部稍宽，不连合；叶脉 3 ~ 7，在下面较明显。聚伞花序顶生和腋生，组成狭窄的总状圆锥花序；花 5 数，稀 4 数；花梗细而短，长 2 ~ 8 mm，四棱形；花萼长为花冠的 1/2 ~ 2/3，深裂，萼筒浅钟形，长 1 ~ 2 mm，裂片狭披针形，长 4 ~ 7 mm，宽约 1 mm，先端渐尖，边缘略增厚，背部中脉隆起，脊状；花冠蓝色，狭圆筒形，长 8 ~ 11 mm，喉部宽约 3 mm，裂片矩圆状披针形，长 3 ~ 4 mm，宽约 1.5 mm，先端急尖，基部具 6 ~ 7 排列不整齐的流苏，流苏长柔毛状，内有

尖叶假龙胆

维管束，花冠筒基部具 8 ~ 10 小腺体；雄蕊着生于花冠筒中部；花丝线形，长约 2 mm，基部下延成狭翅；花药蓝色，矩圆形，长约 1 mm；子房无柄，圆柱形，长 5 ~ 6 mm，花柱不明显。蒴果无柄，圆柱形。种子褐色，圆球形，直径 0.6 ~ 0.8 mm，表面具小点状突起。花果期 8 ~ 9 月。

| **生境分布** | 生于海拔 1 800 ~ 2 600 m 的山坡、草甸。分布于宁夏贺兰山（贺兰、永宁、西夏、平罗）等。

| **资源情况** | 野生资源较少。

| **功能主治** | 清热解毒，利胆。

龙胆科 Gentianaceae 扁蕾属 Gentianopsis

扁蕾
Gentianopsis barbata (Froel.) Ma

扁蕾

| 药 材 名 |

扁蕾（药用部位：全草）。

| 形态特征 |

一年生或二年生草本。高 20 ～ 50 cm。根圆锥形，少分枝，淡黄色。茎直立，具 4 纵棱，平滑无毛，有分枝。单叶对生，条形，长 2 ～ 7 cm，宽 2 ～ 10 mm，先端渐尖；对生叶基部几相连，全缘，叶下面主脉明显凸起；茎下部叶较宽。花单生于分枝先端，直立；花梗长 5 ～ 12 cm，或更长；花萼管状钟形，具 4 棱，萼筒长 1.2 ～ 2 cm，萼裂片 4，内对裂片披针形，与萼筒近等长，外对裂片条状披针形，较长；花冠管状钟形，长 3 ～ 5 cm，4 裂，裂片矩圆形，蓝色，边缘微有缺刻状齿，花冠筒基部具 4 腺体；雄蕊 4，内藏；子房长圆柱形，具柄。蒴果狭短圆形，长 2 ～ 3 cm，具柄，2 瓣裂。种子椭圆形，长约 1 mm，棕褐色，表面有小疣状突起。花期 7 ～ 8 月，果期 8 ～ 9 月。

| 生境分布 |

生于海拔 1 600 ～ 2 300 m 的山坡草地、林缘、灌丛。分布于宁夏贺兰山（贺兰、平罗）及泾源、隆德、彭阳等。

| **资源情况** | 野生资源较少。

| **采收加工** | 夏季花未开放时采集全草，除去杂质，晒干。

| **药材性状** | 本品根呈圆锥形，具须根，淡黄色，直径约2 mm。茎类四棱形，直径2～4 mm，节部稍膨大，表面绿色或紫褐色；质脆，易折断，断面中空。叶对生，多脱落或破碎，完整叶条形或条状倒披针形，长2～7 cm，宽2～10 mm，先端渐尖，基部略抱茎，全缘，背面主脉明显。花蕾椭圆形，稍扁。蒴果狭矩圆形，棕褐色，密被小疣状突起。气微，味苦。

| **功能主治** | 苦，寒。归心、肝经。清热解毒，消肿，利胆退黄。用于湿热黄疸，传染性热病，头痛，外伤肿痛，痈肿。

| **用法用量** | 内服煎汤，6～10 g；或入丸、散剂。外用适量，捣敷。

龙胆科 Gentianaceae 扁蕾属 Gentianopsis

湿生扁蕾
Gentianopsis paludosa (Hook. f.) Ma

湿生扁蕾

| 药 材 名 |

湿生扁蕾（药用部位：全草。别名：扁蕾、龙胆草、沼生扁蕾）。

| 形态特征 |

一年生草本。高达 40 cm。茎单生，分枝或不分枝。基生叶 3 ～ 5 对，匙形，长 3 cm，先端圆，边缘具乳突。茎生叶 1 ～ 4 对，长圆形或椭圆状披针形，长 0.5 ～ 5.5 cm，先端钝，边缘具乳突，无柄。花单生茎及分枝先端；花萼筒形，长 1 ～ 3.5 cm，裂片近等长，先端尖，边缘白色膜质，外对窄三角形，长 0.5 ～ 1.2 cm，内对卵形，长 0.4 ～ 1 cm；花冠蓝色，或下部黄白色，上部蓝色，宽筒形，长 1.6 ～ 6.5 cm，裂片宽长圆形，长 1.2 ～ 1.7 cm，先端圆，具微齿，下部两侧边缘具细条裂齿；腺体近球形，下垂；子房具柄，线状椭圆形，长 2 ～ 3.5 cm，花柱长 3 ～ 4 mm。蒴果椭圆形，具长柄。种子长圆形或近圆形，直径 0.8 ～ 1 mm。花果期 7 ～ 10 月。

| 生境分布 |

生于海拔 1 100 ～ 2 200 m 的山坡草地、潮湿地、林下。分布于宁夏海原、彭阳、同心等。

| 资源情况 | 野生资源较少。

| 采收加工 | 夏季花蕾期采集全草，除去杂质，晒干。

| 药材性状 | 本品根呈圆锥形，多纤细分枝，表面淡黄色或黄褐色；质脆，易折断，断面类白色。茎单一或分枝，长 25 ~ 50 cm，类圆柱状，有细纵棱，表面淡绿色；质脆，易折断，断面不平整，中空。叶对生，多皱缩，易脱落，完整叶片匙形，纸质，淡绿色。花较大，皱缩；萼绿色；背脊有 4 棱；花冠筒皱缩，淡黄色；完整花冠管状，檐部淡蓝色，有 4 裂，裂片椭圆形。气淡，味苦。

| 功能主治 | 苦，寒。清热利湿，解毒。用于感冒发热，肝炎，胆囊炎，肾盂肾炎，小儿腹泻，疮疖肿毒。

| 用法用量 | 内服煎汤，5 ~ 10 g，大剂量可用至 30 g；或熬膏。

龙胆科 Gentianaceae 花锚属 Halenia

椭圆叶花锚
Halenia elliptica D. Don

椭圆叶花锚

药 材 名

黑及草（药用部位：全草。别名：黑耳草、四棱草）。

形态特征

一年生草本。高 25 ～ 50 cm。主根褐色，侧根成丛。茎直立，四棱形，分枝。单叶对生，近无柄；叶片卵形至椭圆形，长 1 ～ 3.5 cm，宽 5 ～ 14 mm，先端锐尖或钝，基部渐狭，全缘，基出叶脉 5，3 脉明显；上部叶渐小。聚伞花序顶生或腋生；花梗细长，果期可达 3 cm；花萼 4 裂，裂片椭圆形或卵形，长 2 ～ 3 mm，先端锐尖；花冠蓝色或蓝紫色，长 4 ～ 5 mm，钟状，4 裂达 2/3 处，裂片椭圆形，先端尖，基部具平展的距，较花冠长；雄蕊 4，内藏；子房纺锤形，花柱短，柱头 2 裂。蒴果卵形，长 8 ～ 10 mm，2 瓣裂。种子多数，卵圆形，长 1.5 ～ 2 mm，棕色。花期 7 ～ 8 月，果期 8 ～ 9 月。

生境分布

生于海拔 1 200 ～ 2 000 m 的林下、林缘、灌丛中。分布于宁夏海原、西吉、隆德、原州、泾源等。

| 资源情况 | 野生资源较少。

| 采收加工 | 夏、秋季花期采挖全草，除去枯叶，洗净泥土，晒干。

| 药材性状 | 本品草质茎长短不等，直径 1 ~ 3 mm，中空，表面绿色至黄绿色，微具翅，节上有对生残叶；叶多皱缩，暗绿色，完整叶卵形、椭圆形或卵状披针形，长 1 ~ 3.5 cm，宽 5 ~ 14 mm，无柄，全缘，叶背面有 3 明显的纵脉。聚伞花序；花皱缩，冠蓝色或浅黄棕色，4 深裂，基部有 4 距。体轻，易碎。气微，味苦，微麻。以叶多、色绿、老梗少者为佳。

| 功能主治 | 苦，寒。归肺经。清热解毒，疏肝利胆，疏风止痛。用于急慢性肝炎，胆囊炎，肠胃炎，流行性感冒，咽喉痛，牙痛，脉管炎，外伤感染发热，腹痛，外伤出血。

| 用法用量 | 内服煎汤，10 ~ 15 g；或炖肉食。外用适量，捣敷。

| 附　注 | 《中国植物志》（英文版）将本种由龙胆科 Gentianaceae 修订为睡菜科 Menyanthaceae。

龙胆科 Gentianaceae 荇菜属 Nymphoides

荇菜
Nymphoides peltatum (Gmel.) O. Kuntze

| 药 材 名 | 荇菜（药用部位：全草。别名：莕菜、大浮萍、浮萍）。

| 形态特征 | 多年生水生草本。茎细长，圆柱形，多分枝，沉于水中，节上生根，于水底泥中生地下茎，匍匐状。叶漂浮水面，近对生，圆形或宽椭圆形，长 2 ~ 7 cm，宽 2 ~ 6 cm，先端圆形，基部深心形，全缘或微波状，上面绿色，下面带紫色，具凹下的腺点；叶柄长 3 ~ 10 cm，基部变宽，抱茎。花序伞形簇生叶腋；花梗略长于叶柄；花萼 5，深裂，裂片卵状披针形；花瓣 5，黄色，深裂，边缘呈圆齿状，有睫毛，花冠筒喉部有腺毛，与花冠裂片对生；雄蕊 5，密被白色长毛，位于花冠筒中部；子房基部具 5 蜜腺，花柱短，柱头 2 ~ 3 裂，呈瓣状。蒴果卵形，长约 2.5 cm，先端尖。种子多数，宽椭圆形，稍扁，边缘具翅，褐色。花果期 7 ~ 9 月。

荇菜

| 生境分布 | 生于海拔 1 100 ~ 1 500 m 的池塘或流水缓慢的排水沟中。分布于宁夏贺兰、金凤、兴庆、永宁等。

| 资源情况 | 野生资源丰富。

| 采收加工 | 7 ~ 8 月采收，洗净，晒干。

| 药材性状 | 本品多为完整或破碎的叶片。完整者有柄；叶片呈圆形，直径 2 ~ 6 cm，先端圆形，基部深心形，全缘或波状，上面黄绿色，下面墨绿色或带紫色，具密集的褐色小点；近草质而厚，松脆。常混有花枝；茎圆柱形，直径 2 ~ 4 mm，表面绿色，具紫色斑点；质松脆。花黄白色，具长梗。果实椭圆形，长约 2.5 cm，先端尖，内含多数种子。气微，味甘。

| 功能主治 | 辛、甘，寒。归膀胱经。发汗透疹，清热解毒，利水。用于感冒发热无汗，麻疹透发不畅，荨麻疹，热淋，水肿，小便不利，毒蛇咬伤，丹毒，痈肿。

| 用法用量 | 内服煎汤，10 ~ 15 g。外用鲜品适量，捣敷。

| 附　　注 | 《中国植物志》（英文版）将本种由龙胆科 Gentianaceae 修订为睡菜科 Menyanthaceae，由莕菜属 Nymphoides 修订为荇菜属 Nymphoides，将本种学名修订为荇菜 Nymphoides peltata (S. G. Gmelin) Kuntze。

龙胆科 Gentianaceae 翼萼蔓属 Pterygocalyx

翼萼蔓
Pterygocalyx volubilis Maxim.

| 药 材 名 | 翼萼蔓（药用部位：全草）。

| 形 态 特 征 | 一年生草本植物。茎缠绕、蔓生、线状，有细条棱，通常无分枝，节间长 5 ~ 10 cm。叶质薄，披针形、卵状披针形或狭披针形，长 3 ~ 7 cm，宽 0.5 ~ 1.5 cm，先端渐尖，基部宽楔形，全缘，微粗糙，叶脉 1 ~ 3，下面中脉明显；叶柄宽扁，长 2 ~ 4 mm，宽 1 ~ 1.5 mm，基部抱茎。花腋生或顶生，1 ~ 3，单生或呈聚伞花序，具披针形苞片或否；花梗纤细，通常比叶短，长 0.3 ~ 5 cm；花萼膜质，钟形，萼筒长 1 cm，沿脉具 4 宽翅，翅宽 1 ~ 2 mm，裂片披针形，长 4 ~ 7 mm，宽约 1 mm；花冠蓝色，冠筒长 1.1 ~ 1.5 cm，裂片矩圆形，长约 8 mm，宽约 3 mm，先端圆形；雄蕊着生于花冠筒中部；花丝

翼萼蔓

丝状，长约 5 mm；花药卵形，长约 2 mm；子房椭圆形，稍扁，长约 8 mm，宽约 2.5 mm，具短柄，柄长约 3 mm；花柱短，长约 2 mm，柱头 2 裂，呈半圆状扇形，先端鸡冠状。蒴果椭圆形，长约 1.5 cm，宽约 0.5 cm，具短柄，柄长约 5 mm。种子褐色，椭圆形，长约 1 mm，宽约 0.7 mm，具宽翅，表面具蜂窝状网纹。花果期 8 ~ 9 月。

| **生境分布** | 生于海拔 2 000 ~ 2 300 m 的山坡林下及林缘。分布于宁夏贺兰山（贺兰、平罗）、六盘山（泾源、隆德、原州）等。

| **资源情况** | 野生资源较少。

| **功能主治** | 用于肺痨。

龙胆科 Gentianaceae 獐牙菜属 Swertia

歧伞獐牙菜 *Swertia dichotoma* L.

歧伞獐牙菜

药 材 名

歧伞獐牙菜（药用部位：全草）。

形态特征

一年生草本。高 5 ~ 15 cm。茎斜升，细弱，四棱形，棱上具狭翅，自基部多分枝，中上部二歧分枝，无毛。基部叶匙形，长 1.5 ~ 3 cm，宽 5 ~ 8 mm，先端圆，基部渐狭成柄，两面无毛，具 3 ~ 5 脉；茎生叶对生，卵形或狭卵形，长 0.8 ~ 2.5 cm，宽 4 ~ 8 mm，先端尖或钝，基部楔形，全缘，下部叶具短柄，上部叶无柄。聚伞花序或单生，顶生或腋生；花梗细弱，长 0.5 ~ 2 cm；花萼 4 深裂，裂片卵形或宽卵形，长 4 ~ 5 mm，宽 2 ~ 3 mm，先端尖，边缘具短缘毛；花冠白色或淡绿色，4 深裂，花冠筒极短，裂片卵形，长 5 ~ 8 mm，宽 3 ~ 4 mm，先端圆钝，基部具 2 腺窝，外缘具鳞片；雄蕊 4，着生于花冠基部；花丝长约 1.5 mm；子房具短柄，花柱短，柱头 2 裂。蒴果近球形，直径约 5 mm。种子小，椭圆形或卵状椭圆形，长约 1.5 mm，直径约 1 mm，表面光滑。

| **生境分布** | 生于海拔 1 200 ~ 1 800 m 的石质河边、山坡、林缘或路边。分布于宁夏隆德、贺兰、沙坡头、同心、盐池等。 |

| **资源情况** | 野生资源较少。 |

| **功能主治** | 苦，寒。清热利湿，健胃。用于消化不良，胃脘痛胀，黄疸，目赤，牙痛，口疮。 |

龙胆科 Gentianaceae 獐牙菜属 Swertia

北方獐牙菜
Swertia diluta (Turcz.) Benth. et Hook. f.

北方獐牙菜

药材名

当药（药用部位：全草。别名：獐牙菜、淡花当药）。

形态特征

一年生草本。高 20 ~ 70 cm。根黄色。茎直立，四棱形，棱上具窄翅，基部直径 2 ~ 4 mm，多分枝，枝细瘦，斜升。叶无柄，线状披针形至线形，长 10 ~ 45 mm，宽 1.5 ~ 9 mm，两端渐狭，下面中脉明显凸起。圆锥状复聚伞花序具多数花；花梗直立，四棱形，长至 1.5 cm；花 5 数，直径 1 ~ 1.5 cm；花萼绿色，长于或等于花冠，裂片线形，长 6 ~ 12 mm，先端锐尖，背面中脉明显；花冠浅蓝色，裂片椭圆状披针形，长 6 ~ 11 mm，先端急尖，基部有 2 腺窝，腺窝窄矩圆形，沟状，周缘具长柔毛状流苏；花丝线形，长达 6 mm；花药狭矩圆形，长约 1.6 mm；子房无柄，椭圆状卵形至卵状披针形；花柱粗短，柱头 2 裂，裂片半圆形。蒴果卵形，长至 1.2 cm。种子深褐色，矩圆形，长 0.6 ~ 0.8 mm，表面具小瘤状突起。花果期 8 ~ 10 月。

| **生境分布** | 生于海拔 1 250 ~ 1 800 m 的阴湿山谷、林下、田边。分布于宁夏泾源、西吉、海原、原州、同心等。 |

| **资源情况** | 野生资源较少。 |

| **采收加工** | 7 ~ 10 月采收全草，洗净，晒干或鲜用。 |

| **药材性状** | 本品长 20 ~ 40 cm。茎纤细，多分枝，具 4 棱，浅黄色，有时略带紫褐色。叶对生，多皱缩；完整叶片披针形或长椭圆形，长 1 ~ 4 cm，宽 3 ~ 9 mm，先端尖，基部楔形，全缘，无柄。有时在顶部或叶腋可见聚伞花序。花冠淡蓝紫色，5 深裂，基部内侧有 2 腺体，其边缘有流苏状毛。气微，味微苦。 |

| **功能主治** | 苦，寒。归肝、胃、大肠经。清湿热，健胃。用于湿热黄疸，消化不良，痢疾，疮肿。 |

| **用法用量** | 内服煎汤，5 ~ 15 g；或研末冲服。外用适量，捣敷；或捣汁外搽。 |

夹竹桃科 Apocynaceae　罗布麻属 Apocynum

罗布麻 *Apocynum venetum* L.

| **药 材 名** | 罗布麻叶（药用部位：叶。别名：红麻、茶叶花）。

| **形态特征** | 直立半灌木。高 1 ~ 3 m。全株具白色乳汁。叶对生，椭圆状披针形至卵圆状长圆形，长 1 ~ 5 cm，宽 0.5 ~ 2 cm。圆锥状聚伞花序 1 至多歧，通常顶生，有时腋生；花梗长 3 ~ 4 mm，被短柔毛；苞片膜质，披针形，长约 4 mm，宽约 1 mm；花萼 5 深裂，裂片披针形或卵圆状披针形，两面被短柔毛；花冠圆筒状钟形，紫红色或粉红色，两面密被颗粒状突起，花冠裂片卵圆状长圆形，稀宽三角形，先端钝或浑圆，与花冠筒几乎等长，每裂片内外均具明显紫红色的脉纹；雄蕊着生在花冠筒基部，与副花冠裂片互生，长 2 ~ 4 mm；花柱短，上部膨大，下部缩小。蓇葖果 2，平行或叉生，下垂，箸状圆筒形，长 10 ~ 20 cm。种子多数，卵圆状长圆形，黄褐色，先

罗布麻

端有 1 簇白色绢质的种毛，种毛长 1 ～ 3 cm。花期 4 ～ 9 月，果期 7 ～ 12 月。

| **生境分布** | 生于海拔 1 200 ～ 1 600 m 的盐碱荒地、河流两岸、沟渠边。分布于宁夏银川、平罗、大武口、利通、红寺堡、青铜峡等。

| **资源情况** | 野生资源较少。

| **采收加工** | 夏季植株茂盛时采集叶，晒干。

| **功能主治** | 甘、苦，凉。归肝经。清热平肝，利水消肿。用于高血压，眩晕，头痛，心悸，失眠，水肿，尿少。

| **用法用量** | 内服煎汤，6 ～ 12 g。

夹竹桃
Nerium oleander L.

夹竹桃

| 药 材 名 |

夹竹桃（药用部位：叶）。

| 形态特征 |

常绿直立大灌木。高达 5 m。枝条灰绿色，含水液；嫩枝条具棱，被微毛，老时毛脱落。叶 3 ~ 4 轮生，下枝为对生，窄披针形，先端急尖，基部楔形，叶缘反卷，长 11 ~ 15 cm，宽 2 ~ 2.5 cm，叶面深绿色，无毛，叶背浅绿色，有多数洼点，幼时被疏微毛，老时毛渐脱落；中脉在叶面陷入，在叶背凸起；侧脉两面扁平，纤细，密生而平行，每边达 120，直达叶缘；叶柄扁平，基部稍宽，长 5 ~ 8 mm，幼时被微毛，老时毛脱落；叶柄内具腺体。聚伞花序顶生，着花数朵；总花梗长约 3 cm，被微毛；花梗长 7 ~ 10 mm；苞片披针形，长 7 mm，宽 1.5 mm；花芳香；花萼 5 深裂，红色，披针形，长 3 ~ 4 mm，宽 1.5 ~ 2 mm，外面无毛，内面基部具腺体。花冠深红色或粉红色，栽培演变有白色或黄色。花冠为单瓣呈 5 裂时，其花冠为漏斗状，长和直径约 3 cm；其花冠筒圆筒形，上部扩大呈钟形，长 1.6 ~ 2 cm，花冠筒内面被长柔毛，花冠喉部具 5 宽鳞片状副花冠，每片先端撕裂，并伸出花冠喉部

之外；花冠裂片倒卵形，先端圆形，长 1.5 cm，宽 1 cm。花冠为重瓣呈 15 ~ 18 裂时，裂片组成 3 轮，内轮为漏斗状，外面 2 轮为辐状，分裂至基部或每 2 ~ 3 基部连合；裂片长 2 ~ 3.5 cm，宽 1 ~ 2 cm；每花冠裂片基部具长圆形而先端撕裂的鳞片。雄蕊着生在花冠筒中部以上；花丝短，被长柔毛；花药箭头状，内藏，与柱头连生，基部具耳，先端渐尖；药隔延长呈丝状，被柔毛；无花盘；心皮 2，离生，被柔毛；花柱丝状，长 7 ~ 8 mm，柱头近球圆形，先端凸尖；每心皮有胚珠多颗。蓇葖果 2，离生，平行或并连，长圆形，两端较窄，长 10 ~ 23 cm，直径 6 ~ 10 mm，绿色，无毛，具细纵条纹。种子长圆形，基部较窄，先端钝、褐色；种皮被锈色短柔毛，先端具黄褐色绢质种毛；种毛长约 1 cm。花期几乎全年，夏、秋季最盛；果期一般在冬、春季，栽培很少结果。

| 生境分布 | 栽培种。宁夏各地区均有栽培。

| 资源情况 | 栽培资源较少。

| 采收加工 | 对二至三年以上的植株，结合整枝修剪，采集叶片及枝皮，晒干或炕干。

| 药材性状 | 本品呈窄披针形，长可达 15 cm，宽约 2 cm，先端渐尖，基部楔形，全缘稍反卷，上面深绿色，下面淡绿色，主脉于下面凸起，侧脉细密而平行；叶柄长约 5 mm。厚革质而硬。气特异，味苦，有毒。

| 功能主治 | 苦，寒；有大毒。归心经。强心利尿，祛痰定喘，镇痛，祛瘀。用于心脏病，心力衰竭，喘咳，癫痫，跌打肿痛，血瘀经闭。

| 用法用量 | 内服煎汤，0.3 ~ 0.9 g；或研末，0.05 ~ 0.1 g。外用适量，捣敷；或制成酊剂外涂。

| 附 注 | （1）夹竹桃有毒，应严格控制剂量。毒性反应主要为头痛、恶心、呕吐、腹痛、腹泻及心律失常等。严格掌握剂量和用法，严密观察病情变化，是防止中毒的重要环节。
（2）《中华本草》《全国中药资源志要》等均记载夹竹桃的拉丁学名为 *Nerium indicum* Mill.，《中国植物志》记载夹竹桃的拉丁学名为 *Nerium oleander* L.。

萝藦科 Asclepiadaceae 马利筋属 Asclepias

马利筋 *Asclepias curassavica* L.

马利筋

| 药 材 名 |

莲生桂子花（药用部位：全草）。

| 形态特征 |

多年生直立草本。灌木状，高达 80 cm。全株有白色乳汁；茎淡灰色，无毛或有微毛。叶膜质，披针形至椭圆状披针形，长 6 ~ 14 cm，宽 1 ~ 4 cm，先端短渐尖或急尖，基部楔形而下延至叶柄，无毛或脉上有微毛；侧脉每边约 8；叶柄长 0.5 ~ 1 cm。聚伞花序顶生或腋生，着花 10 ~ 20；花萼裂片披针形，被柔毛；花冠紫红色，裂片长圆形，长 5 mm，宽 3 mm，反折；副花冠生于合蕊冠上，5 裂，黄色，匙形，有柄，内有舌状片；花粉块长圆形，下垂，着粉腺紫红色。蓇葖果披针形，长 6 ~ 10 cm，直径 1 ~ 1.5 cm，两端渐尖。种子卵圆形，长约 6 mm，宽 3 mm，先端具白色绢质种毛；种毛长 2.5 cm。花期几乎全年，果期 8 ~ 12 月。

| 生境分布 |

栽培种。栽植于园林绿地。宁夏金凤等地有栽培。

| **资源情况** | 栽培资源稀少。

| **采收加工** | 全年均可采收，晒干或鲜用。

| **药材性状** | 本品茎直，较光滑。单叶对生，叶片披针形，先端急尖，基部楔形，全缘。有的可见伞形花序，花梗被毛；或披针形蓇葖果，内有许多具白色绢毛的种子。气特异，味微苦。

| **功能主治** | 苦，寒；有毒。清热解毒，活血止血。用于乳蛾，肺热咳嗽，痰喘，小便淋痛，崩漏，带下，外伤出血。

萝摩科 Asclepiadaceae 鹅绒藤属 Cynanchum

牛皮消 *Cynanchum auriculatum* Royle ex Wight

牛皮消

药材名

白首乌（药用部位：块根。别名：隔山消、白首乌、白何首乌）。

形态特征

蔓性半灌木。宿根肥厚，呈块状；茎圆形，被微柔毛。叶对生，膜质，被微毛，宽卵形至卵状长圆形，长4～12 cm，宽4～10 cm，先端短渐尖，基部心形。聚伞花序伞房状，着花30；花萼裂片卵状长圆形；花冠白色，辐状，裂片反折，内面具疏柔毛，副花冠浅杯状，裂片椭圆形，肉质，钝头，在每裂片内面的中部有1个三角形的舌状鳞片；花粉块每室1，下垂；柱头圆锥状，先端2裂。蓇葖果双生，披针形，长8 cm，直径1 cm；种子卵状椭圆形；种毛白色绢质。花期6～9月，果期7～11月。

生境分布

生于海拔2 500 m以下的山坡、路旁及沟谷。分布于宁夏盐池、泾源等。

资源情况

野生资源较少。

| **采收加工** | 春初或秋季采挖块根，洗净泥土，除去残茎和须根，晒干，或趁鲜切片，晒干。鲜品随采随用。

| **药材性状** | 本品呈长圆柱形、长纺锤形或结节状圆柱形，稍弯曲，长 7～15 cm，直径 1～4 cm。表面浅棕色，有明显的纵皱纹及横长皮孔，栓皮脱落处土黄色或浅黄棕色，具网状纹理。质坚硬，断面类白色，粉性，具鲜黄色放射状纹理。气微，味微甘后苦。

| **功能主治** | 甘、微苦，平。归肝、肾、脾、胃经。补肝肾，强筋骨，益精血，健脾消食，解毒疗疮。用于腰膝酸痛，阳痿，遗精，头晕，耳鸣，心悸，失眠，食欲不振，小儿疳积，产后乳汁稀少，疮痈肿毒，毒蛇咬伤。

| **用法用量** | 内服煎汤，6～15 g，鲜品加倍；或研末，每次 1～3 g；或浸酒。外用适量，鲜品捣敷。

萝摩科 Asclepiadaceae 鹅绒藤属 Cynanchum

白首乌 *Cynanchum bungei* Decne.

| **药 材 名** | 白首乌（药用部位：块根。别名：隔山消、白何首乌）。

| **形态特征** | 攀缘性半灌木。块根粗壮；茎纤细而韧，被微毛。叶对生，戟形，长 3 ~ 8 cm，基部宽 1 ~ 5 cm，先端渐尖，基部心形，两面被粗硬毛，以叶面较密；侧脉约 6 对。伞形聚伞花序腋生，比叶短；花萼裂片披针形，基部内面腺体通常无或少数；花冠白色，裂片长圆形，副花冠 5 深裂，裂片呈披针形，内面中间有舌状片；花粉块每室 1，下垂；柱头基部五角状，先端全缘。菁荚果单生或双生，披针形，无毛，向端部渐尖，长 9 cm，直径 1 cm。种子卵形，长 1 cm，直径 5 mm；种毛白色绢质，长 4 cm。花期 6 ~ 7 月，果期 7 ~ 10 月。

| **生境分布** | 生于山谷或路边的灌丛中。分布于宁夏泾源等。

白首乌

| **资源情况** | 野生资源稀少。 |

| **采收加工** | 春初或秋季采挖块根，洗净泥土，除去残茎和须根，晒干，或趁鲜切片，晒干。鲜品随采随用。 |

| **药材性状** | 本品呈不规则团块状或类圆形，长 1.5～7 cm，直径约 5 cm。表面棕色或棕褐色，凹凸不平，具纵皱纹及横长皮孔。质坚硬，断面类白色，粉性，有稀疏黄色放射状纹理。以块根大、粉性足者为佳。 |

| **功能主治** | 甘、微苦，平。归肝、肾、脾、胃经。补肝肾，强筋骨，益精血，健脾消食，解毒疗疮。用于腰膝酸痛，阳痿，遗精，头晕，耳鸣，心悸，失眠，食欲不振，小儿疳积，产后乳汁稀少，疮痈肿毒，毒蛇咬伤。 |

| **用法用量** | 内服煎汤，6～15 g，鲜品加倍；或研末，每次 1～3 g；或浸酒。外用适量，鲜品捣敷。 |

萝藦科 Asclepiadaceae 鹅绒藤属 Cynanchum

鹅绒藤 *Cynanchum chinense* R. Br.

| **药 材 名** | 鹅绒藤（药用部位：根、茎中白色乳汁。别名：羊奶角角、牛皮消）。

| **形态特征** | 缠绕草本。主根圆柱状，长 15 ~ 25 cm，干后灰黄色。叶对生，薄纸质，宽三角状心形，长 4 ~ 9 cm，宽 4 ~ 7 cm，先端锐尖，基部心形，叶面深绿色，叶背苍白色，两面均被短柔毛，在脉上较密；侧脉约 10 对，在叶背略隆起。伞形聚伞花序腋生，着花 14 ~ 20；花萼外面被柔毛；花冠白色，裂片长圆状披针形，副花冠二型，杯状，上端裂成 10 个丝状体，分为 2 轮，外轮约与花冠裂片等长，内轮略短；花粉块每室 1，下垂；花柱头略为凸起，先端 2 裂。蓇葖果双生或仅有 1 枚发育，细圆柱状，向端部渐尖，长 11 cm，直径 5 mm。种子长圆形；种毛白色绢质。花期 6 ~ 8 月，果期 8 ~ 10 月。

鹅绒藤

| **生境分布** | 生于路旁、河畔、田埂边。宁夏各地均有分布。

| **资源情况** | 野生资源丰富。

| **采收加工** | 根，秋季采挖，去除残茎叶，洗净，晒干。夏、秋季取茎中鲜汁，随取随用。

| **功能主治** | 苦，寒。归肝经。清热解毒，消积健胃，利水消肿。用于小儿食积，疳积，胃炎，十二指肠溃疡，肾炎水肿，寻常疣。

| **用法用量** | 根，内服煎汤，3 ~ 15 g。外用，取汁涂抹。

萝藦科 Asclepiadaceae 鹅绒藤属 *Cynanchum*

竹灵消
Cynanchum inamoenum (Maxim.) Loes.

| 药 材 名 | 老君须（药用部位：根及根茎。别名：白前）。

| 形态特征 | 直立草本。基部分枝甚多；根须状；茎干后中空，被单列柔毛。叶薄膜质，广卵形，长 4 ~ 5 cm，宽 1.5 ~ 4 cm，先端急尖，基部近心形，脉上近无毛或仅被微毛，有边毛；侧脉约 5 对。伞形聚伞花序，近顶部互生，着花 8 ~ 10；花黄色，长和直径均约 3 mm；花萼裂片披针形，急尖，近无毛；花冠辐状，无毛，裂片卵状长圆形，钝头，副花冠较厚，裂片三角形，短急尖；花药在先端具 1 圆形的膜片；花粉块每室 1，下垂，花粉块柄短，近平行，着粉腺近椭圆形；柱头扁平。蓇葖果双生，稀单生，狭披针形，向端部长渐尖，长 6 cm，直径 5 mm。花期 5 ~ 7 月，果期 7 ~ 10 月。

| 生境分布 | 生于山坡林缘、灌丛及草丛中。分布于宁夏泾源、隆德、原州等。

竹灵消

| 资源情况 | 野生资源一般。

| 采收加工 | 秋季采挖根及根茎，除去地上部分，洗净泥土，晒干。

| 药材性状 | 本品根长 8 ～ 20 cm，直径 1 ～ 2 mm，表面棕黄色，有的略带紫色；质脆，易折断，断面黄色。根茎短粗，有结节，多弯曲，上面生有茎痕，下面及两侧生多数细根。气微，味微苦。

| 功能主治 | 苦、微辛，平。归肺经。补肾健脾，清热凉血，退热除烦，化毒。用于虚劳久嗽，脾虚水肿，带下，月经不调，阴虚发热，产后发热，虚烦失眠，鼻衄，瘰疬，疥疮，蛇虫咬伤。

| 用法用量 | 内服煎汤，10 ～ 15 g。外用适量，鲜品捣敷。

萝藦科 Asclepiadaceae 鹅绒藤属 Cynanchum

老瓜头 *Cynanchum komarovii* Al. Iljinski

| 药 材 名 | 老瓜头（药用部位：带根全草。别名：牛心朴子）。

| 形态特征 | 直立半灌木，高 25 ~ 55 cm。全株无毛；根须状。叶革质，对生，狭椭圆形，长 3 ~ 8 cm，宽 5 ~ 12 mm，先端渐尖，干后常呈粉红色，近无柄。聚伞花序近顶部腋生，着花 10 余朵；花萼 5 深裂，两面无毛，裂片长圆状三角形；花冠紫红色或暗紫色，裂片长圆形，长 2 ~ 4 mm，宽 1.5 mm，副花冠 5 深裂，裂片盾状，与花药等长；花粉块每室 1，下垂；子房坛状，柱头扁平。蓇葖果单生，向先端喙状渐尖，长 5 ~ 8 cm。种子扁平；种毛白色绢质。花期 6 ~ 8 月，果期 7 ~ 9 月。

| 生境分布 | 生于沙地、撂荒地、干河床、沙丘及荒漠草原。分布于宁夏中卫及平罗、大武口、盐池、灵武、同心、青铜峡、红寺堡等。

老瓜头

| **资源情况** | 野生资源较丰富。

| **采收加工** | 夏、秋季采挖，抖净沙土，切段，晒干。

| **药材性状** | 本品根 10 至数十条丛生，黄色，长 10 ~ 20 cm，直径 1.5 ~ 3 mm；质脆，易折断，断面淡黄色。茎数条至 10 余条丛生，每株常呈小把状；基部带紫红色，上部灰绿色，具细纵棱；质脆，断面黄绿色，有髓。叶对生，脱落、破碎或皱缩，完整叶披针形；质厚。花序有花约 10，紫黑色。果实狭纺锤形，长 5 ~ 6 cm，直径约 1 cm，喙渐尖。气微辛，味微苦、微涩。

| **功能主治** | 苦，温；有毒。归肝经。活血止痛消炎。用于风寒湿痹，牙痛，秃疮，跌打损伤。

| **用法用量** | 内服煎汤，3 ~ 9 g。外用适量，煎汤熏洗或含漱。

萝藦科 Asclepiadaceae 鹅绒藤属 Cynanchum

地梢瓜
Cynanchum thesioides (Freyn) K. Schum.

| 药 材 名 | 地梢瓜（药用部位：带果全草。别名：地瓜飘、蒿瓜子）。

| 形态特征 | 直立或斜生多年生草本，高 15 ～ 25 cm，含白色乳液，密被细柔毛。茎多分枝，细弱，节间甚短。单叶对生，有短柄；叶片条形，长 3 ～ 5 cm，宽 2 ～ 5 mm，先端尖。伞形花序腋生，梗短；花冠钟状，黄白色，内面光滑无毛。蓇葖果纺锤形，两端短尖，中部宽大。种子棕褐色，扁平，先端有束白毛。花期 5 ～ 8 月，果期 8 ～ 10 月。

| 生境分布 | 生于沙地、草丛、石坡及砂石滩。分布于宁夏吴忠、石嘴山、银川、中卫及盐池、灵武、青铜峡、中宁、同心等。

| 资源情况 | 野生资源较丰富。

地梢瓜

| 采收加工 | 夏季采收带果全草，切段，晒干。

| 药材性状 | 本品根呈圆柱形，近木质，弯曲。茎多分枝，细弱，表面黄绿色，被短毛。叶对生，叶片长条形，全缘，上表面暗绿色，下表面绿色。花小，多数，白色至棕黄色。蓇葖果单生，纺锤形。气微，味淡。

| 功能主治 | 甘，平。归肺经。补肺气，清热降火，生津止渴，消炎止痛。用于咽喉疼痛，神疲，健忘，虚烦，口渴，头昏，失眠，产后体虚，乳汁不足。

| 用法用量 | 内服煎汤，10 ～ 30 g。

| 附　　注 | 《中华本草》记载地梢瓜来源于雀瓢 *Cynanchum thesioides* (Freyn) K. Schum. var. *australe* (Maxim.) Tsiang et P. T. Li、地梢瓜 *Cynanchum thesioides* (Freyn) K. Schum. 的全草。《宁夏中药志》记载地梢瓜来源于地梢瓜 *Cynanchum thesioides* (Freyn) K. Schum. 的带果全草。

萝藦科 Asclepiadaceae 鹅绒藤属 Cynanchum

雀瓢

Cynanchum thesioides (Freyn) K. Schum. var. *australe* (Maxim.) Tsiang et P. T. Li

雀瓢

| 药材名 |

地梢瓜（药用部位：全草。别名：雀瓜、女青）。

| 形态特征 |

茎柔弱，分枝较少，茎端通常伸长而缠绕。叶线形或线状长圆形；花较小、较多。花期3～8月。本变种与地梢瓜（原变种）的主要区别在于本种茎缠绕，节间较长，叶较大，长4～7 cm，宽5～7 mm。

| 生境分布 |

生于水沟旁及河岸边或山坡、路旁的灌丛草地上。分布于宁夏中卫及平罗等。

| 资源情况 |

野生资源较少。

| 采收加工 |

夏、秋季采收，洗净，晒干。

| 药材性状 |

本品茎缠绕，分枝较少；叶条形或条状长圆形。

| **功能主治** | 甘，平。归肺经。清虚火，益气生津，下乳。用于咽喉疼痛，神疲，健忘，虚烦，口渴，头昏，失眠，产后体虚，乳汁不足。 |

| **用法用量** | 内服煎汤，15 ~ 30 g。 |

萝藦科 Asclepiadaceae 萝藦属 Metaplexis

萝藦
Metaplexis japonica (Thunb.) Makino

| 药 材 名 | 萝藦子（药用部位：果实）、萝藦（药用部位：全草或根）。

| 形态特征 | 草质藤本，长达 8 m。幼茎密被短柔毛，老时被毛渐脱落。叶膜质，卵状心形，先端短渐尖，基部心形，两面无毛或幼时被微毛；侧脉 10 ～ 12 对；叶柄长 3 ～ 6 cm，先端具簇生腺体。聚伞花序具花 13 ～ 20；花序梗长 6 ～ 12 cm，被短柔毛；小苞片膜质，披针形，长约 3 mm；花梗长约 8 mm，被微毛；花蕾圆锥状，先端骤尖；花萼裂片披针形，被微毛；花冠白色，有时具淡紫色斑纹，花冠筒短，裂片披针形，内面被柔毛；柱头 2 裂。蓇葖果纺锤形，长 8 ～ 9 cm，直径约 2 cm，无毛。种子扁卵圆形，长约 5 mm，边缘膜质；种毛长约 1.5 cm。花期 7 ～ 8 月，果期 9 ～ 10 月。

| 生境分布 | 生于撂荒地、绿化带中。分布于宁夏泾源、金凤等。

萝藦

| 资源情况 | 野生资源一般。

| 采收加工 | 萝藦子：秋季采收成熟果实，晒干。
萝藦：7～8月采收全草，鲜用或晒干；夏、秋季采挖块根，洗净，晒干。

| 药材性状 | 本品卷曲成团。根细长，直径2～3 mm，浅黄棕色。茎圆柱形，扭曲，直径1～3 mm，表面黄白色至黄棕色，具纵纹，节膨大；折断面髓部常中空，木部发达，可见数个小孔。叶皱缩，完整叶湿润展平后呈卵状心形，长5～12 cm，宽4～7 cm，背面叶脉明显，侧脉5～7对。气微，味甘、平。

| 功能主治 | 萝藦子：甘、微辛，温。归心、肺、肾经。补益精气，生肌止血。用于虚劳，阳痿，遗精，金疮出血。
萝藦：甘、辛，平。补益精气，通乳，解毒。用于虚损劳伤，阳痿，遗精，带下，乳汁不足，丹毒，瘰疬，疔疮，蛇虫咬伤。

| 用法用量 | 萝藦子：内服煎汤，9～18 g；或研末。外用适量，捣敷。
萝藦：内服煎汤，15～60 g。外用适量，鲜品捣敷。

萝藦科 Asclepiadaceae 杠柳属 Periploca

杠柳
Periploca sepium Bunge

| **药 材 名** | 香加皮（药用部位：根皮。别名：北五加皮、杠柳皮、五加皮）。 |

| **形态特征** | 落叶蔓性灌木，长达 4 m。主根圆柱形，灰褐色，内皮淡黄色；茎灰褐色；小枝常对生，具纵纹及皮孔。叶膜质，披针状长圆形，长 5 ~ 9 cm，先端渐尖，基部楔形；侧脉 20 ~ 25 对；叶柄长约 3 mm。聚伞花序腋生，常成对；花梗长约 2 cm；花萼裂片三角状卵形，长约 3 mm；花冠紫色，辐状，直径约 1.5 cm，花冠筒长约 3 mm，裂片椭圆形，长约 8 mm，中间加厚，呈纺锤状，反折，外面无毛，内面被长柔毛，副花冠裂片无毛。蓇葖果 2，圆柱形，长 7 ~ 12 cm，直径约 5 mm，先端常相连。种子窄长圆形，长约 7 mm，宽约 1 mm；种毛长 3 cm。花期 5 ~ 6 月，果期 7 ~ 9 月。 |

| **生境分布** | 生于半荒漠沙质地或山坡。分布于宁夏沙坡头、红寺堡、盐池、灵武、 |

杠柳

金凤等。

| **资源情况** | 野生资源一般。

| **采收加工** | 春、秋季采挖根部，趁鲜敲打，剥取皮部，晒干。

| **药材性状** | 本品呈卷筒状或槽状，少数呈不规则的块片状，长 3～8 cm，直径 1～2 cm，厚 2～4 mm。外表面黄棕色或灰棕色，栓皮松软，常呈鳞片状剥离；内表面淡黄色或淡黄棕色，平滑，有细密纵纹。体轻，质脆，易折断，断面不整齐，黄白色。有特异香气，味苦。以粗长、皮厚、无木心、香气浓者为佳。

| **功能主治** | 辛、苦，温；有毒。归肝、肾、心经。祛风湿，强筋骨。用于风寒湿痹，腰膝酸软，心悸，气短，下肢浮肿。

| **用法用量** | 内服煎汤，4.5～9 g；或浸酒；或入丸、散剂。外用适量，煎汤洗。

旋花科 Convolvulaceae 打碗花属 Calystegia

打碗花 *Calystegia hederacea* Wall.

| **药 材 名** | 打碗花（药用部位：根茎、花。别名：猪草、苦子蔓、面根藤）。

| **形态特征** | 一年生草本。全体不被毛，植株通常矮小，高 8 ~ 30（~ 40）cm，常自基部分枝，具细长白色的根。茎细，平卧，有细棱。基部叶片长圆形，长 2 ~ 3（~ 5.5）cm，宽 1 ~ 2.5 cm，先端圆，基部戟形，上部叶片 3 裂，中裂片长圆形或长圆状披针形，侧裂片近三角形，全缘或 2 ~ 3 裂，叶片基部心形或戟形；叶柄长 1 ~ 5 cm。花腋生，1，花梗长于叶柄，有细棱；苞片宽卵形，长 0.8 ~ 1.6 cm，先端钝或锐尖至渐尖；萼片长圆形，长 0.6 ~ 1 cm，先端钝，具小短尖头，内萼片稍短；花冠淡紫色或淡红色，钟状，长 2 ~ 4 cm，冠檐近截形或微裂；雄蕊近等长，花丝基部扩大，贴生花冠管基部，被小鳞毛；子房无毛，柱头 2 裂，裂片长圆形，扁平。蒴果卵球形，长约

打碗花

1 cm，宿存萼片与之近等长或稍短。种子黑褐色，长 4 ~ 5 mm，表面有小疣。

| **生境分布** | 生于农田、荒地和路旁。宁夏各地均有分布。

| **资源情况** | 野生资源丰富。

| **采收加工** | 秋季采挖根茎，夏、秋季采收花，洗净，鲜用或晒干。

| **功能主治** | 根茎，甘、微苦，平。健脾益气，利尿。用于脾虚消化不良，月经不调，带下，乳汁稀少。花，止痛。外用于牙痛。

| **用法用量** | 根茎，内服煎汤，10 ~ 30 g。花，外用适量。

| **附　注** | 《宁夏中药志》记载："《滇南本草》载：'蒲（铺）地参，又名打破碗，又名盘肠参。味苦、平，性微寒。主治妇人白带，上感下虚，水火不清，久不孕胎。'据考证系本品。"

旋花科 Convolvulaceae 打碗花属 Calystegia

旋花 Calystegia sepium (L.) R. Br.

| 药 材 名 | 旋花（药用部位：花。别名：鼓子花）、旋花苗（药用部位：茎叶）、旋花根（药用部位：根）。

| 形态特征 | 多年生草本，全体不被毛。茎缠绕，伸长，有细棱。叶形多变，三角状卵形或宽卵形，长4～10（～15）cm或更长，宽2～6（～10）cm或更宽，先端渐尖或锐尖，基部戟形或心形，全缘或基部稍伸展为具2～3大齿缺的裂片；叶柄常短于叶片或两者近等长。花腋生，1；花梗通常稍长于叶柄，长达10 cm，有细棱或有时具狭翅；苞片宽卵形，长1.5～2.3 cm，先端锐尖；萼片卵形，长1.2～1.6 cm，先端渐尖或有时锐尖；花冠通常白色，有时淡红色或紫色，漏斗状，长5～6（～7）cm，冠檐微裂；雄蕊花丝基部扩大，被小鳞毛；子房无毛，柱头2裂，裂片卵形，扁平。蒴果卵形，长约1 cm，为

旋花

增大宿存的苞片和萼片所包被。种子黑褐色，长 4 mm，表面有小疣。

| 生境分布 | 生于海拔 1 400 ～ 2 000 m 的路旁、溪边草丛、农田边或山坡林缘。分布于宁夏泾源等。

| 资源情况 | 野生资源一般。

| 采收加工 | 旋花：6 ～ 7 月开花时采收，晾干。
旋花苗：夏季采收，洗净，鲜用或晒干。
旋花根：3 ～ 9 月采挖，洗净，鲜用或晒干。

| 功能主治 | 旋花：甘，温。归肺、肾经。益气养颜，涩精。用于面䵟，遗精，遗尿。
旋花苗：甘、微苦，平。清热解毒。用于丹毒。
旋花根：甘、微苦，温。益气补虚，续筋接骨，解毒杀虫。用于劳损，金疮，丹毒，蛔虫病。

| 用法用量 | 旋花：内服煎汤，6 ～ 10 g；或入丸剂。
旋花苗：内服煎汤，10 ～ 15 g；或绞汁。
旋花根：内服煎汤，10 ～ 15 g；或绞汁。外用适量，捣敷。

旋花科 Convolvulaceae 旋花属 Convolvulus

银灰旋花

Convolvulus ammannii Desr.

| 药 材 名 | 银灰旋花（药用部位：全草）。

| 形态特征 | 多年生草本。根茎短，木质化，高 2 ~ 7 cm，平卧或上升，枝和叶密被贴生稀半贴生银灰色绢毛。叶互生，线形或狭披针形，长 1 ~ 3 cm，宽 0.5 ~ 4 mm，先端锐尖，基部狭，无柄。花单生枝端，具细花梗；萼片 5，外萼片长圆形或长圆状椭圆形；花冠小，漏斗状，淡玫瑰色或白色带紫色条纹，有毛，5 浅裂。蒴果球形。花期 5 ~ 8 月，果期 7 ~ 9 月。

| 生境分布 | 生于沙地、干旱山坡草地或路旁。宁夏各地均有分布。

| 资源情况 | 野生资源丰富。

银灰旋花

| **采收加工** | 夏、秋季采收，切段，晒干。 |

| **功能主治** | 辛，温。归肺经。解表止咳。用于感冒，咳嗽。 |

| **用法用量** | 内服煎汤，6 ～ 9 g。 |

旋花科 Convolvulaceae 旋花属 Convolvulus

田旋花 *Convolvulus arvensis* L.

| 药 材 名 | 田旋花（药用部位：全草或花。别名：拉拉蔓、野牵牛、串串秧）。

| 形态特征 | 多年生草本。根茎横走，茎平卧或缠绕，有条纹及棱角，无毛或上部被疏柔毛。叶卵状长圆形至披针形，长 1.5 ~ 5 cm，宽 1 ~ 4 cm，先端钝或具小短尖头，基部大多戟形、箭形或心形，全缘或 3 裂，侧裂片展开，微尖，中裂片卵状椭圆形、狭三角形或披针状长圆形，微尖或近圆；叶柄较叶片短；叶脉羽状，基部掌状。花序腋生，总梗长 3 ~ 7 cm，1 或有时 2 ~ 3 至多花，花梗比花萼长得多；苞片 2，线形，长约 3 mm；萼片有毛，长 3.5 ~ 4.8 mm，稍不等，2 外萼片稍短，长圆状椭圆形；花冠宽漏斗形，长 1.5 ~ 3 cm，白色或粉红色，或白色具粉红色或红色的瓣中带,或粉红色具红色或白色的瓣中带，5 浅裂；雄蕊 5，稍不等长，较花冠短一半，花丝基部扩大，具小鳞

田旋花

毛；雌蕊较雄蕊稍长，子房有毛，2室，每室2胚珠，柱头2，线形。蒴果卵状球形、圆锥形。花期5～8月，果期7～9月。

| **生境分布** | 生于荒地、路旁、田间、沙丘、山坡等。宁夏各地均有分布。

| **资源情况** | 野生资源丰富。

| **采收加工** | 全草，夏、秋季采收，洗净，鲜用，或切段，晒干。花，6～8月花开时摘取，鲜用或晾干。

| **功能主治** | 微咸，温。归肾经。祛风止痛止痒。用于风湿痹痛，牙痛，神经性皮炎。

| **用法用量** | 内服煎汤，6～10g。外用适量，浸酒涂。

旋花科 Convolvulaceae 旋花属 *Convolvulus*

刺旋花
Convolvulus tragacanthoides Turcz.

| **药 材 名** | 刺旋花（药用部位：全草）。

| **形态特征** | 亚灌木。全体被银灰色绢毛，高4～10（～15）cm。茎密集分枝，形成披散垫状；小枝坚硬，具刺。叶狭线形或稀倒披针形，长0.5～2 cm，宽0.5～4（～6）mm，先端圆形，基部渐狭，无柄，均密被银灰色绢毛。花2～5（～6）密集于枝端，稀单花，花枝有时伸长，无刺；花梗长2～5 mm，密被半贴生绢毛；萼片长5～7（～8）mm，椭圆形或长圆状倒卵形，先端短渐尖或骤细成尖端，外面被棕黄色毛；花冠漏斗形，长15～25 mm，粉红色，具5密生毛的瓣中带，5浅裂；雄蕊5，不等长，花丝丝状，无毛，基部扩大，较花冠短一半；雌蕊较雄蕊长，子房有毛，2室，每室2胚珠，花柱丝状，柱头2，线形。蒴果球形，有毛，长4～6 mm。种子卵圆形，

刺旋花

无毛。花期 5 ~ 7 月。

| **生境分布** | 生于山前砾石滩地及干旱山坡上。分布于宁夏沙坡头、永宁、贺兰、西夏、青铜峡、灵武等。

| **资源情况** | 野生资源丰富。

| **功能主治** | 祛风除湿。

旋花科 Convolvulaceae 菟丝子属 Cuscuta

欧洲菟丝子 *Cuscuta europaea* L.

| 药 材 名 | 欧洲菟丝子（药用部位：全草或种子）。

| 形态特征 | 一年生寄生草本。茎缠绕，带黄色或带红色，纤细，毛发状，直径
不超过 1 mm。无叶。花序侧生，少花或多花密集成团伞花序；花梗
长 1.5 mm 或更短；花萼杯状，中部以下连合，裂片 4～5，有时不
等大，三角状卵形，长 1.5 mm；花冠淡红色，壶形，长 2.5～3 mm，
裂片 4～5，三角状卵形，通常向外反折，宿存；雄蕊着生于花冠
凹缺微下处，花药卵圆形，花丝比花药长；鳞片薄，倒卵形，着生
于花冠基部之上花丝之下，先端 2 裂或不分裂，边缘流苏较少；子
房近球形，花柱 2，柱头棒状，下弯或叉开，与花柱近等长，花柱
和柱头短于子房。蒴果近球形，直径约 3 mm，上部覆以凋存的花冠，

欧洲菟丝子

成熟时整齐周裂。种子通常 4，淡褐色，椭圆形，长约 1 mm，表面粗糙。

| 生境分布 | 生于海拔 1 600 ～ 2 500 m 的山地、路边、田间。分布于宁夏泾源等。

| 资源情况 | 野生资源一般。

| 采收加工 | 秋季采收全草，晒干或鲜用。9 ～ 10 月采收成熟果实，晒干，打下种子，簸去果壳、杂质。

| 功能主治 | 全草，苦、甘、平。清热解毒，凉血止血，健脾利湿。用于痢疾，黄疸，吐血，衄血，便血，血崩，淋浊，带下，便溏，目赤肿痛，咽喉肿痛，痈疽肿毒，痱子。种子，辛、甘、平。归肝、肾、脾经。补益肝肾，固精缩尿，安胎，明目，止泻，消风祛斑。用于腰膝酸软，阳痿，遗精，遗尿，尿频，肾虚胎漏，胎动不安，目昏，耳鸣，脾肾虚泻；外用于白癜风。

| 用法用量 | 内服煎汤，6 ～ 15 g；或入丸、散剂。外用适量，炒研调敷。

| 附　　注 | 《中国中药资源志要》记载，菟丝子 *Cuscuta chinensis* Lam. 与欧洲菟丝子 *Cuscuta europaea* L. 的功效相同。

旋花科 Convolvulaceae 牵牛属 Pharbitis

裂叶牵牛

Pharbitis nil (L.) Choisy

裂叶牵牛

药材名

牵牛子（药用部位：种子。别名：喇叭花子、黑丑、白丑）。

形态特征

一年生缠绕草本。茎上被倒向的短柔毛及杂有倒向或开展的长硬毛。叶宽卵形或近圆形，深或浅 3 裂，偶 5 裂，长 4 ~ 15 cm，宽 4.5 ~ 14 cm，基部圆，心形，中裂片长圆形或卵圆形，渐尖或骤尖，侧裂片较短，三角形，裂口锐或圆，叶面疏被或密被微硬的柔毛；叶柄长 2 ~ 15 cm，毛被同茎。花腋生，单一或通常 2 朵着生于花序梗顶；花序梗长短不一，长 1.5 ~ 18.5 cm，通常短于叶柄，有时较长，毛被同茎；苞片线形或叶状，被开展的微硬毛；花梗长 2 ~ 7 mm；小苞片线形；萼片近等长，长 2 ~ 2.5 cm，披针状线形，内面 2 片稍狭，外面被开展的刚毛，基部更密，有时杂有短柔毛；花冠漏斗状，长 5 ~ 8（~ 10）cm，蓝紫色或紫红色，花冠管色淡；雄蕊及花柱内藏，雄蕊不等长，花丝基部被柔毛；子房无毛，柱头头状。蒴果近球形，直径 0.8 ~ 1.3 cm，3 瓣裂。种子卵状三棱形，长约 6 mm，黑褐色或米黄色，被褐色短绒毛。

| 生境分布 | 宁夏金凤等地偶有栽培。

| 资源情况 | 栽培资源稀少。

| 采收加工 | 秋末果实成熟、果壳未开裂时采割植株，晒干，打下种子，除去杂质。

| 药材性状 | 本品呈橘瓣状，长 4 ~ 6 mm，宽 3 ~ 5 mm。表面黑棕色或米黄色。背面有 1 浅纵沟，腹面棱线的近端处有 1 点状种脐，微凹。质硬，横切面可见淡黄色或黄绿色皱缩、折叠的子叶，微显油性。无臭，味辛、苦，有麻感。

| 功能主治 | 苦，寒；有毒。归肺、肾、大肠经。泻水通便，消痰涤饮，杀虫攻积。用于水肿胀满，二便不利，痰饮积聚，气逆喘咳，虫积腹痛，蛔虫病，绦虫病。

| 用法用量 | 内服煎汤，3 ~ 10 g。孕妇禁用。不宜与巴豆、巴豆霜同用。

| 附　注 | 牵牛子收载于《名医别录》，被列为下品。《本草图经》记载："牵牛子……今处处有之。二月种子，三月生苗，作藤蔓绕篱墙，高者或二三丈。其叶青，有三尖角。七月生花，微红带碧色，似鼓子花而大。八月结实，外有白皮裹作球。每球内有子四五枚……有黑白二种，九月后收之。"李时珍在《本草纲目》中记述牵牛子有黑、白二种，"黑者……叶有三尖，如枫叶。花不作瓣，如旋花而大"，又说"白者……叶团有斜尖，并如山药茎叶"。上文所述牵牛子药材基原植物特征与现今的黑白二丑、裂叶牵牛和圆叶牵牛基本相符。

旋花科 Convolvulaceae 牵牛属 Pharbitis

圆叶牵牛
Pharbitis purpurea (Linn.) Voigt

| 药 材 名 | 牵牛子（药用部位：种子。别名：喇叭花子、黑丑、白丑）。

| 形态特征 | 一年生缠绕草本。茎上被倒向的短柔毛及杂有倒向或开展的长硬毛。叶圆心形，长 4 ~ 15 cm，宽 3 ~ 15 cm，基部圆，心形，先端锐尖、骤尖或渐尖，全缘。花腋生，单一或 2 ~ 5 着生于花序梗，先端成伞形聚伞花序；花序梗比叶柄短或与叶柄近等长，长 4 ~ 12 cm，毛被与茎相同；萼片近等长，外面 3 片长椭圆形，渐尖，内面 2 片线状披针形；花冠漏斗状，长 4 ~ 7 cm，紫红色、紫色、红色或白色。蒴果近球形。种子卵状三棱形，黑褐色或黄白色。花期 6 ~ 9 月，果期 7 ~ 10 月。

| 生境分布 | 生于村边、路旁。宁夏各地均有分布。

圆叶牵牛

| 资源情况 | 野生资源较少。

| 采收加工 | 秋季果实成熟时收集，晒干，打下种子，除去杂质。

| 药材性状 | 本品呈橘瓣状，长 4 ~ 7 mm，宽 3 ~ 5 mm。表面黑棕色或米黄色。背面有 1 浅纵沟，腹面棱线的近端有 1 点状种脐，微凹。无臭，味辛、苦，有麻感。

| 功能主治 | 苦，寒；有毒。归肺、肾、大肠经。泻水通便，消痰涤饮，杀虫攻积。用于水肿胀满，二便不利，痰饮积聚，气逆喘咳，虫积腹痛，蛔虫病，绦虫病。

| 用法用量 | 内服煎汤，3 ~ 10 g。孕妇禁用。不宜与巴豆、巴豆霜同用。

花葱科 Polemoniaceae 花葱属 Polemonium

花葱
Polemonium coeruleum L.

花葱

| 药 材 名 |

花葱（药用部位：全草或根及根茎。别名：电灯花）。

| 形态特征 |

多年生草本，高 50 ～ 80 cm。根茎横走。茎直立，不分枝，圆柱形，中空，中、下部无毛，上部被腺毛。奇数羽状复叶，小叶 15 ～ 21；小叶无柄，叶片披针形或狭披针形，长 1 ～ 2.5 cm，宽 3 ～ 10 mm，先端渐尖，基部近圆形，全缘，两面无毛或稀具柔毛。顶生聚伞圆锥花序，具多花，总梗及花梗均被腺毛；花梗纤细；花萼筒形，具短腺毛，裂片三角形；花冠宽钟形，蓝色，裂片圆形，长为花冠筒的 2 倍；雄蕊着生于花冠筒上部，伸出，基部有须毛；花柱 1，柱头 3 裂，远伸出花冠之外。蒴果卵形，长 4 ～ 5 mm；种子三棱形。花果期 6 ～ 8 月。

| 生境分布 |

生于林缘、灌丛和草甸。分布于宁夏泾源、隆德、原州等。

| 资源情况 |

野生资源较丰富。

| **采收加工** | 秋季采收，洗净泥土，晒干。

| **功能主治** | 苦，平。归肺、心、肝、脾、胃经。镇静，祛痰，止血。用于失眠，癫痫，痰多咳嗽，月经过多，吐血，便血。

| **用法用量** | 内服煎汤，3 ~ 10 g。

花葱科 Polemoniaceae 花葱属 Polemonium

中华花葱 *Polemonium chinense* (Brand) Brand

中华花葱

| 药 材 名 |

中华花葱（药用部位：根及根茎）。

| 形态特征 |

多年生草本。茎直立，不分枝，细长，无毛。羽状复叶，茎下部叶长 6 ~ 18 cm，向上渐短，小叶互生，15 ~ 25，狭披针形或卵状披针形，长（1.2 ~ ）2 ~ 2.5（~ 4）cm，宽 0.4 ~ 0.7（~ 1.4）cm，两面无毛，均无小叶柄，生茎上部的叶较小，线状披针形或线形；下部叶柄长 6 ~ 14 cm，向上渐短，无毛或疏生柔毛。圆锥花序疏散；花通常较小，花冠长约 1 cm，有时长达 1.5 cm；花柱和雄蕊伸出花冠外。蒴果卵球形，长 3 ~ 5 mm，突出于宿存花萼。种子褐色，纺锤形，长 2 ~ 2.5 mm，干后边缘一侧膜质。

| 生境分布 |

生于林缘、灌丛和草甸。分布于宁夏泾源、隆德、原州等。

| 资源情况 |

野生资源较丰富。

| **采收加工** | 秋季采收，洗净泥土，晒干。 |

| **功能主治** | 苦，平。归肺、心、肝、脾、胃经。镇静，祛痰，止血。用于失眠，癫痫，痰多咳嗽，月经过多，吐血，便血。 |

| **用法用量** | 内服煎汤，3 ~ 10 g。 |

紫草科 Boraginaceae 软紫草属 Arnebia

黄花软紫草

Arnebia guttata Bunge

药 材 名	黄花软紫草（药用部位：根）。
形态特征	多年生草本。根含紫色物质。茎直立，多分枝，高 15 ~ 28 cm；全株密生开展的长硬毛和短伏毛。叶无柄，匙状线形至线形，两面密生具基盘的白色长硬毛。镰状聚伞花序含多数花；苞片线状披针形；花萼裂片线形；花冠黄色，筒状钟形，外面有短柔毛，常有紫色斑点；子房 4 裂，先端浅 2 裂，柱头肾形。小坚果三角状卵形，淡黄褐色，有疣状突起。花期 6 ~ 7 月，果期 8 ~ 9 月。
生境分布	生于戈壁、石质山坡及山麓砾石坡。分布于宁夏中卫及青铜峡、永宁、大武口、惠农等。
资源情况	野生资源较丰富。

黄花软紫草

| 采收加工 | 春、秋季采挖，除去泥土与茎叶，晒干。忌水洗。 |

| 功能主治 | 甘、咸，寒。归肝、心经。凉血活血，消肿解毒，透疹。用于血热毒盛，斑疹紫黑，湿疹，烫火伤等。 |

| 用法用量 | 内服煎汤，5 ~ 9 g。 |

紫草科 Boraginaceae 斑种草属 Bothriospermum

多苞斑种草

Bothriospermum secundum Maxim.

| 药 材 名 | 野山蚂蟥（药用部位：全草。别名：山蚂蟥、毛萝菜）。

| 形态特征 | 一年生或二年生草本，高 25 ～ 40 cm，具直伸的根。茎单一或数条丛生，由基部分枝，分枝通常细弱，稀粗壮，开展或向上直伸，被向上开展的硬毛及伏毛。基生叶具柄，倒卵状长圆形，长 2 ～ 5 cm，先端钝，基部渐狭为叶柄；茎生叶长圆形或卵状披针形，长 2 ～ 4 cm，宽 0.5 ～ 1 cm，无柄，两面均被基部具基盘的硬毛及短硬毛。花序生茎顶及腋生枝条先端，长 10 ～ 20 cm，花与苞片依次排列，且各偏于一侧；苞片长圆形或卵状披针形，长 0.5 ～ 1.5 cm，宽 0.3 ～ 0.5 mm，被硬毛及短伏毛；花梗长 2 ～ 3 mm，果期不增长或稍增长，下垂；花萼长 2.5 ～ 3 mm，外面密生硬毛，裂片披针形，裂至基部；花冠蓝色至淡蓝色，长 3 ～ 4 mm，檐部直径约 5 mm，

多苞斑种草

裂片圆形，喉部附属物梯形，高约 0.8 mm，先端微凹；花药长圆形，长与附属物略等，花丝极短，着生于花冠筒基部以上 1 mm 处；花柱圆柱形，极短，长约为花萼的 1/3，柱头头状。小坚果卵状椭圆形，长约 2 mm，密生疣状突起，腹面有纵椭圆形的环状凹陷。花期 5 ～ 7 月。

| **生境分布** | 生于山坡草地、路边、灌丛、林缘。分布于宁夏六盘山（泾源、隆德、原州），泾源、隆德其他地区也有分布。

| **资源情况** | 野生资源较少。

| **采收加工** | 春、夏季采收，拣净，鲜用或晒干。

| **功能主治** | 苦，凉。归肺、肝经。祛风利水，解疮毒。用于水肿骤起，疮毒。

| **用法用量** | 内服煎汤，3 ～ 9 g。外用煎汤洗。

紫草科 Boraginaceae 琉璃草属 Cynoglossum

大果琉璃草

Cynoglossum divaricatum Steph. ex Lehm.

大果琉璃草

| 药 材 名 |

琉璃草（药用部位：根、果实。别名：展枝倒提壶、大赖毛子、粘拈拈）。

| 形态特征 |

多年生草本，高 25 ~ 100 cm，具红褐色粗壮直根。茎直立，中空，具肋棱，由上部分枝，分枝开展，被向下贴伏的柔毛。基生叶和茎下部叶长圆状披针形或披针形，长7 ~ 15 cm，宽 2 ~ 4 cm，先端钝或渐尖，基部渐狭成柄，灰绿色，上下面均密生贴伏的短柔毛；茎中部及上部叶无柄，狭披针形，被灰色短柔毛。花序顶生及腋生，长约 10 cm，花稀疏，集为疏松的圆锥状花序；苞片狭披针形或线形；花梗细弱，长3 ~ 10 mm，花后伸长，果期长 2 ~ 4 cm，下弯，密被贴伏柔毛；花萼长 2 ~ 3 mm，外面密生短柔毛，裂片卵形或卵状披针形，果期几不增大，向下反折；花冠蓝紫色，长约 3 mm，檐部直径 3 ~ 5 mm，深裂至下1/3，裂片卵圆形，先端微凹，喉部有 5 梯形附属物，附属物长约 0.5 mm；花药卵球形，长约 0.6 mm，着生于花冠筒中部以上；花柱肥厚，扁平。小坚果卵形，长 4.5 ~6 mm，宽约 5 mm，密生锚状刺，背面平，

腹面中部以上有卵圆形的着生面。花期 6 ~ 7 月，果期 8 月。

| **生境分布** | 生于田边、路旁或沙地上。分布于宁夏泾源、隆德、灵武、红寺堡、盐池等。

| **资源情况** | 野生资源丰富。

| **采收加工** | 根，秋后茎叶枯黄时挖取，除去残茎、须根及泥土，晒干。果实，秋季成熟后采集。

| **药材性状** | 本品根呈圆锥形或圆柱形，略弯曲或扭曲，直径 0.7 ~ 2.5 cm；表面呈棕褐色或黑褐色，具扭曲或平直的纵沟纹，有时可见不规则的沟状或穴状痕；质硬，不易折断，断面皮部薄，棕褐色，木部发达，黄白色；气微，味微甜。小坚果扁卵形，长约 5 mm，宽约 4 mm，密生锚状刺，着生面位于腹面的上部，一端常带短柄，较狭，另一端圆形，较宽。

| **功能主治** | 根，淡，寒。归心、肺经。清热解毒。用于扁桃体炎，疮疖痈肿。果实，苦，平。归脾经。收敛止泻。用于小儿泄泻。

| **用法用量** | 根，内服煎汤，9 ~ 15 g。果实，内服煎汤，6 ~ 15 g。

| 紫草科 | Boraginaceae | 齿缘草属 | *Eritrichium*

石生齿缘草 *Eritrichium rupestre* (Pall.) Bge.

| **药 材 名** | 石生齿缘草（药用部位：带花全草）。

| **形态特征** | 多年生草本，高 10 ~ 20 cm。根粗壮，长圆锥形，黑褐色；不分枝或稍分枝。茎基部具短分枝，呈垫状，地上数茎丛生，常不分枝，与叶、花萼均被平伏的灰白色柔毛并混生有刚毛。基生叶匙形或匙状倒披针形，长 3 ~ 6 cm，宽 2 ~ 5 cm，先端急尖或圆钝，基部渐狭呈柄状；茎生叶狭倒披针形或线形，长 1 ~ 1.5（~ 2）cm，宽 2 ~ 4 mm。单歧聚伞花序顶生，紧密，长 0.8 ~ 1.5 cm，花后伸长；苞片椭圆形，长 2 ~ 3 mm，宽 1 ~ 1.5 mm，先端圆钝；花梗长 1 ~ 2 mm；花萼 5 深裂，裂片倒卵状长椭圆形，长约 2.5 mm，宽约 1 mm，先端钝；花冠蓝色，花冠筒长 2.5 mm，喉部具 5 附属物，裂片 5，宽倒卵形或近圆形，长约 4 mm，宽约 3.5 mm；雄蕊 5，着

石生齿缘草

生于花冠筒中部；子房 4 裂，花柱长约 1.5 mm，柱头头状。小坚果陀螺形，长约 2 mm，具小疣状突起和毛，棱缘具三角形小齿。花期 6 ～ 7 月，果期 7 ～ 8 月。

| **生境分布** | 生于干旱山坡。分布于宁夏贺兰、西夏、大武口等。

| **资源情况** | 野生资源较丰富。

| **采收加工** | 夏、秋季采集，阴干。

| **功能主治** | 苦、甘，寒。清热解毒。用于温热病，脱疽。

| **用法用量** | 研末冲服，3 g。

紫草科 Boraginaceae 鹤虱属 Lappula

异刺鹤虱

Lappula heteracantha (Ledeb.) Gürke

| 药 材 名 |　异刺鹤虱（药用部位：果实）。

| 形态特征 |　一年生草本。茎直立，高 30 ~ 50 cm，上部有分枝，被开展或近贴伏的灰色柔毛，茎下部的毛渐脱落。基生叶常呈莲座状，长圆形，长 2 ~ 7 cm，宽 3 ~ 8 mm，全缘，先端钝，基部渐狭成叶柄，两面被开展或近开展的具基盘的灰色糙毛；茎生叶似基生叶，但较小而狭，无叶柄。花序疏松，果期明显伸长；苞片线形，下方者比果实长，上方者比果实短；花梗短，果期伸长，下部者长 3 ~ 5 mm，中部者长 2 ~ 3 mm，直立而粗壮，基部渐细；花萼深裂至基部，裂片线形，花期直立，长 2 ~ 3 mm，果期增大，长约 5 mm，常星状开展；花冠淡蓝色，钟状，长 3 ~ 3.5 mm，檐部直径 2 ~ 4 mm，喉部白色或淡黄色，附属物梯形。小坚果卵形，长 3 ~ 3.5 mm，背

异刺鹤虱

面长圆状披针形，有小疣状突起；边缘有 2 行锚状刺，内行刺黄色，长 1.5 ~ 2 mm，基部扩展，相互连合成狭翅，外行刺比内行刺短，通常生于小坚果腹面的中下部；小坚果腹面具疣状突起；花柱隐藏于小坚果上方锚状刺之中。花果期 6 ~ 9 月。

| **生境分布** | 生于平原、荒地、沙丘、山地及田野。分布于宁夏海原、隆德、西吉、惠农、平罗、利通、盐池、兴庆、金凤、大武口等。

| **资源情况** | 野生资源较丰富。

| **采收加工** | 秋季果实成熟时采摘，晒干，除去皮屑和杂质。

| **功能主治** | 消积杀虫。

紫草科 Boraginaceae 鹤虱属 Lappula

鹤虱
Lappula myosotis Moench

| 药 材 名 | 鹤虱（药用部位：果实）。

| 形态特征 | 一年生或二年生草本。茎直立，高 30 ~ 60 cm，中部以上多分枝，密被白色短糙毛。基生叶长圆状匙形，全缘，先端钝，基部渐狭成长柄，长达 7 cm（包括叶柄），宽 3 ~ 9 mm，两面密被有白色基盘的长糙毛；茎生叶较短而狭，披针形或线形，扁平或沿中肋纵折，先端尖，基部渐狭，无叶柄。花序在花期短、果期伸长，长 10 ~ 17 cm；苞片线形，较果实稍长；花梗果期伸长，长约 3 mm，直立而被毛；花萼 5 深裂，几达基部，裂片线形，急尖，有毛，花期长 2 ~ 3 mm，果期增大呈狭披针形，长约 5 mm，星状开展或反折；花冠淡蓝色，漏斗状至钟状，长约 4 mm，檐部直径 3 ~ 4 mm，裂片长圆状卵形，喉部附属物梯形。小坚果卵状，长 3 ~ 4 mm，背

鹤虱

面狭卵形或长圆状披针形，通常有颗粒状疣突，稀平滑或沿中线龙骨状突起上有小棘突；边缘有 2 行近等长的锚状刺，内行刺长 1.5 ~ 2 mm，基部不连合，外行刺较内行刺稍短或近等长，通常直立；小坚果腹面通常具棘状突起或小疣状突起；花柱伸出小坚果但不超过小坚果上方之刺。花果期 6 ~ 9 月。

| 生境分布 | 生于沙荒地、山坡草地。分布于宁夏西夏、永宁、兴庆等。

| 资源情况 | 野生资源较丰富。

| 采收加工 | 秋季果实成熟时采摘，晒干，除去皮屑和杂质。

| 功能主治 | 苦、辛，平。消积杀虫。用于蛔虫病，蛲虫病，绦虫病，虫积腹痛。

| 用法用量 | 内服煎汤，9 ~ 15 g；或入丸、散剂。

| 附　注 | 《中华人民共和国药典》（2020 年版）收载的鹤虱药材来源于菊科植物天名精 *Carpesium abrotanoides* L. 的干燥成熟果实。本种鹤虱 *Lappula myosotis* Moench 为紫草科植物，与天名精 *Carpesium abrotanoides* L. 不是同一植物，应加以区别。

紫草科 Boraginaceae 紫草属 Lithospermum

紫草
Lithospermum erythrorhizon Sieb. et Zucc.

紫草

| 药 材 名 |

紫草（药用部位：根。别名：硬紫草、紫根）。

| 形态特征 |

多年生草本。根富含紫色物质。茎通常 1 ~ 3 条，直立，高 40 ~ 90 cm，有贴伏和开展的短糙伏毛，上部有分枝，枝斜升并常稍弯曲。叶无柄，卵状披针形至宽披针形，长 3 ~ 8 cm，宽 7 ~ 17 mm，先端渐尖，基部渐狭，两面均有短糙伏毛，脉在叶下面凸起，沿脉有较密的糙伏毛。花序生茎和枝上部，长 2 ~ 6 cm，果期延长；苞片与叶同形而较小；花萼裂片线形，长约 4 mm，果期可达 9 mm，背面有短糙伏毛；花冠白色，长 7 ~ 9 mm，外面稍有毛，筒部长约 4 mm，檐部与筒部近等长，裂片宽卵形，长 2.5 ~ 3 mm，开展，全缘或微波状，先端有时微凹，喉部附属物半球形，无毛；雄蕊着生于花冠筒中部稍上，花丝长约 0.4 mm，花药长 1 ~ 1.2 mm；花柱长 2.2 ~ 2.5 mm，柱头头状。小坚果卵球形，乳白色或带淡黄褐色，长约 3.5 mm，平滑，有光泽，腹面中线凹陷呈纵沟。花果期 6 ~ 9 月。

| 生境分布 | 生于山地林缘、灌丛及田埂、路边。分布于宁夏南华山（海原）及原州、泾源等。

| 资源情况 | 野生资源较少。

| 采收加工 | 春、秋季挖取根部，除去泥土和残茎，晒干。忌用水洗。

| 药材性状 | 本品呈圆锥形，扭曲，有分枝，长 7 ~ 14 cm，直径 1 ~ 2 cm。表面紫红色或紫黑色，粗糙有纵纹，皮部薄，易剥落。质硬而脆，易折断，断面皮部深紫色，木部较大，灰黄色。

| 功能主治 | 苦，寒。归心、肝经。凉血活血，解毒透疹。用于血热毒盛，斑疹紫黑，麻疹不透，疮疡，湿疹，烫火伤。

| 用法用量 | 内服煎汤，5 ~ 9 g；或入散剂。外用适量，熬膏或制油涂。

紫草科 Boraginaceae 牛舌草属 Anchusa

狼紫草
Anchusa ovata Lehmann

| 药 材 名 | 野旱烟（药用部位：叶。别名：羞羞花）。

| 形态特征 | 一年生草本，高达 40 cm。茎下部常分枝，疏被开展刚毛。基生叶及茎下部叶倒披针形或线状长圆形，长 4 ~ 14 cm，宽 1.2 ~ 3 cm，两面疏被硬毛，具微波状牙齿；具柄。聚伞花序果期长达 25 cm；苞片卵形或线状披针形；花梗长约 2 mm，长可达 1.5 cm；花萼长约 7 mm，裂至近基部，被刚毛，裂片线状披针形，稍不等长，果期开展；花冠蓝紫色，稀紫红色，长约 7 mm，无毛，筒下部稍膝曲，裂片宽稍大于长，开展，附属物疣状或鳞片状，密被短毛；花丝极短，花药长约 1 mm；花柱长约 2.5 mm。小坚果肾形，淡褐色，长 3 ~ 3.5 mm，具网状折皱及疣点，着生面碗状，边缘无齿。种子褐色。花果期 5 ~ 7 月。

狼紫草

生境分布	生于荒地、田间、村庄附近。分布于宁夏原州、隆德、泾源、彭阳、西吉等。
资源情况	野生资源较丰富。
采收加工	夏季采收，洗净，鲜用。
功能主治	消炎止痛。用于疮肿。
用法用量	外用适量，捣敷。

紫草科 Boraginaceae　紫丹属 Tournefortia

砂引草

Tournefortia sibirica Linnaeus

| 药 材 名 |　砂引草（药用部位：全草。别名：紫丹草）。

| 形态特征 |　多年生草本，高 10 ~ 30 cm，有细长的根茎。茎单一或数条丛生，直立或斜升，通常分枝，密生糙伏毛或白色长柔毛。叶披针形、倒披针形或长圆形，长 1 ~ 5 cm，宽 6 ~ 10 mm，先端渐尖或钝，基部楔形或圆，密生糙伏毛或长柔毛，中脉明显，上面凹陷，下面凸起；侧脉不明显；无柄或近无柄。花序顶生，直径 1.5 ~ 4 cm；萼片披针形，长 3 ~ 4 mm，密生向上的糙伏毛；花冠黄白色，钟状，长 1 ~ 1.3 cm，裂片卵形或长圆形，外弯，花冠筒较裂片长，外面密生向上的糙伏毛；花药长圆形，长 2.5 ~ 3 mm，先端具短尖，花丝极短，长约 0.5 mm，着生于花冠筒中部；子房无毛，略现 4 裂，长 0.7 ~ 0.9 mm，花柱细，长约 0.5 mm，柱头浅 2 裂，长 0.7 ~ 0.8 mm，

砂引草

下部环状膨大。核果椭圆形或卵球形，长 7 ~ 9 mm，直径 5 ~ 8 mm，粗糙，密生伏毛，先端凹陷，核具纵肋，成熟时分裂为 2 个各含 2 粒种子的分核。花期 5 月，果期 7 月。

| **生境分布** | 生于沙地、沟渠边、轻盐碱地及田边。分布于宁夏贺兰、惠农、平罗、西夏、永宁、利通、青铜峡、中宁、盐池、兴庆、金凤等。

| **资源情况** | 野生资源较丰富。

| **采收加工** | 夏季采收，除去杂质，晒干。

| **药材性状** | 本品长 8 ~ 20 cm，密被长柔毛。根茎及茎基黑褐色。茎有分枝，具纵棱。单叶互生，叶片多皱缩或破碎，完整者展平后呈披针形，长 2 ~ 3 cm，宽 3 ~ 5 mm，全缘。花密集，顶生，呈聚伞状，花冠漏斗状，呈白色或棕黄色。果实类球形，长约 6 mm，被白色柔毛。气微，味微苦。

| **功能主治** | 清热解毒，排脓敛疮。用于瘰疬，疮疡溃破久不收口，皮肤湿疡。

| **用法用量** | 内服煎汤，3 ~ 9 g。外用适量，煎汤洗；或熬膏敷。

细叶砂引草

Tournefortia sibirica L. var. *angustior* (A. de Candolle) G. L. Chu & M. G. Gilbert

| 药 材 名 | 细叶砂引草（药用部位：全草）。

| 形态特征 | 多年生草本，高 10 ~ 30 cm，有细长的根茎。茎单一或数条丛生，直立或斜升，通常分枝，密生糙伏毛或白色长柔毛。叶狭细呈线形或线状披针形，长 1 ~ 5 cm，宽 6 ~ 10 mm，先端渐尖或钝，基部楔形或圆，密生糙伏毛或长柔毛，中脉明显，上面凹陷，下面凸起，侧脉不明显，无柄或近无柄。花序顶生，直径 1.5 ~ 4 cm；萼片披针形，长 3 ~ 4 mm，密生向上的糙伏毛；花冠黄白色，钟状，长 1 ~ 1.3 cm，裂片卵形或长圆形，外弯，花冠筒较裂片长，外面密生向上的糙伏毛；花药长圆形，长 2.5 ~ 3 mm，先端具短尖，花丝极短，长约 0.5 mm，着生于花筒中部；子房无毛，略现 4 裂，长 0.7 ~ 0.9 mm，花柱细，长约 0.5 mm，柱头浅 2 裂，长 0.7 ~ 0.8 mm，下

细叶砂引草

部环状膨大。核果椭圆形或卵球形，长 7 ～ 9 mm，直径 5 ～ 8 mm，粗糙，密生伏毛，先端凹陷，核具纵肋，成熟时分裂为 2 个各含 2 粒种子的分核。花期 5 月，果实 7 月成熟。

| 生境分布 | 生于旱山坡、路边及河边沙地。分布于宁夏盐池等。

| 采收加工 | 夏季采收，除去杂质，晒干。

| 功能主治 | 排脓敛疮。用于疮疡溃烂久不收口。

| 附　　注 | 本变种与砂引草（原变种）的主要区别在于本种叶片狭细呈线形或线状披针形。

紫草科 Boraginaceae 微孔草属 Microula

微孔草

Microula sikkimensis (Clarke) Hemsl.

微孔草

药材名

微孔草（药用部位：全草）。

形态特征

一年生草本，高 15 ～ 45 cm。茎直立，上部分枝，具纵条棱，被开展的灰白色长硬毛。基生叶椭圆形或倒卵状椭圆形，长 1.5 ～ 3 cm，宽 7 ～ 13 mm，先端圆钝或急尖，基部楔形，两面被平伏短硬毛，背面稍密，叶柄长 3 ～ 6 cm，被开展的灰白色长硬毛；茎生叶卵形、狭卵形或卵状披针形，长 2.5 ～ 5 cm，宽 0.8 ～ 2.5 cm，先端渐尖，基部楔形，两面被平伏硬毛，叶柄长 1 ～ 5 cm，被开展的硬毛，最上部叶无柄。单歧聚伞花序顶生；花梗长 2 ～ 3 mm；花萼长约 3 mm，5 深裂，裂片披针形，两面被毛，边缘密生灰白色长硬毛；花冠蓝色，花冠筒长约 2 mm，喉部具 5 附属物，裂片 5，近圆形或宽倒卵形，长约 2 mm；雄蕊 5，内藏；子房 4 裂，花柱长约 1 mm，柱头头状。小坚果宽倒卵形，长约 2 mm，具疣状小突起，背面中上部具环状突起。花期 5 ～ 6 月，果期 7 ～ 8 月。

| 生境分布 | 生于林下。分布于宁夏泾源、隆德等。 |

| 资源情况 | 野生资源较少。 |

| 采收加工 | 夏季采收，除去杂质，晒干。 |

| 功能主治 | 清热解毒，活血。 |

| 用法用量 | 外用适量，捣敷。 |

紫筒草
Stenosolenium saxatile (Pall.) Turcz.

| 药 材 名 | 紫筒草（药用部位：全草及根。别名：白毛草、伏地蜈蚣草）。

| 形态特征 | 多年生草本。根细锥形，根皮紫褐色，稍含紫红色物质。茎通常数条，直立或斜升，高 10 ~ 25 cm，不分枝或上部有少数分枝，密生开展的长硬毛和短伏毛。基生叶和茎下部叶匙状线形或倒披针状线形，近花序的叶披针状线形，长 1.5 ~ 4.5 cm，宽 3 ~ 8 mm，两面密生硬毛，先端钝或微钝，无柄。花序顶生，逐渐延长，密生硬毛；苞片叶状；短花梗长约 1 mm；花萼长约 7 mm，密生长硬毛，裂片钻形，果期直立，基部包围果实；花冠蓝紫色、紫色或白色，长 1 ~ 1.4 cm，外面有稀疏短伏毛，花冠筒细，明显较檐部长，通常稍弧曲，檐部直径 5 ~ 7 mm，裂片开展；雄蕊螺旋状着生于花冠筒中部之上，内藏；花柱长约为花冠筒的 1/2，先端 2 裂，柱头球形。小

紫筒草

坚果的短柄长约 0.5 mm，着生面居短柄的底面。花果期 5 ~ 9 月。

| **生境分布** | 生于石质山坡、沙地或路边。分布于宁夏灵武、盐池、同心、西夏、贺兰等。

| **资源情况** | 野生资源一般。

| **采收加工** | 夏季采收地上全草，除去杂质，晒干。秋季挖根，洗净，晒干。

| **药材性状** | 本品长 8 ~ 25 cm，密被粗硬毛和短柔毛。根外表紫黑色或黑棕色，断面皮部黑紫色，木部淡黄白色，直径 0.5 ~ 2 mm。茎呈灰绿色或暗褐色，断面类白色，中空，直径 0.5 ~ 2.5 mm。叶互生，多破碎或卷曲，草质，灰绿色，完整者呈倒披针状条形或披针状条形。花棕黄色。小坚果呈三角状卵形，常 4 个着生在一起。气微，味微苦。

| **功能主治** | 苦、辛，凉。清热凉血，止血止咳。用于吐血，肺热咳嗽，感冒，关节疼痛。

| **用法用量** | 内服煎汤，6 ~ 9 g。

紫草科 Boraginaceae 盾果草属 Thyrocarpus

弯齿盾果草
Thyrocarpus glochidiatus Maxim.

| 药 材 名 | 弯齿盾果草（药用部位：全草）。

| 形 态 特 征 | 茎 1 至数条，细弱，斜升或外倾，高 10 ~ 30 cm，常自下部分枝，有伸展的长硬毛和短糙毛。基生叶有短柄，匙形或狭倒披针形，长 1.5 ~ 6.5 cm，宽 3 ~ 14 mm，两面都有具基盘的硬毛；茎生叶较小，无柄，卵形至狭椭圆形。花序长可达 15 cm；苞片卵形至披针形，长 0.5 ~ 3 cm，花生苞腋或腋外；花梗长 1.5 ~ 4 mm；花萼长约 3 mm，裂片狭椭圆形至卵状披针形，先端钝，两面都有毛；花冠淡蓝色或白色，与萼几等长，筒部比檐部短 1.5 倍，檐部直径约 2 mm，裂片倒卵形至近圆形，稍开展，喉部附属物线形，长约 1 mm，先端截形或微凹；雄蕊 5，着生于花冠筒中部，内藏，花丝很短，花药宽卵形，长约 0.4 mm。小坚果 4，长约 2.5 mm，黑褐色，

弯齿盾果草

外层突起，色较淡，齿长约与碗高相等，齿的先端明显膨大并向内弯曲，内层碗状突起显著向里收缩。花果期 4 ~ 6 月。

| **生境分布** | 生于绿化带林下。分布于宁夏金凤等。

| **资源情况** | 野生资源稀少。

| **功能主治** | 清热解毒消肿。

紫草科 Boraginaceae 盾果草属 Thyrocarpus

盾果草
Thyrocarpus sampsonii Hance

| 药 材 名 | 盾果草（药用部位：全草。别名：盾形草、野生地）。

| 形态特征 | 茎 1 至数条，直立或斜升，高 20 ~ 45 cm，常自下部分枝，有开展的长硬毛和短糙毛。基生叶丛生，有短柄，匙形，长 3.5 ~ 19 cm，宽 1 ~ 5 cm，全缘或有疏细锯齿，两面都有具基盘的长硬毛和短糙毛；茎生叶较小，无柄，狭长圆形或倒披针形。花序长 7 ~ 20 cm；苞片狭卵形至披针形，花生苞腋或腋外；花梗长 1.5 ~ 3 mm；花萼长约 3 mm，裂片狭椭圆形，背面和边缘有开展的长硬毛，腹面稍有短伏毛；花冠淡蓝色或白色，显著比花萼长，筒部比檐部短 2.5 倍，檐部直径 5 ~ 6 mm，裂片近圆形，开展，喉部附属物线形，长约 0.7 mm，肥厚，有乳头状突起，先端微缺；雄蕊 5，着生于花冠筒中部，花丝长约 0.3 mm，花药卵状长圆形，长约 0.5 mm。小坚果

盾果草

4，长约 2 mm，黑褐色，碗状突起的外层边缘色较淡，齿长约为碗高的 1/2，伸直，先端不膨大，内层碗状突起不向里收缩。花果期 5 ~ 7 月。

| **生境分布** | 生于山坡草地、路旁或石砾堆、灌丛中。分布于宁夏大武口等。

| **资源情况** | 野生资源较少。

| **采收加工** | 4 ~ 6 月采收，鲜用或晒干。

| **药材性状** | 本品茎较细，1 至数条，圆柱形，长 10 ~ 30 cm，表面枯绿色，具灰白色糙毛；质脆，易折断，断面白色。基生叶丛生，皱缩卷曲，湿润展开后呈匙形，具柄，长 3.5 ~ 19 cm，宽 1 ~ 5 cm，枯绿色或深绿色，两面均具灰白色粗毛，茎生叶较小，无柄。叶片稍厚。有时可见蓝色或紫色小花。或有两层碗状突起的小坚果，其外层有直立的齿轮，内层紧贴边缘。气微，味微苦。

| **功能主治** | 苦，凉。清热解毒消肿。用于痈肿，疔疮，咽喉疼痛，泄泻，痢疾。

| **用法用量** | 内服煎汤，9 ~ 15 g，鲜品 30 g。外用适量，鲜品捣敷。

紫草科 Boraginaceae 附地菜属 Trigonotis

钝萼附地菜
Trigonotis amblyosepala Nakai et Kitag.

| 药 材 名 | 钝萼附地菜（药用部位：全草）。

| 形态特征 | 一年生或二年生草本。茎多条丛生，斜升或铺散，高 7 ～ 40 cm，基部多分枝，被短伏毛。基生叶密集，铺散，有长柄，叶片通常匙形或狭椭圆形；茎下部叶似基生叶，狭椭圆形、狭卵形、长圆状倒卵形或椭圆形，长 1 ～ 2.5（～ 3）cm，宽 0.5 ～ 1 cm，先端圆钝，基部楔形，两面被短伏毛，有短柄；茎上部叶较短而狭，几无柄。花序生于茎及小枝先端，幼时卷曲，后渐次延伸，长达 20 cm，只在基部具数个叶状苞片；花梗细弱，花期长 3 ～ 5 mm，果期长达 10 mm，平伸或斜上；花萼 5 深裂，裂片倒卵状长圆形或狭匙形，先端圆钝，花期直立，长约 1.3 mm，果期开展，长达 3.5 mm；花冠蓝色，筒部长约 1.5 mm，檐部直径 3.5 ～ 4 mm，裂片宽倒卵形，

钝萼附地菜

长约 2 mm，平展，先端圆钝，喉部附属物 5，黄色；花药椭圆形，黄色，长约 0.6 mm，先端具短尖；子房 4 裂，花柱短，长约 0.6 mm，先端具头状柱头。小坚果 4，直立，斜三棱锥状四面体形，长约 1 mm，有短毛，背面凸起呈三角状卵形，先端尖，具 3 锐棱，腹面的 2 个侧面近等大，基底面较小且略凸起，内侧具短柄，柄较粗，向一侧弯曲。早春即开花，花果期较长。

| 生境分布 | 生于林缘、草地、灌丛。分布于宁夏彭阳、隆德等。

| 资源情况 | 野生资源稀少。

| 采收加工 | 夏、秋季采收，拔取全草，除净泥土和杂质，晒干。

| 功能主治 | 清热消炎，止痛止痢。用于热毒疮疡，赤白痢疾，跌打损伤。

| 用法用量 | 内服煎汤，3 ~ 6 g。外用适量，鲜品捣敷。

| 附　注 | 在《中国植物志》（英文版）中，本种的拉丁学名被修订为 *Trigonotis peduncularis* (Trev.) Benth. ex Baker et Moore var. *amblyosepala* (Nakai & Kitagawa) W. T. Wang。

紫草科 Boraginaceae 附地菜属 Trigonotis

附地菜
Trigonotis peduncularis (Trev.) Bench. ex Baker et Moore

| 药 材 名 | 附地菜（药用部位：全草）。

| 形态特征 | 一年生草本，高 8 ～ 20 cm。茎 1 至多条，直立或斜伸，常分枝，有短糙伏毛。基生叶倒卵形、椭圆形或匙形，长 0.5 ～ 3.5 cm，宽 4 ～ 10 mm，先端钝圆，基部渐狭且下延成柄，两面被伏细硬毛；茎生叶与基生叶相似而渐小，具短柄至无柄。花序长达 20 cm，于细弱花序轴上稀疏总状排列数十朵花；花小，花梗细，长约 5 mm，花序轴与花梗均被短伏毛；花萼 5 深裂，裂片椭圆状披针形，先端尖，长 1.1 ～ 1.5 mm，被短伏毛；花冠蓝色，裂片钝，开展，喉部黄色，具 5 附属物；雄蕊 5，内藏；子房 4 裂。小坚果 4，四面体，细小。花果期 5 ～ 8 月。

| 生境分布 | 生于林缘、草地、田边及路旁。分布于宁夏泾源、隆德、彭阳、原州等。

附地菜

资源情况	野生资源较少。

采收加工	夏、秋季均可采收，拔取全草，去净泥土和杂质，晒干。

药材性状	本品皱缩成团，湿润展开后根细长呈圆锥形。茎1至多条，纤细多分枝，基部淡紫棕色，上部枯绿色，有短糙毛。基生叶有长柄，叶片椭圆状卵形，长可达2 cm，两面有糙毛；茎生叶几无柄，叶片稍小。总状花序细长，可达20 cm，可见类白色或蓝色小花，有时具四面体形的小坚果。有青草气，味微苦、涩。

功能主治	甘、辛，温。归心、肝、脾、肾经。温中健脾，祛风活络，消肿止痛。用于胃痛，吐酸，吐血，牙痛，小儿疳积，手足麻木，跌打损伤，骨折，漆疮。

用法用量	内服煎汤，15～30 g；或研末。外用适量，捣敷或研末擦。

蒙古莸 *Caryopteris mongholica* Bunge

| 药 材 名 | 蒙古莸（药用部位：全株。别名：山狼毒、蓝花茶、白沙蒿）。

| 形态特征 | 落叶小灌木，高 0.5 ~ 1.5 m。嫩枝紫褐色，圆柱形。叶片厚纸质，线状披针形或线状长圆形，全缘，很少有稀齿，长 0.8 ~ 4 cm，宽 2 ~ 8 mm，表面深绿色，稍被细毛，背面密生灰白色绒毛；叶柄长约 3 mm。聚伞花序腋生，无苞片和小苞片；花萼钟状，长约 3 mm，外面密生灰白色绒毛，深 5 裂，裂片阔线形至线状披针形，长约 1.5 mm；花冠蓝紫色，长约 1 cm，外面被短毛，5 裂，下唇中裂片较长大，边缘流苏状，花冠管长 3 ~ 5 mm，管内喉部有细长柔毛；雄蕊 4，几等长，与花柱均伸出花冠管外；子房长圆形，无毛，柱头 2 裂。蒴果椭圆状球形，无毛，果瓣具翅。花果期 8 ~ 10 月。

| 生境分布 | 生于山地灌丛、山地阳坡、河岸和沙丘等。分布于宁夏罗山（同心、

蒙古莸

红寺堡）及贺兰、海原、中宁等，同心其他地区也有分布。

| **资源情况** | 野生资源较丰富。

| **采收加工** | 夏、秋季花开时采集全株，去杂，晒干。

| **功能主治** | 甘、辛，温。归肝、脾经。消食理气，祛风湿，活血止痛。用于腹胀，消化不良。

| **用法用量** | 内服煎汤，5～9g。外用适量，煎汤洗。

马鞭草科 Verbenaceae 牡荆属 Vitex

荆条

Vitex negundo L. var. *heterophylla* (Franch.) Rehd.

荆条

| 药 材 名 |

荆条（药用部位：根、茎枝、叶、果实。别名：黄荆条）。

| 形态特征 |

灌木或小乔木。小枝四棱形，密生灰白色绒毛。掌状复叶，小叶 5，少有 3；小叶片长圆状披针形至披针形，先端渐尖，基部楔形，小叶片边缘有缺刻状锯齿，浅裂以至深裂，背面密被灰白色绒毛；中间小叶长 4 ~ 13 cm，宽 1 ~ 4 cm，两侧小叶依次递小，若具 5 小叶时，中间 3 片小叶有柄，最外侧的 2 片小叶无柄或近于无柄。聚伞花序排成圆锥花序式，顶生，长 10 ~ 27 cm；花序梗密生灰白色绒毛；花萼钟状，先端有 5 裂齿，外有灰白色绒毛；花冠淡紫色，外有微柔毛，先端 5 裂，二唇形；雄蕊伸出花冠筒外；子房近无毛。核果近球形，直径约 2 mm；宿存萼接近果实的长度。花期 4 ~ 6 月，果期 7 ~ 10 月。

| 生境分布 |

生于山坡路旁。分布于宁夏贺兰山（贺兰、平罗、大武口、惠农）等。

| **资源情况** | 野生资源较少。

| **采收加工** | 全年均可采收，以夏、秋季为好。挖取根，洗净，切段，晒干。割取地上茎枝，切段，晒干。夏、秋季采收叶，鲜用或晾干。果实，秋季果实成熟时采收，晾干。

| **药材性状** | 本品根呈圆柱形，直径 0.8 ～ 1.5 cm；外表面灰黄色、土黄色或红棕色，具浅纵裂纹；质硬，不易折断，断面皮部呈棕褐色，木部呈灰白色至暗灰黄色，有数个同心性环纹；气微，味淡。茎枝上部呈明显的四棱形，下部呈类圆柱形；表面呈灰棕色至黄棕色，密被短柔毛。叶具长柄；叶片多皱缩、内卷或破碎，完整者展平后呈掌状复叶；小叶披针形，边缘具缺刻状锯齿或浅裂，上表面无毛，灰黑色，下表面灰白色，密被短柔毛。果实呈圆球形或倒卵形，长 2 ～ 4 mm，直径 1.5 ～ 2 mm；果皮较厚，质硬，不易破碎；气微臭，味苦、微涩。

| **功能主治** | 根、茎枝，苦、微辛，温。归心、肺、肝经。解肌发汗，燥湿，祛痰平喘，止疟。用于感冒，喉痹肿痛，久咳痰喘，疟疾，风湿痹痛，肝炎，胃溃疡，胃炎，慢性支气管炎。叶，苦，凉。归肺、大肠经。清热解表，祛湿截疟。用于感冒，泄泻，痢疾，疟疾，热淋，湿疹，皮炎，足癣。果实，苦、辛，温。归肺、胃、肝经。祛风化痰，行气止痛。用于咳嗽，哮喘，胃痛，消化不良，泄泻，痢疾。

| **用法用量** | 根、茎枝，内服煎汤，15 ～ 30 g。叶，内服煎汤，9 ～ 30 g。果实，内服煎汤，3 ～ 9 g。

唇形科 Labiatae 藿香属 Agastache

藿香
Agastache rugosa (Fisch. et Mey.) O. Ktze.

| 药 材 名 | 藿香（药用部位：地上部分。别名：土藿香）。

| 形态特征 | 多年生草本。茎直立，高 0.5 ~ 1.5 m，四棱形，直径达 7 ~ 8 mm，上部被极短的细毛，下部无毛，在上部具能育的分枝。叶心状卵形至长圆状披针形，长 4.5 ~ 11 cm，宽 3 ~ 6.5 cm，向上渐小，先端尾状长渐尖，基部心形，稀截形，边缘具粗齿，纸质，上面榄绿色，近无毛，下面略淡，被微柔毛及点状腺体；叶柄长 1.5 ~ 3.5 cm。轮伞花序多花，在主茎或侧枝上组成顶生密集的圆筒形穗状花序，穗状花序长 2.5 ~ 12 cm，直径 1.8 ~ 2.5 cm；花序基部的苞叶长不超过 5 mm，宽 1 ~ 2 mm，披针状线形，长渐尖，苞片形状与之相似，较小，长 2 ~ 3 mm；轮伞花序具短梗，总梗长约 3 mm，被腺微柔毛；花萼管状倒圆锥形，长约 6 mm，宽约 2 mm，被腺微柔毛及黄

藿香

色小腺体，多少染成浅紫色或紫红色，喉部微斜，萼齿三角状披针形，后 3 齿长约 2.2 mm，前 2 齿稍短；花冠淡紫蓝色，长约 8 mm，外被微柔毛，花冠筒基部宽约 1.2 mm，微超出于萼，向上渐宽，至喉部宽约 3 mm，冠檐二唇形，上唇直伸，先端微缺，下唇 3 裂，中裂片较宽大，长约 2 mm，宽约 3.5 mm，平展，边缘波状，基部宽，侧裂片半圆形；雄蕊伸出花冠，花丝细，扁平，无毛；花柱与雄蕊近等长，丝状，先端相等的 2 裂，花盘厚环状，子房裂片顶部具绒毛。成熟小坚果卵状长圆形，长约 1.8 mm，宽约 1.1 mm，腹面具棱，先端具短硬毛，褐色。花期 6 ～ 9 月，果期 9 ～ 11 月。

| 生境分布 | 宁夏泾源等地有栽培。

| 资源情况 | 栽培资源较少。

| 采收加工 | 夏、秋季枝叶茂盛或花初开时，割取地上部分，阴干或趁鲜切段后阴干。

| 药材性状 | 本品茎呈四棱形，长 30 ～ 90 cm，直径 2 ～ 7 mm；分枝对生，四面平坦或凹入呈宽沟状，具纵皱纹，表面绿色或黄绿色；质脆，易折断，断面白色，髓部中空。叶对生，具长柄，腋下常生小枝；叶片较薄，多皱缩或破碎，完整者展平后呈卵形，长 2 ～ 8 cm，宽 1 ～ 6 cm；先端尖或短渐尖，基部圆形或心形，边缘有钝锯齿，上表面深绿色，下表面浅绿色，两面微具毛茸。茎先端有时有穗状轮伞花序，呈土棕色。气芳香，味淡而微凉。以茎枝色绿、叶多、香气浓者为佳。

| 功能主治 | 辛，微温。归肺、脾、胃经。祛暑解表，化湿和胃。用于夏令感冒，寒热头痛，胸脘痞闷，呕吐泄泻，妊娠呕吐，鼻渊，手足癣。

| 用法用量 | 内服煎汤，6 ～ 10 g；或入丸、散剂。外用适量，煎汤洗；或研末搽。

| 附　注 | 《新编中药志》记载，本种与广藿香同时作藿香药用，系不同地区的习惯用药。

唇形科 Labiatae 筋骨草属 *Ajuga*

筋骨草
Ajuga ciliata Bunge

| 药 材 名 | 筋骨草（药用部位：全草）。

| 形态特征 | 多年生草本，高达 40 cm。茎紫红色或绿紫色，常无毛，幼时被灰白色长柔毛。叶卵状椭圆形或窄椭圆形，长 4 ~ 7.5 cm，基部楔形下延，不整齐重牙齿及缘毛；叶柄长 1 cm 以上或几无，有时紫红色，基部抱茎，被灰白色柔毛或仅具缘毛。轮伞花序组成长 5 ~ 10 cm 的穗状花序；苞叶卵形，长 1 ~ 1.5 cm，有时紫红色，全缘或稍具缺刻；花萼漏斗状钟形，长 7 ~ 8 mm，萼齿被长柔毛及缘毛，长三角形或窄三角形；花冠紫色，具蓝色条纹，花冠筒被柔毛，内面被微柔毛，基部具毛环，上唇先端圆，微缺，下唇中裂片倒心形，一侧裂片线状长圆形。小坚果被网纹，合生面几占整个腹面。花期 4 ~ 8 月，果期 7 ~ 9 月。

筋骨草

| 生境分布 | 生于山坡灌丛中。分布于宁夏隆德、泾源等。

| 资源情况 | 野生资源较少。

| 采收加工 | 夏季花开时采集，除去泥土和杂质，鲜用或晒干。

| 药材性状 | 本品根茎呈圆柱形或块状，长 1 ~ 7 cm，直径 4 ~ 7 mm；表面棕褐色，粗糙，节处生多数细根和须根；质硬脆，断面黄白色，有的中心枯呈黑色。茎四棱形，直径 2 ~ 3 mm；表面绿紫色，被白色绒毛。单叶对生，具柄；叶片深绿色，多皱缩或破碎，完整者展开后呈椭圆形或狭椭圆形，边缘具粗齿，下部全缘，基部楔形。轮伞花序密集于先端，呈穗状；苞片菱状卵形，紫色；花萼钟形，紫色；花冠唇形，蓝色。小坚果倒卵状椭圆形。味微苦。以叶多、色绿、带花者为佳。

| 功能主治 | 苦，寒。归肺、肝经。清热解毒，凉血消肿。用于咽喉肿痛，肺热咯血，跌打肿痛。

| 用法用量 | 内服煎汤，15 ~ 30 g。外用适量，捣敷。

唇形科 Labiatae 水棘针属 Amethystea

水棘针
Amethystea caerulea L.

| 药 材 名 | 水棘针（药用部位：全草）。

| 形态特征 | 一年生草本，高 20 ~ 50 cm。根长圆锥形，灰褐色。茎直立，多分枝，四棱形，疏被短柔毛，节上稍密。叶片三角形或近卵形，长 2.5 ~ 5 cm，3 深裂达基部，裂片椭圆状披针形或披针形，中裂片较大，长 1.5 ~ 4.5 cm，宽 5 ~ 15 mm，侧裂片较小，先端渐尖，边缘具不规则的粗锯齿或重锯齿，上面绿色，无毛或近无毛，下面淡绿色，沿叶脉疏被短毛；叶柄长 0.5 ~ 2 cm，具狭翅，边缘疏被短硬毛。花序为由松散具长梗的聚伞花序组成的圆锥花序；苞片小，针形，长约 2 mm，具缘毛；花梗与总花梗均被腺毛；花萼钟形，长约 2.5 mm，外面疏被腺毛，萼齿 5，狭三角形，长约 1.5 mm，先端尖，直立；花冠蓝色，稍长于花萼，2 唇形，上唇 2 裂，卵形，下唇稍大，

水棘针

3 裂，中裂片近圆形；雄蕊 4，前对能育，自上唇裂片间伸出，后对为退化雄蕊；花柱细长，超出雄蕊，先端不等 2 浅裂，前裂片细尖，后裂片短而不明显。小坚果倒卵状三棱形，长约 2 mm，宽约 1 mm，背面具网状皱纹。花期 6 ~ 7 月，果期 7 ~ 8 月。

| **生境分布** | 生于山谷溪边、河岸沙地、田边及路旁。分布于宁夏隆德、泾源、原州等。

| **资源情况** | 野生资源较少。

| **采收加工** | 夏季采收，切段，晒干。

| **功能主治** | 辛，平。归肺经。疏风解表，宣肺平喘。用于感冒，咳嗽气喘。

| **用法用量** | 内服煎汤，3 ~ 9 g。

唇形科 Labiatae 风轮菜属 Clinopodium

风轮菜 *Clinopodium chinense* (Benth.) O. Ktze.

风轮菜

药材名

风轮菜（药用部位：全草。别名：断血流）。

形态特征

多年生草本，高 30 ～ 80 cm。根茎稍木质，生多数须根。茎直立，四棱形，疏被短柔毛，节部较密，表面常呈紫红色。单叶对生，叶柄长 3 ～ 8 mm，密生柔毛；叶片卵圆形或卵状披针形，长 2 ～ 4 cm，宽 1.5 ～ 3 cm，先端钝，基部圆形，边缘具圆锯齿，上面疏生短硬毛，下面白色，具柔毛。轮伞花序，花多数，密集呈半球形；苞叶叶状，向上渐小至呈苞叶状；苞片针状；总花梗有分枝，总花梗及序轴均具柔毛；花萼狭筒状，紫红色，二唇形，上唇 3 齿，下唇 2 齿；花冠紫红色，长约 9 mm，上唇直伸，先端微凹，下唇 3 裂，中裂片稍大；雄蕊 4；花柱稍露出，不等 2 浅裂。小坚果倒卵形，黄褐色。花期 6 ～ 8 月，果期 8 ～ 9 月。

生境分布

生于林缘草地或山谷林下。分布于宁夏泾源、彭阳、原州等。

| **资源情况** | 野生资源较丰富。

| **采收加工** | 夏、秋季植株生长茂盛时采挖，洗净，鲜用或晒干。

| **药材性状** | 本品根茎呈类方形，直径 2 ~ 3 mm，生多数须根；表面棕褐色；质硬脆，断面白色。茎四棱形，基部稍木质；表面黄绿色或紫红色，疏被短毛。单叶对生，具柄，密生柔毛；叶片皱缩破碎，完整者展平后呈卵圆形，边缘具大小相等的圆锯齿，两面具毛。轮伞花序呈半球形，苞叶叶状，苞片针状，总花梗有分枝；花萼紫红色，筒状，二唇形；花冠紫红色，二唇形。小坚果倒卵形，黄褐色。

| **功能主治** | 辛、苦，凉。疏风解表，清热解毒。用于感冒，中暑，痢疾，疟腮，疔疮肿毒，皮肤瘙痒，外伤出血，毒蛇咬伤。

| **用法用量** | 内服煎汤，10 ~ 15 g；或捣汁。外用适量，捣敷或煎汤洗。

唇形科 Labiatae 风轮菜属 Clinopodium

麻叶风轮菜

Clinopodium urticifolium (Hance) C. Y. Wu et Hsuan ex H. W. Li

麻叶风轮菜

| 药 材 名 |

麻叶风轮菜（药用部位：全草）。

| 形态特征 |

多年生草本，高 30 ~ 60 cm。根茎直伸或斜伸，节上生多数根。茎直立，单一，四棱形，具槽，常带紫红色，被开展的长硬毛。叶卵形或卵圆形，长 1.5 ~ 3 cm，宽 1.8 ~ 2 cm，先端急尖或钝，基部宽楔形至近圆形，边缘具整齐的圆齿状锯齿，上面绿色，被平伏长硬毛，背面淡绿色；叶脉明显隆起，常呈紫红色，被平伏长柔毛，脉上稍密；叶柄长 0.5 ~ 1.5 cm，密被长柔毛；苞叶与叶同形，向上渐小而狭，成卵状披针形。轮伞花序具多花，密集成半球形，彼此远离；苞片线形，长 5 ~ 7 mm，暗紫红色，边缘具硬毛；花萼管状，长 6 ~ 8 mm，暗紫色或上部暗紫红色，沿脉被长硬毛，萼齿 5，不等大，上唇 3 齿较短，长约 1 mm，三角状卵形，下唇 2 齿较长，狭披针形，长约 2 mm，先端具芒尖，边缘具硬毛，里面齿上疏被硬毛；花冠紫红色，长 9 ~ 10 mm，外面被微柔毛，里面下唇下方喉部具 2 裂毛茸，冠檐 2 唇形，上唇直伸，椭圆形，长约 2.5 mm，先端微凹，下唇与上唇近等长，3 裂，中裂片较大，先端微凹，侧裂片较小，椭圆形；雄蕊 4，前对较长，内藏，花药 2 室，药室叉开；花柱稍伸出，先端不等 2 裂，前裂片扁平，披针形，后裂片小。花期 6 ～ 7 月。

| 生境分布 | 生于山坡、草地、路旁及林下。分布于宁夏泾源等。

| 资源情况 | 野生资源一般。

| 采收加工 | 夏、秋季植株生长茂盛时采挖全草，洗净，晒干或鲜用。

| 功能主治 | 辛、苦，凉。疏风解表，清热解毒。用于感冒，中暑，痢疾，疟腮，疔疮肿毒，皮肤瘙痒，外伤出血，毒蛇咬伤。

| 用法用量 | 内服煎汤，10 ～ 15 g；或炖肉食。外用适量，捣敷。

唇形科 Labiatae 青兰属 Dracocephalum

白花枝子花

Dracocephalum heterophyllum Benth.

| 药 材 名 | 异叶青兰（药用部位：全草。别名：白花甜蜜蜜、蜜罐罐）。

| 形态特征 | 多年生草本，高 10 ～ 30 cm。根粗状，灰褐色。茎多数，直立或倾斜，四棱形，淡紫色或绿色，密被微柔毛。叶对生，叶柄长 2.5 ～ 6 cm；叶片三角状卵形至长卵形，长 1.3 ～ 4 cm，宽 0.8 ～ 2.3 cm，先端钝或圆形，基部心形或平截，边缘具浅圆齿，两面具短柔毛。轮伞花序集生于茎顶，集成 4 ～ 10 cm 长的粗大穗状，每轮具花 4 ～ 6；苞片叶状，具柄，倒卵形或倒披针形，长 1 ～ 1.2 cm，边缘小齿具长芒刺；花具短梗；花萼二唇形，上唇 3 裂，下唇短，2 裂，裂齿先端具芒状刺；花冠管部与上下唇近等长，淡黄色或白色，外面被短柔毛；雄蕊 4，与花冠近等长；花柱伸出花冠之外。小坚果 4，黑色，三棱形，上端截形，下部略尖。花期 7 ～ 8 月，果期 8 ～ 9 月。

白花枝子花

| **生境分布** | 生于石质山坡、丘陵坡地。分布于宁夏海原、彭阳、西吉、原州、沙坡头、红寺堡、盐池、同心等。

| **资源情况** | 野生资源较丰富。

| **采收加工** | 夏季采收全草，除去杂质及泥沙，晒干。

| **药材性状** | 本品长 20 ～ 40 cm。茎直径 2 ～ 5 mm，嫩茎呈方柱形，密被倒向短毛，老茎近圆柱形，较光滑，表面紫红色或黄绿色；质脆，易折断，断面中心有髓。叶片多皱缩破碎，完整者展平后呈披针形，长 1.5 ～ 4 cm，边缘具三角形齿或锯齿，有时基部的齿端具长刺毛，两面叶脉疏被细毛，叶背面有凹陷的棕色腺点。轮伞花序顶生，苞片长圆形，每侧有 3 ～ 4 长刺齿，背面有腺点。花萼筒状，长约 1 cm，具 15 条纵纹，先端 5 齿裂，齿间具小瘤；花冠唇形，淡蓝紫色。气香，味辛。

| **功能主治** | 苦、辛，寒。止咳，清肝，散结。用于肺热咳嗽，肝火头痛，瘿瘤，瘰疬，口疮。

| **用法用量** | 内服煎汤，6 ～ 12 g；或入散剂。外用适量，煎汤漱口。

香青兰
Dracocephalum moldavica L.

| 药 材 名 | 香青兰（药用部位：地上部分。别名：山薄荷）。

| 形态特征 | 一年生草本，高达 40 cm。茎 3 ～ 5，被倒向柔毛，带紫色。基生叶草质，卵状三角形，先端钝圆，基部心形，疏生圆齿；茎上部叶披针形或线状披针形，长 1.4 ～ 4 cm，先端钝，基部圆或宽楔形，叶两面仅脉疏被柔毛及黄色腺点，具三角形牙齿或稀疏锯齿，有时基部牙齿呈小裂片状，先端具长刺；叶柄与叶等长，向上较短。轮伞花序具 4 花，疏散，生于茎或分枝上部 5 ～ 12 节；苞片长圆形，疏被平伏柔毛，具 2 ～ 3 对细齿，齿刺长 2.5 ～ 3.5 mm；花梗长 3 ～ 5 mm，平展；花萼长 0.8 ～ 1 cm，被黄色腺点及短柔毛，下部毛较密，脉带紫色，上唇 3 浅裂，三角状卵形，下唇 2 深裂近基部，萼齿披针形；花冠淡蓝紫色，长 1.5 ～ 2.5（～ 3）cm，被白色短柔

香青兰

毛，上唇舟状，下唇中裂片具深紫色斑点。小坚果长圆形，长约 2.5 mm，先端平截。

| **生境分布** | 生于干燥山地、山谷、河滩或沙地。分布于宁夏惠农、平罗、灵武、盐池等。

| **资源情况** | 野生资源较少。

| **采收加工** | 夏、秋季花开前后割取地上部分，除去杂质，晾干或切断后晾干。

| **药材性状** | 本品茎呈方形，长 20 ～ 40 cm，直径 1.5 ～ 7 mm；表面紫红色或黄绿色，被倒向短柔毛，体轻，质脆，易折断，断面白色，有的中空。叶片脱落或破碎，完整者湿润展平后呈披针形，长 2 ～ 4 cm，宽 3 ～ 15 mm，黄绿色，边缘具三角形齿或锯齿，基部 2 齿常具芒刺；叶表面有腺点。花假轮生于枝的上部，每轮 4 ～ 6，苞片短圆形；花萼长 8 ～ 10 mm，下唇 2 裂，上唇 3 浅裂，萼筒具纵纹，密被短毛和腺点；花冠 2 唇形，蓝紫色，雄蕊 4，二强，柱头先端 2 等裂。气清香，味微辛。

| **功能主治** | 辛、苦，凉。 疏风清热，利咽止咳，凉肝止血。用于感冒发热，头痛，咽喉肿痛，咳嗽气喘，痢疾，黄疸，吐血，衄血，风疹，皮肤瘙痒。

| **用法用量** | 内服煎汤，9 ～ 15 g。外用适量，鲜品捣敷；或涂擦；或煎汤洗。

唇形科 Labiatae 青兰属 *Dracocephalum*

毛建草

Dracocephalum rupestre Hance

| 药 材 名 | 岩青兰（药用部位：全草。别名：毛尖茶、毛尖）。

| 形态特征 | 多年生草本。根茎直，直径约 10 mm，生出多数茎。茎不分枝，渐升，长 15 ～ 42 cm，四棱形，疏被倒向的短柔毛，常带紫色。基生叶多数，花后仍多数存在，具长柄，柄长 3 ～ 14 cm，被不密、伸展的白色长柔毛，叶片三角状卵形，先端钝，基部常为深心形或浅心形，长 1.4 ～ 5.5 cm，宽 1.2 ～ 4.5 cm，边缘具圆锯齿，两面疏被柔毛；茎中部叶具明显的叶柄，叶柄通常长超过叶片，有时较叶片稍短，长 2 ～ 6 cm，叶片似基生叶，长 2.2 ～ 3.5 cm；花序处之叶变小，具长 4 ～ 8 mm 的鞘状短柄或几无柄。轮伞花序密集，通常呈头状，稀疏远离而长达 9 cm，呈穗状，此时茎的节数常增加，腋多具花轮甚至个别的有分枝花序；花具短梗；苞片大者呈倒卵形，长达

毛建草

1.6 cm，疏被短柔毛及睫毛，每侧具 4 ~ 6 带长 1 ~ 2 mm 刺的小齿，小者呈倒披针形，长 7 ~ 10 mm，每侧有 2 ~ 3 带刺小齿；花萼长 2 ~ 2.4 cm，常带紫色，被短柔毛及睫毛，2 裂至 2/5 处，上唇 3 裂至基部，中齿倒卵状椭圆形，先端锐短渐尖，宽为侧齿的 2 倍，侧齿披针形，先端锐渐尖，下唇 2 裂稍超过基部，齿狭披针形；花冠紫蓝色，长 3.8 ~ 4 cm，最宽处宽 5 ~ 10 mm，外面被短毛，下唇中裂片较小，无深色斑点及白色长柔毛；花丝疏被柔毛，先端具尖的突起。花期 7 ~ 9 月。

| **生境分布** | 生于海拔 1 100 ~ 2 500 m 的草地、山坡路旁、疏林下或河谷湿润处及林缘、草甸。分布于宁夏六盘山（泾源、隆德、原州）、罗山（同心、红寺堡）等，隆德其他地区也有分布。

| **资源情况** | 野生资源较少。

| **采收加工** | 7 ~ 8 月采收，洗净，切段，晒干。

| **功能主治** | 疏风清热，凉肝止血。用于风热感冒，头痛，咽喉肿痛，咳嗽，黄疸，痢疾，吐血，衄血。

| **用法用量** | 内服煎汤，9 ~ 15 g；或代茶饮。

唇形科 Labiatae 青兰属 *Dracocephalum*

甘青青兰

Dracocephalum tanguticum Maxim.

甘青青兰

药材名

甘青青兰（药用部位：全草。别名：唐古特青兰）。

形态特征

多年生草本，高 20 ~ 45 cm。根茎簇生多数须根，直径 1 ~ 2 mm，表面黑色。茎直立，基部多分枝，四棱形，被倒向柔毛。叶对生，基生叶具长柄，茎生叶叶柄长 3 ~ 8 mm；叶片羽状全裂，裂片线形，2 ~ 3 对，长 1 ~ 3 cm，宽 1 ~ 3 mm，先端裂片较长，两面被白色柔毛，全缘，边缘内卷。轮伞花序生长于枝上部，聚成间断的穗状；苞片似叶，长 5 ~ 15 mm，有 3 ~ 5 刺状裂片；花萼管状，先端 5 齿裂，具 15 脉，外面密被白色柔毛及金黄色腺点，常带紫色；花冠唇形，长 2 ~ 2.5 cm，外面被短毛，上唇稍弯，先端 2 裂，下唇 3 裂，中裂片最大；雄蕊 4，上方 2 枚较长，花丝有毛；雌蕊 1，花柱细长，柱头 2 裂，伸出花冠外。小坚果长圆形，光滑。花期 7 ~ 8 月，果期 8 ~ 9 月。

| 生境分布 | 生于海拔 1 900 ～ 2 500 m 的山坡路旁、河谷两岸、林缘草地。分布于宁夏六盘山（泾源、隆德、原州）等。

| 资源情况 | 野生资源较少。

| 采收加工 | 7 ～ 8 月采收，除去残叶，洗净泥土，阴干或切段晾干。

| 药材性状 | 本品长 20 ～ 40 cm。根茎直立，簇生许多细长须根，须根长 2 ～ 10 cm，直径 0.5 ～ 1.4 mm，黑褐色；质脆，易折断，断面中央有黄色木心。茎丛生，四棱形，直径 1 ～ 3 mm，上部被倒向柔毛；表面绿色或紫红色。叶对生，有短柄；叶片皱缩，展平后完整叶羽状全裂，裂片 2 ～ 3 对，线形，边缘反卷。轮伞花序；苞片长卵形，每侧具 2 ～ 3 线形裂片；花萼筒状，长 1 ～ 1.5 cm，5 齿裂，蓝紫色或黄绿色；花冠唇形，长 2 ～ 2.5 cm，蓝紫色。气清香，味辛、微苦。

| 功能主治 | 甘、苦，寒。归肝、胃、肺经。清热利湿，止咳化痰。用于黄疸性肝炎，胃炎，胃溃疡，气管炎。

| 用法用量 | 内服煎汤，9 ～ 15 g。

唇形科 Labiatae 香薷属 Elsholtzia

香薷
Elsholtzia ciliata (Thunb.) Hyland.

香薷

| 药 材 名 |

土香薷（药用部位：地上部分。别名：山苏子）。

| 形态特征 |

一年生草本，高 20 ～ 35 cm。根长圆锥形，棕褐色，具多数支根。茎直立，多自基部分枝，钝四棱形，具槽，沿槽被短柔毛。叶卵形、卵状椭圆形或卵状披针形，先端渐尖，基部楔形，边缘具锯齿，上面绿色，疏被短硬毛，下面淡绿色，密被腺点，沿脉被长柔毛；叶柄腹凹背凸，疏被短柔毛。穗状花序生长于分枝先端，花偏向一侧；苞片宽卵圆形或扁圆形，先端具芒尖，背面无毛或疏被柔毛，边缘密生缘毛；花梗无毛；花萼钟形，外面疏生柔毛及腺点，内面无毛，萼齿 5，狭长三角形，前 2 齿较长，先端具芒尖，边缘密生缘毛；花冠粉红色，外面疏生柔毛，上面疏生腺点，冠檐二唇形，上唇直立，先端微凹，下唇 3 裂，中裂片半圆形，侧裂片较短；雄蕊 4，前对较长，伸出；花柱内藏，先端 2 浅裂。小坚果长圆形，光滑。花期 8 ～ 9 月，果期 9 ～ 10 月。

| 生境分布 | 生于海拔 1 800 ~ 2 300 m 的山谷河边、林缘、田埂。分布于宁夏六盘山（泾源、隆德、原州）、贺兰山（平罗）、罗山（同心、红寺堡）、南华山（海原）、香山（沙坡头、中宁、海原）等，泾源、海原其他地区也有分布。

| 资源情况 | 野生资源丰富。

| 采收加工 | 夏、秋季抽穗花开时采割，除去杂质，晒干或切段后晒干。

| 药材性状 | 本品茎呈方柱形，多分枝，四面具纵槽，沿槽被短柔毛；表面黄棕色或紫棕色；质脆，易折断。叶对生，叶腋对生短枝，叶柄疏生短柔毛；叶片皱缩、破碎或脱落，完整者展平后呈卵状披针形或卵状椭圆形，先端渐尖，基部狭楔形，边缘具粗齿。绿色或带穗状花序生于分枝先端，花偏向一侧；苞片卵圆形，先端具芒尖，紫棕色或绿色。小坚果 4，长圆形，光滑。气清香，味凉、微辛。以质嫩、叶多、香气浓者为佳。

| 功能主治 | 辛，微温。归肺、胃经。发汗解表，和中化湿，利水消肿。用于外感风寒、暑湿，恶寒发热，头痛无汗，腹痛吐泻，水肿，小便不利。

| 用法用量 | 内服煎汤，3 ~ 9 g。

唇形科 Labiatae 香薷属 Elsholtzia

密花香薷 *Elsholtzia densa* Benth.

| **药 材 名** | 咳嗽草（药用部位：全草。别名：媳蟋巴、臭香茹、野紫苏）。 |

| **形态特征** | 一年生草本，高 20 ~ 50 cm。根圆锥形，褐色，具多数支根。茎直立，自基部分枝，四棱形，被短柔毛，上部毛稍密。叶椭圆状披针形至长椭圆形，长 3 ~ 7 cm，宽 5 ~ 15 mm，先端渐尖或稍钝，基部楔形，边缘具粗锯齿，上面绿色，疏被短毛，下面淡绿色，几无毛，具腺点；叶柄长 0.3 ~ 1.5 cm，边缘被短毛。穗状花序生于枝顶，圆柱形，长 2 ~ 5 cm，直径约 1 cm，密被紫红色长柔毛；苞片宽倒卵形或菱状倒卵形，长约 2.5 mm，先端圆，紫红色，边缘具长柔毛；花萼钟形，长 1.5 ~ 2 mm，外面及边缘密被紫红色具节长柔毛，萼齿 5，后 3 齿稍长，狭三角形；花冠淡紫色，长 4 ~ 5 mm，外面及边缘密被紫红色具节长柔毛，冠檐二唇形，上唇直立，先端微凹，下唇 3 裂， |

密花香薷

中裂片稍短于侧裂片；雄蕊 4，前对较长，伸出，花药近球形，褐色；花柱伸出，先端 2 裂。小坚果倒卵形，长约 2 mm，棕褐色，无毛，上半部疏具疣状小突起。花期 5 ~ 6 月，果期 6 ~ 8 月。

| 生境分布 | 生于海拔 1 500 ~ 2 600 m 的林下、林缘、高山草甸、河边、山坡荒地。分布于宁夏贺兰山（贺兰、平罗）、南华山（海原）及盐池等。

| 资源情况 | 野生资源较少。

| 采收加工 | 7 ~ 9 月采收，阴干，捆扎成小把，切碎，或鲜用。

| 药材性状 | 本品茎呈方柱形，长 20 ~ 50 cm，基部分枝，被短柔毛；质脆。叶卷曲皱缩，展平后呈长圆形或椭圆形，长 1 ~ 4 cm，宽 0.5 ~ 1.5 cm，两面被柔毛。有时可见假穗状花序，花暗紫色。揉搓后有特异清香，味辛、凉。

| 功能主治 | 辛，微温。发汗解暑，利水消肿。用于伤暑感冒，水肿；外用于脓疮及其他皮肤病。

| 用法用量 | 内服煎汤，3 ~ 9 g；或研末。外用适量，捣敷；或研末敷。

| 附 注 | 本种与香薷的区别见分种检索表。
1. 穗状花序偏向一侧；苞片宽卵圆形或扁圆形，先端具芒尖 ………………………
……………………………………………… 香薷 *Elsholtzia ciliata* (Thunb.) Hyland.
1. 花序全面向圆柱形；苞片倒卵形或菱状倒卵形，先端圆，无芒尖 …………………
…………………………………………… 密花香薷 *Elsholtzia densa* Benth.

唇形科 Labiatae 鼬瓣花属 Galeopsis

鼬瓣花
Galeopsis bifida Boenn.

| 药 材 名 | 鼬瓣花根（药用部位：根）、鼬瓣花（药用部位：全草。别名：野苏子、野芝麻、引子香）。

| 形态特征 | 草本。茎直立，通常高 20 ～ 60 cm，有时高可达 1 m，多少分枝，粗壮，钝四棱形，具槽，在节上加粗，但在干时则明显收缩，此处密被多节长刚毛，节间其余部分混生向下的具节长刚毛及贴生的短柔毛，在茎上部或混杂腺毛。茎生叶卵圆状披针形或披针形，通常长 3 ～ 8.5 cm，宽 1.5 ～ 4 cm，先端锐尖或渐尖，基部渐狭至宽楔形，边缘有规则的圆齿状锯齿，上面贴生具节刚毛，下面疏生微柔毛，夹有腺点，侧脉 6 ～ 8 对，上面不明显，下面凸出；叶柄长 1 ～ 2.5 cm，腹平背凸，被短柔毛。轮伞花序腋生，多花密集；小苞片线形至披针形，长 3 ～ 6 mm，基部稍膜质，先端刺尖，边缘有刚毛；花萼管

鼬瓣花

状钟形，连齿长约 1 cm，外面有平伸的刚毛，内面被微柔毛，齿 5，近等大，长约 5 mm，与萼筒近等长，长三角形，先端为长刺状；花冠白色、黄色或粉紫红色，长约 1.4 cm，花冠筒漏斗状，喉部增大，长 8 mm，冠檐二唇形，上唇卵圆形，先端钝，具不等的数齿，外面被刚毛，下唇 3 裂，中裂片长圆形，宽约 2 mm，先端明显微凹，紫纹直达边缘，基部略收缩，侧裂片长圆形，与中裂片近等宽，全缘；雄蕊 4，均延伸至上唇片之下，花丝丝状，下部被小疏毛，花药卵圆形，2 室，2 瓣横裂，内瓣较小，具纤毛；花柱先端近相等 2 裂，子房无毛，褐色；花盘前方呈指状增大。小坚果倒卵状三棱形，褐色，有秕鳞。花期 7 ~ 9 月，果期 9 月。

| **生境分布** | 生于林缘或路边及田边。分布于宁夏六盘山（泾源、隆德、原州）、南华山（海原）及西吉等。

| **资源情况** | 野生资源较少。

| **采收加工** | 鼬瓣花根：夏、秋季采挖，洗净，鲜用或晒干。
鼬瓣花：8 ~ 9 月采收，洗净，切段，晒干。

| **功能主治** | 鼬瓣花根：补虚，止咳，调经。用于体虚羸弱，肺虚久咳，月经不调。
鼬瓣花：清热解毒，明目退翳。用于目赤肿痛，翳障，梅毒，疮疡。

| **用法用量** | 鼬瓣花根：内服煎汤，15 ~ 30 g。
鼬瓣花：内服煎汤，3 ~ 9 g。外用适量，捣敷；或研末敷。

唇形科 Labiatae 活血丹属 Glechoma

活血丹
Glechoma longituba (Nakai) Kupr.

| 药 材 名 | 活血丹（药用部位：全草。别名：连钱草、遍地香）。

| 形态特征 | 多年生匍匐草本，高 5 ~ 30 cm。根茎节上生多数须根，黑褐色。茎细长，四棱形，基部常带紫色，疏被柔毛。叶对生，具柄；叶片圆形或肾形，长 1 ~ 3 cm，宽 1.5 ~ 3 cm，先端圆形或钝尖，基部心形，边缘具圆钝齿，上面绿色，下面带紫红色，两面脉上具短毛。轮伞花序腋生，具 2 ~ 6 花；苞片及小苞片钻形；花萼管状，长约 1 cm，外面被白色长毛，具 5 齿，先端芒状；花冠二唇形，蓝紫色，长 1.2 ~ 2 cm，花管细长，向喉部扩大，唇瓣有深红色的斑点，上唇片稍短，先端微凹，下唇 3 裂片较长；雄蕊 4；花柱无毛，较雄蕊长，柱头 2 裂，外露。小坚果长圆形，褐色。花期 4 ~ 5 月，果期 6 ~ 7 月。

活血丹

| **生境分布** | 生于林下、林缘阴湿处。分布于宁夏六盘山（泾源、隆德、原州）等。 |

| **资源情况** | 野生资源丰富。 |

| **采收加工** | 夏季采收，洗净，晒干或鲜用。 |

| **功能主治** | 清热解毒，利尿排石，散瘀消肿。用于石淋，热淋，肝胆湿热，胃痛，肺痛，风湿痹痛，疟疾，疮疡肿痛，跌扑损伤，毒蛇咬伤，胆结石，肾炎性水肿。 |

| **用法用量** | 内服煎汤，25 ~ 100 g。外用适量，鲜品捣敷；或煎汤熏洗。 |

唇形科 Labiatae 夏至草属 Lagopsis

夏至草

Lagopsis supine (Steph.) Ik.-Gal. ex Knorr.

夏至草

| 药材名 |

夏至草（药用部位：地上部分。别名：夏枯草、小益母草、假茺蔚）。

| 形态特征 |

多年生草本。具圆锥形的主根。茎高 15 ~ 40 cm，四棱形，具沟槽。叶圆形，先端圆，基部心形，3 深裂，裂片有圆齿或长圆形犬齿，有时叶为卵圆形，3 浅裂或深裂，裂片无齿或有稀疏圆齿。轮伞花序疏花；花萼管状钟形，外面密被微柔毛，先端刺尖，边缘有细纤毛；花冠白色，冠檐二唇形，上唇直伸，比下唇长，长圆形，全缘，下唇斜展，3 浅裂，中裂片扁圆形，2 侧裂片椭圆形。小坚果长卵形。花期 3 ~ 4 月，果期 5 ~ 6 月。

| 生境分布 |

生于路旁、撂荒地、山河谷、干河床及旷地。分布于宁夏六盘山（泾源、隆德、原州）、贺兰山（贺兰、平罗）及盐池、同心、西吉、海原等。

| 资源情况 |

野生资源丰富。

| 采收加工 | 夏至前后采割，除去杂质，晒干或鲜用。

| 药材性状 | 本品茎呈类方柱形，有分枝，长 12 ～ 30 cm，被倒生细毛。叶对生，黄绿色至暗绿色，多皱缩，完整叶片展平后掌状 3 全裂，裂片具钝齿或小裂，两面密被细毛；叶柄长。轮伞花序腋生；花萼钟形，萼齿 5，齿端有尖刺；花冠钟状，类白色。小坚果褐色，长卵形。质脆。气微，味微苦。

| 功能主治 | 微苦，平。归脾经。养血活血，清热利湿。用于月经不调，产后瘀滞腹痛，血虚头昏，半身不遂，跌打损伤，水肿，小便不利，目赤肿痛，疮痈，冻疮，牙痛，皮疹瘙痒。

| 用法用量 | 内服煎汤，6 ～ 12 g。

| 唇形科 | Labiatae | 野芝麻属 | Lamium

宝盖草
Lamium amplexicaule L.

| **药 材 名** | 宝盖草（药用部位：全草。别名：对座草、接骨草）。

| **形态特征** | 一年生草本，高 15 ~ 35 cm。茎直立，基部斜伸，细弱，四棱形，常带紫色。单叶对生，无柄或下部叶具短柄；叶片肾形或近圆形，长 1 ~ 2 cm，宽 0.8 ~ 1.6 cm，先端圆，基部心形或圆形，边缘具圆齿或浅裂，两面均被细毛。轮伞花序每轮有花 6 ~ 10，其中常有闭花受精的花；苞片披针状钻形，具睫毛；花萼筒状钟形，长 4 ~ 5 mm，萼齿 5，近等大，先端长锐尖；花冠粉红色或紫红色，长约 1.7 cm，管部细长，近直立，内无毛环，上唇亦直立，下唇 3 裂，中裂片倒心形，先端深凹，基部收缩；雄蕊 4，与花柱近等长，内藏，花药平叉开，有毛。小坚果倒卵状长圆形，褐黑色，表面有鳞片状突起。花期 7 ~ 8 月，果期 8 ~ 9 月。

宝盖草

| **生境分布** | 生于林缘、草地、路旁、田边或村庄附近。分布于宁夏六盘山（泾源、隆德）等。 |

| **资源情况** | 野生资源较丰富。 |

| **采收加工** | 夏、秋季植株生长茂盛时采收，洗净，鲜用或晒干。 |

| **药材性状** | 本品根呈长圆锥形或圆柱形，长 5 ～ 10 cm，直径 1 ～ 2 mm；外表面黄棕色；质较脆，断面黄白色。茎四棱形，细弱，长 15 ～ 30 cm，直径 1 ～ 3 mm；外表面黄绿色或带紫色，光滑。单叶对生，上部叶稍抱茎，下部叶具短柄；叶片皱缩破碎，完整者展平后呈肾形或类圆形，边缘齿裂或浅裂，两面均被短毛。轮伞花序每轮有花 6 ～ 10；花萼钟形，5 裂，黄绿色至黄棕色；花冠紫红色。气微，味淡。 |

| **功能主治** | 辛、苦，平。归肝、肾经。清热解毒，活血祛风，利湿消肿。用于湿热黄疸，瘰疬，筋骨疼痛，四肢麻木，跌扑损伤，骨折，黄水疮，高血压。 |

| **用法用量** | 内服煎汤，9 ～ 15 g。外用适量，鲜品捣敷；或研末调敷。 |

唇形科 Labiatae 野芝麻属 Lamium

野芝麻
Lamium barbatum Sieb. et Zucc.

野芝麻

| 药 材 名 |

野芝麻（药用部位：全草。别名：白花益母草、续断、白花菜）、野芝麻花（药用部位：花）、野芝麻根（药用部位：根。别名：土蚕子根）。

| 形态特征 |

多年生草本。根茎有长地下匍匐枝。茎高达1 m，单生，直立，四棱形，具浅槽，中空，几无毛。茎下部的叶卵圆形或心形，长4.5 ~ 8.5 cm，宽3.5 ~ 5 cm，先端尾状渐尖，基部心形；茎上部的叶卵圆状披针形，较茎下部的叶长而狭，先端长尾状渐尖，边缘有微内弯的牙齿状锯齿，齿尖有具胼胝体的小突尖，草质，两面均被短硬毛，叶柄长达7 cm，茎上部的叶柄渐变短。轮伞花序4 ~ 14花，着生于茎先端；苞片狭线形或丝状，长2 ~ 3 mm，锐尖，具缘毛；花萼钟形，长约1.5 cm，宽约4 mm，外面疏被伏毛，膜质，萼齿披针状钻形，长7 ~ 10 mm，具缘毛；花冠白色或浅黄色，长约2 cm，花冠筒基部直径2 mm，稍上方呈囊状膨大，筒口宽至6 mm，外面在上部被疏硬毛或近绒毛状毛，余部几无毛，内面花冠筒近基部有毛环，冠檐二唇形，上唇直立，倒卵圆形或长圆形，长约 1.2 cm，先端圆形或微缺，边缘具缘毛及长柔毛，下唇长约 6 mm，3 裂，中裂片倒肾形，先端深凹，基部急收缩，侧裂片宽，浅圆裂片状，长约 0.5 mm，先端有针状小齿；雄蕊花丝扁平，被微柔毛，彼此粘连，花药深紫色，被柔毛；花柱丝状，先端近相等 2 浅裂，子房裂片长圆形，无毛；花盘杯状。小坚果倒卵圆形，先端截形，基部渐狭，长约 3 mm，直径 1.8 mm，淡褐色。花期 4～6 月，果期 7～8 月。

| 生境分布 | 生于路边、溪旁、田埂及荒坡上。分布于宁夏固原等。

| 资源情况 | 野生资源较丰富。

| 采收加工 | 野芝麻：夏、秋季采收，阴干或鲜用。

野芝麻花：4～6 月采收，阴干。

野芝麻根：夏、秋季采挖，洗净，晒干或鲜用。

| 药材性状 | 野芝麻：本品茎呈四棱形，长 25～50 cm，直径 2～5 mm；外表面黄绿色或下部带紫色，近节处具白色柔毛；质脆，折断面纤维性，中空。叶对生，具长柄，叶柄长 1～5 cm；叶片皱缩或破碎，完整者展平后呈卵状披针形，先端长尾状，基部心形，边缘锯齿不整齐。轮伞花序含数花；花萼钟形，5 裂；花冠多皱缩，灰白色至灰黄色，喉部囊状膨大。小坚果倒卵形，有 3 棱，褐色。气微香，味淡、辛。以叶多、色绿、带花者为佳。

| 功能主治 | 野芝麻：辛、甘，平。归肺、肾经。凉血止血，活血止痛，利湿消肿。用于肺热咯血，血淋，月经不调，崩漏，水肿，带下，胃痛，小儿疳积，跌打损伤，肿毒。

野芝麻花：甘、辛，平。活血调经，凉血清热。用于月经不调，痛经，赤白带下，肺热咯血，小便淋痛。

野芝麻根：微甘，平。清肝利湿，活血消肿。用于眩晕，肝炎，咳嗽咯血，水肿，带下，疳积，痔疮，肿痛。

| 用法用量 | 野芝麻：内服煎汤，9～15 g；或研末。外用适量，鲜品捣敷；或研末调敷。

野芝麻花：内服煎汤，10～25 g。

野芝麻根：内服煎汤，9～15 g；或研末，3～9 g。外用适量，鲜品捣敷。

唇形科 Labiatae 薰衣草属 Lavandula

薰衣草
Lavandula angustifolia Mill.

薰衣草

| 药 材 名 |

薰衣草（药用部位：全株。别名：英国薰衣草）。

| 形态特征 |

半灌木或矮灌木。分枝；枝被星状绒毛，在幼嫩部分较密；老枝灰褐色或暗褐色，皮层呈条状剥落，具长的花枝及短的更新枝。叶线形或披针状线形，在花枝上的叶较大，疏离，长 3 ~ 5 cm，宽 0.3 ~ 0.5 cm，被密或疏的灰色星状绒毛，干时灰白色或榄绿色，在更新枝上的叶小，簇生，长不及 1.7 cm，宽约 0.2 cm，密被灰白色星状绒毛，干时灰白色，均先端钝，基部渐狭成极短的柄，全缘，边缘外卷，中脉在下面隆起，侧脉及网脉不明显。轮伞花序通常 6 ~ 10 花，多数，在枝顶聚集成间断或近连续的穗状花序，穗状花序长 3 ~ 5 cm，花序梗长约为花序的 3 倍，密被星状绒毛；苞片菱状卵圆形，先端渐尖成钻状，具 5 ~ 7 脉，干时常带锈色，被星状绒毛，小苞片不明显；花具短梗，蓝色，密被灰色、分枝或不分枝的绒毛；花萼卵状管形或近管形，长 4 ~ 5 mm，具 13 脉，内面近无毛，二唇形，上唇 1 齿较宽而长，下唇 4 短齿相等而明显；花冠长约为花萼的

2 倍，具 13 脉，外面被毛与花萼相同，但基部近无毛，内面在喉部及冠檐部分被腺毛，中部具毛环，冠檐二唇形，上唇直伸，2 裂，裂片较大，圆形，且彼此稍重叠，下唇开展，3 裂，裂片较小；雄蕊 4，着生在毛环上方，不外伸，前对较长，花丝扁平，无毛，花药被毛；花柱被毛，先端压扁，卵圆形；花盘 4 浅裂，裂片与子房裂片对生。小坚果 4，光滑。花期 6 月。

| 生境分布 | 宁夏沙坡头、大武口等有栽培。

| 资源情况 | 栽培资源较丰富。

| 采收加工 | 6 月采收，阴干。

| 功能主治 | 清热解毒，散风止痒。用于头痛，头晕，口舌生疮，咽喉红肿，烫火伤，风疹，疥癣。

| 用法用量 | 内服煎汤，3～9 g。外用适量，捣敷。

唇形科 Labiatae 益母草属 Leonurus

益母草
Leonurus japonicas Houttuyn

| 药 材 名 | 益母草（药用部位：地上部分。别名：坤草、野麻、笼床秆子）、茺蔚子（药用部位：成熟果实。别名：坤草子、益母草子）。

| 形态特征 | 一年生或二年生草本，高 40 ～ 80 cm。根长圆锥形，灰棕色，具多数须根。茎直立，多由上部分枝，钝四棱形，具槽，下部无毛，上部棱上密生倒向短伏毛。叶片形状变化较大，茎下部叶卵形，基部楔形，掌状 3 深裂，中裂片菱状椭圆形，侧裂片倒披针形，裂片再分裂，上面绿色，被短伏毛，下面淡绿色，叶脉隆起，被平伏短柔毛；茎中部叶菱形，3 深裂，中裂片倒披针形，具少数牙齿，侧裂片线形；花序最上部的苞叶线形，全缘或具少数牙齿。轮伞花序腋生，具多数花，多远离而组成顶生穗状花序；苞片刺状，被微柔毛；花萼管状钟形，外面被微柔毛，萼齿 5，前 2 齿靠合，后 3 齿等长，

益母草

宽三角形，先端具刺尖；花冠粉红色至淡紫红色，伸出萼筒部分外面被柔毛，冠檐二唇形，上唇直伸，椭圆形，全缘，边缘具缘毛，下唇短于上唇，3裂，中裂片倒心形，先端微凹，基部收缩，侧裂片较小，卵圆形；雄蕊4，前对较长，花丝被微毛；花柱与前对雄蕊等长，先端相等2浅裂。小坚果倒卵状三棱形，先端平截，黑色，光滑。花期6～8月，果期7～9月。

| 生境分布 | 生于山坡灌丛、荒地、果园、田埂。宁夏各地均有分布。

| 资源情况 | 野生资源丰富。

| 采收加工 | 益母草：夏季花未开或初开时采割，晒干，或切段晒干。
荒蔚子：秋季果实成熟时采收全草，晒干，打下果实，簸净杂质。

| 药材性状 | 益母草：本品茎呈方柱形，上部多分枝，四面凹下成纵沟，长30～60 cm，直径约5 mm；表面灰绿色或黄绿色，上部棱上密生毛茸；体轻，质韧，断面中央有髓。叶交互对生，有柄；叶片灰绿色，多皱缩，破碎，完整者展平后，下部叶掌状3裂，裂片再分裂，小裂片全缘或具少数齿；上部叶羽状深裂或3浅裂，叶柄较短。轮伞花序腋生；小花淡紫色，多脱落；花萼宿存，筒状，黄绿色。气微，味甘、微苦。
荒蔚子：本品呈矩圆形，长2～3 mm，直径1～1.5 mm，具3棱，一端较宽，先端平截，下部较窄，有凹下的果柄痕。表面灰褐色或褐色，光滑，有色较深的稀疏斑点。横切面三角形，果皮薄，褐色，胚乳、子叶白色，显油性。无臭，味微苦。

| 功能主治 | 益母草：活血调经，利尿消肿。用于月经不调，痛经，经闭，恶露不净，水肿尿少，急性肾小球肾炎所致的水肿。
荒蔚子：辛、苦，微寒。归心包、肝经。活血调经，清肝明目。用于月经不调，经闭，目赤翳障，头晕胀痛。

| 用法用量 | 益母草：内服煎汤，9～30 g，鲜品12～40 g。
荒蔚子：内服煎汤，4.5～9 g。

细叶益母草

Leonurus sibiricus L.

细叶益母草

| 药 材 名 |

茺蔚子（药用部位：成熟果实。别名：坤草子、益母草子）。

| 形态特征 |

一年生或二年生草本。主根圆锥形。茎直立，高 20 ~ 80 cm，钝四棱形，微具槽，有短而贴生的糙伏毛，单一或多数从植株基部发出，不分枝或于茎上部、稀在下部分枝。茎最下部的叶早落；茎中部的叶呈卵形，长 5 cm，宽 4 cm，基部宽楔形，掌状 3 全裂，裂片呈狭长圆状菱形，其上再羽状分裂成 3 裂的线状小裂片，小裂片宽 1 ~ 3 mm，上面绿色，疏被糙伏毛，叶脉下陷，下面淡绿色，被疏糙伏毛及腺点，叶脉明显凸起，呈黄白色，叶柄纤细，长约 2 cm，腹面具槽，背面圆形，被糙伏毛；花序最上部的苞叶近菱形，3 全裂成狭裂片，中裂片通常再 3 裂，小裂片均为线形，宽 1 ~ 2 mm。轮伞花序腋生，多花，花时呈圆球形，直径 3 ~ 3.5 cm，多数，向顶渐密集组成长穗状；小苞片刺状，向下反折，比萼筒短，长 4 ~ 6 mm，被短糙伏毛；花梗无；花萼管状钟形，长 8 ~ 9 mm，外面在中部密被疏柔毛，余部贴生微柔毛，内面无毛，脉 5，显著，齿 5，前 2 齿靠合，稍张开，钻状三角形，具刺尖，长 3 ~ 4 mm，后 3 齿较短，三角形，具刺尖，长 2 ~ 3 mm；花冠粉红色至紫红色，长约 1.8 cm，花冠筒长约 0.9 cm，外面无毛，内面近基部 1/3 有近水平的鳞毛状毛环，冠檐二唇形，上唇长圆形，直伸，内凹，长约 1 cm，宽约 0.5 cm，全缘，外面密被长柔毛，内面无毛，下唇长约 0.7 cm，宽约 0.5 cm，约比上唇短 1/4，外面疏被长柔毛，内面无毛，3 裂，中裂片倒心形，先端微缺，边缘薄膜质，基部收缩，侧裂片卵圆形，细小；雄蕊 4，均延伸至上唇片之下，平行，前对较长，花丝丝状，扁平，中部疏被鳞状毛，花药卵圆形，2 室；花柱丝状，略超出雄蕊，先端相等 2 浅裂，裂片钻形，子房褐色，无毛；花盘平顶。小坚果长圆状三棱形，长 2.5 mm，先端平截，基部楔形，褐色。花期 7 ~ 9 月，果期 9 月。

| **生境分布** | 生于荒野地、路旁、田埂、山坡草地、河边。分布于宁夏泾源、海原、贺兰、同心、兴庆等。

| **资源情况** | 野生资源丰富。

| **采收加工** | 秋季果实成熟时采收全草，晒干，打下果实，簸净杂质。

| **药材性状** | 本品呈矩圆形，长 2 ~ 3 mm，直径 1 ~ 1.5 mm，具 3 棱，一端较宽，先端平截，下部较窄，有凹下的果柄痕。表面灰褐色或褐色，光滑，有色较深的稀疏斑点。横切面三角形，果皮薄，褐色，胚乳、子叶白色，显油性。无臭，味微苦。

| **功能主治** | 辛、苦，微寒。归心包、肝经。活血调经，清肝明目。用于月经不调，经闭，目赤翳障，头晕胀痛。

| **用法用量** | 内服煎汤，4.5 ~ 9 g。

唇形科 Labiatae 薄荷属 Mentha

薄荷
Mentha canadensis Linnaeus

| 药 材 名 | 薄荷（药用部位：地上部分。别名：香薷草、鱼香草、土薄荷）。

| 形态特征 | 多年生草本，高20～60 cm。根茎直伸或横生，节上生多数纤细须根。茎直立，多分枝，四棱形，具槽，常带紫红色，上部被倒向短柔毛，下部仅沿棱被倒向短柔毛。叶椭圆形、卵状椭圆形或卵状披针形至披针形，先端渐尖，基部楔形、宽楔形至近圆形，边缘基部以上具粗的浅锯齿，上面绿色，被短的糙伏毛，下面淡绿色，沿脉被短柔毛，其余部分被腺点；叶柄腹凹背凸，被微柔毛或近无毛。轮伞花序腋生；苞片披针形，边缘具缘毛；花梗近无毛或被微柔毛；花萼钟形，外面被微柔毛，萼齿5，近等大，狭三角状钻形，先端长锐尖；花冠淡紫红色，花冠筒内喉部以下被短柔毛，冠檐4裂，上裂片较宽，椭圆形，先端2浅裂，其余3裂片近等大，长圆形，先端圆钝；

薄荷

雄蕊 4，前对稍长，均伸出花冠，花丝丝状，无毛；花柱稍长于雄蕊，先端相等 2 裂。花期 7 ~ 9 月，果期 9 ~ 10 月。

| 生境分布 | 生于山谷溪边、沟渠旁。分布于宁夏泾源、海原、隆德、彭阳、原州、贺兰、惠农等。

| 资源情况 | 野生资源丰富。

| 采收加工 | 夏、秋季茎叶茂盛或花开 3 轮时采割，除去杂质，晾干；或切 3 cm 的长段，晾干。

| 药材性状 | 本品茎呈方柱形，有对生分枝，长 15 ~ 40 cm，直径 0.2 ~ 0.4 cm；表面紫棕色或淡绿色，棱角处具茸毛，节间长 2 ~ 5 cm；质脆，断面白色，髓部中空。叶对生，有短柄；叶片皱缩卷曲，完整者展平后呈宽披针形、长椭圆形或卵形，长 2 ~ 7 cm，宽 1 ~ 3 cm；上表面深绿色，下表面灰绿色，稀被茸毛，有凹点状腺鳞。轮伞花序腋生；花萼钟状，先端 5 齿裂；花冠淡紫色。揉搓后有特殊清凉香气，味辛、凉。

| 功能主治 | 疏散风热，清利头目，利咽，透疹，疏肝行气。用于风热感冒，风温初起，头痛，目赤，喉痹，口疮，风疹，麻疹，胸胁胀闷。

| 用法用量 | 内服煎汤，3 ~ 6 g，宜后下。

唇形科 Labiatae 荆芥属 Nepeta

荆芥
Nepeta cataria L.

| 药 材 名 | 荆芥（药用部位：地上部分）。

| 形态特征 | 一年生草本，高 60 ~ 80 cm，有强烈香气。茎直立，四棱形，基部带紫色，上部多分枝，全体密被白色短柔毛。叶对生，近无柄；叶片 3 ~ 5 羽状深裂，裂片条形或披针形，中间的较大，全缘，上面被柔毛，下面被短毛，脉及边缘毛较密，具黄色腺点。多数轮伞花序组成顶生穗状花序，长 3 ~ 8 cm；小苞叶条形，极小；花萼钟形，长 2 ~ 3 mm，被短柔毛，萼齿三角状披针形；花冠二唇形，淡红色，稍伸出花萼，外面被柔毛，上裂片全缘或先端微凹；雄蕊 4，二强，均内藏，花药蓝色；花柱先端 2 裂。小坚果卵状三角形，光滑，褐色。花果期 7 ~ 9 月。

荆芥

| 生境分布 | 栽培种。宁夏金凤、灵武、海原等有栽培。

| 资源情况 | 栽培资源较少。

| 采收加工 | 夏、秋季花开到顶、穗绿时采割,除去杂质,晒干。

| 药材性状 | 本品茎呈方柱形,上部有分枝,长 50 ~ 80 cm,直径 0.2 ~ 0.4 cm;表面淡黄绿色或淡紫红色,被短柔毛;体轻,质脆,断面类白色。叶对生,多已脱落,叶片 3 ~ 5 羽状分裂,裂片细长。穗状轮伞花序顶生,长 2 ~ 8 cm,直径约 0.7 cm;花冠多脱落;宿存萼钟状,先端 5 齿裂,淡棕色或黄绿色,被短柔毛。小坚果棕黑色。气芳香,味微涩而辛、凉。

| 功能主治 | 解表散风,透疹,消疮。用于感冒,头痛,麻疹,风疹,疮疡初起。

| 用法用量 | 内服煎汤,4.5 ~ 9 g。

唇形科 Labiatae 荆芥属 Nepeta

康藏荆芥 *Nepeta prattii* Lévl.

康藏荆芥

| 药 材 名 |

康藏荆芥（药用部位：全草）。

| 形态特征 |

多年生草本。茎高 70 ~ 90 cm，四棱形，具细条纹，被倒向短硬毛或变无毛，被毛间散布淡黄色腺点，不分枝或上部具少数分枝。叶卵状披针形、宽披针形至披针形，长 6 ~ 8.5 cm，宽 2 ~ 3 cm，向上渐变小，先端急尖，基部浅心形，边缘具密的牙齿状锯齿，上面榄绿色，微被短柔毛，下面淡绿色，沿脉疏被短硬毛，余部被具腺微柔毛及黄色小腺点，侧脉每侧 6 ~ 8，斜上升，与中肋在上面微隆起，在下面隆起；茎下部叶具短柄，柄长 3 ~ 6 mm，茎中部以上的叶具极短的柄至无柄。轮伞花序生长于茎、枝上部的 3 ~ 9 节上，下部的远离，顶部的 3 ~ 6 密集成穗状，多花而紧密；苞叶与茎生叶同形，向上渐变小，长 1.2 ~ 1.5 cm，具细锯齿至全缘，苞片较萼短或与之等长，线形或线状披针形，被具腺微柔毛及黄色小腺点，具睫毛；花萼长 11 ~ 13 mm，疏被短柔毛及白色小腺点，喉部极斜，上唇 3 齿宽披针形或披针状长三角形，下唇 2 齿狭披针形，齿先端均长渐尖；

花冠紫色或蓝色，长 2.8 ~ 3.5 cm，外面疏被短柔毛，花冠筒微弯，基部宽 1.5 mm，其伸出萼的狭窄部分约与萼等长，向上骤然宽大成长 10 mm、宽 9 mm 的喉，冠檐二唇形，上唇裂至中部成 2 钝裂片，下唇中裂片肾形，先端中部具弯缺，边缘嚼齿状，基部内面具白色髯毛，侧裂片半圆形；雄蕊短于下唇或后对略伸出；花柱先端近相等 2 裂，伸出上唇之外。小坚果倒卵状长圆形，长约 2.7 mm，宽 1.5 mm，腹面具棱，基部渐狭，褐色，光滑。花期 7 ~ 10 月，果期 8 ~ 11 月。

| 生境分布 | 生于山坡草地、林缘、山谷溪旁。分布于宁夏六盘山（泾源、原州）、南华山（海原）、月亮山（西吉）及彭阳等，泾源、原州其他区域也有分布。

| 资源情况 | 野生资源较少。

| 采收加工 | 夏、秋季花开到顶、穗绿时采收，除去杂质，晒干。

| 功能主治 | 辛，凉。疏风，解表，利湿，止血，止痛。

大花荆芥 *Nepeta sibirica* L.

| 药 材 名 | 西伯利亚青兰（药用部位：地上部分）。

| 形态特征 | 多年生草本。根茎木质，长，匍匐状，具萌枝，先端有粗糙纤维。茎多数，上升，高约 40 cm，常在下部分枝，四棱形，下部常带紫红色，被微柔毛，混生小腺点。叶三角状长圆形至三角状披针形，长 3.4 ~ 9 cm，宽 1.2 ~ 2.2 cm，先端急尖，基部近截形，常呈浅心形，上面疏被微柔毛，下面密被黄色腺点，沿网脉被短柔毛，边缘通常密具小牙齿，坚纸质，脉在上面稍下陷，在下面明显隆起；茎下部叶具较长的柄，柄长达 1.5 ~ 1.7 cm，茎中部叶叶柄变短，长 3 ~ 7 mm。轮伞花序稀疏排列于茎顶部，长 9 ~ 15 cm，在下部的具长 5 ~ 8 mm 的总梗，上部的具短梗或近无梗；苞片叶状，向上变小，具极短的柄，上部的呈苞片状，披针形，苞片长为萼长

大花荆芥

的 1/4 ～ 1/3，线形，被短柔毛及睫毛；花梗短，长约 1 mm，密被腺点；花萼长 9 ～ 10 mm，外面密被具腺短柔毛及黄色腺点，喉部极斜，上唇 3 裂，裂至 1/2 或 2/3，裂片披针状三角形，渐尖，下唇 2 裂至基部，较长而狭，先端锐尖；花冠蓝色或淡紫色，长 2 ～ 2.9 cm，外面疏被短柔毛，花冠筒近直立，狭窄部分伸出萼长的 1/2，向上骤然扩展成长、宽均约 6 mm 的喉部，冠檐二唇形，上唇 2 裂至中部以下成椭圆形钝裂片，下唇 3 裂，中裂片肾形，先端具深弯缺，边缘具大圆齿，侧裂片卵状三角形或卵形；雄蕊 4，后对雄蕊稍短于或略超出上唇；花柱等长于或略超出上唇。成熟小坚果未见。花期 8 ～ 9 月。

| 生境分布 | 生于海拔 1 500 ～ 2 700 m 的山坡草地、路边、林缘。分布于宁夏贺兰山（西夏、贺兰、平罗、大武口、惠农）、罗山（同心、红寺堡）、南华山（海原）及彭阳、西吉等。

| 资源情况 | 野生资源较少。

| 采收加工 | 夏、秋季采割，晒干或阴干。

| 功能主治 | 清热明目，解毒。用于目赤肿痛，口舌生疮，牙痛。

| 用法用量 | 内服研末，2 ～ 3 g；或煎汤。

唇形科 Labiatae 荆芥属 *Nepeta*

多裂叶荆芥
Nepeta multifida Linnaeus

| 药 材 名 | 荆芥（药用部位：茎叶、花穗。别名：假苏、鼠蓂、姜芥）、荆芥根（药用部位：根）。 |

| 形态特征 | 多年生草本。根茎木质，由其上发出多数萌株。茎高可达 40 cm，半木质化，上部四棱形，基部带圆柱形，被白色长柔毛，侧枝通常极短，极似数叶丛生，有时上部的侧枝发育，并有花序。叶卵形，羽状深裂或分裂，有时浅裂至近全缘，长 2.1 ~ 3.4 cm，宽 1.5 ~ 2.1 cm，先端锐尖，基部截形至心形，裂片线状披针形至卵形，全缘或具疏齿，坚纸质，上面榄绿色，被微柔毛，下面白黄色，被白色短硬毛，脉上及边缘被睫毛，有腺点；叶柄通常长约 1.5 cm。花序为由多数轮伞花序组成的顶生穗状花序，长 6 ~ 12 cm，连续，很少间断； |

多裂叶荆芥

苞片叶状，深裂或全缘，下部的较大，长约 10 mm，上部的渐变小，卵形，先端骤尖，变紫色，较花长，长约 5 mm，小苞片卵状披针形或披针形，带紫色，与花等长或较之略长；花萼紫色，基部带黄色，长约 5 mm，直径 2 mm，具 15 脉，外面被稀疏的短柔毛，内面无毛，齿 5，三角形，长约 1 mm，先端急尖；花冠蓝紫色，干后变淡黄色，长约 8 mm，外面被交错的柔毛，内面在喉部被极少柔毛，花冠筒向喉部渐宽，冠檐二唇形，上唇 2 裂，下唇 3 裂，中裂片最大；雄蕊 4，前对较上唇短，后对略超出上唇，花药浅紫色；花柱与前对雄蕊等长，先端近相等的 2 裂，柱头略粗，带紫色。小坚果扁长圆形，腹部略具棱，长约 1.6 mm，宽 0.6 mm，褐色，平滑，基部渐狭。花期 7 ～ 9 月，果期在 9 月以后。

| 生境分布 | 生于海拔 1 300 ～ 2 000 m 的山坡草地、林缘、山谷或湿润的草原上。分布于宁夏贺兰山（贺兰、平罗、大武口、惠农）、罗山（同心、红寺堡）、月亮山（西吉、海原）、南华山（海原）及沙坡头等，西吉、海原、同心其他地区也有分布。

| 资源情况 | 野生资源较少。

| 采收加工 | 荆芥：8～9月花开穗绿时割取地上部分，晒干；或先摘下花穗，再割取带叶茎枝，分别晒干。

荆芥根：夏、秋季采挖，洗净，晒干或鲜用。

| 药材性状 | 荆芥：本品茎呈方柱形，上部有分枝，长50～80 cm，直径0.2～0.4 cm；表面淡黄绿色或淡紫红色，被短柔毛；体轻，质脆，断面类白色。叶对生，多已脱落，叶片3～5羽状分裂，裂片细长。穗状轮伞花序顶生，长2～9 cm，直径约0.7 cm；花冠多脱落，宿存萼钟状，先端5齿裂，淡棕色或黄绿色，被短柔毛。气芳香，味微涩而辛、凉。

| 功能主治 | 荆芥：辛、微苦，微温。归肺、肝经。祛风，解表，透疹，止血。用于感冒发热，头痛，目痒，咳嗽，咽喉肿痛，麻疹，风疹，痈肿，疮疥，衄血，吐血，便血，崩漏，产后血晕。

荆芥根：止血，止痛。用于吐血，崩漏，牙痛，瘰疬。

| 用法用量 | 荆芥：内服煎汤，3～10 g；或入丸、散剂。外用适量，煎汤熏洗；或捣敷；或

研末调敷。

荆芥根：内服研末，3 ~ 5 g；或鲜品捣汁。外用适量，煎汤洗或漱口。

| 附　注 | 《宁夏植物志》记载，宁夏分布的荆芥属植物有 3 种，见分种检索表。

1. 叶 1 ~ 2 回羽状分裂；萼裂片先端短芒尖；花粉红色或白色……………………
…………………………………细裂叶荆芥 *Schizonepeta deserticola* Fu et Ninbu

1. 叶 1 回羽状分裂或指状 3（5）分裂；萼片先端急尖；花紫色或蓝紫色。

2. 叶指状 3（5）分裂；苞叶线状披针形，先端渐尖；花冠长 3 ~ 4.5 mm；雄蕊
内藏………………………………………裂叶荆芥 *Nepeta tenuifolia* Bentham

2. 叶 1 回羽状分裂；苞叶卵形，先端骤尖；花冠长 6 ~ 8 mm；后对雄蕊超出
上唇 ………………………………………多裂叶荆芥 *Nepeta multifida* Linnaeus

唇形科 Labiatae 荆芥属 Nepeta

裂叶荆芥

Nepeta tenuifolia Bentham

裂叶荆芥

| 药 材 名 |

荆芥（药用部位：茎叶、花穗。别名：假苏、鼠蓂、姜芥）、荆芥根（药用部位：根）。

| 形态特征 |

一年生草本。茎直立，高 0.3 ~ 1 m，四棱形，多分枝，被灰白色疏短柔毛，茎下部的节及小枝基部通常微红色。叶通常为指状 3 全裂，有时 5 裂，大小不等，长 1 ~ 3.5 cm，宽 1.5 ~ 2.5 cm，先端锐尖，基部楔状渐狭并下延至叶柄，裂片披针形，宽 1.5 ~ 4 mm，中裂片较大，全缘，草质，上面暗榄绿色，被微柔毛，下面带灰绿色，被短柔毛，脉上及边缘较密，具黄色腺点；叶柄长 2 ~ 10 mm。多数轮伞花序组成顶生穗状花序，长 2 ~ 13 cm，通常生长于主茎上的较长大而多花，生长于侧枝上的较小而疏花，但均为间断的；苞片叶状，下部的较大，与叶同形，上部的渐变小至与花等长，小苞片线形，极小；花萼管状钟形，长约 3 mm，直径 1.2 mm，被灰色疏柔毛，具 15 脉，萼齿 5，后 3 枚长，前 2 枚较短，三角状披针形或披针形，先端渐尖，长约 0.7 mm，后面的较前面的长；花冠蓝紫色，稍伸出花萼，长 3 ~ 4.5 mm，外面被疏柔毛，内面无毛，花冠筒向上扩展，冠檐二唇形，上唇先端 2 浅裂，全缘或先端微凹，下唇 3 裂，中裂片最大；雄蕊 4，后对较长，均内藏，花药蓝色；花柱先端近相等 2 裂。小坚果长卵状三棱形，光滑，长约 1.5 mm，直径约 0.7 mm，褐色，有小点。花期 7 ~ 8 月，果期 8 ~ 9 月。栽培植株苞叶披针状条形，渐尖；花萼长 2 ~ 3 mm。

| 生境分布 | 生于海拔 1 500 ~ 2 700 m 的山坡路旁、山谷、林缘或草丛。分布于宁夏贺兰山（贺兰、平罗、大武口、惠农），宁夏沙坡头、隆德、中宁、灵武、海原等有栽培。

| 资源情况 | 栽培资源较丰富，亦有野生。

| 采收加工 | 荆芥：野生品 8 ~ 9 月花开穗绿时割取地上部分，晒干；或先摘下花穗，再割取带叶茎枝，分别晒干。栽培品春播于当年 8 ~ 9 月收割，秋播于翌年 5 月下旬至 6 月上旬收获。当花开到顶、花序下部有 70% 已结籽、果实成熟变黄褐色时，选晴天齐地面割取，晒至半干，捆成小把，再晒干。收割后避免在烈日下暴晒，以阴干为好；若遇阴雨天用文火烤干，温度控制在 40 ℃以下，不宜用武火。地上全株称荆芥，剪下晾干的花穗称荆芥穗，余下的茎秆为荆芥梗。
荆芥根：夏、秋季采挖，洗净，晒干或鲜用。

| 药材性状 | 荆芥：本品茎呈方柱形，上部有分枝，长50～80 cm，直径0.2～0.4 cm；表面淡黄绿色或淡紫红色，被短柔毛；体轻，质脆，断面类白色。叶对生，多已脱落，叶片3～5羽状分裂，裂片细长。穗状轮伞花序顶生，长2～9 cm，直径约0.7 cm；花冠多脱落，宿萼钟状，先端5齿裂，淡棕色或黄绿色，被短柔毛。气芳香，味微涩而辛、凉。以身干、茎细、色紫、穗多而密、香气浓者为佳。 |

| 功能主治 | 荆芥：辛、微苦，微温。归肺、肝经。祛风，解表，透疹，止血。用于感冒发热，头痛，目痒，咳嗽，咽喉肿痛，麻疹，风疹，痈肿，疮疥，衄血，吐血，便血，崩漏，产后血晕。
荆芥根：止血，止痛。用于吐血，崩漏，牙痛，瘰疬。 |

| 用法用量 | 荆芥：内服煎汤，3～10 g；或入丸、散剂。外用适量，煎汤熏洗；或捣敷；或研末调敷。
荆芥根：内服研末，3～5 g；或鲜品捣汁。外用适量，煎汤洗或漱口。 |

| 附 注 | （1）《宁夏植物志》记载宁夏有3种荆芥属植物，即细裂叶荆芥 *Schizonepeta* |

deserticola Fu et Ninbu、裂叶荆芥 *Nepeta tenuifolia* Bentham 和多裂叶荆芥 *Nepeta multifida* Linnaeus，见分种检索表。

1. 植株单一或丛生，少分枝；苞叶卵形，具骤尖；花萼长 4 ~ 5 mm，花冠长 6 ~ 7 mm；野生种·······················多裂叶荆芥 *Nepeta multifida* Linnaeus

1. 植株多分枝；苞叶披针状条形，渐尖；花萼长 2 ~ 3 mm，花冠长 3 ~ 4.5 mm，栽培种·······················裂叶荆芥 *Nepeta tenuifolia* Bentham

（2）荆芥一名始见于《吴普本草》。历代重要本草对"荆草"的说法不一，现今药用荆芥多为裂叶荆芥，宁夏的药用部位为花（果）穗。

（3）荆芥及荆芥穗作为常用解表药，亦作蒙药使用。

唇形科 Labiatae 罗勒属 Ocimum

罗勒
Ocimum basilicum L.

| 药 材 名 | 罗勒（药用部位：全草。别名：燕草、熏草、兰香）。

| 形态特征 | 一年生草本，高 20 ~ 80 cm，全株芳香。茎直立，四棱形，上部被倒向微柔毛，常带红色或紫色。叶对生；叶柄长 0.7 ~ 1.5 cm，被微柔毛；叶片卵形或卵状披针形，长 2.5 ~ 6 cm，宽 1 ~ 3.5 cm，全缘或具疏锯齿，两面近无毛，下面具腺点。轮伞花序 6，组成间断的顶生总状花序，通常长 10 ~ 20 cm，各部均被微柔毛；苞片细小，倒披针形，长 5 ~ 8 mm，边缘有缘毛，早落；花萼钟形，长 4 mm，外面被短柔毛，萼齿 5，上唇 3 齿，中齿最大，近圆形，具短尖头，侧齿卵圆形，先端锐尖，下唇 2 齿，三角形，具刺尖，萼齿边缘具缘毛，果时花萼增大、宿存；花冠淡紫色或白色，长约 6 mm，伸出花萼，唇片外面被微柔毛，上唇宽大，4 裂，裂片近圆形，

罗勒

下唇长圆形，下倾；雄蕊 4，二强，均伸出花冠外，后对雄蕊花丝基部具齿状附属物并被微柔毛；子房 4 裂，花柱与雄蕊近等长，柱头 2 裂；花盘具 4 浅齿。小坚果长圆状卵形，褐色。花期 6 ~ 9 月，果期 7 ~ 10 月。

| **生境分布** | 生于排水良好、肥沃的砂壤土或腐殖质壤土上。宁夏沙坡头、中宁、海原、贺兰、惠农、平罗、西夏、永宁、兴庆、灵武、金凤等引黄灌区有栽培。

| **资源情况** | 栽培资源较少。

| **采收加工** | 夏、秋季采收，除去细根和杂质，切细，晒干。

| **药材性状** | 本品干燥者为带有果穗的茎枝，叶片多已脱落。茎方形，表面紫色或黄紫色，有柔毛；折断面纤维状，中央有白色的髓。花已凋谢，宿萼黄棕色，膜质，5 裂，内藏棕褐色小坚果。气芳香，有清凉感。以干燥，茎细，无泥沙、杂草者为佳。

| **功能主治** | 疏风行气，化湿消食，活血，解毒。用于外感头痛，食胀气滞，胃痛，泄泻，月经不调，跌打损伤，蛇虫咬伤，皮肤湿疮，瘾疹瘙痒。

| **用法用量** | 内服煎汤，9 ~ 15 g。外用适量，鲜品捣敷；或煎汤洗。

唇形科 Labiatae 脓疮草属 Panzerina

脓疮草
Panzerina lanata var. *alaschanica* (Kuprian.) H. W. Li

| 药 材 名 | 脓疮草（药用部位：地上部分。别名：白龙串彩、白花益母草）。

| 形态特征 | 多年生草本。具粗大的木质主根。茎从基部发出，四棱形，密被白色短绒毛，高 30 ~ 50 cm，基部近木质，多分枝。叶宽卵圆形，宽 3 ~ 5 cm，茎生叶掌状 5 裂，裂片常达基部，小裂片线状披针形，苞叶较小，3 深裂，叶片上面由于密被贴生短毛而呈灰白色。轮伞花序多花，多数密集排列成顶生长穗状花序；花萼管状钟形，外面密被绒毛；花冠淡黄色或白色，下唇有红色条纹，冠檐二唇形，上唇直伸，盔状，长圆形，基部收缩，下唇直伸，浅 3 裂，中裂片较大，心形，侧裂片卵圆形。小坚果卵圆状三棱形。花期 5 ~ 7 月，果期 7 ~ 8 月。

脓疮草

| 生境分布 | 生于荒漠草原或砂质地。分布于宁夏沙坡头、中宁、海原、平罗、盐池、灵武、惠农、同心等。

| 资源情况 | 野生资源较丰富。

| 采收加工 | 夏季花未开时或初花期采割，切段，晒干或鲜用。

| 药材性状 | 本品茎呈方柱形，多对生分枝，长 20 ~ 40 cm，直径 2 ~ 5 mm；表面黄绿色，密生白色绒毛；体轻，质硬脆，易折断，断面中部有白色髓部或中空。叶交互对生，有长柄；叶片上面绿色，下面灰白色，密生灰白色绒毛，多皱缩，展平后完整者掌状深裂，裂片楔形，再羽状分裂，小裂片披针形或三角状披针形。轮伞花序腋生，花萼筒状，花冠淡黄色，均被白色绒毛。气微，味淡。

| 功能主治 | 辛、微苦，平。归肝、心经。活血调经，清热解毒，利水。用于产后腹痛，月经不调，崩漏，水肿，跌扑损伤，痈肿疮毒，乳痈，丹毒。

| 用法用量 | 内服煎汤，9 ~ 15 g。外用适量，鲜品捣敷；或煎汤敷。

| 附　　注 | 《宁夏中药志》记载，宁夏盐池等干旱地区民间用本种治疗痈肿、疮毒。

唇形科 Labiatae 紫苏属 Perilla

紫苏
Perilla frutescens (L.) Britt.

| 药 材 名 | 紫苏子（药用部位：果实。别名：苏子、黑苏子）、紫苏叶（药用部位：叶或带嫩枝的叶。别名：苏、苏叶）、紫苏梗（药用部位：茎。别名：紫苏茎、苏梗）、紫苏苞（药用部位：宿存萼）、苏头（药用部位：根及近根老茎。别名：紫苏兜、紫苏头、紫苏根）。

| 形态特征 | 一年生直立草本。茎高 0.3 ~ 2 m，绿色或紫色，钝四棱形，具 4 槽，密被长柔毛。叶阔卵形或圆形，长 7 ~ 13 cm，宽 4.5 ~ 10 cm，先端短尖或突尖，基部圆形或阔楔形，边缘在基部以上有粗锯齿，膜质或草质，两面绿色或紫色，或仅下面紫色，上面被疏柔毛，下面被贴生柔毛，侧脉 7 ~ 8 对，位于下部者稍靠近，斜上升，与中脉

紫苏

在上面微凸起，在下面明显凸起，色稍淡；叶柄长 3 ~ 5 cm，背腹扁平，密被长柔毛。轮伞花序 2 花，组成长 1.5 ~ 15 cm、密被长柔毛、偏向一侧的顶生及腋生总状花序；苞片宽卵圆形或近圆形，长、宽均约 4 mm，先端具短尖，外面被红褐色腺点，无毛，边缘膜质；花梗长 1.5 mm，密被柔毛；花萼钟形，具 10 脉，长约 3 mm，直伸，下部被长柔毛，夹有黄色腺点，内面喉部有疏柔毛环，果时增大，长至 1.1 cm，平伸或下垂，基部一侧肿胀，萼檐二唇形，上唇宽大，具 3 齿，中齿较小，下唇比上唇稍长，具 2 齿，齿披针形；花冠白色至紫红色，长 3 ~ 4 mm，外面略被微柔毛，内面在下唇片基部略被微柔毛，花冠筒短，长 2 ~ 2.5 mm，喉部斜钟形，冠檐近二唇形，上唇微缺，下唇 3 裂，中裂片较大，侧裂片与上唇近相似；雄蕊 4，几不伸出，前对稍长，离生，插生于喉部，花丝扁平，花药 2 室，室平行，其后略叉开或极叉开；花柱先端相等 2 浅裂；花盘前方呈指状膨大。小坚果近球形，灰褐色，直径约 1.5 mm，具网纹。花期 8 ~ 11 月，果期 8 ~ 12 月。

| 生境分布 | 栽培种。宁夏沙坡头、中宁、海原、贺兰、惠农、平罗、西夏、永宁、兴庆、灵武、金凤等引黄灌区有栽培。

| 资源情况 | 栽培资源丰富。

| 采收加工 | 紫苏子：秋季果实成熟时采收，除去杂质，晒干。

紫苏叶：夏季枝叶茂盛时采收，除去杂质，晒干。

紫苏梗：秋季果实成熟后采割，除去杂质，晒干；或趁鲜切片，晒干。

紫苏苞：秋季打下成熟果实，留取宿存果萼，晒干。

苏头：秋季将紫苏拔起，切取根头，抖净泥沙，晒干。

| 药材性状 | 紫苏子：本品呈卵圆形或类球形，直径约 1.5 mm；表面灰棕色或灰褐色，有微隆起的暗紫色网纹，基部稍尖，有灰白色点状果柄痕；果皮薄而脆，易压碎。种子黄白色，种皮膜质，子叶 2，类白色，有油性。压碎有香气，味微辛。

紫苏叶：本品叶片多皱缩卷曲、破碎，完整者展平后呈卵圆形，长 4 ~ 11 cm，宽 2.5 ~ 9 cm；先端长尖或急尖，基部圆形或宽楔形，边缘具圆锯齿；两面紫色或上表面绿色，下表面紫色，疏生灰白色毛，下表面有多数凹点状的腺鳞。叶柄长 2 ~ 7 cm，紫色或紫绿色。质脆。带嫩枝者，枝的直径 2 ~ 5 mm，紫绿色，断面中部有髓。气清香，味微辛。

紫苏梗：本品呈方柱形，四棱钝圆，长短不一，直径 0.5 ~ 1.5 cm。表面紫棕色或暗紫色，四面有纵沟和细纵纹，节部稍膨大，有对生的枝痕和叶痕。体轻，质硬，断面裂片状；切片厚 2 ~ 5 mm，常呈斜长方形，木部黄白色，射线细密，呈放射状，髓部白色，疏松或脱落。气微香，味淡。

| **功能主治** | 紫苏子：辛，温。归肺经。降气化痰，止咳平喘，润肠通便。用于痰壅气逆，咳嗽气喘，肠燥便秘。

紫苏叶：辛，温。归肺、脾经。解表散寒，行气和胃。用于风寒感冒，咳嗽呕恶，妊娠呕吐，鱼蟹中毒。

紫苏梗：辛，温。归肺、脾经。理气宽中，止痛，安胎。用于胸膈痞闷，胃脘疼痛，嗳气呕吐，胎动不安。

紫苏苞：微辛，平。归肺经。解表。用于血虚感冒。

苏头：辛，温。归肺、脾经。疏风散寒，降气祛痰，和中安胎。用于头晕，身痛，鼻塞流涕，咳逆上气，胸膈痰饮，胸闷胁痛，腹痛泄泻，妊娠呕吐，胎动不安。

| **用法用量** | 紫苏子：内服煎汤，3 ~ 10 g；或入丸、散剂。

紫苏叶：内服煎汤，5 ~ 10 g。外用适量，捣敷；或研末掺；或煎汤洗。

紫苏梗：内服煎汤，5 ~ 10 g；或入散剂。

紫苏苞：内服煎汤，3 ~ 9 g。

苏头：内服煎汤，6 ~ 12 g。外用适量，煎汤洗。

|附　注| （1）紫苏原植物变异极大，古代本草称叶全绿者为白苏，叶两面紫色或面青背紫者为紫苏。《中华本草》《中药大辞典》和《当代药用植物典》等均将白苏和紫苏进行区分，认为白苏为 *Perilla frutescens* (L.) Britt.，紫苏为原变种 *Perilla frutescens* var. *frutescens* (L.) Britt.。但是，分类学家 E. D. Merrill 认为二者同属一种植物，其变异不过因栽培而起。又白苏与紫苏除叶的颜色不同外，其他区别在于白苏的花通常白色，紫苏的花常为粉红色至紫红色，白苏被毛通常稍密（有时也有例外），果萼稍大，香气亦稍逊于紫苏，但差别细微，故《中国植物志》在编撰时采纳了 E. D. Merrill 的意见将二者合并。

（2）《宁夏中药志》记载，紫苏药材与紫苏叶药材的药用部位相同，均为嫩枝及叶，本书在"药材名"项中使用"紫苏叶"这一药材名。

（3）肺虚咳喘、脾虚便溏者禁服紫苏子，阴虚、气虚或温病者慎服紫苏叶。

（4）除本种外，同属植物野生紫苏 *Perilla frutescens* var. *purpurascens* (Hayata) H. W. Li 在一些地区也作紫苏药用。

串铃草
Phlomis mongolica Turcz.

| **药 材 名** | 串铃草（药用部位：全草或根。别名：野洋芋、毛尖茶、山芋头）。

| **形态特征** | 多年生草本。根木质，粗厚，须根常作圆形、长圆形或纺锤形的块根状增粗。茎高 40 ~ 70 cm，不分枝或具少数分枝，被具节疏柔毛或平展的具节刚毛，节上较密。基生叶卵状三角形至三角状披针形，长 4 ~ 13.5 cm，宽 2.7 ~ 7 cm，先端钝，基部心形，边缘圆齿状；茎生叶同形，通常较小，苞叶三角形或卵状披针形，下部的远超出花序，向上渐变小而较花序短，叶片均为上面橄榄色，疏被中枝特长的星状刚毛及单毛，或被稀疏刚毛至近无毛，下面色略淡，被疏或较密的星状疏柔毛，或被丛生刚毛，稀被单毛。轮伞花序多花密集，多数，彼此分离；苞片线状钻形，长约 12 mm，与萼等长，坚硬，上弯，先端刺状，被平展具节缘毛；花萼管状，长约 1.4 cm，

串铃草

宽约 6 mm，外面脉上被平展的具节刚毛，余部被尘状微柔毛，齿圆形，长约 1.2 mm，先端微凹，具长 2.5 ~ 3 mm 的刺尖，齿间具 2 小齿，边缘被疏柔毛；花冠紫色，长约 2.2 cm，花冠筒外面在中下部无毛，内面具毛环，冠檐二唇形，上唇长约 1 cm，外面被星状短柔毛，背部被具节长柔毛，边缘流苏状，自内面被髯毛，下唇长约 1 cm，宽约 1 cm，3 圆裂，中裂片圆倒卵形，先端微凹，长约 6 mm，宽约 7 mm，侧裂片卵形，较小，边缘均为不整齐的细齿状；雄蕊内藏，花丝被毛，后对基部在毛环稍上处具反折短距状附属器；花柱先端不相等 2 裂。小坚果先端被毛。花期 5 ~ 9 月，果期在 7 月以后。

| **生境分布** | 生于较干旱的山坡、沟旁。分布于宁夏贺兰山（西夏、平罗）、罗山（同心、红寺堡）及海原、西吉、原州、盐池等。

| **资源情况** | 野生资源较少。

| **采收加工** | 夏、秋季采收全草，洗净，晒干；秋后花萎谢后采挖根，洗净，切片，晒干。

| **功能主治** | 甘、苦，温。祛风清热，止咳化痰，生肌敛疮。用于风湿性关节炎，感冒，跌打损伤，体虚发热。 |

| **用法用量** | 内服煎汤，3 ~ 10 g。 |

唇形科 Labiatae 橙花糙苏属 *Phlomis*

块根糙苏
Phlomis tuberosa L.

药材名

块根糙苏（药用部位：根）。

形态特征

多年生草本，高 40 ~ 150 cm。根块根状增粗。茎具分枝，下部近无毛，下部被疏柔毛，染紫红色或绿色。基生叶或下部茎生叶三角形，长 5.5 ~ 19 cm，宽 5 ~ 13 cm，先端钝或急尖，基部深心形，边缘为不整齐的粗圆齿状，中部茎生叶三角状披针形，长 5 ~ 9.5 cm，宽 2.2 ~ 6 cm，基部心形，边缘为粗牙齿状，稀为不整齐的波状，苞叶披针形，稀卵圆形，向上渐变小，以至略超过轮伞花序，边缘锐牙齿状，叶片均上面榄绿色，被极疏的具节刚毛或近无毛，下面色较淡，无毛或仅脉上被极疏的具节刚毛；基生叶及下部茎生叶叶柄长 4 ~ 25 cm，中部茎生叶叶柄长 1.5 ~ 3.5 cm，上部茎生叶及苞叶叶柄短至无柄，均被具节刚毛或无毛。轮伞花序多数，3 ~ 10 生长于主茎及分枝上，彼此分离，多花密集；苞片线状钻形，长约 10 mm，有些分离，有些 2 ~ 4 合生，与萼等长或较萼长，被具节长缘毛；花萼管状钟形，长 8 ~ 10 mm，仅靠近萼齿部分被极疏的具节刚毛，

块根糙苏

其余部分无毛，齿半圆形，长 0.5 ~ 0.7 mm，先端微凹，具长 1.8 ~ 2.5 mm 的刺尖；花冠紫红色，长 1.8 ~ 2 cm，外面在唇瓣上密被具长射线的星状绒毛，筒部无毛，内面在花冠筒近中部具毛环，冠檐二唇形，上唇边缘为不整齐的牙齿状，自内面密被髯毛，下唇卵形，长约 6 mm，宽约 5 mm，3 圆裂，中裂片倒心形，较大，侧裂片卵形，较小；后对雄蕊的花丝基部在毛环上方具向上的短距状附属器；花柱先端不相等 2 裂。小坚果先端被星状短毛。花果期 7 ~ 9 月。

| **生境分布** | 生于林缘、山坡草地。分布于宁夏罗山（同心、红寺堡）等。

| **资源情况** | 野生资源较少。

| **采收加工** | 夏季采挖，洗净，晒干。

| **药材性状** | 本品呈椭圆形、长椭圆形或扁圆形，长 0.8 ~ 3 cm，直径 0.5 ~ 1.5 cm，少数可达 4 cm。表面棕色或棕褐色，有粗折皱，有的一端残留茎基，另一端为连接 2 块根间的细根，有的两端均有细根，细根直径约 2 mm。质硬，不易折断，断面黄色或黄白色。气微，味淡。

| **功能主治** | 微苦，温；有小毒。归肝、脾经。解毒消肿，活血调经。用于梅毒，疮肿，月经

不调。

| **用法用量** | 内服煎汤，5 ~ 10 g。外用适量，研末掺；或调敷。

| **附　　注** | 药材块茎糙苏与块根糙苏来源于同一植物（唇形科植物块根糙苏 *Phlomis tuberosa* L.）的不同药用部位，《中华本草》记载药材块茎糙苏来源于块根糙苏 *Phlomis tuberosa* L. 的根或全草，《宁夏中药志》记载药材块根糙苏来源于块根糙苏 *Phlomis tuberosa* L. 的块根。

唇形科 Labiatae 橙花糙苏属 Phlomis

糙苏
Phlomis umbrosa Turcz.

| 药 材 名 | 糙苏（药用部位：地上部分、根。别名：续断）。

| 形态特征 | 多年生草本，高达 1 m。根粗壮，块根圆柱形或长纺锤形，数个集生，外皮黄褐色。茎直立，四棱形，被疏柔毛及星状毛。单叶对生，具长柄，被柔毛；叶片宽卵形或卵状长圆形，长 6 ~ 14 cm，宽 4 ~ 13 cm，先端锐尖，基部心形，边缘具粗锯齿，两面被星状毛。轮伞花序生于枝上端，具花 4 ~ 8；苞片条状钻形，长于花，较坚硬，疏被柔毛及星状毛；花萼筒状，萼齿先端具小尖刺；花冠通常粉红色，二唇形，上唇边缘有不整齐的小齿，内外均有白色长柔毛，下唇具 3 圆齿，中裂片近圆形，较大；雄蕊 4，花丝无毛。小坚果卵圆形，具 3 棱，包藏于宿存萼内。花期 6 ~ 8 月，果期 8 ~ 9 月。

糙苏

| 生境分布 | 生于山坡林下、林缘。分布于宁夏六盘山（泾源、隆德、原州）、罗山（同心、红寺堡）、西吉等。

| 资源情况 | 野生资源丰富。

| 采收加工 | 地上部分，7～8月花开时采割，除去杂质，晒干。根，秋季采挖，除去根头及残茎，洗净，晒干。

| 药材性状 | 本品根呈长纺锤形或圆柱形，长 5 ~ 13 cm，直径 0.7 ~ 1.2 cm；表面棕黄色或褐黄色，具纵皱纹及少数纤细须根，两端细，上端具断痕，下端突尖；质硬，不易折断，折断面白色。茎呈方柱形，长 50 ~ 100 cm，多分枝；表面绿褐色，具浅槽，疏被短硬毛；质硬而脆，断面内有髓。叶对生，绿色，叶片多皱缩，展平后呈近圆形、圆卵形或卵状长圆形，长 5.2 ~ 12 cm，先端急尖，基部浅心形或圆形，边缘锯齿状，两面疏被星状短毛；叶柄长 1 ~ 12 cm。轮伞花序多轮，密被白色长柔毛；苞片线状钻形，紫红色；花萼宿存，聚集成蜂窝状。气微香，味涩。

| 功能主治 | 地上部分，散风，解毒，止咳，祛痰。用于感冒，慢性支气管炎，疖肿。根，辛，温。归肝经。祛风通络，强壮筋骨，消疮肿。用于风湿痹痛，腰痛，跌扑损伤，疮疖肿毒。

| 用法用量 | 地上部分，内服煎汤，3 ~ 10 g。根，内服煎汤，6 ~ 12 g。

| 附　　注 | （1）《中华人民共和国药典》（1977 年版　一部）规定本种的药用部位为"地上部分"，《中华人民共和国卫生部药品标准·蒙药》规定其药用部位为"块根"，《宁夏中药志》（第二版）记载其药用部位为"块根"，且从各书记载的功能与主治来看，糙苏"地上部分"及"块根"的功能与主治有明显不同。《宁夏

植物志》（第二版）记载"（糙苏）全草及根入药，全草能散风解毒，止咳祛痰；根能清热消肿"，但《中华本草》记载糙苏的药用部位为"根及全草"，《全国中草药汇编》（第三版）记载其药用部位为"地上部分或根"，均未对二者的功能与主治加以区分。

（2）根据《宁夏植物志》（第二版）记载糙苏属植物宁夏产3种1变种，见分种检索表。南方糙苏 *Phlomis umbrosa* Turcz. var. *australis* Hemsl. 与本种的区别在于叶薄，具长柄，边缘具圆齿状锯齿，先端的齿有时长许多；苞片草质，线状披针形，稍比萼短。

1. 植株无基生叶；后对雄蕊花丝基部无附属器·········糙苏 *Phlomis umbrosa* Turcz.

1. 植株具基生叶；后对雄蕊花丝基部具附属器。

  2. 基生叶三角形或三角状披针形，上面被平伏单毛，下面密被星状毛··········
    ···串铃草 *Phlomis mongolica* Turcz.

  2. 基生叶三角状卵形，稀三角状心形，上面疏被短星状毛，下面密生中枝较
    长的星状柔毛，沿脉生短星状毛··········尖齿糙苏 *Phlomis dentosa* Franch.

（3）《宁夏中药志》记载六盘山区各县称本植物为续断，既往有将其误作续断进行采挖的情况，应注意区别使用。

蓝萼毛叶香茶菜

唇形科 Labiatae　香茶菜属 Isodon

蓝萼毛叶香茶菜

Isodon japonicus (Burm. f.) Hara var. *glaucocalyx* (Maximowicz) H. W. Li

药材名

蓝萼毛叶香茶菜（药用部位：全草。别名：蓝萼香茶菜、倒根野苏、回菜花）。

形态特征

多年生草本。根茎木质，粗大，侧根细长，向下。茎直立，高 40 ~ 150 cm，钝四棱形，下部被疏柔毛，上部近无毛。叶对生；叶柄长 1 ~ 3.5 cm，上部有狭而斜向上宽展的翅，腹凹背凸，被微柔毛；叶片卵形或长卵形，长 6.5 ~ 13 cm，宽 3 ~ 7 cm，先端顶齿卵形或披针形而渐尖，锯齿较钝，基部阔楔形，边缘有粗大、具硬尖头的钝锯齿，坚纸质，上面暗绿色，下面淡绿色，两面疏被短柔毛及腺点。圆锥花序顶生，由多数具 3 ~ 7 花的聚伞花序组成；花萼钟形，长 1.5 ~ 2 mm，常带蓝色，外面密被贴生微柔毛，内面无毛，萼齿 5，三角形，锐尖，与萼筒近等长，前 2 齿稍宽而长；花冠淡紫色或白色，上唇具深色斑点，长约 5.5 mm，外面被短柔毛，内面无毛，花冠筒长约 2.5 mm，基部上方浅囊状，冠檐二唇形，上唇反折，先端 4 圆裂，下唇阔卵圆形，内凹；雄蕊 4，伸出，花丝扁平，中部以下具髯毛；花柱伸出，先端相等 2 浅裂；花盘环状。小坚果倒卵形，长 1.5 mm，黄褐色，无毛，先端具疣状突起。花期 7 ~ 8 月，果期 9 ~ 10 月。

| 生境分布 | 生于海拔 1 500 ~ 1 800 m 的山谷、山坡、路旁、林下、林缘、草丛及灌丛中。分布于宁夏六盘山（泾源、隆德、原州）及彭阳、西吉等，泾源、原州其他地区也有分布。

| 资源情况 | 野生资源较少。

| 采收加工 | 夏、秋季采收，除去杂质，洗净，晒干。

| 药材性状 | 本品根茎粗大，木质，具细长的侧根；表面黑褐色；质硬，难折断，断面淡棕黄色。茎四棱形，上部多分枝，直径 2 ~ 5 mm；表面灰绿色或灰棕色，四面具纵槽，密被倒向的柔毛；质脆，易折断，断面木部窄，黄棕色，髓部大，白色。单叶对生，类绿色，多皱缩、破碎，完整者展平后呈卵形或长卵形，边缘具粗锯齿，先端渐尖，基部楔形并下延成翅，表面疏被短柔毛，绿色或下表面带蓝紫色；叶柄长 0.2 ~ 2.5 cm。大型圆锥花序顶生；花小；花萼钟状，常带蓝色；花冠淡紫色或白色；花柱伸出花冠之外。气微，味苦。以色绿带紫、叶多、老梗少者为佳。

| 功能主治 | 清热解毒，活血化瘀，健胃消食。用于感冒发热，咽喉肿痛，脘腹胀痛，食滞纳呆，胁痛黄疸，乳痈，扁桃体炎，胃炎，肝炎，乳腺炎，恶性肿瘤（食管癌、贲门癌、肝癌、乳腺癌）初起，闭经，风湿痹痛，关节痛，跌打损伤，蛇虫咬伤。

| 用法用量 | 内服煎汤，6 ~ 15 g。

| 附　注 | 本种与原变种毛叶香茶菜 *Isodon japonicus* (Burm. f.) Hara 的区别在于：叶疏被短柔毛及腺点，顶齿卵形或披针形而渐尖，锯齿较钝；花萼常带蓝色，外面密被贴生微柔毛。

唇形科 Labiatae 鼠尾草属 Salvia

丹参

Salvia miltiorrhiza Bunge

| 药 材 名 | 丹参（药用部位：根及根茎。别名：紫丹参）。

| 形态特征 | 多年生草本，高 30 ~ 80 cm，全株密被柔毛。根圆柱形，砖红色。茎直立，多分枝。奇数羽状复叶，叶柄长 1 ~ 7 cm，小叶 3 ~ 7，先端小叶较大，小叶卵形或椭圆状卵形，长 1.5 ~ 8 cm，宽 0.8 ~ 5 cm，先端钝，基部宽楔形或斜圆形，边缘具圆锯齿，两面被柔毛，下面较密。轮伞花序有 6 至多花，组成顶生或腋生的总状花序，密被腺毛或长柔毛；小苞片披针形，被腺毛；花萼钟状，长 1 ~ 1.3 cm，先端二唇形，萼筒喉部密被白色柔毛；花冠蓝紫色，二唇形，长 2 ~ 2.7 cm，上唇直立，略呈镰状，先端微裂，下唇较上唇短，先端 3 裂，中央裂片较两侧裂片长且大，又浅 2 裂；发育雄蕊 2，伸出花冠管外面，在上唇之下，药隔长，花丝比药隔短，上臂药室发

丹参

育，2 下臂的药室不育，先端联合；子房上位，4 深裂，花柱较雄蕊长，柱头 2 裂。小坚果长圆形，成熟时暗棕色或黑色，包于宿存萼中。花期 5 ~ 8 月，果期 8 ~ 9 月。

| **生境分布** | 栽培种。宁夏海原、隆德、西吉等有栽培。

| **资源情况** | 栽培资源较少。

| **采收加工** | 春、秋季采挖，除去泥沙，干燥。

| **药材性状** | 本品根茎短粗，先端有时残留茎基。根数条，长圆柱形，略弯曲，有的分枝并具须状细根，长 10 ~ 20 cm，直径 0.3 ~ 1 cm。表面棕红色或暗棕红色，粗糙，具纵皱纹。老根外皮疏松，多显紫棕色，常呈鳞片状剥落。质硬而脆，断面疏松，有裂隙或略平整而致密，皮部棕红色，木部灰黄色或紫褐色，导管束黄白色，呈放射状排列。气微，味微苦、涩。栽培品较粗壮，直径 0.5 ~ 1.5 cm。表面红棕色，具纵皱纹，外皮紧贴不易剥落。质坚实，断面较平整，略呈角质样。

| **功能主治** | 活血祛瘀，通经止痛，清心除烦，凉血消痈。用于胸痹心痛，脘腹胁痛，癥瘕积聚，热痹疼痛，心烦不眠，月经不调，痛经经闭，疮疡肿痛。

| **用法用量** | 内服煎汤，5 ~ 15 g，大剂量可用至 30 g。

| **附 注** | 宁夏曾误种甘肃丹参。

| 唇形科 | Labiatae | 鼠尾草属 | *Salvia* |

粘毛鼠尾草 *Salvia roborowskii* Maxim.

粘毛鼠尾草

药材名

粘毛鼠尾草（药用部位：全草。别名：野芝麻、黄花鼠尾草）、粘毛鼠尾草果（药用部位：果实。别名：黄花鼠尾草果）。

形态特征

一年生或二年生草本。根长锥形，长10 ~ 15 cm，直径 3 ~ 7 mm，褐色。茎直立，高 30 ~ 90 cm，多分枝，钝四棱形，具 4 槽，密被有黏液腺的长硬毛。叶对生，戟形或戟状三角形，长 3 ~ 8 cm，先端尖或钝，基部浅心形或戟形，具圆齿，两面被粗伏毛，下面被淡黄色腺点；叶柄长 2 ~ 6 cm。轮伞花序具 4 ~ 6 花，组成总状花序；上部苞片披针形或卵形，被长柔毛、腺毛及淡黄色腺点，全缘或波状；花梗长约 3 mm；花萼钟形，被长硬毛、具腺短柔毛及淡黄色腺点，内面被微硬毛，上唇三角状半圆形，具 3 短尖头，下唇具 2 三角形齿，先端刺尖长约 1 mm；花冠黄色，长 1 ~ 1.3 cm，外面被疏柔毛或近无毛，内面离花冠筒基部 2 ~ 2.5 mm 有不完全的疏柔毛环，喉部直径约 5 mm，上唇长圆形，全缘，下唇中裂片倒心形，侧裂片半圆形，宽约 2 mm；花丝长约 4 mm；药隔弧曲，长约 4 mm，上、下臂近等长。

小坚果倒卵球形，长约2.8 mm，暗褐色，光滑。花期6～8月，果期9～10月。

| 生境分布 | 生于海拔2 000～2 400 m的山谷溪边、山坡草地、沟边阴处、山脚山腰。分布于宁夏六盘山（泾源、隆德、原州）、南华山（海原）等。

| 资源情况 | 野生资源较少。

| 采收加工 | 粘毛鼠尾草：夏季采收，洗净，晒干。
粘毛鼠尾草果：秋季采收，除去杂质，晒干。

| 功能主治 | 粘毛鼠尾草：清肝，明目，止痛。用于目赤肿痛，翳障，肝炎，牙痛。
粘毛鼠尾草果：滋肾补肝，明目。用于产后体虚，乳汁不足，视物昏花。

| 用法用量 | 粘毛鼠尾草：内服煎汤，3～9 g；或研末。
粘毛鼠尾草果：内服煎汤，6～15 g。

| 附　　注 | 宁夏地区分布的鼠尾草属植物有2种，即粘毛鼠尾草 *Salvia roborowskii* Maxim. 和荫生鼠尾草 *Salvia umbratica* Hance。二者的区别在于：粘毛鼠尾草花冠小，长不及1.5 cm，黄色；荫生鼠尾草花冠较大，长2～2.5 cm，蓝紫色或紫色。

唇形科 Labiatae 鼠尾草属 Salvia

荫生鼠尾草 *Salvia umbratica* Hance

| 药 材 名 | 荫生鼠尾草（药用部位：全草。别名：山苏子、山椒子、荫生鼠尾）、荫生鼠尾草子（药用部位：种子）。

| 形态特征 | 一年生或二年生草本。根粗大，锥形，木质，褐色。茎直立，高可达 1.2 m，钝四棱形，被长柔毛，间有腺毛，分枝，枝锐四棱形。叶片三角形或卵圆状三角形，长 3 ~ 16 cm，宽 2.3 ~ 16 cm，先端渐尖或尾状渐尖，基部心形或戟形，间有近截形，基片卵圆形，先端锐尖或钝，边缘具重圆齿或牙齿，上面绿色，被长柔毛或短硬毛，下面淡绿色，沿脉被长柔毛，余部散布黄褐色腺点；叶柄长 1 ~ 9 cm，被疏或密的长柔毛。轮伞花序 2 花，疏离，组成顶生及腋生总状花序；下部苞片叶状，具齿，较上部的披针形，长 3 ~ 6 mm，宽 1 ~ 3 mm，先端渐尖，基部楔形，全缘，两面被短柔毛；花梗

荫生鼠尾草

长约 2 mm，与花序轴被长柔毛及具腺短柔毛；花萼钟形，长 7 ~ 10 mm，花后稍增大，外面被长柔毛，内面被微硬伏毛，二唇形，唇裂至萼长的 1/3，上唇宽卵状三角形，长约 3 mm，宽 6 mm，先端有 3 聚合的短尖头，下唇比上唇略长，半裂成 2 齿，齿斜三角形，先端锐尖；花冠蓝紫色或紫色，长 2.3 ~ 2.8 cm，外面略被短柔毛，内面离基部 3 ~ 3.5 mm 有斜向不完全的疏柔毛毛环，花冠筒基部狭长，圆筒形，伸出萼外，向上突然膨大弯曲，呈喇叭状，宽达 7 mm，冠檐二唇形，上唇长圆状倒心形，长 8 mm，宽 6 ~ 7 mm，先端微缺，下唇较上唇短而宽，长 7 mm，宽达 12 mm，3 裂，中裂片阔扇形，长 4 mm，宽 8 mm，侧裂片新月形，宽 3 mm；能育雄蕊 2，伸至上唇片，不伸出，花丝长 5 mm，扁平，无毛，药隔长 7.5 mm，弧形，上臂长 4 mm，下臂长 3.5 mm，顶生横向的药室，药室先端联合；退化雄蕊短小，长约 1 mm；花柱外伸或与花冠上唇等长，先端不相等 2 浅裂，后裂片较短；花盘前方稍膨大。小坚果椭圆形。花期 8 ~ 10 月。

| **生境分布** | 生于山坡草地或灌丛中。分布于宁夏六盘山（泾源、隆德、原州）及西吉、海原等，泾源、隆德、原州其他地区也有分布。

| **资源情况** | 野生资源较少。

| **采收加工** | 荫生鼠尾草：夏季采收，洗净，晒干。
荫生鼠尾草子：秋季采收，除去杂质，晒干。

| **功能主治** | 荫生鼠尾草：凉血，止血，活血。
荫生鼠尾草子：调经活血。

唇形科 Labiatae 黄芩属 Scutellaria

甘肃黄芩
Scutellaria rehderiana Diels

| 药 材 名 | 黄芩（药用部位：根及根茎。别名：条芩、子芩、小黄芩）。

| 形态特征 | 多年生草本，高 12 ～ 35 cm。根斜行，直径 2 ～ 13 mm。茎直立或弧曲，略被下曲的短柔毛。叶对生，柄长 2.8 ～ 9 mm；叶片卵状披针形至卵形，长 1.4 ～ 4 cm，宽 0.6 ～ 1.5 cm，先端圆或钝，基部楔形至圆形，全缘或中下部每侧有 2 ～ 5 不规则的浅齿，两面被短毛。总状花序顶生，长 3 ～ 10 cm；小苞片条形，长约 1 mm；花梗长约 2 mm，与花序轴均被腺毛；花萼花时长约 25 mm，盾片高约 1 mm；花冠粉红色、淡紫色至蓝紫色，长 2.2 ～ 2.9 cm，外面被腺毛，花冠筒近基部膝曲，上唇盔状，先端微缺，下唇中裂片近圆形；雄蕊 4，二强，花丝中部以下被疏柔毛；子房 4 裂，表面具瘤状突起；花盘肥厚，平顶。花期 6 ～ 8 月，果期 8 ～ 9 月。

甘肃黄芩

| 生境分布 | 生于海拔 1 300 ~ 2 500 m 的向阳山坡草地。分布于宁夏六盘山（隆德、原州）、贺兰山（贺兰、平罗、西夏）及永宁、海原、西吉等，原州、西夏其他地区也有分布。

| 资源情况 | 野生资源较丰富。

| 采收加工 | 春、秋季采挖，除去地上茎叶及泥沙，晒干。

| 药材性状 | 本品根茎呈圆柱形或圆锥形，多弯曲和扭曲，长 5 ~ 20 cm，直径 3 ~ 10 mm。表面棕黄色，粗糙，有明显的纵向皱纹和侧根残痕，有的凹凸不平或具腐朽性疤痕，先端稍膨大，有茎痕或残留茎基。质硬而脆，易折断，断面黄色，较粗者断面中央红棕色，一般不枯朽。气微，味苦。

| 功能主治 | 清热燥湿，泻火解毒，止血，安胎。用于湿热暑湿所致的胸闷呕吐，湿热痞满，泻痢，黄疸，肺热咳嗽，高热烦渴，血热吐衄，痈肿疮毒，胎动不安。

| 用法用量 | 内服煎汤，3 ~ 9 g。

| 附　　注 | （1）本种分布于山西、陕西、甘肃、宁夏等。

（2）黄芩属植物宁夏地区野生分布有 3 种 1 变种。见分种检索表。

1. 花序顶生或腋生。

1. 花单生于上部叶腋…………………………………………………………………
　………………多毛并头黄芩 *Scutellaria scordifolia* var. *villosissima* Wu et Tang

　2. 叶大形，宽卵形或卵形，长 2.5 ~ 13 cm，宽 1.5 ~ 7.5 cm，边缘具圆钝粗锯齿，先端渐尖，基部心形…………………细花黄芩 *Scutellaria tenuiflora* Wu

2. 叶较小，卵状长圆形或卵状披针形，长 1.4 ~ 4 cm，宽 0.5 ~ 1.5 cm。

　3. 叶缘具锯齿；花序轴被开展的长柔毛…………………………………………
　　　　　　　　　　　　　　…………滇黄芩 *Scutellaria amoena* C. H. Wright

　3. 叶全缘或下部具少数细齿；花序轴被头状腺毛…………………………………
　　…………………………………………甘肃黄芩 *Scutellaria rehderiana* Diels

（3）根据《宁夏中药志》的记载，宁夏还分布有同属植物贺兰山黄芩 *Scutellaria alaschanica* Tschem.，其生于向阳山坡、路边，分布于宁夏贺兰山，为贺兰山特有种，其根也作为黄芩入药。

（4）宁夏的甘肃黄芩资源丰富，20 世纪 90 年代前，本种在宁夏多作黄芩药用，并收载入《宁夏中药材标准》（1993 年版）。因为长期采挖利用，本种的蕴藏量减少。近些年药典品黄芩已种植成功，且能满足市场需求。甘肃黄芩不再作为黄芩药用。

唇形科 Labiatae 黄芩属 Scutellaria

并头黄芩

Scutellaria scordifolia Fisch. ex Schrank

并头黄芩

| 药 材 名 |

头巾草（药用部位：全草。别名：并头黄芩、山麻子、半枝莲）。

| 形态特征 |

多年生草本，高 15 ~ 40 cm。根茎斜行或近直伸，节上生须根。茎直立，不分枝或从基部分枝，四棱形，带紫红色，被上曲的短柔毛，棱上较密。叶三角状狭卵形或卵状披针形，长 1.5 ~ 4 cm，宽 0.5 ~ 1.5 cm，先端钝，稀渐尖，基部微心形或截形，稀宽楔形，边缘具钝或尖的锯齿，上面深绿色，被平伏的短柔毛，下面淡绿色，被弯曲的短柔毛，沿脉较密；叶柄短，长 1 ~ 2 mm，密被弯曲的短柔毛。花单生于上部叶腋，偏向一侧；花梗长 4 ~ 6 mm，密被弯曲的短柔毛，近基部有 1 对长约 1.5 mm 的针状小苞片，被毛；花萼长 3.5 ~ 4 mm，密被短柔毛和缘毛，盾片长约 1.5 mm，被短柔毛；花冠蓝紫色，长 2 ~ 2.3 cm，外面被细柔毛，花冠筒基部囊状膝曲，檐部二唇形，上唇盔状，先端微凹，下唇中裂片较大，近圆形，先端微凹，侧裂片小，三角状长圆形；雄蕊 4，二强，前对花丝中部外侧被柔毛，后对花丝中部两侧被柔毛；花柱细长，柱头不相等 2 裂。

小坚果球形，黄色，被瘤状突起和白色长毛。花期 6 ～ 7 月，果期 7 ～ 8 月。

| 生境分布 | 生于山坡草地、河滩草甸、林缘、林下、田野及撂荒地、路边、沟渠旁、村舍附近。分布于宁夏六盘山（泾源、隆德、原州）、贺兰山（贺兰、平罗）及海原、盐池等，泾源、隆德、原州其他地区也有分布。

| 资源情况 | 野生资源较少。

| 采收加工 | 夏季花盛开时采收，除去杂质，阴干。

| 药材性状 | 本品长 10 ～ 35 cm，地上茎四棱形，基部常带紫色，棱上疏被微柔毛或几无毛。叶近无柄，腹凹背凸，被小柔毛；叶片三角状狭卵形或披针形，长 1.5 ～ 3.8 cm，几无毛，具多数凹腺点，先端大多钝，基部浅心形，边缘大多具浅锐牙齿。花冠蓝紫色，二唇形；雄蕊 4，二强；花盘前方隆起；子房 4 裂，裂片等大。小坚果椭圆形，具瘤。气微，味微苦。

| 功能主治 | 微苦，凉。归肺、膀胱经。清热利湿，解毒消肿。用于肝热，肝肿大，臌胀，牙龈脓肿，肠痈，丹毒，斑疹，咽喉肿痛，热淋，跌打损伤，毒蛇咬伤，肝炎，肝硬化腹水，阑尾炎，乳腺炎。

| 用法用量 | 内服煎汤，15 ～ 30 g。外用适量，研末调敷；或鲜品捣敷。

| 附注 | 在我国并头黄芩主要是作为蒙药使用，但未查到并头黄芩的变种多毛并头黄芩的药用记载。

唇形科 Labiatae 水苏属 Stachys

甘露子

Stachys sieboldi Miq.

| **药 材 名** | 甘露子（药用部位：全草或块茎。别名：地蚕、草石蚕、地溜子）。 |

| **形态特征** | 多年生草本，高 20 ~ 70 cm。茎基部数节生多数须根及横走的根茎，根茎灰白色，密被绒毛，节上具鳞片状叶，分枝先端膨大成螺丝状肉质块茎。茎直立，多由基部分枝或不分枝，四棱形，具槽，棱上及节上被长硬毛。单叶对生；叶柄长 0.5 ~ 2 cm，具狭翅，被刚毛；叶狭卵形、卵状披针形或三角状披针形，长 2 ~ 12 cm，宽 1 ~ 5 cm，先端渐尖或急尖，基部浅心形、截形、宽楔形至近圆形，边缘具圆钝锯齿，上面深绿色，被平伏的长刚毛，下面灰绿色，叶脉明显隆起，网脉明显，沿脉被刚毛，其余部分被硬毛。轮伞花序 6 ~ 8 花，疏离，组成顶生穗状花序，长 5 ~ 22 cm；苞片披针形，长 6 ~ 7 mm，宽 1 ~ 1.5 mm，向下反折，边缘具刚毛和腺毛；花萼狭钟形，长 |

甘露子

6 ～ 9 mm，带紫色或紫红色，外面疏被硬毛，萼齿5，三角形，长约2 mm，先端具长约0.5 mm的硬刺尖；花冠粉红色至紫红色，长1.3 ～ 1.4 cm，花冠筒长约9 mm，直径约2.5 mm，背面微被短柔毛，内面近基部具毛环，冠檐二唇形，上唇直伸，椭圆形，先端圆钝，外面微被短柔毛，长约4 mm，下唇开展，与上唇近等长，3圆裂，中裂片较大，近圆形，长约3 mm，宽约3.5 mm，先端圆，侧裂片短，卵圆形，长约1.5 mm；雄蕊4，前对雄蕊稍长，均内藏，花丝基部略膨大，被微柔毛，花药2室，平叉开，纵裂；花柱与后对雄蕊等长，先端相等2浅裂。小坚果4，黑褐色，表面具小瘤。花期7 ～ 8月，果期8 ～ 9月。

| 生境分布 | 生于潮湿水边、湿地、林缘、灌丛、路旁、田埂，亦有栽培。分布于宁夏海原、隆德、彭阳、西吉、原州、中宁、金凤等。

| 资源情况 | 野生资源丰富。

| 采收加工 | 5 ～ 10月采收全草，除去杂质，鲜用或晒干；清明前后或10月下旬采挖块茎，洗净，鲜用或晒干。

| 药材性状 | 本品块茎呈梭形或长梭形，有的弯曲，长2 ～ 5 cm，直径4 ～ 8 mm；表面灰白色或淡黄色，具凹陷的环纹，用水浸泡后呈螺丝状。茎呈四棱形，直径2 ～ 4 mm；表面黄绿色或紫褐色，被硬而长的毛；质脆，中空。单叶对生，具短柄；叶片多皱缩破碎，完整者展平后呈卵形或长卵形，边缘具圆齿状锯齿，两面及叶柄均具白色硬毛。轮伞花序组成顶生的穗状花序，疏散；花萼钟形，外面被白色柔毛；花冠紫红色。小坚果黑褐色，表面具疣。质硬脆，易折断，断面类白色，颗粒状，有棕色形成层环。气微，味甜，嚼之有黏液。以叶多、色黄绿、老梗少者为佳。

| 功能主治 | 解表清肺，健脾利湿，补中益气，解毒。用于黄疸，淋证，风热感冒，肺痨，虚劳咳嗽，病后体弱，头晕目眩，气虚头痛，疳积，疮毒肿痛，蛇虫咬伤，神经衰弱。

| 用法用量 | 内服煎汤，6 ～ 15 g。外用适量，鲜品捣敷。

| 附　注 | 《宁夏中药志》记载宁夏、青海的药材市场上曾有以本种的干燥块茎伪充冬虫夏草出售的情况。

唇形科 Labiatae 百里香属 Thymus

百里香
Thymus mongolicus Ronn.

| **药 材 名** | 地椒（药用部位：全株。别名：百里香、地椒子、地花椒）。 |

| **形态特征** | 矮小半灌木，高 10 ~ 20 cm。茎多数，匍匐或上升；不育枝由茎的末端或基部发出，匍匐或上升，密被倒向的短柔毛；花枝高 2 ~ 10 cm，在花序下密被下曲或稍平展的疏柔毛，下部毛变短而疏。叶卵形、狭卵形、卵状椭圆形，长 3 ~ 8 mm，宽 1.5 ~ 3.5 mm，先端钝或尖，基部楔形或渐狭，叶脉 3 对，在背面明显隆起，两面无毛，被腺点，全缘，基部边缘具长缘毛；叶柄短，长 1 ~ 2 mm，具狭翅，密生缘毛。轮伞花序密集成头状；花梗短，长约 1 mm，密被短柔毛；花萼钟形，长 4 ~ 5 mm，被腺点，无毛或下部被短柔毛，二唇形，下唇与上唇等长或较之稍长，长 2 ~ 2.5 mm，上唇 3 裂，裂齿三角形，长不超过全唇片的 1/3，疏被短缘毛或无毛，下唇 2 裂达全唇片的基部，裂片披针状锥形，边缘具硬毛；花冠紫红 |

百里香

色或淡紫红色，长 6 ~ 8 mm，外面疏被短柔毛，花冠筒伸长，长 4 ~ 5 mm，向上稍增大，冠檐二唇形，上唇直立，倒卵状椭圆形，长约 2.5 mm，先端微凹，下唇开展，3 裂，裂片椭圆形，中裂片稍长；雄蕊 4，前对稍长，稍伸出，花丝扁平，无毛；花柱细长，先端相等 2 浅裂。小坚果近圆形或卵圆形，压扁状，光滑。花期 6 ~ 7 月。

| 生境分布 | 生于多石山地、斜坡、石质河滩地、溪旁、路边及杂草丛中。分布于宁夏六盘山（泾源、隆德、原州）、贺兰山（贺兰、平罗、西夏）、南华山（海原）及西吉、彭阳等，泾源、隆德、原州、海原其他地区也有分布。

| 资源情况 | 野生资源丰富。

| 采收加工 | 夏、秋季均可采收，一般于花盛期割取地上全株，除去残根及杂质，阴干或晒干。

| 药材性状 | 本品茎呈方柱形，木质，略弯曲，多分枝，长 5 ~ 15 cm，直径 1 ~ 2 mm；表面紫红色或灰红色，节明显，下部节上有须根。叶对生，近无柄；叶片呈卵形、狭卵形或长圆状披针形，长 0.4 ~ 0.8 cm，宽 2 ~ 3.5 mm，先端钝或尖，基部楔形，全缘，上表面绿色，下表面灰绿色，两面无毛，密布腺点。轮伞花序密集成头状；花梗短，密被短柔毛；花萼钟形；花冠暗紫红色或棕色。气芳香，味辛。以花叶多、色绿、香气浓者为佳。

| 功能主治 | 祛风止咳，温中止痛，利水通淋。用于感冒，咳嗽，顿咳，牙痛，风湿痹痛，外伤疼痛，脘腹冷痛，痛经，小便涩痛，疮痈肿痛，湿疹，皮肤瘙痒，高血压。

| 用法用量 | 内服煎汤，6 ~ 15 g。外用适量，研末调敷。

| 附　注 | （1）百里香属植物约 400 种，我国约 11 种，多分布于黄河以北地区；宁夏产 2 种 1 变种。见分种检索表。

1. 叶狭卵形、卵状椭圆形或长圆形；花萼上唇的齿呈三角形，长不超过全唇的 1/3····································百里香 *Thymus mongolicus* Ronn.

1. 叶狭披针形或长圆状披针形；花萼上唇的齿呈披针形或三角状披针形，长几达全唇的 1/2···

亚洲百里香 *Thymus quinquecostatus* var. *asiaticus* (Kitagawa) C. Y. Wu & Y. C. Huang

（2）白花百里香 *Thymus mongolicus* Ronn. var. *leucanthus* H. L. Liu et D. Z. Ma 是百里香的变种，与本种的主要区别为"植株矮小；叶较小，卵状长圆形或长圆形；花白色，花冠筒内密生粗毛"，产于宁夏贺兰山、六盘山，生于海拔 2 200 ~ 2 400 m 的向阳山坡。白花百里香在《中国植物志》中无记载。

| 唇形科 | Labiatae | 百里香属 | *Thymus*

亚洲地椒

Thymus quinquecostatus Cêlak. var. *asiaticus* (Kitagawa) C. Y. Wu & Y. C. Huang

| **药 材 名** | 地椒（药用部位：全株。别名：百里香、地椒子）。

| **形态特征** | 矮小半灌木，高5 ~ 18 cm。茎水平伸展或斜上升，不育枝从茎基部或直接从根茎生出，密被向下弯曲的短柔毛。叶披针形或线状披针形，长4 ~ 10 mm，宽通常不超过2 mm，先端钝或尖，基部渐狭，全缘，叶脉2对，在下面明显隆起，两面无毛，明显具腺点，基部边缘具缘毛；叶柄短，长0.5 ~ 1.5 mm，边缘具缘毛。轮伞花序密集成头状或稍伸长，长1.5 ~ 2.5 cm；花梗长约3 mm，密被倒向弯曲的短柔毛；花萼钟形，长4 ~ 4.5 mm，外面疏被开展的白色柔毛及腺点，二唇形，上唇长约2.2 mm，3裂，裂齿披针形，为全唇片长的1/2或稍短，边缘具缘毛，下唇与上唇近等长，2裂达基部，边缘具白色硬毛；花冠紫红色，长6 ~ 6.5 mm，外面疏被柔毛，内

亚洲地椒

面疏被粗毛，冠檐二唇形，上唇直伸，倒卵状椭圆形，长约 2 mm，先端微凹，下唇与上唇等长，开展，3 裂，裂片近等长或中裂片稍长。小坚果近圆形或卵圆形，压扁状，光滑。花期 6 ~ 7 月。

| **生境分布** | 生于山坡、石质河滩地、路边。分布于宁夏六盘山（泾源、隆德、原州）、贺兰山（贺兰、平罗、西夏、大武口、惠农）、罗山（同心、红寺堡）及彭阳等，隆德、原州其他地区也有分布。

| **资源情况** | 野生资源丰富。

| **采收加工** | 夏、秋季盛花期采收，除去杂质，阴干或晒干。

| **药材性状** | 本品茎呈方柱形，木质，略弯曲，多分枝，长 5 ~ 15 cm，直径 1 ~ 2 mm；表面紫红色或灰红色，节明显，下部节上有须根。叶对生，近无柄；叶片呈卵形、狭卵形或长圆状披针形，长 0.4 ~ 1 cm，宽 2 mm，先端钝或尖，基部楔形；全缘，上表面绿色，下表面灰绿色，两面无毛，密布腺点。轮伞花序密集成头状；花梗短，密被短柔毛；花萼钟形；花冠暗紫红色或棕色。气芳香，味辛。以花叶多、色绿、香气浓者为佳。

| **功能主治** | 祛风止咳，温中止痛，利水通淋。用于感冒，咳嗽，顿咳，牙痛，风湿痹痛，外伤疼痛，脘腹冷痛，痛经，小便涩痛，疮痈肿痛，湿疹，皮肤瘙痒，高血压。

| **用法用量** | 内服煎汤，6 ~ 15 g。外用适量，研末调敷。

| **附　　注** | （1）本种在《宁夏植物志》（第二版）、《宁夏中药志》（第二版）及《宁夏中药材标准》（2018 年版）记载的中文名均为"亚洲百里香"。《宁夏植物志》（第二版）记载拉丁学名为"*Thymus asiaticus* Kitag."，《宁夏中药志》（第二版）及《宁夏中药材标准》（2018 年版）记载的拉丁学名均为"*Thymus quinquecostatus* Cêlak. var. *asiaticus* (Kitag.) C. Y. Wu et Y. C. Huang"。现依据《中国植物志》（英文版）公布的本种正名信息，将本种正名修订为亚洲地椒 *Thymus quinquecostatus* Cêlak. var. *asiaticus* (Kitagawa) C. Y. Wu & Y. C. Huang。
（2）《中华人民共和国药典》（1977 年版　一部）收载的地椒的来源为唇形科植物百里香 *Thymus mongolicus* (Ronn.) Ronn. 或兴凯百里香 *Thymus przewalskii* (Kom.) Nakai 的干燥地上部分。其中兴凯百里香为地椒 *Thymus quinquecostatus* Cêlak. 的展毛变种，即展毛地椒 *Thymus quinquecostatus* var. *przewalskii* (Kom.) Ronn.。而亚洲地椒是地椒的亚洲变种。宁夏地区将亚洲地椒作为地椒的基原之一。

茄科 Solanaceae 辣椒属 Capsicum

辣椒 *Capsicum annuum* L.

| 药 材 名 | 辣椒（药用部位：成熟果实。别名：长辣子、番椒、秦椒）、辣椒茎（药用部位：茎。别名：海椒梗）、辣椒叶（药用部位：叶）、辣椒头（药用部位：根）。

| 形态特征 | 一年生草本，高 40 ~ 80 cm。茎直立，分枝常呈"之"字形弯曲，无毛或微被柔毛。单叶互生，叶柄长 4 ~ 7 cm；叶片卵形、矩圆状卵形或卵状披针形，长 4 ~ 13 cm，宽 1.5 ~ 4 cm，先端渐尖，基部狭楔形，全缘。花单生于叶腋，花梗俯垂；花萼杯状，具不明显的 5 ~ 7 齿；花冠白色，裂片 5 ~ 7，长椭圆形，镊合状排列；雄蕊 5，着生于花冠筒近基部，花药长圆形，灰紫色，纵裂；雌蕊 1，子房上位，2 室，少数 3 室，花柱线状。果柄较粗壮，俯垂，先端膨大，萼宿存；浆果长指状，先端渐尖且常弯曲，未成熟时绿色，成熟后红

辣椒

色、橙色或紫红色，有辣味；种子多数，扁肾形，长 3 ~ 5 mm，淡黄色。花期
6 ~ 7 月，果期 8 ~ 9 月。

| **生境分布** | 宁夏各地均有栽培。

| **资源情况** | 栽培资源丰富。

| **采收加工** | 辣椒：夏、秋季果皮变红色时采收，除去枝梗，晒干。

辣椒茎：9 ~ 10 月将倒苗前采收，切段，晒干。

辣椒叶：夏、秋季植株生长茂盛时采摘，鲜用或晒干。

辣椒头：秋季采挖，洗净，晒干。

| **药材性状** | 辣椒：本品呈圆锥形、类圆锥形，略弯曲。表面橙红色、红色或深红色，光滑
或较皱缩，显油性，基部微圆，常有绿棕色、具 5 裂齿的宿萼及果柄。果肉薄。
质较脆，横切面可见中轴胎座，有菲薄的隔膜将果实分为 2 ~ 3 室，内含多数
种子。气特异，味辛辣。

辣椒茎：本品分枝常呈"之"字形弯曲，无毛或微被柔毛。

辣椒叶：本品叶柄长 4 ~ 7 cm；叶片卵形、矩圆状卵形或卵状披针形，长
4 ~ 13 cm，宽 1.5 ~ 4 cm，先端渐尖，基部狭楔形，全缘。

| **功能主治** | 辣椒：温中散寒，开胃消食。用于寒滞腹痛，呕吐，泻痢，冻疮。

辣椒茎：散寒除湿，活血化瘀。用于风湿冷痛，冻疮。

辣椒叶：消肿涤络，杀虫止痒。用于水肿，顽癣，疥疮，冻疮，痈肿。

辣椒头：散寒除湿，活血消肿，止血。用于手足无力，肾囊肿，功能失调性子宫
出血，冻疮。

| **用法用量** | 辣椒：内服煎汤，3 ~ 9 g。外用适量，煎汤熏洗；或研末调敷。

辣椒茎：外用适量，煎汤洗。

辣椒叶：外用适量，鲜品捣敷。

辣椒头：内服煎汤，3 ~ 15 g，鲜品 30 g。外用适量，煎汤熏洗。

茄科 Solanaceae 曼陀罗属 Datura

曼陀罗

Datura stramonium L.

| 药 材 名 | 洋金花（药用部位：花。别名：曼荼罗、野荏麻、山茄子）。

| 形态特征 | 一年生草本或半灌木状，高 50 ~ 150 cm，全体近平滑或幼嫩部分被短柔毛。茎粗壮，圆柱状，淡绿色或带紫色，下部木质化。叶广卵形。花单生于枝叉间或叶腋，直立，有短梗；花萼筒状，长 4 ~ 5 cm，筒部有 5 棱角，两棱间稍向内陷，基部稍膨大，先端紧围花冠筒，5浅裂，裂片三角形，花后自近基部断裂，宿存部分随果实的增大而增大并向外反折；花冠漏斗状，下部带绿色，上部白色或淡紫色，檐部 5 浅裂，裂片有短尖头，长 6 ~ 10 cm，檐部直径 3 ~ 5 cm；雄蕊不伸出花冠，花丝长约 3 cm，花药长约 4 mm；子房密生柔针毛，花柱长约 6 cm。蒴果直立生，卵状，表面生有坚硬针刺或有时无刺而近平滑，成熟后淡黄色，规则 4 瓣裂；种子卵圆形，稍扁，黑色。花期 7 ~ 9 月，果期 8 ~ 10 月。

曼陀罗

| **生境分布** | 生于田间、沟旁、道边、河岸、山坡等。宁夏各地均有分布。

| **资源情况** | 野生资源较丰富。

| **采收加工** | 7 ~ 9 月花期采收初开的花，晾至七八成干后捆成小把，晒干或烘干。

| **功能主治** | 辛，温；有毒。归肝、肺经。平喘止咳，镇痛，解痉。用于哮喘，咳嗽，脘腹冷痛，风湿麻痹，小儿慢惊风。

| **用法用量** | 内服煎汤，0.3 ~ 0.6 g；或入丸、散剂；或卷烟分次燃吸，一日吸量不超过 1.5 g。外用适量。

| **附　　注** | （1）《中华人民共和国药典》记载白花曼陀罗 *Datura metel* L. 为洋金花的基原，白花曼陀罗与《中华本草》记载的白曼陀罗 *Datura metel* L. 为同种植物。

（2）《中华本草》记载白曼陀罗 *Datura metel* L. 和毛曼陀罗 *Datura innoxia* L. 的花作洋金花药用，且它们的果实（种子）及叶分别作曼陀罗子和曼陀罗叶药用。

茄科 Solanaceae 天仙子属 Hyoscyamus

莨菪
Hyoscyamus niger L.

| 药 材 名 | 天仙子（药用部位：种子。别名：莨菪子、牙痛子、救牙子）。 |

| 形态特征 | 二年生草本，株高 50 ～ 120 cm，植株被黏液性腺毛。叶卵状披针形或长圆形，长 20 ～ 30 cm，先端尖，基部渐窄，羽状浅裂或具粗齿，中脉宽扁，叶柄翼状，基部半抱根茎；茎生叶卵形或三角状卵形，长 4 ～ 10 cm，先端钝或渐尖，基部宽楔形，半抱茎，不裂或羽裂；茎顶部叶浅波状，裂片多为三角形，无叶柄。花在茎中下部单生于叶腋，在茎上端单生于苞状叶腋，组成蝎尾式总状花序；花萼筒状钟形；花冠钟状，黄色，肋纹紫堇色。蒴果长卵圆形；种子近盘形，淡黄褐色。花期 5 ～ 8 月，果期 7 ～ 10 月。 |

| 生境分布 | 生于山坡、路旁、住宅区及河岸沙地。分布于宁夏贺兰山东麓及大 |

莨菪

武口、惠农、平罗、隆德、泾源、盐池等。

| **资源情况** | 野生资源较少。

| **采收加工** | 秋季果实成熟时割取全株,晒干,打下种子,除去杂质。

| **药材性状** | 本品呈类扁肾形或扁卵形,直径约 1 mm。表面棕黄色或灰黄色,有细密的网纹,略尖的一端有点状种脐。切面灰白色,油质,有胚乳,胚弯曲。气微,味微辛。

| **功能主治** | 苦、辛,温;有大毒。归心、胃、肝经。解痉止痛,平喘,安神。用于胃脘挛痛,喘咳,癫狂病。

| **用法用量** | 内服煎汤,0.06 ~ 0.6 g。

| **附　注** | 《中国植物志》(英文版)收载的天仙子 *Hyoscyamus niger* L. 与《中华人民共和国药典》(2020 年版)收载的天仙子药材的基原莨菪 *Hyoscyamus niger* L. 为同一植物。

茄科 Solanaceae 枸杞属 Lycium

枸杞 *Lycium chinense* Miller

| 药材名 | 地骨皮（药用部位：根皮。别名：狗芽子）、枸杞叶（药用部位：嫩茎叶。别名：地仙苗、甜菜、枸杞尖）。

| 形态特征 | 灌木，高 0.5 ~ 1 m。枝条细弱，弓状弯曲或俯垂，淡灰色，具棘刺，有纵条纹。单叶互生或 2 ~ 4 在短枝上簇生；叶片卵形、卵状菱形、长椭圆形、卵状披针形，长 15 ~ 50 mm，宽 5 ~ 25 mm，先端锐尖，基部楔形，全缘，两面无毛；叶柄长 5 ~ 10 mm。花在长枝上 1 ~ 2 生于叶腋，在短枝上同叶簇生；花梗细，长 10 ~ 20 mm；花萼钟状，长 3 ~ 4 mm，通常 3 中裂或 4 ~ 5 齿裂，裂片边缘多少有缘毛；花冠漏斗状，长 9 ~ 12 mm，淡紫色，筒部向上骤然扩大，檐部 5 深裂，裂片稍长于花冠筒或与之等长，卵形，先端圆钝，平展或稍向外反曲，边缘具缘毛，基部耳显著；雄蕊稍短于花冠，花丝近基部及花冠筒内壁密生一圈白色绒毛；花柱稍伸出雄蕊，上端弓曲，柱头绿

枸杞

色。浆果深红色或橘红色，卵状，栽培者可呈长矩圆状或长椭圆状，先端尖或钝，长 7 ~ 15 mm，栽培者长可达 22 mm，直径 5 ~ 8 mm；种子扁肾形，黄色，长 2.5 ~ 3 mm。花期 6 ~ 7 月，果期 7 ~ 9 月。

| 生境分布 | 生于荒地、山坡、田埂、丘陵地带、路边及村庄附近。宁夏各地均有分布，主要分布于宁夏南部山区（西吉、彭阳、隆德、泾源、原州、海原、同心）等。

| 资源情况 | 野生资源较丰富。

| 采收加工 | 地骨皮：春初或秋后采挖根部，洗净，剥取根皮，晒干。

枸杞叶：春季至初夏采摘，洗净，多鲜用。

| 药材性状 | 地骨皮：本品呈筒状或槽状，长 3 ~ 10 cm，宽 0.5 ~ 1.5 cm，厚 0.1 ~ 0.3 cm。外表面灰黄色至棕黄色，粗糙，有不规则纵裂纹，易呈鳞片状剥落；内表面黄白色至灰黄色，较平坦，有细纵纹。体轻，质脆，易折断，断面不平坦，外层黄棕色，内层灰白色。气微，味微甘而后苦。

枸杞叶：本品单叶或数叶簇生于嫩枝上。叶片皱缩，展平后呈卵形或长椭圆形，长 2 ~ 6 cm，宽 0.5 ~ 2.5 cm，全缘。表面深绿色。质脆，易碎。气微，味苦。

| 功能主治 | 地骨皮：凉血除蒸，清肺降火。用于阴虚潮热，骨蒸盗汗，肺热咳嗽，咯血，衄血，内热消渴。

枸杞叶：补虚益精，清热明目。用于虚劳发热，烦渴，目赤昏痛，障翳夜盲，崩漏带下，热毒疮肿。

| 用法用量 | 地骨皮：内服煎汤，9 ~ 15 g。

枸杞叶：内服煎汤，鲜品 60 ~ 240 g；或煮食；或捣汁。外用适量，煎汤洗；或捣汁滴眼。

| 附 注 | （1）本种与宁夏枸杞 *Lycium barbarum* L. 的区别在于枸杞的花萼通常 3 中裂或 4 ~ 5 齿裂，花冠裂片边缘有缘毛，筒部稍短于裂片；宁夏枸杞的花萼通常 2 中裂，或有时其中 1 裂片再微 2 齿裂，花冠裂片边缘无缘毛，筒部明显较裂片长。

（2）《中华人民共和国药典》（1963 年版　一部）记载枸杞子的基原为宁夏枸杞 *Lycium barbarum* L. 或枸杞 *Lycium chinense* Miller；地骨皮的基原为枸杞 *Lycium chinense* Miller。自《中华人民共和国药典》（1977 年版　一部）开始，枸杞子的基原仅有宁夏枸杞 *Lycium barbarum* L.，而地骨皮的基原为宁夏枸杞 *Lycium barbarum* L. 和枸杞 *Lycium chinense* Miller。根据《中华人民共和国药典》（2020 年版　一部）的记载，枸杞 *Lycium chinense* Miller 的干燥成熟果实不宜作为正品枸杞子使用。

茄科 Solanaceae 枸杞属 Lycium

北方枸杞

Lycium chinense Miller var. *potaninii* (Pojarkova) A. M. Lu

| 药 材 名 | 北方枸杞（药用部位：果实、根皮。别名：西北枸杞、包氏枸杞）。

| 形态特征 | 本种与枸杞的区别在于：叶通常为披针形、矩圆状披针形或条状披针形；花冠裂片边缘的缘毛稀疏，基部耳不显著；雄蕊稍长于花冠。

| 生境分布 | 生于山坡、沟旁。分布于宁夏贺兰山（贺兰、平罗、大武口、惠农）及盐池等。

| 资源情况 | 野生资源较少。

北方枸杞

| **功能主治** | 果实，滋补肝肾，益精明目。用于虚劳精亏，腰膝酸痛，眩晕耳鸣，内热消渴，血虚萎黄，目昏不明。根皮，清虚热，凉血。

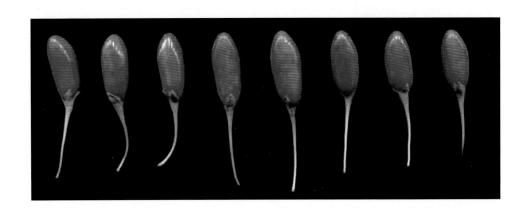

茄科 Solanaceae 烟草属 Nicotiana

黄花烟草 *Nicotiana rustica* L.

| 药 材 名 | 烟草（药用部位：叶。别名：旱烟、野烟、淡把姑）。

| 形态特征 | 一年生草本，高 40 ~ 60 cm，有时达 120 cm。茎直立，粗壮，生腺毛，分枝较细弱。叶生腺毛，叶片卵形、矩圆形、心形、近圆形或矩圆状披针形，长 10 ~ 30 cm，先端钝或急尖，基部圆形或偏心形；叶柄无翅，常短于叶片之半。圆锥状聚伞花序顶生，疏散或紧缩；花梗长 3 ~ 7 mm；花萼杯状，长 7 ~ 12 mm，裂片宽三角形，其中 1 显著长于其他；花冠筒状钟形，黄绿色，筒部长 1.2 ~ 2 cm，檐部长约 4 mm，裂片短，宽而钝；雄蕊 5，其中 4 较长，1 较短，不伸出花冠喉部，花丝基部膨大，密被长柔毛。蒴果近球形或矩圆状卵形，长 1 ~ 1.5 cm；种子矩圆形，长约 1 mm，通常褐色。花期 7 ~ 8 月。

黄花烟草

| 生境分布 | 栽培种。宁夏彭阳等有栽培。

| 资源情况 | 栽培资源较丰富。

| 采收加工 | 7 月当烟叶由深绿色变成淡黄色、叶尖下垂时，按叶的成熟先后，分数次采摘，晒干或烘干，亦可鲜用。

| 功能主治 | 行气止痛，燥湿，消肿，解毒杀虫。用于食滞饱胀，气结疼痛，关节痹痛，痈疽，疔疮，疥癣，湿疹，毒蛇咬伤，扭挫伤。

| 用法用量 | 内服煎汤，鲜品 9 ~ 15 g；或点燃吸烟。外用适量，煎汤洗；或捣敷；或研末调敷。

| 附 注 | 《宁夏中药志》记载本种可药用，与烟草 *Nicotiana tabacum* L. 的功用相似。二者在形态特征上的主要区别为：黄花烟草的叶柄无翅，花冠筒状钟形，黄绿色；烟草的叶柄有翅或近无柄，花冠漏斗状，粉红色或淡绿色。

茄科 Solanaceae 酸浆属 Alkekengi

酸浆

Alkekengi officinarum Moench

酸浆

药材名

酸浆（药用部位：全草。别名：寒浆、醋浆、灯笼草）、酸浆根（药用部位：根。别名：天灯笼草根）。

形态特征

多年生草本，高 40 ～ 80 cm。具横走的根茎。茎直立，基部略带木质，稀疏分枝或不分枝，茎节不甚膨大，常被柔毛，尤以幼嫩部分较密。单叶互生，长卵形至宽卵形，长 5 ～ 15 cm，宽 2 ～ 8 cm，先端渐尖，基部狭楔形，不对称，下延至叶柄，边缘波状或有粗牙齿，两面被柔毛，沿叶脉较密，上面的毛常不脱落，沿叶脉亦有短硬毛；叶柄长 1 ～ 3 cm。花单生于叶腋；花梗长 6 ～ 16 mm，花开时直立，后向下弯曲，密生柔毛，果时亦不脱落；花萼阔钟状，长约 6 mm，密生柔毛，5 裂，萼齿三角形，边缘有硬毛；花冠辐状，白色，直径 15 ～ 20 mm，5 裂，裂片开展，宽短，先端骤狭成三角形尖头，外面有短柔毛，边缘有缘毛；雄蕊与花柱均短于花冠；雄蕊 5，花药淡黄绿色；子房上位，卵球形，2 室。浆果球形，橙红色，直径 10 ～ 15 mm，柔软多汁，被增大成囊状的宿存萼完全包被；果柄长 2 ～ 3 cm，

多少被宿存柔毛；宿存萼卵形，长 2.5 ～ 4 cm，直径 2 ～ 3.5 cm，橙红色，薄革质，
具 10 纵肋，网脉明显，被宿存的柔毛，先端闭合，基部凹陷；种子肾形，淡黄色。
花期 5 ～ 9 月，果期 6 ～ 10 月。

| 生境分布 | 生于空旷地、山坡、路旁及田野草丛中，亦有栽培。分布于宁夏沙坡头、中宁、海原、贺兰、惠农、平罗、西夏、永宁、兴庆、灵武、金凤等引黄灌区。 |

| 资源情况 | 野生资源较少。 |

| 采收加工 | 酸浆：夏、秋季采收，鲜用或晒干。
酸浆根：夏、秋季采挖，洗净，鲜用或晒干。 |

| 药材性状 | 酸浆：本品茎呈圆柱形，木质化，较硬。叶互生，完整的叶片呈阔卵形，长5～15 cm，宽2～8 cm，先端尖，基部不对称，波状缘有粗齿。宿萼卵形，直径1.5～2.5 cm，黄绿色，薄纸质，先端尖，基部不对称，波状缘有粗齿。浆果球形，皱缩，直径1～1.2 cm。气微，味苦。
酸浆根：本品呈细长圆柱形，略扭曲，直径1～2 mm。表面皱缩，土棕色，节明显。略具青草气，味甚苦而微辛。 |

| 功能主治 | 酸浆：清热毒，利咽喉，通利二便。用于咽喉肿痛，肺热咳嗽，黄疸，痢疾，水肿，小便淋涩，大便不通，黄水疮，湿疹，疔疮，丹毒。
酸浆根：清热，利水，凉血止血，止咳。用于疟疾，黄疸，疝气，肺热咳嗽，月经过多，产后出血，水疝。 |

| 用法用量 | 酸浆：内服煎汤，9～15 g；或捣汁；或研末。外用适量，煎汤洗；或研末调敷；或捣敷。 |

酸浆根：内服煎汤，3 ～ 6 g。

| 附　注 | （1）根据《宁夏植物志》记载，酸浆属植物约有 120 种，我国有 5 种 2 变种。宁夏分布的酸浆属植物有 1 种，即酸浆 *Alkekengi officinarum* Moench。其果实可药用，具有清热解毒、镇咳、利尿的功效。

（2）《宁夏中药志》记载中药材锦灯笼的基原为本种的变种挂金灯 *Alkekengi officinarum* Moench var. *franchetii* (Mast.) R. J. Wang。挂金灯与本种的区别在于：茎较粗壮，茎节膨大；叶仅叶缘有短毛；花梗近无毛或仅有稀疏柔毛，果时无毛；花萼除裂片密生毛外，筒部毛被稀疏，果萼毛被脱落而光滑无毛。

茄
Solanum melongena L.

药 材 名	茄子（药用部位：果实。别名：落苏、昆仑瓜、草鳖甲）、茄蒂（药用部位：宿萼）、茄根（药用部位：根。别名：茄母、茄子根、白茄根）、茄花（药用部位：花。别名：紫茄子花）、茄叶（药用部位：叶）。
形态特征	直立分枝草本至亚灌木，高 60 ～ 90 cm。茎粗壮，上部分枝，绿色或紫色，无刺或有疏刺，全体被星状柔毛。单叶互生，叶柄长 2 ～ 4.5 cm；叶片大，卵形或长圆状卵形，长 8 ～ 18 cm，宽 5 ～ 11 cm，先端钝尖，基部不相等，叶缘常波状浅裂或深波状圆裂，表面暗绿色，两面被平贴的星状绒毛。能育花单生，花梗长 1 ～ 1.8 cm，花后常下垂，不育花组成蝎尾状与能孕花并出；花萼近钟形，直径约 2.5 cm 或稍大，具小皮刺，先端 5 裂，萼裂片披针形，先端锐尖；花冠紫色，直径约 3 cm，外面被星状毛，内面仅裂片先端疏被星状毛，花冠筒

茄

长约 2 mm，冠檐长约 2.1 cm，裂片三角形，长约 1 cm；雄蕊 5，花丝长约 2.5 mm，着生于花冠喉部，花药黄色，长约 7.5 mm，分离，先端孔裂；雌蕊 1，子房圆形，2 室，先端密被星状毛，花柱圆球形，长 4～7 mm，中部以下被星状绒毛，柱头浅裂。浆果大，圆球形、长椭圆形或圆柱形，通常紫色、淡绿色或黄白色，光滑，基部有宿存萼。花期 6～8 月，果期 7～9 月。

| 生境分布 | 宁夏各地均有栽培。

| 资源情况 | 栽培资源丰富。

| 采收加工 | 茄子：夏、秋季果实近成熟时采收，晒干。
茄蒂：果实即将成熟时采收或从作蔬菜的茄果实上剥下，晒干。
茄根：9 ~ 10 月全株枯萎时连根拔起，除去干叶，洗净泥土，晒干。
茄花：夏、秋季花开时采收，晒干。
茄叶：夏季采收，鲜用或晒干。

| 药材性状 | 茄子：本品呈不规则球形或卵形，大小不等。表面棕黄色至暗黄色，极度皱缩，先端略凹陷，基部有宿存萼和果柄。宿存萼灰黑色，具不明显的 5 齿。果柄具纵直纹理。果皮革质，有光泽。种子多数，淡棕色，近肾形，稍扁，长 2 ~ 4 mm，宽 2 ~ 3 mm。气微，味苦。

茄蒂：本品大多不完整，完整者略呈浅钟状或星状，灰黑色，先端 5 裂，裂片宽三角形，略向内卷。萼筒喉部类圆形，直径 1.2 ~ 2 cm，内面灰白色，基部具长梗，有纵直纹。质坚脆。气微，味淡。

茄根：本品主根通常不明显，具残存茎基。侧根发达，具多数缠绕须根。表面浅灰黄色。质坚实，不易折断，断面黄白色，中心为木部。质坚实，不易折断，断面不平坦，纤维性，黄白色，中央有淡灰绿色的松软髓部或呈空洞状。气微，味淡。

茄花：本品大多皱缩。花萼先端 5 裂，裂片披针形，具星状柔毛。花冠淡紫色，裂片三角形，长约 1 cm。花梗具纵直纹理。质坚脆。气微，味淡。

茄叶：本品单叶互生；叶柄长 2 ～ 4.5 cm；叶片卵状椭圆形，长 8 ～ 18 cm，宽 5 ～ 11 cm，先端钝尖，基部不相等，叶缘常波状浅裂，表面暗绿色，两面具星状柔毛。

| **功能主治** | 茄子：清热，活血，止痛，消肿。用于肠风下血，热毒疮痈，皮肤溃疡。

茄蒂：祛风止血，解毒。用于肠风下血，痈肿疮毒，口疮，牙痛。

茄根：祛风利湿，清热止血，消肿止痛。用于风湿热痹，血痢，便血，痔血，血淋，皮肤瘙痒，阴痒，脚气病，冻疮。

茄花：敛疮，止痛，利湿。用于创伤，牙痛，带下。

茄叶：散血消肿。用于血淋，血痢，肠风下血，痈肿，冻疮。

| **用法用量** | 茄子：内服煎汤，15 ～ 30 g。外用适量，捣敷。

茄蒂：内服煎汤，6 ～ 9 g；或研末。外用适量，研末掺；或生擦。

茄根：内服煎汤，9 ～ 18 g；或入散剂。外用适量，煎汤洗；或捣汁；或烧存性研末调敷。

茄花：内服研末，2 ～ 3 g。外用适量，研末涂敷。

茄叶：内服煎汤，6 ～ 9 g。外用适量，煎汤洗；或捣敷；或烧存性研末调敷。

| **附　注** | （1）本种的根、宿存萼、叶、花、果实、种子等均可药用。根、茎、叶为收敛剂，有利尿之效，叶也可作麻醉剂。种子为消肿药，也用作刺激剂，但容易引起胃弱及便秘。本种因经长期栽培而形态变异极大，花的颜色及各部数目均有不同，一般有白花和紫花，5 ～ 6（～ 7）数。果实的形状长或圆，颜色有白色、红色、紫色等。

（2）本种喜肥，不耐旱，在耕层深厚、富含有机质、保肥保水能力强的冲积土上栽培最为适宜。

茄科 Solanaceae 茄属 *Solanum*

青杞
Solanum septemlobum Bunge

| 药 材 名 | 青杞（药用部位：全草。别名：野茄子）。

| 形态特征 | 多年生草本。茎具棱角，被白色、具节、弯卷的短柔毛至近无毛。叶互生，卵形，长3～8 cm，宽2～5 cm，先端钝，基部楔形，裂片卵状长圆形至披针形，全缘或具尖齿。二歧聚伞花序，顶生或腋外生，总花梗长1～2.5 cm，具微柔毛或近无毛；花梗纤细，长5～8 mm，近无毛，基部具关节；花萼小，杯状，直径约2 mm，外面被疏柔毛，5裂，萼齿三角形，长不及1 mm；花冠青紫色，花冠筒隐于萼内，冠檐长约7 mm，先端深5裂，裂片长圆形，长约5 mm，开放时常向外反折。浆果近球状，成熟时红色。花期7～8月，果期8～9月。

青杞

生境分布	生于林下、田边、沟边及路旁。宁夏各地均有分布。
资源情况	野生资源丰富。
采收加工	夏末、秋季花果期采收，切段，晒干。
功能主治	清热解毒。用于咽喉肿痛，目赤，皮肤瘙痒。
用法用量	内服煎汤，15～30 g。外用适量，煎汤熏洗。

茄科 Solanaceae 茄属 Solanum

阳芋

Solanum tuberosum L.

阳芋

药材名

马铃薯（药用部位：块茎。别名：山药蛋、土豆、洋芋）。

形态特征

草本，高 30 ~ 80 cm，无毛或被疏柔毛。地下茎块状，扁圆形或长圆形，直径 3 ~ 10 cm，外皮灰白色、黄色、淡红色或紫色。叶为奇数羽状复叶，叶柄长 2.5 ~ 5 cm；小叶 6 ~ 8 对，大小不等，相间排列，卵形或长圆形，最大者长达 6 cm，宽达 3.2 cm，最小者长、宽均不及 1 cm，先端尖，基部稍不相等，全缘，两面均被白色疏柔毛，侧脉每边 6 ~ 7，先端略弯，小叶柄长 1 ~ 8 mm。伞房状聚伞花序顶生，后侧生；花梗长 1.5 ~ 3 cm，中部或稍上处具关节，被白色疏柔毛，关节以上稍密；花萼钟状，长约 1 cm，疏被白色柔毛，不规则 5 深裂，裂片卵状披针形，先端长渐尖；花冠白色或蓝紫色，辐状，直径 2.5 ~ 3 cm，花冠筒长约 2 mm，隐于萼筒内，冠檐长约 1.5 cm，裂片 5，三角形，长约 5 mm；雄蕊长约 6 mm，花药长为花丝长的 5 倍；子房卵圆形，无毛，花柱长约 8 mm，柱头头状。浆果圆球状，直径 1.5 ~ 2 cm，光滑。花期 7 ~ 8 月。

| **生境分布** | 栽培种。宁夏各地均有栽培，主要分布于宁夏西吉等。 |

| **资源情况** | 栽培资源丰富。 |

| **采收加工** | 夏、秋季采挖，洗净，鲜用或晒干。 |

| **药材性状** | 本品呈扁球形或长圆形，直径3～10 cm。表面白色或黄色，节间短而不明显，侧芽着生于凹隐的"芽眼"内，一端有短茎基或茎痕。质硬，富含淀粉。气微，味淡。 |

| **功能主治** | 和胃健中，解毒消肿。用于胃痛，疟腮，痈肿，湿疹，烫伤。 |

| **用法用量** | 内服适量，煮食；或煎汤。外用适量，磨汁涂。 |

茄科 Solanaceae 茄属 *Solanum*

龙葵
Solanum nigrum L.

| 药 材 名 | 龙葵（药用部位：地上部分。别名：苦菜、苦葵、老鸦眼睛草）、龙葵子（药用部位：种子）、龙葵根（药用部位：根）。

| 形态特征 | 一年生直立草本，高 0.25 ~ 1 m。茎无棱或棱不明显，绿色或紫色，近无毛或被微柔毛。叶卵形，长 2.5 ~ 10 cm，宽 1.5 ~ 5.5 cm，先端短尖，基部楔形至阔楔形而下延至叶柄，全缘或每边具不规则的波状粗齿，光滑或两面均被稀疏短柔毛，叶脉每边 5 ~ 6；叶柄长 1 ~ 2 cm。蝎尾状聚伞花序腋外生，由 3 ~ 6（~ 10）花组成，总花梗长 1 ~ 2.5 cm；花梗长约 5 mm，近无毛或具短柔毛；花萼小，浅杯状，直径 1.5 ~ 2 mm，齿卵圆形，先端圆，基部两齿间连接处成角度；花冠白色，筒部隐于萼内，长不及 1 mm，冠檐长约 2.5 mm，

龙葵

5 深裂，裂片卵圆形，长约 2 mm；花丝短，花药黄色，长约 1.2 mm，约为花丝长的 4 倍，顶孔向内；子房卵形，直径约 0.5 mm，花柱长约 1.5 mm，中部以下被白色绒毛，柱头小，头状。浆果球形，直径约 8 mm，成熟时黑色；种子多数，近卵形，直径 1.5 ~ 2 mm，两侧压扁。

| **生境分布** | 生于荒地、路边、村庄附近或田边。宁夏各地均有分布。

| **资源情况** | 野生资源较丰富。

| **采收加工** | 龙葵：夏、秋季采割，洗去泥土，鲜用或晒干。
龙葵子：秋季果实成熟时采收，除去杂质，鲜用或晒干。
龙葵根：夏、秋季采挖，洗去泥土，鲜用或晒干。 |

| **药材性状** | 龙葵：本品茎呈圆柱形，多分枝，长 30 ～ 70 cm，直径 2 ～ 10 mm；表面黄绿色，具纵皱纹；质硬而脆，断面黄白色，中空。叶皱缩或破碎，完整者呈卵形或椭圆形，长 2 ～ 10 cm，宽 2 ～ 5.5 cm，先端锐尖或钝，全缘或有不规则波状锯齿，暗绿色，两面光滑或疏被短柔毛；叶柄长 0.3 ～ 2.2 cm。花、果少见。聚伞花序蝎尾状，腋外生，具花 4 ～ 6，花萼棕褐色，花冠棕黄色。浆果球形，表面褐色、棕褐色或黑绿色，皱缩。气微，味淡。以茎叶色绿、带果者为佳。
龙葵子：本品多数，扁平，类椭圆形，黄棕色至棕色，先端较尖，基部钝圆。
龙葵根：本品呈分枝状，主根直径 0.4 ～ 1.2 cm，须根较多，根皮薄，淡棕黄色至黄棕色，根纤维性强，难折断，断面淡黄白色。 |

| **功能主治** | 龙葵：清热解毒，活血消肿。用于疔疮，痈肿，丹毒，跌打扭伤，慢性支气管炎，肾炎性水肿。
龙葵子：清热解毒，化痰止咳。用于咽喉肿痛，疔疮，咳嗽痰喘。
龙葵根：清热利湿，活血解毒。用于痢疾，淋浊，尿路结石，带下，风火牙痛，跌打损伤，痈疽肿毒。 |

| **用法用量** | 龙葵：内服煎汤，15 ～ 30 g。外用适量，捣敷；或煎汤洗。 |

龙葵子：内服煎汤，6～9 g；或浸酒。外用适量，煎汤含漱；或捣敷。

龙葵根：内服煎汤，9～15 g，鲜品加倍。外用适量，捣敷；或研末调敷。

| 附　注 |　《中国植物志》（英文版）收载的矮株龙葵 *Solanum nigrum* L. var. *humile* (Bernh.) C. Y. Wu et S. C. Huang 与本种的主要区别在于：多分枝的匍匐草本，枝沿棱角具齿，茎叶均被疏生、伏卧的卷曲毛；浆果球形，成熟时绿黄色。

砾玄参
Scrophularia incisa Weinm.

| 药 材 名 | 砾玄参（药用部位：全株）。

| 形态特征 | 半灌木状草本，高 20 ～ 50（～ 70）cm。茎近圆形，无毛或上部生微腺毛。叶片狭矩圆形至卵状椭圆形，长（1 ～）2 ～ 5 cm，先端锐尖至钝，基部楔形至渐狭成短柄状，边缘变异很大，有浅齿至浅裂，稀基部有 1 ～ 2 深裂片，无毛，稀仅脉上有糠秕状微毛。顶生、稀疏而狭的圆锥花序长 10 ～ 20（～ 35）cm，聚伞花序有花 1 ～ 7，总梗和花梗都生微腺毛；花萼长约 2 mm，无毛或仅基部有微腺毛，裂片近圆形，有狭膜质边缘；花冠玫瑰红色至暗紫红色，下唇色较浅，长 5 ～ 6 mm，花冠筒球状筒形，长约为花冠之半，上唇裂片先端圆形，下唇侧裂片长约为上唇之半；雄蕊约与花冠等长，退化雄蕊长矩圆形，先端圆至略尖；子房长约 1.5 mm，花柱长约为子房

砾玄参

的 3 倍。蒴果球状卵形，连同短喙长约 6 mm。花期 6 ~ 8 月，果期 8 ~ 9 月。

| 生境分布 |　生于砂砾石质山地。分布于宁夏贺兰山（贺兰、平罗）等。

| 资源情况 |　野生资源较少。

| 采收加工 |　夏、秋季采收，鲜用或晒干。

| 功能主治 |　辛，凉。归肺经。清热解毒，透疹。用于麻疹，天花，水痘，猩红热。

| 用法用量 |　内服煎汤，6 ~ 12 g。

列当科 Orobanchaceae 大黄花属 Cymbaria

蒙古芯芭
Cymbaria mongolica Maxim.

| 药 材 名 | 芯芭（药用部位：全草。别名：光药大黄花、白蒿茶、芯玛芭）。

| 形态特征 | 多年生草本，高 5 ~ 20 cm。全株带绿色，具柔毛。根茎多分枝，密生浅棕色绵毛，具褐色鳞片。茎丛生，斜升或基部伏卧、上部斜升，密生灰色或锈色短柔毛，基部密被鳞叶。叶无柄，对生，或在茎上部的近互生；叶片长椭圆形、椭圆状披针形、线状披针形至线形，长 1 ~ 4 cm，宽 1 ~ 5 mm，先端急尖，基部渐狭，全缘，上面近无毛，下面具短毛，边缘具柔毛。花生长于茎上部叶腋；花梗长 5 ~ 6 mm，被柔毛；小苞片 2，披针形，长 8 ~ 15 mm，宽约 1.5 mm，全缘或有 1 ~ 2 小裂片；花萼长 15 ~ 30 mm，萼筒长约 5 mm，沿脉被柔毛，萼齿 5，有时 6，线形，长 13 ~ 15 mm，

蒙古芯芭

萼齿间通常具 2 小齿，小齿长 7 ~ 8 mm；花冠黄色，长 2.5 ~ 3 cm，花冠筒长 15 ~ 18 mm，喉部稍扩大，檐部二唇形，上唇略呈盔状，先端 2 浅裂，裂片外侧反卷，下唇较上唇稍长，3 裂，裂片倒卵形；雄蕊 4，二强，前方 1 对稍长，花丝基部被毛，上部通常无毛或被微毛，花药外露，背着，长 3 ~ 3.6 mm，通常顶部无毛或偶有少量长柔毛，黄色，狭倒卵形，长 2.5 ~ 3 mm，下端尖，无毛。蒴果长卵形，革质，长约 10 mm，宽约 5 mm，厚 2 ~ 3 mm，室背开裂；种子长卵形，扁平，有时略带三棱形，长 4 ~ 4.5 mm，宽 2 mm，密布小网眼，周围有一圈狭翅。花期 5 ~ 6 月，果期 7 ~ 8 月。

| 生境分布 | 生于向阳山坡、砂质滩地、荒漠草原、田边或田间。分布于宁夏贺兰山（贺兰、平罗、大武口、惠农）、南华山（海原）及原州、隆德、同心、沙坡头、盐池、西夏、灵武等，海原其他地区也有分布。

| 资源情况 | 野生资源较少。

| 采收加工 | 5 ~ 8 月采集带花全草，除去泥沙及杂质，阴干。

| 药材性状 | 本品全株带绿色，具柔毛。茎丛生，常弯曲斜伸，基部为鳞片覆盖。叶无柄，长椭圆形、椭圆状披针形、线状披针形至线形，全缘，上面近无毛，下面具短毛，边缘具柔毛。花皱缩成喇叭状，长 4 ~ 6 cm，上部直径达 1 cm，表面黄色，密被丝状毛；花萼齿间通常具 2 小齿，小齿长 7 ~ 8 mm；花冠二唇形，上唇 2 浅裂，下唇 3 裂；雄蕊二强。气微，味微苦。

| 功能主治 | 祛风湿，利尿，止血。用于风湿痹痛，月经过多，吐血，衄血，便血，外伤出血，肾炎性水肿，黄水疮等。

| 附　注 | （1）列当科大黄花属植物我国有 2 种，即达乌里芯芭 *Cymbaria daurica* Linnaeus 和蒙古芯芭 *Cymbaria mongolica* Maxim.。二者的主要区别为：达乌里芯芭植物体密被白色绢状长柔毛，呈银白色，花药长 4 ~ 4.5 mm，顶部具长柔毛；蒙古芯芭植物体带绿色，仅具柔毛而无白色绢毛，花药长 3 ~ 3.6 mm，顶部通常无毛或偶有少量长柔毛。

（2）宁夏地区仅分布蒙古芯芭 *Cymbaria mongolica* Maxim. 一种。

列当科 Orobanchaceae 小米草属 Euphrasia

小米草
Euphrasia pectinata Tenore

| 药 材 名 | 小米草（药用部位：全草。别名：芒小米草、药用小米草）。

| 形态特征 | 一年生草本，高7～30cm。茎直立，不分枝或下部分枝，紫色、褐色或绿色，被白色柔毛。单叶对生，无柄；叶片呈卵形或宽卵形，长5～20mm，宽5～10mm，基部楔形，边缘有急尖或稍钝的锯齿，两面脉上及叶缘多少被刚毛，无腺毛。穗状花序长3～15cm，初花期短而花密集，后逐渐伸长疏离；苞片稍大于叶；花萼筒状，长5～7mm，被刚毛，4深裂，裂片狭三角形，渐尖；花冠唇形，白色或淡紫色，背面长5～10mm，外面被柔毛，背部较密，其余部分较疏，上唇直立，下唇开展，裂片叉状浅裂；雄蕊4，花药棕色，裂口露出白色须毛，药室在下面延成芒。蒴果长圆状，扁，长

小米草

4 ~ 8 mm，包于宿存萼内；种子多数，狭卵形，淡棕色，长 1 mm。花期 7 ~ 8 月，果期 9 月。

| 生境分布 | 生于阳坡草地、林间灌丛、林缘及草甸。分布于宁夏六盘山（泾源、隆德、原州）、贺兰山（贺兰、平罗、大武口）、罗山（同心、红寺堡）、南华山（海原）及西夏等，泾源、贺兰、同心、海原其他地区也有分布。

| 资源情况 | 野生资源较多。

| 采收加工 | 7 ~ 8 月采收，洗净，晒干。

| 药材性状 | 本品根细小，呈圆锥状，稍弯曲，表面黄棕色或黑褐色。茎纤细，不分枝或下部分枝，直径 1 ~ 1.7 mm，紫色、褐色或绿色，被白色柔毛。单叶对生，无柄；叶片皱缩，展平后呈卵形或宽卵形，边缘具尖锯齿，两面具毛。穗状花序，花稀疏，苞片叶状；花萼筒状，4 裂；花冠唇形，白色或淡紫色。以叶多、色暗绿者为佳。

| 功能主治 | 清热解毒，利尿，除烦。用于热病口渴，头痛，肺热咳嗽，咽喉肿痛，热淋，小便不利，口疮，痈肿。

| 用法用量 | 内服煎汤，6 ~ 10 g。

| 附　注 | 宁夏六盘山及贺兰山还分布有同属植物短腺小米草 *Euphrasia regelii* Wettst.，其与本种的主要区别在于：叶顶部与花萼具头状短腺毛，腺毛的柄仅有 1 ~ 2 个细胞；花冠较小，长 5 ~ 8 mm。

列当科 Orobanchaceae 小米草属 *Euphrasia*

短腺小米草 *Euphrasia regelii* Wettst.

短腺小米草

药材名

小米草（药用部位：全草。别名：芒小米草、药用小米草）。

形态特征

一年生草本，植株干时几乎变黑。茎直立，高 3 ~ 35 cm，不分枝或分枝，被白色柔毛。叶和苞叶无柄；下部的叶楔状卵形，先端钝，每边有 2 ~ 3 钝齿，中部的叶稍大，卵形至卵圆形，基部宽楔形，长 5 ~ 15 mm，宽 3 ~ 13 mm，每边有 3 ~ 6 锯齿，锯齿急尖、渐尖，有时为芒状，同时被刚毛和先端为头状的短腺毛，腺毛的柄仅有 1 个细胞，少有 2 个细胞。花序通常在花期短，果期伸长可达 15 cm；花萼管状，与叶被同类毛，长 4 ~ 5 mm，果期长达 8 mm，裂片披针状渐尖至钻状渐尖，长达 3 ~ 5 mm；花冠白色，上唇常带紫色，背面长 5 ~ 10 mm，外面多少被白色柔毛，背部最密，下唇比上唇长，裂片先端明显凹缺，中裂片宽至 3 mm。蒴果长矩圆状，长 4 ~ 9 mm，宽 2 ~ 3 mm。花期 5 ~ 9 月。

| 生境分布 | 生于高山草地、湿草地及林中。分布于宁夏泾源、隆德、原州、西吉、彭阳等。

| 资源情况 | 野生资源较少。

| 采收加工 | 夏、秋季采收，切段，晒干。

| 药材性状 | 本品根细小，呈圆锥状，稍弯曲，表面黄棕色或黑褐色。茎纤细，多单一，直径 1 ~ 1.7 mm，表面黑绿色，被白色绒毛。单叶互生，无柄；叶片皱缩，展平后呈卵形或宽卵形，边缘具尖锯齿，两面具毛。穗状花序，花稀疏，苞片叶状；花萼筒状，4 裂；花冠唇形，白色或带蓝紫色。蒴果扁，包于宿存萼内。以叶多、色暗绿者为佳。

| 功能主治 | 苦，微寒。归膀胱经。清热解毒，利尿。用于热病口渴，头痛，肺热咳嗽，咽喉肿痛，热淋，小便不利，口疮，痈肿。

| 用法用量 | 内服煎汤，6 ~ 10 g。

| 附　注 | 除小米草 Euphrasia pectinata Tenore 的全草作小米草药用外，《中华本草》记载高枝小米草 Euphrasia pectinata subsp. simplex （Freyn） Hong 和短腺小米草 Euphrasia regelii Wettst. 的全草亦作小米草药用。

列当科 Orobanchaceae 疗齿草属 Odontites

疗齿草
Odontites vulgaris Moench

疗齿草

药材名

齿叶草（药用部位：地上部分。别名：疗齿草、巴西嘎）。

形态特征

一年生草本，高 15 ～ 40 cm，全株被贴伏而倒生的白色细硬毛。茎上部四棱形，常分枝。叶对生，有时上部互生，无柄；叶片披针形至条状披针形，长 1 ～ 4.5 cm，宽 0.3 ～ 1 cm，先端渐尖，基部渐窄，边缘疏生锯齿。穗状花序顶生，下部苞片叶状；花梗极短；花萼钟状，长 4 ～ 7 mm，果期略增大，4 裂，裂片狭三角形，长 2 ～ 3 mm，被毛；花冠紫红色、紫色或淡红色，筒状，长 8 ～ 10 mm，外面被白色柔毛，二唇形，上唇直立，略呈盔状，先端微凹或 2 浅裂，裂片有时微凹，下唇开展，3 裂；雄蕊 4，二强，与上唇近等长，花药箭形，带橙红色，药室下延成短芒。蒴果矩圆形，略扁，长 4 ～ 7 mm，宽 2 ～ 3 mm，先端微凹，有细硬毛；种子多数，椭圆形，褐色，有数条纵的狭翅，长约 1.5 mm。花期 7 ～ 8 月，果期 8 ～ 9 月。

| 生境分布 | 生于低湿草甸、水沟边、草原、砂质地及河岸。分布于宁夏六盘山（泾源、隆德、原州）、贺兰山（贺兰、平罗）及西吉、盐池等，原州其他地区也有分布。

| 资源情况 | 野生资源较丰富。

| 采收加工 | 夏、秋季花开时采割，除去杂质，晾干。

| 药材性状 | 本品茎呈四棱形，多分枝，直径 2 ~ 3 mm；表面黄褐色至紫褐色，被白色硬毛；质硬脆，断面中空。单叶对生或上部互生，无柄；叶片皱缩或破碎，完整者展平后呈披针形至条状披针形，边缘疏生锯齿，表面呈黄绿色或黑绿色。穗状花序顶生；花梗极短；花萼钟形，4 裂；花冠棕褐色或紫红色。气微，味淡。以茎叶完整、色暗绿、无残根或老梗者为佳。

| 功能主治 | 清热泻火，活血止痛。用于温病发热，肝火头痛，胁痛，瘀血疼痛。

| 用法用量 | 内服煎汤，3 ~ 15 g。

| 附　　注 | 本种的地上部分也作蒙药使用。

列当科 Orobanchaceae 山罗花属 Melampyrum

山罗花
Melampyrum roseum Maxim.

| 药 材 名 | 山萝花（药用部位：全草。别名：球锈草）。

| 形态特征 | 直立草本，植株全体疏被鳞片状短毛，有时茎上还有 2 列多细胞柔毛。茎通常多分枝，少不分枝，近四棱形，高 15 ～ 80 cm。叶柄长约 5 mm；叶片披针形至卵状披针形，先端渐尖，基部圆钝或楔形，长 2 ～ 8 cm，宽 0.8 ～ 3 cm。苞叶绿色，仅基部具尖齿至整个边缘具多数刺毛状长齿，较少几全缘，先端急尖至长渐尖。花萼长约 4 mm，常被糙毛，脉上常生多细胞柔毛，萼齿长三角形至钻状三角形，生有短睫毛；花冠紫色、紫红色或红色，长 15 ～ 20 mm，筒部长约为檐部长的 2 倍，上唇内面密被须毛。蒴果卵状，渐尖，长 8 ～ 10 mm，直或先端稍向前偏，被鳞片状毛，少有无毛的；种子黑色，长 3 mm。花期夏、秋季。

山罗花

| 生境分布 | 生于山坡林下和林缘。分布于宁夏原州、泾源、隆德等。

| 资源情况 | 野生资源较少。

| 采收加工 | 7 ~ 8 月采收，鲜用或晾干。

| 药材性状 | 本品茎呈四棱形，多分枝；表面黑绿色，被片状短毛。单叶对生，具短柄；叶片皱缩破碎，完整者展平后呈卵状披针形或披针形，全缘，干后暗绿色。总状花序顶生；苞叶与叶同形，上部苞叶渐小，基部具尖齿或全部呈芒齿状；花萼钟形，长约 4 mm；花冠紫红色或棕色，展平后呈二唇形，上唇呈风帽状。蒴果卵形，先端渐尖。

| 功能主治 | 苦，凉。归心经。清热解毒。用于痈疮肿毒，肺痈，肠痈。

| 用法用量 | 内服煎汤，15 ~ 30 g。外用适量，鲜品捣敷。

列当科 Orobanchaceae 马先蒿属 Pedicularis

阿拉善马先蒿 Pedicularis alaschanica Maxim.

阿拉善马先蒿

| 药 材 名 |

阿拉善马先蒿（药用部位：全草）。

| 形态特征 |

多年生草本，高 15 ~ 35 cm。根圆锥形，具分枝。茎自基部多分枝，呈丛生状，中央者直立，外侧者斜升，上部不分枝，微四棱形，密被锈色短柔毛。基生叶早枯，茎生叶下部对生，上部 3 ~ 4 轮生，叶片披针状长椭圆形或卵状长椭圆形，长 2.5 ~ 3 cm，宽 1 ~ 1.5 cm，羽状全裂，裂片线形，互生或对生，边缘具细锯齿，两面无毛；叶柄长 2 ~ 3 cm，扁平，沿中肋有宽翅，下半部边缘具卷曲长柔毛。穗状花序顶生，长 5 ~ 20 cm，上部花轮稍密，下部花轮间断；苞片叶状，下部扩展为卵状披针形，膜质，背部沿主脉和边缘具卷曲长柔毛，上部绿色，线形或线状披针形，边缘具齿或浅裂，下部苞片长于花，上部与花等长或较之短；花萼管状钟形，长 10 ~ 12 mm，具 10 脉，沿脉具卷曲长柔毛，前方不裂，萼齿 5，后方 1 枚三角形，长约 3.5 mm，其余 4 枚三角状披针形，长约 4.5 mm；花冠黄色，长 18 ~ 20 mm，花冠筒在中上部稍向前膝屈，盔镰状弓曲，额向前下方倾斜，先端渐细成稍下弯的喙，喙长 2 ~ 3 mm，下唇与盔等长，3 浅裂，中裂片菱状卵形，甚小，长约 2 mm，侧裂片大，宽倒卵形，宽约 5 mm；雄蕊花丝仅 1 对，上端被柔毛。蒴果卵形，长约 9 mm，宽约 5 mm，先端凸尖。花期 7 ~ 8 月，果期 8 ~ 9 月。

| 生境分布 | 生于山谷草地或山坡。分布于宁夏贺兰山（贺兰、平罗、永宁）等。

| 资源情况 | 野生资源较少。

| 功能主治 | 苦、辛，寒。清肝明目，散结。

列当科 Orobanchaceae 马先蒿属 *Pedicularis*

美观马先蒿 *Pedicularis decora* Franch.

美观马先蒿

| 药 材 名 |

太白参（药用部位：根。别名：煤参、太白洋参、黑参）。

| 形态特征 |

多年生草本，高达1 m，干时多少变为黑色，多毛。根茎粗壮，肉质，以多少伸长而具节的鞭状根茎与接近地表而生有稠密须根的根颈相连。茎单一或有时上部分枝，中空，生白色无腺的疏长毛。叶线状披针形至狭披针形，长达10 cm，宽达25 mm，深裂至2/3处，形成长圆状披针形的裂片，裂片达20对，边缘有重锯齿。花序穗状而长，毛较密而具腺，下部花疏距，上部花较密；苞片始叶状而长，愈向上则愈小，变为卵形而具长尖，全缘；花黄色；花萼有密腺毛，很小，长仅3 ~ 4 mm，少有更长者，齿三角形而小，锯齿不明显或几全缘；花管长12 mm，有毛，约较萼长3倍，下唇裂片卵形，具钝头，中裂片较大于侧裂片，盔约与下唇等长，舟形，下缘有长须毛。果实卵圆形而稍扁，长14 mm，宽8 mm，2室相等，先端有刺尖。

| 生境分布 | 生于海拔 2 000 ~ 2 700 m 的荒草坡上及疏林中。分布于宁夏六盘山（泾源、隆德、原州）、贺兰山（贺兰、平罗）、罗山（同心、红寺堡）等。

| 资源情况 | 野生资源丰富。

| 采收加工 | 秋季采挖，洗净，晾干。

| 药材性状 | 本品主根呈长圆锥形或圆柱状，具支根或多次分枝，长 10 ~ 20 cm，直径 1 ~ 2 mm。表面棕褐色至黑色，先端芦头长 1 ~ 2 cm，主根上端具明显的细密环纹，支根易断离，根痕棕褐色。质硬脆，易折断，断面皮部黑褐色，木部呈黄褐色菊花心，不呈纤维性。

| 功能主治 | 甘、微苦，温；有小毒。归肾、脾经。滋阴补肾，益气健脾。用于病后体虚，阴虚潮热，关节疼痛。

| 用法用量 | 内服煎汤，6 ~ 9 g。

| 附   注 | 本种为我国特有种。

列当科 Orobanchaceae 马先蒿属 *Pedicularis*

藓生马先蒿

Pedicularis muscicola Maxim.

| 药 材 名 | 藓生马先蒿（药用部位：根。别名：土人参）。

| 形态特征 | 多年生草本，干后多变黑色，多毛。根圆锥状，具分枝；根茎粗，有分枝，先端有宿存鳞片。茎丛生，中间者直立，外围者多弯曲上升或倾卧，长达 30 cm，被白色柔毛，常成密丛。叶互生，叶片椭圆形至披针形，长 3 ~ 5 cm，宽 8 ~ 18 mm，羽状全裂，裂片卵形至披针形，对生或下部者互生，每侧具 4 ~ 12，有小柄，边缘具锐重锯齿，齿有凸尖，上面有疏柔毛，沿中肋有密细毛，背面几光滑；下部叶柄长达 2 cm，向上渐短，扁平，疏被柔毛。花生于叶腋，自基部即开始着生；花梗长 8 ~ 15 mm，一般较短，密被白色长柔毛至几光滑；花萼筒状，长 12 ~ 13 mm，被柔毛，前方不裂，主脉 5，萼齿 5，近相等，长 4 ~ 5 mm，基部近三角形，中部稍狭，全缘，

藓生马先蒿

先端扩展为卵形，具锯齿；花冠玫瑰红色，花冠管细长，长 4 ~ 7.5 cm，疏被白色柔毛，盔直立部分很短，几在基部即向左扭折使其顶部向下，前端渐细为卷曲或 "S" 形的长喙，喙因盔的扭折而反向上方卷曲，长达 10 mm 或更长，下唇极大，长、宽均可达 2 cm，侧裂片稍大，宽达 1 cm，稍指向外方，中裂片较小，长圆形，先端圆钝；花丝 2 对，均无毛；花柱稍伸出喙端。蒴果偏卵形，稍扁平，长 8 ~ 10 mm，宽 5 ~ 7 mm，包藏于宿存萼内。花期 5 ~ 7 月，果期 8 月。

| 生境分布 | 生于海拔 1 700 ~ 2 600 m 的杂木林、冷杉林的苔藓层及林缘背阴或阴湿的灌丛中。分布于宁夏六盘山（泾源、隆德、原州）、贺兰山（贺兰、平罗、大武口、惠农）、罗山（同心、红寺堡）、南华山（海原）及西吉等，泾源、隆德其他地区也有分布。

| 资源情况 | 野生资源较少。

| 采收加工 | 秋季采挖，阴干。

| 药材性状 | 本品呈圆锥形，具分枝，表皮棕黑色或深灰棕色。气微，味微苦。

| 功能主治 | 大补元气，生津止渴，安神，强心。用于气血虚损，失眠多汗，津伤口渴，虚脱衰竭，低血压。

| 用法用量 | 内服煎汤，6 ~ 9 g。

| 附　注 | （1）本种为我国特有种。
（2）列当科马先蒿属植物在宁夏分布有 11 种 2 亚种。
（3）《中华人民共和国卫生部药品标准·藏药》及《中华本草·藏药卷》记载，本种的干燥花作为藏药入药。
（4）《中华本草·藏药卷》记载本种及其同属植物返顾马先蒿 *Pedicularis resupinata* L. 的全草作为蒙药入药。

列当科 Orobanchaceae 马先蒿属 Pedicularis

穗花马先蒿
Pedicularis spicata Pall.

| 药 材 名 | 穗花马先蒿（药用部位：根。别名：土人参）。

| 形态特征 | 一年生草本，高 15 ~ 50 cm，干时不变黑或微微变黑，老时尤其下部多少木质化。根圆锥形，常有分枝，长可达 8 cm，强烈木质化。茎自基部分枝，呈丛生状，直立或侧生的倾卧或斜升，上部不分枝或具分枝，略呈四棱形，沿棱具 4 毛线，节上毛尤密。基生叶至开花时多不存在，多少呈莲座状，较茎生叶小，叶柄长 2 ~ 4 cm，被密卷毛，叶片椭圆状长圆形，长约 20 mm，两面被毛，羽状深裂，裂片长卵形，边缘多反卷，有时有胼胝；茎生叶多 4 轮生，各茎 3 ~ 6 轮，中部者最大，柄短，长 0.2 ~ 1 cm，扁平，有狭翅，密生柔毛，叶片长椭圆状披针形、长椭圆形至线状长椭圆形，长 1.5 ~ 7 cm，宽 5 ~ 13 mm，基部广楔形，先端渐细而顶尖微钝，羽状浅裂至深裂，

穗花马先蒿

裂片 9 ~ 20 对，三角状卵形至三角状椭圆形，后缘稍长于前缘而略偏指前方，边缘具刺尖锯齿，上面疏被短毛，下面无毛或沿脉被长柔毛，有时具极多胼胝。穗状花序顶生，长 5 ~ 12 cm，上部花轮紧密，下部花轮有时间断；苞片下部者叶状，中、上部者为菱状卵形，具长尖头，基部宽而膜质，前方有齿而绿色，被白色长柔毛，齿常有胼胝；花萼钟形，长 3 ~ 5 mm，被柔毛，前方微开裂，全部膜质，透明，萼齿 3，后方 1 较小，三角形，其余 2 为短三角形的宽齿，先端钝或微缺；花冠紫红色，长 10 ~ 18 mm，花冠筒在花萼口向前方以近直角膝屈，盔长 3 ~ 5 mm，指向上方，基部稍宽，额高凸，下唇长 6 ~ 10 mm，中裂片较小，倒卵形，长、宽均约 3 mm，侧裂片较大，斜卵形，长约 5 mm；雄蕊花丝 1 对，被毛；柱头由盔端稍伸出。蒴果斜狭卵形，长 6 ~ 9 mm，宽约 3 mm，无毛，先端具刺尖，伸出宿存花萼；种子仅 5 ~ 6，长达 2 mm，脐点明显凹陷，切面略作三棱形，背面宽而圆，两个腹面狭而多少凹陷，先端有尖，均有极细的蜂窝状网纹。花期 5 ~ 8 月，果期 6 ~ 9 月。

| **生境分布** | 生于海拔约 2 500 m 的山谷溪流旁或阴坡灌丛下。分布于宁夏六盘山（泾源、隆德、原州）、南华山（海原）、月亮山（西吉、海原）及彭阳等，泾源、隆德、原州、西吉、海原其他地区也有分布。

| **资源情况** | 野生资源较丰富。

| **采收加工** | 秋季采挖，除去泥土、杂质及须根，洗净，晒干。

| **药材性状** | 本品呈圆锥形，常有分枝，长可达 8 cm，强烈木质化。气微，味微苦。

| **功能主治** | 大补元气，生津止渴，安神，强心。

列当科 Orobanchaceae 马先蒿属 Pedicularis

红纹马先蒿 *Pedicularis striata* Pall.

红纹马先蒿

药 材 名

红纹马先蒿（药用部位：全草。别名：细叶马先蒿）。

形态特征

多年生草本，高达1m，直立，干时不变黑。根粗壮，有分枝。茎单出或在下部分枝，老时木质化，壮实，密被短卷毛，老时近无毛。叶互生，基生者成丛，至花开时常已枯败，茎生叶很多，向上渐小，至花序中变为苞片，叶片均为披针形，长达10cm，宽3~4cm，羽状深裂至全裂，中肋两旁常有翅，裂片平展，线形，边缘有浅锯齿，齿有胼胝；基生叶叶柄与叶片等长或较之稍短，长达8~10cm，茎生叶叶柄较短。花序穗状，伸长，稠密，偶有下部的花疏远，或在结果时稍疏，长6~22cm，轴被密毛；苞片三角形或披针形，下部者多少叶状而有齿，上部者全缘，短于花，无毛或被卷曲缘毛；花萼钟形，长10~13mm，薄革质，被疏毛，齿5，不相等，后方1较短，三角形，侧生者两两结合成先端2裂的大齿，边缘有卷曲毛；花冠黄色，具绛红色的脉纹，长25~33mm，管在喉部以下向右扭旋，使花冠稍稍偏向右方，其长度等于盔，盔强大，先端作镰形弯曲，端部下缘具 2 齿，下唇不很张开，稍短于盔，3 浅裂，侧裂斜肾形，中裂宽超过长，叠置于侧裂片之下；花丝 1 对，被毛。蒴果卵圆形，2 室相等，稍扁平，有短凸尖，长 9 ~ 16 mm，宽 3 ~ 6 mm，约含种子 16；种子极小，近扁平，长圆形或卵圆形，黑色。花期 6 ~ 7 月，果期 7 ~ 8 月。

| 生境分布 | 生于林缘、山坡草地。分布于宁夏六盘山（泾源、隆德、原州）、贺兰山（贺兰、平罗、大武口、惠农）、罗山（同心、红寺堡）及彭阳、西吉等，泾源、隆德、原州其他地区也有分布。

| 资源情况 | 野生资源较少。

| 采收加工 | 6 ~ 7 月间采集带花全草，阴干。

| 功能主治 | 酸，温。归肝、肾经。利水涩精。用于肾性水肿，小便不利，遗精，耳鸣，口干舌燥，痈肿。

| 用法用量 | 内服煎汤，15 ~ 30 g。

| 附　注 | （1）蛛丝红纹马先蒿 *Pedicularis striata* Pall. subsp. *arachnoidea* (Franch.) Tsoong 是本种的亚种。二者的主要区别在于蛛丝红纹马先蒿的花序轴、苞片及花萼密生蛛丝状毛。
（2）《中华本草·蒙药卷》记载，本种的全草作蒙药入药。

列当科 Orobanchaceae 松蒿属 Phtheirospermum

松蒿
Phtheirospermum japonicum (Thunb.) Kanitz

| 药 材 名 | 松蒿（药用部位：全草。别名：土茵陈、小盐灶菜、草茵陈）。

| 形态特征 | 一年生草本，高可达 100 cm，但有时高仅 5 cm 即开花，植株被多细胞腺毛。茎直立或弯曲而后上升，通常多分枝。叶具长 5 ~ 12 mm、边缘有狭翅的柄；叶片长三角状卵形，长 15 ~ 55 mm，宽 8 ~ 30 mm，近基部者羽状全裂，向上则为羽状深裂，小裂片长卵形或卵圆形，多少歪斜，边缘具重锯齿或深裂，长 4 ~ 10 mm，宽 2 ~ 5 mm。花具长 2 ~ 7 mm 的梗；花萼长 4 ~ 10 mm，萼齿 5，叶状，披针形，长 2 ~ 6 mm，宽 1 ~ 3 mm，羽状浅裂至深裂，裂齿先端锐尖；花冠紫红色至淡紫红色，长 8 ~ 25 mm，外面被柔毛，上唇裂片三角状卵形，下唇裂片先端圆钝；花丝基部疏被长柔毛。蒴果卵珠形，长 6 ~ 10 mm；种子卵圆形，扁平，长约 1.2 mm。花果期 6 ~

松蒿

10 月。

| **生境分布** | 生于山坡、砂质地、草地。分布于宁夏泾源等。

| **资源情况** | 野生资源较少。

| **采收加工** | 夏、秋季采收，鲜用或晒干。

| **药材性状** | 本品全长 30 ~ 60 cm。茎直立，上部多分枝，具腺毛，有黏性。叶对生，多皱缩而破碎；完整叶片呈三角状卵形，长 3 ~ 5 cm，宽 2 ~ 3 cm，羽状深裂，两侧裂片长圆形，先端裂片较大，卵圆形，边缘具细锯齿，叶两面均有腺毛。穗状花序顶生；花萼钟状，长约 6 mm，5 裂；花冠淡红紫色。味微辛。

| **功能主治** | 微辛，凉。归肺、脾、胃经。清热利湿，解毒。用于黄疸，水肿，风热感冒，口疮，鼻炎，疮疖肿毒。

| **用法用量** | 内服煎汤，15 ~ 30 g。外用适量，煎汤洗；或研末调敷。

列当科 Orobanchaceae 地黄属 Rehmannia

地黄

Rehmannia glutinosa (Gaert.) Libosch. ex Fisch. et Mey.

| **药 材 名** | 鲜地黄（药用部位：新鲜块根。别名：生地黄、山菸根、野地黄）、
生地黄（药用部位：干燥块根。别名：怀庆地黄、地髓、原生地）、
地黄叶（药用部位：叶）、地黄花（药用部位：花。别名：蜜罐）、
地黄实（药用部位：种子）。

| **形态特征** | 多年生草本，高常 30 ~ 50 cm，有时可达 1 m，干时不变黑。茎单
一或基部分枝，紫红色。叶通常基生，呈莲座状，叶片倒卵状长椭
圆形或倒卵形，长 3 ~ 10 cm，宽 1.5 ~ 4 cm，先端钝，基部渐狭，
下延成长柄，边缘具整齐的小圆钝齿或牙齿，叶面多皱，上面绿色，
叶脉凹陷，无毛，下面带紫色或紫红色，叶脉隆起。花梗细弱，长
0.5 ~ 3 cm，弯曲而后上升，在茎顶部略排列成总状花序或几全部
单生于叶腋而分散在茎上；苞片叶状，比花梗长；花多少下垂；花

地黄

萼宽钟状或坛状，长 1 ~ 1.5 cm，具 10 隆起的脉，萼齿 5，矩圆状披针形或近三角形，长 3 ~ 5 mm；花冠筒状，多少弓曲，长 3 ~ 4.5 cm，外面紫红色，裂片 5，略呈二唇形，长 3 ~ 5 mm，先端钝或微凹，内面黄色，具明显紫斑，外面紫红色；雄蕊 4，二强，着生于花冠筒近基部；子房幼时 2 室，老时因隔膜撕裂而成 1 室，无毛，花柱细长，柱头 2 裂，裂片片状。蒴果卵形至长卵形，长 1 ~ 1.5 cm，先端尖，具宿存花柱，外有宿存花萼包裹；种子多数，褐色，卵状三角形，长约 1 mm，表面具蜂窝状网纹。花期 5 ~ 6 月，果期 6 ~ 7 月。

| **生境分布** | 生于山谷河道、山坡底部、干旱砂石地及砂壤土、山崖、荒山坡、山脚下、墙边、路旁等。分布于宁夏贺兰山（贺兰、平罗、大武口、惠农）及隆德、彭阳、西夏、永宁、兴庆、金凤等，贺兰、平罗、大武口、惠农其他地区也有分布。

| 资源情况 | 野生资源较少。

| 采收加工 | 鲜地黄：秋季采挖，除去芦头、须根及泥沙，鲜用。

生地黄：秋季采挖，除去芦头、须根及泥沙，缓缓烘焙至约八成干。

地黄叶：初秋采摘，除去杂质，晒干。

地黄花：5 ～ 6 月花开时采收，阴干。

地黄实：6 ～ 7 月采收成熟果实，取出种子，晒干。

| 药材性状 | 鲜地黄：本品呈纺锤形或条状，长 8 ～ 24 cm，直径 2 ～ 9 cm。外皮薄，表面浅红黄色，具弯曲的纵皱纹、芽痕、横长皮孔样突起及不规则疤痕。肉质，易断，断面皮部淡黄白色，可见橘红色油点，木部黄白色，导管呈放射状排列。气微，味微甜、微苦。

生地黄：本品呈不规则的团块状或长圆形，中间膨大，两端稍细，有的细小，呈长条状，稍扁而扭曲，长 6 ～ 12 cm，直径 2 ～ 6 cm。表面棕黑色或棕灰色，极皱缩，具不规则的横曲纹。体重，质较软而韧，不易折断，断面棕黄色至黑色或乌黑色，有光泽，具黏性。气微，味微甜。

地黄叶：本品多皱缩，破碎。完整叶展开后呈长椭圆形或倒卵形，长 3 ～ 10 cm，宽 1.5 ～ 4 cm，灰绿色，被灰白色长柔毛及腺毛，先端钝，基部渐狭，下延成长柄，边缘有整齐的小钝齿。质脆，气微，味淡。

地黄花：本品花萼呈宽钟状或坛状，长 1 ～ 1.5 cm，具 10 隆起的脉；花冠筒状，

多少弓曲，裂片 5，内面黄色，具明显紫斑，外面紫红色。

地黄实：本品褐色，卵状三角形，长约 1 mm，表面具蜂窝状网纹。

| 功能主治 | 鲜地黄：甘、苦，寒。归心、肝、肾经。清热生津，凉血，止血。用于热病伤阴，舌绛烦渴，温毒发斑，吐血，衄血，咽喉肿痛。

生地黄：甘，寒。归心、肝、肾经。清热凉血，养阴生津。用于热入营血，温毒发斑，吐血衄血，热病伤阴，舌绛烦渴，津伤便秘，阴虚发热，骨蒸劳热，内热消渴。

地黄叶：益气养阴，补肾，活血。用于少气乏力，面色无华，口干舌燥，气阴两虚；外用于恶疮，手足癣。

地黄花：补肾养阴。用于消渴，肾虚腰痛。

地黄实：同"生地黄"。

| 用法用量 | 鲜地黄：内服煎汤，12 ～ 30 g。

生地黄：内服煎汤，10 ～ 15 g。

地黄叶：外用适量，捣汁涂或揉搓。

地黄花：内服煎汤；或煮粥食。

地黄实：同"生地黄"。

列当科 Orobanchaceae 阴行草属 *Siphonostegia*

阴行草 *Siphonostegia chinensis* Benth.

阴行草

| 药 材 名 |

阴行草（药用部位：全草。别名：北刘寄奴、刘寄奴、金钟茵陈）。

| 形态特征 |

一年生草木，高 20 ~ 50 cm，有时可达 80 cm，干时变为黑色，全株被锈色短毛或混生腺毛。茎直立，不分枝或上部分枝。叶对生，叶片 2 回羽状全裂，裂片通常 3 对，线形或线状披针形，宽 0.3 ~ 1 mm，全缘或具 1 ~ 3 小裂片；无柄或具短柄。总状花序顶生，疏松；苞片叶状，对生；花梗长 2 ~ 3 mm，上部具 2 小苞片，长 5 ~ 7 mm；萼筒细管状，长 12 ~ 15 mm，具 10 脉，萼齿 5，披针形，长 3 ~ 5 mm；花冠长 2.2 ~ 2.5 cm，花冠筒直伸，檐部二唇形，上唇红紫色，镰状弓曲，前下方有 1 对小齿，背面被长柔毛，下唇黄色，先端 3 裂，褶襞高高隆起成瓣状；雄蕊 4，二强，花丝被毛；子房无毛，花柱与花冠等长，柱头头状。蒴果披针状矩圆形，长约 12 mm，包于宿存萼内；种子多数，黑色，长卵圆形，长约 0.8 mm，具微高的纵横凸棱，将种皮隔成许多横长的网眼。花期 7 ~ 8 月，果期 8 ~ 9 月。

| 生境分布 | 生于山坡草地、山地田埂、河岸。分布于宁夏六盘山（泾源、隆德、原州）及彭阳等，原州、泾源其他地区也有分布。

| 资源情况 | 野生资源较少。

| 采收加工 | 秋季结果时采收，除去泥土、杂质，晒干。

| 药材性状 | 本品为带果实的干燥全草，全体被短毛。根短而弯曲，稍有分枝。茎圆柱形，具纵棱，有的上部有分枝，长 20 ~ 50 cm，直径 1 ~ 3 mm；表面灰棕色或棕黑色；质脆，易折断，断面黄白色，中空。叶对生，上部叶常互生，易脱落，多破碎，完整者 2 回羽状深裂，裂片 3 ~ 4 对，黑绿色。总状花序顶生，排列疏松；花梗短；花萼筒状，有明显的 10 纵棱，萼齿 5，披针形，黄棕色至黑棕色；花冠棕黄色，多脱落。蒴果长矩圆形，包于宿存萼内，棕黑色。种子细小，多数。气微，味淡。以果实多者为佳。

| 功能主治 | 清热利湿，凉血止血，祛瘀止痛。用于湿热黄疸，热淋，石淋，尿血，便血，经闭，产后瘀滞腹痛，跌扑损伤，创伤出血，烫火伤。

| 用法用量 | 内服煎汤，4.5 ~ 9 g。

| 附　注 | （1）阴行草属植物全世界约 3 种，分布于东亚。我国产 2 种，宁夏仅产 1 种（即本种）。

（2）本种药材作为茵陈类使用，始于明代《滇南本草》的"金钟茵陈"。《中华本草》及《中药大辞典》亦以"金钟茵陈"为正名收载了本种。

（3）《中华本草》中"刘寄奴"的"附注"项记载，本种药材在部分地区还作刘寄奴使用，习称"北刘寄奴"。

列当科 Orobanchaceae 肉苁蓉属 Cistanche

盐生肉苁蓉 *Cistanche salsa* (C. A. Mey.) G. Beck

盐生肉苁蓉

药材名

盐生肉苁蓉（药用部位：带鳞叶的肉质茎）。

形态特征

多年生寄生草本，高 10 ~ 45 cm，茎肉质，圆柱形，黄白色，直径 1 ~ 3 cm，不分枝，偶见自基部分 2 ~ 3 枝。鳞片状叶卵形至卵状披针形，覆瓦状排列，长 1 ~ 2.5 cm，宽 4 ~ 8 mm，在茎下部排列紧密，在茎上部稍疏松且渐长。穗状花序顶生，长 5 ~ 20 cm，直径 5 ~ 7 cm，花多数而密集；每花基部有 1 大苞片和 2 对称的小苞片，大苞片卵形或卵状披针形，先端尖，长 2 ~ 3 cm，约为花冠长的 1/2，背部疏被柔毛，边缘密被黄白色长柔毛，稀近无毛，小苞片卵状披针形，与花萼近等长，边缘被稀疏柔毛或无毛；花萼钟状，淡黄色至白色，长 1 ~ 1.2 cm，约为花冠管的 1/3，5 浅裂，裂片卵形或近圆形，无毛或多少被柔毛；花冠筒状钟形，长 2.5 ~ 4 cm，筒部白色，筒内面离轴方向具 2 凸起的黄色纵纹，檐部 5 裂，裂片半圆形，紫色或淡紫色，干后短期内常保持原色不变，长、宽均为 5 ~ 7 mm；雄蕊 4，花丝基部及花药被白色皱曲长柔毛，花药先端具聚尖头；子房上位，卵形，花柱长 1.6 ~ 2 cm，无毛，柱头近球形。蒴果椭圆形，具宿存的花柱基部，2 瓣开裂，长 1 ~ 1.4 cm，直径 8 ~ 9 mm；种子多数，近球形，直径 0.4 ~ 0.5 mm。花期 5 ~ 6 月，果期 6 ~ 7 月。

| 生境分布 | 生于盐碱地、干河沟沙地、戈壁滩、荒漠草原。分布于宁夏盐池、灵武、平罗、海原、青铜峡、中宁等。

| 资源情况 | 野生资源较少。

| 采收加工 | 春末至夏初未出土或刚出土时采挖，除去花序，晒干或切段后晒干。

| 药材性状 | 本品呈圆柱形，略弯曲，完整者上部较细，长 5 ~ 20 cm，直径 2 ~ 5 cm。表面棕色、灰棕色或黑棕色，密被覆瓦状排列的肉质鳞片，鳞片矩圆状披针形，多不完整。质坚实，微有柔性，肉质，不易折断，断面棕色，有深浅相间的辐射状花纹，有时中空。气微，味甜、微苦、咸。

| 功能主治 | 补肾阳，益精血，润肠通便。用于肾阳虚衰之阳痿、不孕，腰膝酸软，筋骨乏力，肠燥便秘。

| 用法用量 | 内服煎汤，9 ~ 10 g。

| 附 注 | （1）肉苁蓉属植物有 16 种，我国产 6 种。根据《宁夏植物志》记载，宁夏产 4 种，即沙苁蓉 Cistanche sinensis G. Beck、宁夏肉苁蓉 Cistanche ningxiaensis D. Z. Ma. et J. A. Duan、肉苁蓉 Cistanche deserticola Ma 和盐生肉苁蓉 Cistanche salsa (C. A. Mey.) G. Beck。

（2）肉苁蓉 Cistanche deserticola Ma 为《中华人民共和国药典》记载的肉苁蓉的正品基原之一，其与本种的主要区别是：肉苁蓉花序下半部或全部苞片长于或稍长于花冠筒，花萼长约为花冠的 1/2；盐生肉苁蓉花序全部苞片短于花冠，约为花冠长的 1/2，花萼长为花冠长的 1/3。

列当科 Orobanchaceae 肉苁蓉属 Cistanche

沙苁蓉 *Cistanche sinensis* G. Beck

| **药 材 名** | 沙苁蓉（药用部位：带鳞叶的肉质茎）。

| **形态特征** | 寄生植物，高 15 ~ 40 cm。茎鲜黄色，基部有假根。茎下部叶紧密，卵状三角形，长 0.5 ~ 1 cm，宽 4 ~ 8 mm，两面近无毛；茎上部叶较稀疏，卵状披针形，长 0.5 ~ 1.8 cm，宽 5 ~ 6 mm。穗状花序顶生；花冠筒状钟形，淡黄色，极稀裂片带淡红色，干后常变墨蓝色。花期 5 ~ 6 月，果期 6 ~ 8 月。

| **生境分布** | 生于荒漠草原带沙地、丘陵及砾石地。分布于宁夏盐池、平罗、沙坡头、海原等。

| **资源情况** | 野生资源较少。

沙苁蓉

| **采收加工** | 春季采挖，除去沙土，切段，晒干。 |

| **药材性状** | 本品细长，可达 15 ~ 40 cm，直径 1.5 ~ 3 cm，通常中部膨大。表面色泽较浅，油性和柔性均较盐生肉苁蓉差。 |

| **功能主治** | 甘、咸，温。归肾、大肠经。温阳益精，润肠通便。用于肾虚阳衰证，肠燥便秘。 |

| **用法用量** | 内服煎汤，6 ~ 10 g。 |

| **附 注** | 沙苁蓉的主要寄主为蒺藜科植物四合木 *Tetraena mongolica* Maxim.、苋科植物珍珠猪毛菜 *Salsola passerina* Bunge 和柽柳科植物红沙 *Reaumuria soongarica* (Pallas) Maximowicz 等。 |

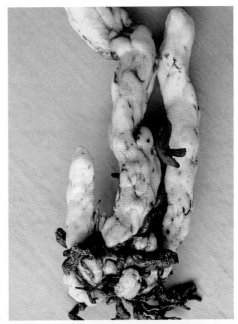

列当科 Orobanchaceae 列当属 Orobanche

弯管列当

Orobanche cernua Loefling

弯管列当

| 药 材 名 |

弯管列当（药用部位：全草）。

| 形态特征 |

草本，全株密被腺毛。茎不分枝。叶三角状卵形或卵状披针形，长 10 ～ 15 mm，宽 5 ～ 7 mm。花序穗状，长 5 ～ 20（～ 30）cm；花萼裂片先端常 2 浅裂，小裂片线形，先端尾尖；花冠在花丝着生处明显膨大，筒部淡黄色，在缢缩处稍扭转地向下膝状弯曲，上唇 2 浅裂，下唇稍短于上唇，3 裂，裂片淡紫色或淡蓝色，近圆形；雄蕊 4，花丝、花药无毛。蒴果。花期 5 ～ 7 月，果期 7 ～ 9 月。

| 生境分布 |

生于海拔 500 ～ 3 000 m 的山坡、荒地及田边，常寄生于蒿属植物或谷类植物的根上。分布于银川黄河东岸毛乌素沙漠边缘等。

| 资源情况 |

野生资源较少。

| **采收加工** | 夏季采收，除去泥土，晒至八成干，捆成小把，再晒干。

| **功能主治** | 补肾助阳，强筋骨，止泻。用于腰膝冷痛，阳痿，遗精，肠炎，泄泻。

| **用法用量** | 内服煎汤，6～9g。

列当科 Orobanchaceae 列当属 *Orobanche*

列当
Orobanche coerulescens Steph.

| 药 材 名 | 列当（药用部位：全草。别名：草苁蓉、栗当、花苁蓉）。

| 形态特征 | 二年生或多年生寄生草本，株高 15 ～ 40 cm，全株密被蛛丝状长绵毛。茎直立，不分枝，具明显的条纹，基部常稍膨大。叶干后黄褐色，生长于茎下部的较密集，上部的渐变稀疏，卵状披针形，长 1.5 ～ 2 cm，宽 5 ～ 7 mm，连同苞片和花萼外面及边缘密被蛛丝状长绵毛。花多数，排列成穗状花序，长 10 ～ 20 cm，先端钝圆或呈锥状；苞片与叶同形并近等大，先端尾状渐尖；花萼长 1.2 ～ 1.5 cm，2 深裂达近基部，每裂片中部以上再 2 浅裂，小裂片狭披针形，长 3 ～ 5 mm，先端长尾状渐尖；花冠深蓝色、蓝紫色或淡紫色，长 2 ～ 2.5 cm，筒部在花丝着生处稍上方缢缩，口部稍扩大，上唇 2 浅裂，极少先端微凹，下唇 3 裂，裂片近圆形或长圆形，中间的较

列当

大，先端钝圆，边缘具不规则小圆齿；雄蕊 4，花丝着生于花冠筒中部，长 1 ～ 1.2 cm，基部略增粗，常被长柔毛，花药卵形，长约 2 mm，无毛；雌蕊长 1.5 ～ 1.7 cm，子房椭圆状或圆柱状，花柱与花丝近等长，常无毛，柱头常 2 浅裂。蒴果卵状长圆形或圆柱形，干后深褐色，长约 1 cm，直径 0.4 cm；种子多数，干后黑褐色，不规则椭圆形或长卵形，长约 0.3 mm，直径 0.15 mm，表面具网状纹饰，网眼底部具蜂巢状凹点。花期 4 ～ 7 月，果期 7 ～ 9 月。

| 生境分布 | 生于沙地、山坡草地、田边或沟渠坝上。分布于宁夏泾源、海原、隆德、西吉、贺兰、盐池、同心等。

| 资源情况 | 野生资源较丰富。

| 采收加工 | 夏季采收，除去泥土，晒至八成干，捆成小把，再晒干。

| 药材性状 | 本品全长 10 ～ 20 cm，被白色柔毛。茎圆柱形，无分枝；表面黄褐色或暗褐色，具纵棱纹。鳞片互生，卵状披针形，先端尖，黄褐色，皱缩，稍卷曲。穗状花序顶生，长 7 ～ 10 cm，黄褐色；花冠筒状，蓝紫色或淡紫色，略弯曲。蒴果椭圆形，长约 1 cm，2 瓣裂。气微，味微苦。

| 功能主治 | 补肾助阳，强筋健骨，润肠通便，止泻。用于肝肾不足所致的头晕耳鸣、腰膝酸软、阳痿遗精、肠燥便秘、宫冷不孕，泄泻，痢疾；外用于小儿肠炎。

| 用法用量 | 内服煎汤，6 ～ 9 g。

| 附　注 | （1）列当属植物约 140 种，分布于热带和亚热带地区。我国产 21 种，宁夏分布有 3 种 1 变型，即列当 *Orobanche coerulescens* Steph.、黄花列当 *Orobanche pycnostachya* Hance、弯管列当 *Orobanche cernua* Loefling 和列当的变型北亚列当 *Orobanche coerulescens* Steph. f. *korshinksyi* (Novopokr) Ma。北亚列当与原变型的区别在于花冠黄色。

（2）本种与黄花列当 *Orobanche pycnostachya* Hance 的主要形态区别为后者花黄色，全株密生腺毛，穗状花序较短。

北亚列当

Orobanche coerulescens Steph. f. *korshinskyi* (Novopokr.) Ma

北亚列当

| 药 材 名 |

北亚列当（药用部位：全草）。

| 形态特征 |

二年生或多年生寄生草本，株高（10～）15～40（～50）cm，全株密被蛛丝状长绵毛。茎直立，不分枝，具明显的条纹，基部常稍膨大。叶干后黄褐色，生长于茎下部的较密集，上部的渐变稀疏，卵状披针形，长1.5～2 cm，宽5～7 mm，连同苞片和花萼外面及边缘密被蛛丝状长绵毛。花多数，排列成穗状花序，长10～20 cm，先端钝圆或呈锥状；苞片与叶同形并近等大，先端尾状渐尖；花萼长1.2～1.5 cm，2深裂达近基部，每裂片中部以上再2浅裂，小裂片狭披针形，长3～5 mm，先端长尾状渐尖；花冠亮黄色，长2～2.5 cm，筒部在花丝着生处稍上方缢缩，口部稍扩大，上唇2浅裂，极少先端微凹，下唇3裂，裂片近圆形或长圆形，中间的较大，先端钝圆，边缘具不规则小圆齿；雄蕊4，花丝着生于花冠筒中部，长1～1.2 cm，基部略增粗，常被长柔毛，花药卵形，长约2 mm，无毛；雌蕊长1.5～1.7 cm，子房椭圆状或圆柱状，花柱与花丝近等长，常无毛，柱头常 2 浅裂。蒴果卵状长圆形或圆柱形，干后深褐色，长约 1 cm，直径 0.4 cm；种子多数，干后黑褐色，不规则椭圆形或长卵形，长约 0.3 mm，直径 0.15 mm，表面具网状纹饰，网眼底部具蜂巢状凹点。花期 4 ~ 7 月，果期 7 ~ 9 月。

| 生境分布 | 生于山前砂质地。分布于宁夏贺兰山（贺兰、平罗）及盐池、泾源等。

| 资源情况 | 野生资源较丰富。

| 采收加工 | 夏季采收，除去泥土，晒至八成干，捆成小把，再晒干。

| 功能主治 | 甘，温。归肾经。补肾阳，强筋骨，润肠通便，止泻。用于肝肾不足所致的头晕耳鸣、腰膝酸软、阳痿遗精、肠燥便秘，泄泻，痢疾。

| 用法用量 | 内服煎汤，6 ~ 9 g。

列当科 Orobanchaceae 列当属 Orobanche

黄花列当

Orobanche pycnostachya Hance

| 药 材 名 | 列当（药用部位：全草。别名：草苁蓉、独根草）。

| 形态特征 | 二年生或多年生寄生草本，高 15 ~ 30 cm，全株密生腺毛。茎直立，单一，不分枝，肉质，粗壮，直径 4 ~ 12 mm，黄褐色。叶鳞片状，卵状披针形或狭披针形，长 1 ~ 2 cm，先端尾状渐尖，黄褐色。穗状花序顶生，长 5 ~ 15 cm；苞片卵状披针形，长 14 ~ 17 cm，宽 3 ~ 5 mm，先端尾尖；花萼 2 深裂达基部，每裂片再 2 中裂；花冠筒形，长约 2 cm，黄色，檐部二唇形，上唇浅裂，下唇 3 浅裂，中裂片较大；雄蕊 4，着生于花冠筒中部以下，花丝基部稍生腺毛，花药被柔毛；子房上位，花柱细长，伸出花冠外，疏被腺毛。蒴果长圆形，2 瓣裂；种子多数，黑褐色，长圆形。花期 4 ~ 6 月，果期 6 ~ 8 月。

黄花列当

| **生境分布** | 生于沙丘山坡及草原上，寄生于蒿属植物的根上。分布于宁夏西吉、盐池、兴庆等。

| **资源情况** | 野生资源较丰富。

| **采收加工** | 夏季采收，除去泥土，晒至八成干，捆成小把，再晒干。

| **药材性状** | 本品全长 10 ~ 20 cm，被白色柔毛。茎圆柱形，无分枝，表面黄褐色或暗褐色，具纵棱纹。鳞片互生，卵状披针形，先端尖，黄褐色，皱缩，稍卷曲。穗状花序顶生，长 7 ~ 10 cm，黄褐色；花黄色，花柱较花冠稍长。蒴果椭圆形，长约 1 cm，2 瓣裂。气微，味微苦。

| **功能主治** | 补肾助阳，强筋健骨，润肠通便，止泻。用于肝肾不足所致的头晕耳鸣、腰膝酸软、阳痿遗精、肠燥便秘、宫冷不孕，泄泻，痢疾；外用于小儿肠炎。

| **用法用量** | 内服煎汤，3 ~ 9 g；或浸酒。外用适量，煎汤洗。

车前科 Plantaginaceae 杉叶藻属 Hippuris

杉叶藻 *Hippuris vulgaris* L.

| 药 材 名 | 杉叶藻（药用部位：全草）。

| 形态特征 | 多年生水生草本。茎直立，多节，上部不分枝，下部合轴分枝，有匍匐白色或棕色肉质根茎，节上生多数纤细棕色须根。叶条形，轮生，二型，无柄。沉水中的根茎粗大，圆柱形，节上生多数须根；叶线状披针形，全缘，较弯曲细长，柔软脆弱，茎中部叶最长，向上或向下渐短；露出水面的根茎较沉水中的根茎细小，节间亦短，表面平滑，茎中空隙少而小；叶条形或狭长圆形，无柄、全缘，与深水叶相比稍短而挺直，羽状脉不明显，先端有一半透明，易断离成二叉状扩大的短锐尖。花细小，两性，稀单性，无梗，单生于叶腋；花萼与子房大部分合生成卵状椭圆形，花萼全缘，常带紫色；

杉叶藻

无花盘；雄蕊 1，生于子房上略偏一侧；花丝细，常短于花柱，花药红色，椭圆形，先端常靠在花药背部 2 药室之间，2 裂，长约 1 mm；子房下位，椭圆形，1 室，内有 1 倒生胚珠；花柱宿存，针状，稍长于花丝，被疏毛，雌蕊先熟，主要为风媒传粉。果实为小坚果状，卵状椭圆形，长 1.2 ~ 1.5 mm，直径约 1 mm，表面平滑无毛，外果皮薄，内果皮厚而硬，不开裂，内有 1 种子，外种皮具胚乳。花期 4 ~ 9 月，果期 5 ~ 10 月。

| 生境分布 | 生于池沼、湖泊、溪流、河两岸等浅水外。分布于宁夏隆德及沙坡头、中宁、贺兰、惠农、平罗、永宁、兴庆、灵武等引黄灌区各地。

| 资源情况 | 野生资源较少。

| 采收加工 | 6 ~ 9 月采收。

| 药材性状 | 本品根茎匍匐，圆柱形，黄褐色。茎呈圆柱形，有细密的纵纹，直立，不分枝，直径 1 ~ 5 mm，茎表面乌绿色、暗紫色或黑褐色，节明显，略膨大。质脆，易折断，茎和根茎折断面呈蜂窝状。叶轮生，条形，乌绿色。气微，味淡。

| 功能主治 | 苦、微甘，凉。归肺、肝、肾经。镇咳，舒肝，凉血止血，养阴生津。用于肺痨咳嗽，骨蒸劳热，高热烦渴，两肋疼痛，外伤出血，肠炎，胃炎。

| 用法用量 | 内服煎汤，6 ~ 12 g。外用适量，研末撒。

车前科 Plantaginaceae 车前属 Plantago

车前

Plantago asiatica L.

| 药 材 名 | 车前草（药用部位：全草。别名：牛舌草、车前）、车前子（药用部位：种子。别名：猪耳朵、车串子、车轱辘菜）。

| 形态特征 | 二年生或多年生草本。须根多数。根茎短，稍粗。叶基生，呈莲座状，平卧、斜展或直立；叶片薄纸质或纸质，宽卵形至宽椭圆形，长4 ~ 12 cm，宽 2.5 ~ 6.5 cm，先端钝圆至急尖，全缘或波状，或中部以下有锯齿、牙齿或裂齿，基部宽楔形或近圆形，多少下延，两面疏生短柔毛，脉 5 ~ 7；叶柄长 2 ~ 15（ ~ 27）cm，基部扩大成鞘，疏生短柔毛。花序 3 ~ 10，直立或弓曲上升，花序梗长 5 ~ 30 cm，有纵条纹，疏生白色短柔毛，穗状花序细圆柱状，长 3 ~ 40 cm，紧密或稀疏，下部常间断；苞片狭卵状三角形或三角状披针形，长

车前

2 ~ 3 mm，长超过宽，龙骨突宽厚，无毛或先端疏生短毛；花具短梗；花萼长
2 ~ 3 mm，萼片先端钝圆或钝尖，龙骨突不延至先端，前对萼片椭圆形，龙骨
突较宽，两侧裂片稍不对称，后对萼片宽倒卵状椭圆形或宽倒卵形；花冠白色，
无毛，花冠筒与萼片约等长，裂片狭三角形，长约 1.5 mm，先端渐尖或急尖，
具明显的中脉，于花后反折；雄蕊着生于花冠筒内面近基部，与花柱明显外伸，
花药卵状椭圆形，长 1 ~ 1.2 mm，先端具宽三角形突起，白色，干后变淡褐色；
胚珠 7 ~ 15（~ 18）。蒴果纺锤状卵形、卵球形或圆锥状卵形，长 3 ~ 4.5 mm，
于基部上方周裂；种子 5 ~ 6（~ 12），卵状椭圆形或椭圆形，长（1.2 ~）
1.5 ~ 2 mm，具角，黑褐色至黑色，背、腹面微隆起，子叶背腹向排列。花期
4 ~ 8 月，果期 6 ~ 9 月。

| 生境分布 | 生于山野、路旁、沟旁、菜圃、田埂及河边等。分布于宁夏泾源、彭阳、原州、
惠农、平罗等。

| 资源情况 | 野生资源丰富。

| 采收加工 | 车前草：夏季采收，除去泥沙，晒干。
车前子：夏、秋季种子成熟时采收果穗，晒干，搓出种子，除去杂质。

| 药材性状 | 车前草：本品主根直而长。叶片较狭，长椭圆形或椭圆状披针形，长 5 ~ 12 cm，
宽 2 ~ 3 cm。
车前子：本品呈椭圆形、不规则长圆形或三角状长圆形，略扁，长约 2 mm，宽
约 1 mm。表面黄棕色至黑褐色，有细皱纹，一面有灰白色凹点状种脐。质硬。
气微，味淡。

| 功能主治 | 车前草：清热利尿通淋，祛痰，凉血，
解毒。用于热淋涩痛，水肿尿少，暑湿
泄泻，痰热咳嗽，吐血，痈肿疮毒。
车前子：清热利尿通淋，渗湿止泻，明
目，祛痰。用于热淋涩痛，水肿胀满，
暑湿泄泻，目赤肿痛，痰热咳嗽。

| 用法用量 | 车前草：内服煎汤，9 ~ 30 g。
车前子：内服煎汤，9 ~ 15 g，包煎。

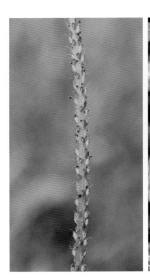

平车前 *Plantago depressa* Willd.

| 药 材 名 | 车前草（药用部位：全草。别名：牛舌草、车前）、车前子（药用部位：种子。别名：猪耳朵、车串子、车轱辘菜）。

| 形态特征 | 一年生或二年生草本，高 10 ~ 25 cm。直根圆柱状。叶基生或平铺，椭圆形、长椭圆形、卵状长椭圆形或卵状披针形，长 3 ~ 12 cm，宽 1 ~ 3.5 cm，先端急尖或钝尖，基部渐狭成长柄，边缘具稀疏小齿或不规则锯齿，上面疏被平伏的短毛或无毛，下面被短柔毛；叶柄长 1 ~ 6 cm，疏被柔毛，基部呈鞘状。花葶 3 至数条，直立或斜升，高 4 ~ 30 cm，被柔毛；穗状花序长 1.5 ~ 12 cm，上部花密生，下部花疏散；苞片三角状卵形或长三角形，长 1.5 ~ 2 mm，背面具绿色龙骨状突起，边缘宽膜质；萼裂片长椭圆形，长约 2 mm，先端圆钝，背部具龙骨状突起，边缘膜质；花冠裂片卵状披针形或三角

平车前

状披针形，先端锐尖，长 0.7 ~ 1 mm；雄蕊 4，外露；花柱细长，被短毛。蒴果狭卵形，长 3 ~ 3.5 mm，直径约 1.5 mm，盖裂；种子 4 ~ 6，椭圆形或三角状卵形，长 1 ~ 1.5 mm，黑色。花期 6 ~ 7 月，果期 7 ~ 8 月。

| **生境分布** | 生于山野、路旁、沟旁、菜圃、田埂及河边等。分布于宁夏泾源、彭阳、原州、惠农、平罗等。

| **资源情况** | 野生资源丰富。

| **采收加工** | 车前草：夏季采收，除去泥沙，晒干。
车前子：夏、秋季种子成熟时采收果穗，晒干，搓出种子，除去杂质。

| **药材性状** | 车前草：本品主根直而长。叶片较狭，长椭圆形或椭圆状披针形，长 5 ~ 14 cm，宽 2 ~ 3 cm。
车前子：本品呈椭圆形、不规则长圆形或三角状长圆形，略扁，长约 2 mm，宽约 1 mm。表面黄棕色至黑褐色，有细皱纹，一面有灰白色凹点状种脐。质硬。气微，味淡。

| **功能主治** | 车前草：清热利尿通淋，祛痰，凉血，解毒。用于热淋涩痛，水肿尿少，暑湿泄泻，痰热咳嗽，吐血，痈肿疮毒。

车前子：清热利尿通淋，渗湿止泻，明目，祛痰。用于热淋涩痛，水肿胀满，暑湿泄泻，目赤肿痛，痰热咳嗽。

| **用法用量** | 车前草：内服煎汤，9 ～ 30 g。
车前子：内服煎汤，9 ～ 15 g，包煎。

车前科 Plantaginaceae 车前属 *Plantago*

大车前 *Plantago major* L.

| 药 材 名 | 车前草（药用部位：全草。别名：牛舌草、车前）、车前子（药用部位：种子。别名：车前实、凤眼前仁）。

| 形态特征 | 多年生草本，高 25 ～ 60 cm。具多数须根。叶基生，卵形或宽卵形，长 5 ～ 12 cm，宽 3 ～ 7 cm，先端圆钝，基部近圆形下延或宽楔形，边缘疏具牙齿状锯齿，或全缘，两面被柔毛，背面毛较密；叶柄长 2.5 ～ 10 cm，基部呈鞘状，密被白色长柔毛。花葶 3 至数条，直立，高 12 ～ 25 cm，疏被白色柔毛；穗状花序长 6 ～ 20 cm，花多数，稍密集；苞片卵形或椭圆形，长 1.5 ～ 2.5 mm，先端尖或钝，背面龙骨状突起较宽，绿色，边缘宽膜质；花萼裂片椭圆形或宽椭圆形，长约 2 mm，先端钝，背面具绿色龙骨状突起，边缘宽膜质；花冠裂片三角状卵形或卵形，长约 1 mm。蒴果卵形或圆锥状卵形，长

大车前

3 ～ 4 mm；种子 6 ～ 8。花期 6 ～ 7 月，果期 7 ～ 8 月。

| **生境分布** | 生于山谷草地或沟边湿地。分布于宁夏六盘山（泾源、隆德、原州）、贺兰山（贺兰、平罗）、罗山（同心、红寺堡）及永宁、青铜峡、兴庆、灵武等，泾源其他地区也有分布。

| **资源情况** | 野生资源较丰富。

| **采收加工** | 车前草：夏季采收，除去泥沙，晒干。
车前子：6 ～ 10 月陆续剪下黄色成熟果穗，晒干，搓出种子，除去杂质。

| **药材性状** | 车前子：本品呈椭圆形、不规则长圆形，略扁，长约 2 mm，宽约 1 mm。表面淡棕色至棕色，略粗糙不平。于放大镜下可见微细纵纹，于稍平一面的中部有

淡黄色凹点状种脐。质硬，切断面灰白色。放入水中外皮有黏液释出。气微，嚼之带黏液性。

| 功能主治 | 车前草：甘，寒。归肝、肾、膀胱经。清热利尿，凉血，解毒。用于热结膀胱，小便不利，淋浊带下，暑湿泻痢，衄血，尿血，肝热目赤，咽喉肿痛，痈肿疮毒。车前子：甘，微寒。归肝、肾、肺、小肠经。清热利尿，渗湿止泻，明目，祛痰。用于小便不利，淋浊带下，水肿胀满，暑湿泻痢，目赤障翳，痰热咳喘。

| 用法用量 | 车前草：内服煎汤，9 ~ 30 g，鲜品 30 ~ 60 g；或捣汁服。外用适量，捣敷。车前子：内服煎汤，9 ~ 15 g，包煎。

| 附　注 | 《中华本草》记载本种与车前的区别在于：叶片卵形或宽卵形，长（5 ~ ）6 ~ 10（ ~ 12）cm，宽 3 ~ 6（ ~ 7）cm，先端圆钝，基部圆或宽楔形，叶柄基部常扩大成鞘状；穗状花序长 3 ~ 10（ ~ 12）cm，花排列紧密；种子 6 ~ 8（ ~ 15），黑色。

| 车前科 | Plantaginaceae | 车前属 | *Plantago*

小车前 *Plantago minuta* Pall.

| **药 材 名** | 小车前（药用部位：全草或种子）。

| **形态特征** | 一年生或多年生小草本，叶、花序梗及花序轴密被灰白色或灰黄色长柔毛，有时变近无毛。直根细长，无侧根或有少数侧根；根茎短。叶基生，呈莲座状，平卧或斜展；叶片硬纸质，线形、狭披针形或狭匙状线形，长 3 ~ 8 cm，宽 1.5 ~ 8 mm，先端渐尖，全缘，基部渐狭并下延，叶柄不明显，脉 3，基部扩大成鞘状。花序 2 至多数，花序梗直立或弓曲上升，长（1 ~）2 ~ 12 cm，纤细，穗状花序短圆柱状至头状，长 0.6 ~ 2 cm，紧密，有时仅具少数花；苞片宽卵形或宽三角形，长 2.2 ~ 2.8 mm，宽稍超过长，龙骨突延及先端，先端钝圆，干时变黑褐色，与萼片外面密生或疏生长柔毛，或仅龙骨突及边缘有长柔毛，毛宿存或于花后脱落，稀近无毛；花萼长 2.7 ~ 3 mm，龙骨突较宽厚，延至萼片先端，前对萼片椭圆形或

小车前

宽椭圆形，后对萼片宽椭圆形；花冠白色，无毛，花冠筒约与萼片等长，裂片狭卵形，长 1.4 ~ 2 mm，全缘、先端波状或有啮齿状细齿，中脉明显，花后反折；雄蕊着生于花冠筒内面近先端，花丝与花柱明显外伸，花药近圆形，先端具三角形小尖头，长约 1 mm，干后黄色；胚珠 2。蒴果卵球形或宽卵球形，长 3.5 ~ 4（~ 5）mm，于基部上方周裂；种子 2，椭圆状卵形或椭圆形，长（2.5 ~）3 ~ 4 mm，深黄色至深褐色，有光泽，腹面内凹成船形；子叶左右向排列。花期 6 ~ 8 月，果期 7 ~ 9 月。

| 生境分布 | 生于石质滩地或沙地。分布于宁夏贺兰山（贺兰、平罗）及大武口、惠农、灵武、永宁、金凤、青铜峡、沙坡头、原州等，贺兰、平罗其他地区也有分布。

| 资源情况 | 野生资源较少。

| 采收加工 | 夏季采收全草，除去泥沙及杂质，洗净，切段，晒干；7 ~ 10 月剪下成熟果穗，晒干，脱粒，除去杂质。

| 功能主治 | 全草，清热利尿通淋，祛痰，凉血，解毒。用于热淋涩痛，水肿尿少，暑湿泻痢，痰热咳嗽，吐血衄血，痈肿疮毒。种子，清热利尿通淋，渗湿止泻，明目，祛痰。用于热淋涩痛，水肿胀满，暑湿泄泻，目赤肿痛，痰热咳嗽。

| 附 注 | 《宁夏植物志》记载的细叶车前 *Plantago minuta* Pall. 与《中国植物志》记载的小车前 *Plantago minuta* Pall. 的拉丁学名相同，二者为同一种植物。

车前科 Plantaginaceae 婆婆纳属 Veronica

北水苦荬

Veronica anagallis-aquatica Linnaeus

| 药 材 名 | 水苦荬（药用部位：全草。别名：接骨仙桃、夺命丹、活命丹）。

| 形态特征 | 多年生草本，高 20 ~ 80 cm。根茎粗壮，斜走，具多节，节上生多数须根。茎直立或基部倾斜，不分枝或分枝，中空，常呈暗紫色，通常全体无毛，极少在花序轴、花梗、花萼和蒴果上有几根腺毛。单叶对生，叶片椭圆形、卵状长圆形至条状披针形，长 2 ~ 10 cm，宽 0.5 ~ 3.5 cm，基部微抱茎或半抱茎，全缘或具浅钝锯齿，两面无毛；无叶柄。总状花序腋生，花序比叶长，多花；花梗长 2 ~ 5 mm，纤细，斜上升，与花序轴呈锐角；苞叶椭圆形或线状披针形，短于花梗；花萼长约 2 mm，4 深裂，裂片卵状椭圆形或狭卵形，长约 3 mm，先端急尖，无毛；花冠白色、淡紫色或淡蓝色，直径 4 ~ 5 mm，花冠管短，4 裂，裂片宽卵形；雄蕊 2，短于花冠；花柱

北水苦荬

长 1.5 ～ 2 mm。蒴果卵圆形或近圆形，长宽均约 3 mm，先端圆钝而微凹，宿存花柱长 1.5 ～ 2 mm；种子多数，长圆形，扁平。花期 5 ～ 9 月，果期 6 ～ 10 月。

| 生境分布 | 生于山谷、湿地、水沟边或沼泽地。分布于宁夏六盘山（泾源、隆德、原州）、贺兰山（贺兰、平罗、永宁）、罗山（同心、红寺堡）及西吉、沙坡头等，泾源、隆德其他地区也有分布。

| 资源情况 | 野生资源较少。

| 采收加工 | 夏季花期采收，洗净，晾干。

| 药材性状 | 本品根茎呈圆柱形，具节，节上生多数须根。茎圆柱形，具节，多分枝，直径 4 ～ 7 mm；表面光滑，棕褐色或暗绿色；质脆，中空。单叶对生，无柄；叶片皱缩或破碎，完整者展平后呈长圆状披针形，基部抱茎，全缘或具粗齿，表面黄绿色或暗绿色。总状花序腋生，花序多数；花梗纤细；花冠白色或淡棕黄色。蒴果卵圆形，黑褐色，花柱宿存或先端微凹。气微，味微咸。以叶多、色绿、带花果者为佳。

| 功能主治 | 清热解毒，凉血止血，活血散瘀。用于咽喉肿痛，痢疾，肺痨咯血，风湿痹痛，月经不调，跌扑损伤，骨折，痈疖肿毒。

| 用法用量 | 内服煎汤，6 ～ 9 g。

| 附　注 | （1）婆婆纳属植物宁夏产 9 种。
（2）本种的果实常因昆虫寄生而异常肿胀，这种具虫瘿的植株名为"仙桃草"，用于跌打损伤。

车前科 Plantaginaceae 婆婆纳属 Veronica

长果婆婆纳 *Veronica ciliata* Fisch.

长果婆婆纳

药材名

长果婆婆纳（药用部位：全草。别名：纤毛婆婆纳、青海婆婆纳）。

形态特征

多年生草本，高 10 ~ 30 cm，全株被灰白色柔毛。根茎短，具多数须根。茎直立或斜升，单一，多不分枝，少数于下部茎节处分出 1 ~ 2 对对生分枝，被 2 列或几乎遍布灰白色细柔毛。叶对生，卵形至卵状披针形，长 1.5 ~ 3.5 cm，宽 0.5 ~ 2 cm，先端钝或锐尖，基部圆形或宽楔形，边缘具锯齿，或全缘，上面绿色，下面带淡紫褐色，两面被柔毛或近无毛；无柄或下部叶具极短的柄。总状花序 1 ~ 4 枝，侧生于茎先端叶腋，呈假顶生，短而花密集，除花冠外各部分均被多细胞长柔毛或长硬毛；花梗长 1 ~ 3 mm；苞片宽条形，长于花梗；花萼 5 深裂，裂片线状披针形，长 3 ~ 4 mm，果期稍伸长；花冠蓝色或蓝紫色，长 3 ~ 6 mm，筒部短，占全长的 1/5 ~ 1/3，内面无毛，裂片 4，前方 1 枚小，卵形，后方 3 枚倒卵形；雄蕊 2，突出，短于花冠，花丝大部分游离；子房上位，被长柔毛，花柱长 1 ~ 2 mm，柱头头状。蒴果长卵形或长卵状锥形，狭长，先端钝而微凹，长 5 ~ 8 mm，宽 2 ~ 3.5 mm，几乎遍布长硬毛；种子矩圆状卵形，长 0.6 ~ 0.8 mm。花期 7 ~ 8 月，果期 8 ~ 9 月。

| 生境分布 | 生于山坡、草甸。分布于宁夏六盘山（泾源、隆德、原州）、贺兰山（贺兰、平罗、大武口、惠农）、月亮山（西吉、海原）等，泾源、隆德其他地区也有分布。

| 资源情况 | 野生资源较少。

| 采收加工 | 7 ~ 9 月采收，洗净，晒干。

| 药材性状 | 本品呈长条状，长 10 ~ 20 cm。根茎短，须根成簇。茎圆柱形，直径 2 ~ 3 mm，上部密被灰白色柔毛，下部较少；质脆，中央具髓。叶皱缩，对生，无柄，完整叶片展开呈长卵状至长圆状披针形，长 1.5 ~ 4 cm，中部以上有锯齿。头状花序 2 ~ 4 成对侧生于茎顶，密集；花冠蓝紫色，长约 3 mm。蒴果卵形，长约 6 mm，被毛。气微，味苦。

| 功能主治 | 苦、涩，寒。归肺、肝经。清热解毒，祛风利湿。用于肝炎，胆囊炎，风湿痹痛，荨麻疹。

| 用法用量 | 内服煎汤，3 ~ 9 g。

车前科 Plantaginaceae 婆婆纳属 Veronica

阿拉伯婆婆纳 *Veronica persica* Poir.

阿拉伯婆婆纳

| 药 材 名 |

肾子草（药用部位：全草。别名：灯笼草、灯笼婆婆纳）。

| 形态特征 |

一年生草本，高 10 ~ 50 cm。茎自基部多分枝，铺散或斜升，疏被短柔毛及粗毛。叶对生，少数，圆卵形或卵形，长 6 ~ 20 mm，宽 5 ~ 18 mm，先端钝，基部浅心形，平截或浑圆，边缘具钝齿，两面疏生白色柔毛；叶柄短，长 2 ~ 3 mm，被柔毛。总状花序顶生，长 5 ~ 30 cm，花疏散；苞片叶状，互生，与茎生叶同形且几等大；花梗长 1.5 ~ 2.5 cm，远较苞片长，有时可超过 1 倍，被短柔毛；花萼 4 深裂，裂片卵状披针形，花期长仅 3 ~ 5 mm，果期增大达 8 mm，边缘具睫毛，三出脉，背面基部被柔毛；花冠蓝色、蓝紫色、淡蓝紫色，长 4 ~ 6 mm，4 深裂，裂片圆形至卵形，喉部被柔毛；雄蕊 2，短于花冠；子房上位，柱头头状。蒴果肾形，长约 5 mm，宽约 7 mm，被腺毛，成熟后几无毛，网脉明显，先端凹口深达果实长的 1/4 ~ 1/3，凹口角度超过 90°，宿存花柱长约 2.5 mm，超出凹口；种子背面具深横纹，长约 1.6 mm。

花期 3 ~ 5 月，果期 6 月。

| **生境分布** | 生于路边及荒野杂草中。分布于宁夏六盘山（泾源、隆德、原州）及利通、兴庆、西夏、灵武等。

| **资源情况** | 野生资源较少。

| **采收加工** | 夏季采收，鲜用或晒干。

| **功能主治** | 辛、苦、咸，平。祛风湿，强腰膝，解热毒，截疟。用于风湿痹痛，肾虚腰痛，疟疾，小儿阴囊肿大，疥疮。

| **用法用量** | 内服煎汤，15 ~ 30 g。外用适量，煎汤熏洗。

车前科 Plantaginaceae 婆婆纳属 Veronica

光果婆婆纳 Veronica rockii H. L. Li

光果婆婆纳

药材名

光果婆婆纳（药用部位：全草）。

形态特征

多年生草本，高 17 ~ 40 cm。根茎短，具多数须根。茎直立，单一，通常不分枝，极少下部分枝，圆柱形，下部常呈紫红色，疏被白色长柔毛。叶对生，披针形或线状披针形，长 1.5 ~ 8 cm，宽 0.4 ~ 2 cm，先端锐尖，基部圆钝，边缘具不规则的疏浅锯齿，两面疏被白色长柔毛；无柄。总状花序 2 ~ 4，侧生于茎顶叶腋，花序较长而花较疏散，几乎垂直上升，花期长 2 ~ 7 cm，果期伸长达 15 cm，各部分被柔毛；花梗长 3 ~ 4 mm，被柔毛；苞片线形，长 6 ~ 10 mm，无毛或疏被柔毛；花萼 5 裂，裂片花期长约 3 mm，果期伸长达 4 ~ 6 mm，后方 1 枚很小或缺失，其余 4 枚较长，椭圆状披针形，无毛或疏被长柔毛；花冠蓝色或紫色，长 3 ~ 5.5 mm，花冠筒长为花冠的 2/3，4 裂，裂片倒卵圆形至椭圆形，前方 1 裂片较小，裂达 3/5，后方 3 裂片较大，裂达 1/2，筒内无毛；雄蕊短于花冠，大部贴生于花冠；子房无毛，花柱长约 1 mm，柱头头状。蒴果卵形至长卵状锥形，渐狭而先端钝，长 4 ~ 8 mm，宽 2.5 ~ 4 mm，无毛。花期 7 ~ 8 月，果期 8 ~ 9 月。

| **生境分布** | 生于草地、林缘。分布于宁夏六盘山（泾源、隆德、原州）、贺兰山（贺兰、平罗、大武口）及同心等，泾源、隆德其他地区也有分布。

| **资源情况** | 野生资源较少。

| **采收加工** | 夏、秋季采收，除去杂质，洗净，晒干。

| **功能主治** | 生肌愈疮，止血，疗伤，止痛，清热。用于各种出血，创伤，疥疮，痈。

| **附　　注** | 《宁夏植物志》记载婆婆纳属宁夏产 10 种 1 亚种。由于细叶婆婆纳 *Veronica linariifolia* Pall. ex Link. 及其亚种水蔓菁 *Veronica linariifolia* Pall. ex Link subsp. *dilatata* (Nakai et Kitag.) 所属科属已由玄参科 Scrophulariaceae 婆婆纳属 *Veronica* 调整为车前科 Plantaginaceae 兔尾苗属 *Pseudolysimachion*，现宁夏实际分布的婆婆纳属植物为 9 种。

车前科 Plantaginaceae 婆婆纳属 Veronica

卷毛婆婆纳 *Veronica teucrium* L.

卷毛婆婆纳

药材名

卷毛婆婆纳（药用部位：全草。别名：丝茎婆婆纳）。

形态特征

植株高 10 ~ 70 cm。茎单生或常多枝丛生，直立或上升，被相当密的短而向上的卷毛。叶无柄或茎下部的叶有极短的柄，卵形、长矩圆形或披针形，长 1.5 ~ 4 cm，宽 0.2 ~ 2 cm，边缘具深刻的钝齿，有时为重齿，疏被短毛。总状花序侧生于茎上部叶腋，2 ~ 4 枝，果期伸长达 12 cm，花序轴及花梗被卷毛；花梗与苞片等长或较之长，直上，果期长达 1 cm；花萼裂片 5，披针形，先端钝，长约 5 mm，具短睫毛；花冠鲜蓝色、粉色或白色，长 6 ~ 7 mm，裂片卵形或宽卵形，先端钝。蒴果倒心状卵形，长 4 ~ 6 mm，宽 3 ~ 4.5 mm，稍扁，无毛，花柱长 5 ~ 6 mm，弯曲；种子卵圆形，长 1.6 mm，宽 1.4 mm。花期 5 ~ 7 月。

生境分布

生于林缘、草地。分布于宁夏六盘山（泾源、隆德、原州）、罗山（同心、红寺堡）等。

| **资源情况** | 野生资源较少。

| **采收加工** | 夏、秋季采收，除去杂质，洗净，晒干。

| **功能主治** | 苦，寒。归肺、肝、脾、膀胱经。清热解毒，祛风除湿。用于风湿疼痛，感冒，小便涩痛。

| **用法用量** | 内服煎汤，6 ~ 12 g。

水蔓菁

Pseudolysimachion linariifolium (Pallas ex Link) Holub subsp. *dilatatum* (Nakai & Kitagawa) D. Y. Hong

水蔓菁

| 药 材 名 |

水蔓菁（药用部位：全草。别名：勒马回、水曼青、追风草）。

| 形态特征 |

多年生草本，高 30 ~ 90 cm。根茎短，具多数须根。茎直立，圆柱形，常不分枝，通常被白色柔毛。下部的叶常对生，上部的叶多互生；叶片宽条形至卵圆形，长 2 ~ 7.5 cm，宽 0.5 ~ 2 cm，先端钝或急尖，基部楔形，下延渐窄成短柄或无柄，中部以下全缘，上部边缘具锯齿。总状花序顶生，细长，长穗状，单生或复出，侧生复出花序短小；苞片线形；花梗长 1 ~ 3 mm，被柔毛；花萼 4 深裂，裂片卵圆形或楔形，长 2 ~ 3 mm，具缘毛；花冠蓝色或紫色，少白色，长 5 ~ 6 mm，筒部宽，长 2 mm，喉部具柔毛，裂片宽度不等，后方 1 枚卵圆形，其余 3 枚卵形；雄蕊 2，花丝无毛，伸出花冠；子房上位，2 室，花柱细长，柱头头状。蒴果卵球形，稍扁，先端微凹。花期 6 ~ 8 月，果期 7 ~ 9 月。

| 生境分布 |

生于山坡路边、草甸、草地、灌丛、疏林下或河滩地。分布于宁夏六盘山（泾源、

隆德、原州）、贺兰山（贺兰、平罗、大武口、惠农）、罗山（同心、红寺堡）、
月亮山（西吉、海原）及盐池等。

| **资源情况** | 野生资源较少。

| **采收加工** | 夏末秋初茎叶繁茂时采收，除去杂质，切段，晒干或鲜用。

| **药材性状** | 本品棕色，长 20 ~ 90 cm。根呈须状，主根不明显，浅灰褐色，长 3 ~ 5 cm，
直径约 1 mm。地上部分被细绒毛。茎单一，圆柱形，直径 2 ~ 3 mm；质脆，
易折断，断面中空。叶对生或互生，近无柄；叶片多卷曲破碎，完整者展平后
呈狭卵形或宽披针形，长 2.5 ~ 6 cm，宽 0.5 ~ 2 cm，黄绿色或暗绿色，基部渐狭，
边缘具疏锯齿。穗状花序顶生，穗长 10 ~ 15 cm，花蓝紫色。蒴果扁圆形，棕色。
种子细小。气微，味苦。

| **功能主治** | 苦，寒。归肺、大肠经。清热解毒，止咳化痰，利尿通淋。用于肺热咳嗽，肺
痈，久咳不止，热淋涩痛，小便不利，痈疖疮疡，痔疮，风疹瘙痒，肾炎性水
肿，湿疹。

| **用法用量** | 内服煎汤，15 ~ 30 g。外用适量，煎汤洗。

| **附 注** | 本种为细叶穗花 *Pseudolysimachion linariifolium* (Pallas ex Link) Holub 的亚种，
其与原亚种的主要区别在于叶几乎完全对生或至少茎下部的叶对生，叶片宽条
形至卵圆形，宽 0.5 ~ 2 cm。

车前科 Plantaginaceae 兔尾苗属 *Pseudolysimachion*

细叶穗花 *Pseudolysimachion linariifolium* (Pallas ex Link) Holub

| **药 材 名** | 细叶穗花（药用部位：全草。别名：细叶婆婆纳、追风草、线叶婆婆纳）。

| **形态特征** | 多年生草本，高 30 ～ 80 cm。根茎粗短，具多数须根。茎直立，单生或数条丛生，不分枝，少有上部分枝，圆柱形，密被白色卷曲柔毛。下部叶常对生，中、上部叶多互生，线形或线状披针形，长 1.5 ～ 6 cm，宽 2 ～ 10 mm，先端渐尖或钝尖，基部渐狭，下部全缘，上部边缘具不规则的锯齿，两面被白色卷曲柔毛；无柄或具极短的柄。总状花序单生于茎顶或复出，长穗状，长 3 ～ 17 cm；花梗长 2 ～ 4 mm，被白色短柔毛；苞片线形，长 3 ～ 6 mm，宽约 0.3 mm；花萼长 2 ～ 2.5 mm，4 深裂，裂片卵状披针形至披针形，边缘具睫

细叶穗花

毛；花冠蓝色或蓝紫色，长 4 ~ 6 mm，花冠筒长达花冠的 1/2，4 裂，喉部具短毛，裂片不等大，后方 1 枚较大，近圆形，其余 3 枚较小，卵形；雄蕊 2，花丝长约 5 mm，无毛，伸出花冠，花药黄色，长约 1 mm，叉开；花柱长约 3.5 mm。蒴果卵球形，长 2 ~ 3.5 mm，稍扁，先端微凹，无毛。花期 5 ~ 8 月，果期 6 ~ 9 月。

| **生境分布** | 生于山坡草地、灌丛。分布于宁夏六盘山（泾源、隆德、原州）、罗山（同心、红寺堡）及西吉等，泾源、原州其他地区也有分布。

| **资源情况** | 野生资源较少。

| **采收加工** | 夏、秋季茎叶繁茂时采收，除去杂质，晒干或鲜用。

| **功能主治** | 祛风除湿，解毒止痛。用于风湿痹痛。

车前科 Plantaginaceae 草灵仙属 *Veronicastrum*

草本威灵仙
Veronicastrum sibiricum (L.) Pennell

草本威灵仙

| 药 材 名 |

斩龙剑（药用部位：根及根茎。别名：龙胆草、草灵仙）。

| 形态特征 |

多年生草本，高 80 ～ 150 cm。根茎斜伸或横走，节间短，须根密集。茎直立，圆柱形，单一，不分枝，上部具条棱，茎基常呈紫红色，有 3 ～ 6 凸起的环纹，无毛或疏被短柔毛。叶（3 ～）4 ～ 6（～9）轮生，椭圆状披针形至披针形或倒披针形，长 5 ～ 15 cm，宽 1.5 ～ 5 cm，先端渐尖，基部楔形，边缘具三角状锐锯齿，上面绿色，下面灰绿色，两面无毛或疏被柔毛；近无柄。穗状花序顶生，长尾状，各部分无毛；花梗短，长约 1 mm；苞片条状披针形，与萼近等长；花萼 5 深裂，裂片不等长，钻形或披针形，长 2 ～ 3 mm；花冠筒状，红紫色、紫色或淡紫色，长 5 ～ 7 cm，檐部 4 裂，裂片卵状披针形，大小不等，长 1.5 ～ 2 mm，花冠筒外面无毛，内面被柔毛；雄蕊 2，明显伸出花冠之外，花丝长 8 ～ 9 mm，基部被短柔毛；子房无毛，花柱细长，长约 6 mm。蒴果卵形，长约 3.5 mm，4 瓣裂，两面有沟，花柱宿存；种子椭圆形，棕褐色，长约 0.7 mm，宽约 0.4 mm。花期 7 ～ 8 月，果期 8 ～ 9 月。

| 生境分布 | 生于山地林缘、山坡草地、林间、山沟、路边及灌丛中。分布于宁夏六盘山（泾源、隆德、原州）及西吉等，泾源、隆德、原州其他地区也有分布。 |

| 资源情况 | 野生资源较丰富。 |

| 采收加工 | 春、秋季采挖，洗净泥土，晒干。 |

| 药材性状 | 本品呈团块状。根茎斜伸或横走，常分枝并弯曲，结节状，类圆柱形，长4～6 cm，直径0.5～1.5 cm；上侧有数个凸起的管穴状残留茎基，偶见幼芽苞，有多数环纹或点状根痕；质坚硬，不易折断，断面不平整，可见明显的紫棕色髓腔；新鲜药材表面呈灰黄色或淡棕黄色，久贮者颜色变深，呈灰黄棕色至棕褐色。根环生长于根茎上，呈圆柱形，平直或弯曲，长5～12 cm，直径0.1～0.2 cm；表面深棕色，可见细纵纹；质硬脆，易折断，断面较平整，中心木部为1黄色小点。气微，味苦。 |

| 功能主治 | 清热解毒，祛风止痛。用于感冒发热，风湿痹痛，热淋，虫蛇咬伤。 |

| 用法用量 | 内服煎汤，10～15 g。外用适量，鲜品捣敷。 |

| 附　注 | （1）草灵仙属植物近20种，产于东亚和北美。我国产14种，宁夏仅产1种（即本种）。
（2）宁夏六盘山区民众长期采挖本种的根及根茎作龙胆草使用，20世纪60～70年代曾以"龙胆草"之名收购和销售之，现今市场上已无此种龙胆草商品，但民间仍在沿用。《宁夏中药资源》《宁夏中药志》（第一、二版）及《宁夏中药材标准》（1993年版）均收载本种并以其根及根茎入药，中药名为"斩龙剑"。 |

紫葳科 Bignoniaceae 梓属 Catalpa

梓
Catalpa ovata G. Don

梓

药材名

梓实（药用部位：成熟果实。别名：筷子树、臭梧桐）、梓白皮（药用部位：根皮或茎皮。别名：梓皮、梓木白皮）、梓叶（药用部位：叶）、梓木（药用部位：木材。别名：雷电木）。

形态特征

落叶乔木，高达 15 m；树冠伞形，主干通直，树皮暗灰色或灰褐色，纵裂。枝粗壮，幼枝绿色，常带紫色，无毛或具稀疏长柔毛，髓部发达，白色。单叶对生或近对生，有时轮生；叶柄长 6 ~ 18 cm，嫩时有长柔毛或腺毛；叶片宽卵形或近圆形，长、宽近相等，长 10 ~ 20 cm，宽 8 ~ 18 cm，先端渐尖，基部心形，全缘或 3 ~ 5 浅裂，两面均粗糙，微被短柔毛或近无毛，侧脉 4 ~ 6 对，基部掌状脉 5 ~ 7。圆锥花序顶生，花多数，花序梗微被疏毛，长 12 ~ 28 cm；花萼蕾时圆球形，2 唇开裂，长 6 ~ 8 mm，裂片广卵形，绿色或紫色；花冠钟状，淡黄色，内面具 2 黄色浅纹和紫色斑点，长约 2.5 cm，直径约 2 cm；能育雄蕊 2，花丝插生于花冠筒上，花药叉开，退化雄蕊 3；子房上位，棒状，花柱细长，柱头 2 裂。蒴果筷子状，长 20 ~ 35 cm，宽 4 ~ 7 mm，嫩时疏生长柔

毛；种子长椭圆形，长 6 ~ 10 mm，宽约 3 mm，两端有平展的白色长毛。花期
5 ~ 6 月，果期 7 ~ 8 月。

| **生境分布** | 栽培种。宁夏贺兰山（贺兰、平罗、大武口、惠农）及利通、永宁、兴庆等
有栽培，贺兰、大武口其他地区也有栽培。

| **资源情况** | 栽培资源较少。

| 采收加工 | 梓实：秋季采摘，阴干或晒干。
梓白皮：春季采剥，刮去外层粗皮，晒干。
梓叶：春、夏季采摘，鲜用或晒干。
梓木：全年均可采收，切薄片，晒干。

| 药材性状 | 梓实：本品呈狭线形，长 20 ~ 30 cm，直径 5 ~ 9 mm，稍弯转；表面暗棕色至黑棕色，具细纵皱纹及光泽细点，粗糙而脆；基部有果柄，先端常破裂而露出种子；质脆，易折断。种子淡褐色，菲薄，长 5 ~ 8 mm，宽 2 ~ 3 mm，两端有白色光泽毛茸，毛茸长约 1 cm，中央内面有暗色脐点；种皮除去后即为胚，有子叶 2。气微，味微涩。
梓白皮：本品根皮呈块片状、卷曲状，大小不等，长 20 ~ 30 cm，宽 2 ~ 3 cm，厚 3 ~ 5 mm。外表栓皮易脱落，棕褐色，皱缩，具小支根脱落痕迹，但不具明显的皮孔；内表面黄白色，平滑细致，具细小网状纹理。断面不平整，有纤维，撕之不易成薄片。气微，味淡。以皮块大、厚实、内面色黄者为佳。

| 功能主治 | 梓实：利水消肿。用于淋证，水肿，小便不利。
梓白皮：清热利湿，降逆止呕，杀虫止痒。用于湿热黄疸，胃逆呕吐，疥疮，湿疹，皮肤瘙痒。
梓叶：清热解毒，杀虫止痒。用于小儿发热，疮疖，疥癣。
梓木：催吐，止痛。用于霍乱不吐不泻，手足痛风。

| **用法用量** | 梓实：内服煎汤，9 ～ 15 g。

梓白皮：内服煎汤，5 ～ 9 g。外用适量，研末调敷；或煎汤洗浴。

梓叶：外用适量，煎汤洗；或煎汁涂；或鲜品捣敷。

梓木：内服煎汤，5 ～ 9 g。外用适量，煎汤熏蒸。

| **附　注** | （1）梓属植物约 10 种，分布于北美及东亚。我国产 7 种，大部分地区均有栽培，宁夏仅栽培此 1 种。

（2）关于梓白皮的采收加工方法有不同记载。《中华本草》记载："全年均可采，晒干。"《中药大辞典》记载："5 ～ 7 月采挖，将皮剥下，晒干。"《全国中草药汇编》记载："冬春季可采剥树皮或根皮，刮去外层粗皮，晒干。"《宁夏中药志》记载："春季剥取茎皮或根皮，刮去外层粗皮，晒干。"上述采收时间及加工方法的不一致，有待进一步研究。

紫葳科 Bignoniaceae 角蒿属 Incarvillea

角蒿
Incarvillea sinensis Lam.

角蒿

药材名

角蒿（药用部位：全草。别名：羊角草、角蒿透骨草、羊角蒿）。

形态特征

一年生草本，高 30 ~ 100 cm。根近木质而分枝。茎直立，分枝，具纵沟纹及棱角。基部叶对生，上部叶互生；叶片 2 ~ 3 回羽状深裂或全裂，长 3 ~ 10 cm，羽片 4 ~ 7 对，下部羽片再分裂为 2 对或 3 对，上面绿色，下面浅绿色，被毛，边缘具短毛，末回裂片线状披针形，长 0.5 ~ 1.5 cm，宽 2 ~ 3 mm，先端锐尖，全缘；叶柄长 1.5 ~ 3 cm，疏被短毛。顶生总状花序疏散，长达 20 cm，通常具 3 ~ 5 花，有时 1 花单生于茎顶；花梗长 1 ~ 5 mm；基部具 1 苞片和 2 小苞片，苞片长 6 ~ 9 mm，小苞片绿色，线形，长 3 ~ 5 mm；花萼钟状，绿色带紫红色，5 深裂，裂片条状锥形，长 2 ~ 3 mm，萼筒长约 3.2 mm；花冠红色或粉红色，有时带紫色，钟状漏斗形，基部收缩成细筒，长约 4 cm，直径 2.5 cm，先端 5 裂，裂片钝圆，略呈二唇形，上唇 2 裂，裂片相等，下唇 3 裂，中裂片稍大；雄蕊 4，二强，着生于花冠筒近基部，花丝丝状，花药 2 室，

两侧平展；雌蕊 1，子房上位，2 室，花柱长 1 cm，柱头 2 裂。蒴果长角状，略向外弯曲，长 4 ~ 10 cm，直径 4 ~ 6 mm，先端尾状渐尖，成熟时 2 裂；种子多数，扁圆形，细小，直径约 2 mm，褐色，四周具透明的膜质翅，先端具缺刻。花期 6 ~ 8 月，果期 7 ~ 9 月。

| 生境分布 | 生于山坡、河滩、沙地及田边。分布于宁夏贺兰山（贺兰、平罗、西夏）、罗山（同心、红寺堡）及原州、灵武、盐池等，平罗其他地区也有分布。

| 资源情况 | 野生资源较少。

| 采收加工 | 夏、秋季采收，除去杂质，洗净泥土，晒干。

| 药材性状 | 本品长 30 ~ 100 cm。茎圆柱形，多分枝；表面淡绿色或黄绿色，略具细棱或纵纹，光滑无毛；质脆，易折断，断面黄白色，髓白色。叶多破碎或脱落。茎上

部具总状排列的蒴果，呈羊角状，长 4 ~ 9.8 cm，直径 0.4 ~ 0.6 cm，多开裂，内具中隔。种子扁平，具膜质翅。气微，味淡。

| **功能主治** | 祛风除湿，解毒，杀虫。用于风湿痹痛，筋骨拘挛，跌打损伤，痈疮肿毒，口疮，齿龈溃烂，耳疮，湿疹，疥癣，阴道毛滴虫病。

| **用法用量** | 外用适量，烧存性研末掺；或煎汤熏洗。

| **附　注** | （1）角蒿属植物约 16 种，分布于中亚及东亚。我国产 13 种，宁夏产 1 种 1 变种，即本种及其变种黄花角蒿 *Incarvillea sinensis* var. *przewalskii* (Batalin) C. Y. Wu et W. C. Yi。黄花角蒿与本种极相似，但花为淡黄色，叶及毛被形态多变异而不同，二者可以以此区别。

（2）本种收载于《中华本草·蒙药卷》，其地上部分作蒙药使用。

（3）本种在黑龙江、吉林、辽宁、内蒙古、河北、山东等地区作透骨草药用，药材称为"角蒿透骨草"。宁夏也曾使用过这种透骨草，但未广泛应用。

胡麻科 Pedaliaceae 胡麻属 Sesamum

芝麻 *Sesamum indicum* L.

| 药 材 名 |

黑芝麻（药用部位：种子。别名：胡麻、巨胜、狗虱）。

| 形态特征 |

一年生直立草本，高 60 ~ 150 cm，分枝或不分枝，中空或具有白色髓部，微有毛。叶矩圆形或卵形，长 3 ~ 10 cm，宽 2.5 ~ 4 cm，下部叶常掌状 3 裂，中部叶有齿缺，上部叶近全缘；叶柄长 1 ~ 5 cm。花单生或 2 ~ 3 同生于叶腋内；花萼裂片披针形，长 5 ~ 8 mm，宽 1.6 ~ 3.5 mm，被柔毛；花冠长 2.5 ~ 3 cm，筒状，直径 1 ~ 1.5 cm，长 2 ~ 3.5 cm，白色而常有紫红色或黄色的彩晕；雄蕊 4，内藏；子房上位，4 室（云南西双版纳栽培植物可至 8 室），被柔毛。蒴果矩圆形，长 2 ~ 3 cm，直径 6 ~ 12 mm，有纵棱，直立，被毛，分裂至中部或基部；种子有黑色、白色之分。花期夏末秋初。

| 生境分布 |

栽培种。宁夏沙坡头、中宁、平罗等有栽培。

芝麻

| **资源情况** | 栽培资源较丰富。

| **采收加工** | 8～9月果实呈黄黑色时割取全株，捆扎成小把，先端向上，晒干，打下种子，除去杂质后再晒干。

| **药材性状** | 本品呈扁卵圆形，一端稍圆，一端尖，长2～4 mm，宽1～2 mm，厚约1 mm。表面黑色，平滑或有网状皱纹。于放大镜下可见细小疣状突起，边缘平滑或呈梭状，尖端有棕色点状种脐。种皮薄纸质。胚乳白色，肉质，包于胚外成一薄层，胚较发达，直立，子叶2，白色，富油性。气微弱，味淡，嚼之有清香味。以籽粒大、饱满、色黑者为佳。

| **功能主治** | 甘，平。归肝、肾、大肠经。补益肝肾，养血益精，润肠通便。用于肝肾不足所致的头晕耳鸣、腰腿痿软、须发早白、肌肤干燥、肠燥便秘，乳少，痈疮湿疹，风癞疬疡，小儿瘰病，烫火伤，痔疮。

| 用法用量 | 内服煎汤，9～15 g；或入丸、散剂。外用适量，煎汤洗浴；或捣敷。

| 附　注 | 芝麻种子有黑、白 2 种之分，黑者称黑芝麻，白者称白芝麻，仅黑芝麻入药。

茜草科 Rubiaceae 拉拉藤属 Galium

猪殃殃
Galium aparina L. var. *tenerum* (Gren. et Godr.) Rchb

猪殃殃

药 材 名

猪殃殃（药用部位：全草。别名：拈拈草、拉拉藤）。

形态特征

一年生草本，高20～50 cm。茎蔓生或攀缘，由基部开始多分枝，四棱形，被倒生小刺。叶6～8轮生，线状倒披针形，长1～3.5 cm，宽2～5 mm，先端钝，具小突尖，基部渐狭，全缘，边缘具倒生小刺，表面疏被短刺毛，背面无毛，沿脉被倒生小刺，具1脉，在背面明显隆起。聚伞花序腋生，单生或1～3簇生；花梗纤细，长3～10 mm；花萼被钩状毛，萼檐截形；花冠黄绿色，4深裂，裂片长圆形；雄蕊4；花柱2深裂达基部。果实有1～2近球形的果爿，密被钩状刺毛。花期5～6月，果期7～8月。

生境分布

生于山坡、路边及田边。分布于宁夏六盘山（泾源、隆德、原州）、罗山（同心、红寺堡）及西吉、盐池等，泾源、隆德、原州其他地区也有分布。

资源情况	野生资源丰富。

采收加工 　夏季采收，除去泥土、杂质，晒干或鲜用。

药材性状 　本品茎为藤本，草质，纤细，四棱形，具倒生小刺；质脆，断面中空。茎节上轮生叶 4 ~ 8，无柄；叶片皱缩或破碎，完整者展平后呈条状披针形，边缘及下表面的脉上具倒生小刺；茎和叶均呈黄绿色。聚伞花序腋生或顶生；花小，白色或黄色。果实稍肉质，果爿双生，稀单生，近球形，密被带钩的毛，果柄长，每果爿含种子 1。气微，味淡。以叶多、色绿、根及老茎少者为佳。

功能主治 　清热解毒，利尿消肿，活血化瘀。用于淋浊，尿血，痢疾，跌扑损伤，肠痈，痛经，疖肿，耳鸣。

用法用量 　内服煎汤，6 ~ 15 g。外用适量，鲜品捣敷；或取汁滴耳。

茜草科 Rubiaceae 拉拉藤属 *Galium*

北方拉拉藤 *Galium boreale* L.

| **药 材 名** | 拉拉藤（药用部位：全草或茎汁。别名：拈拈草）。

| **形态特征** | 多年生草本，高 20 ～ 50 cm。茎直立，多分枝，四棱形，无毛或被微毛，节部被微毛。叶 4 轮生，披针形或狭披针形，长 1 ～ 3 cm，宽 3 ～ 5 mm，先端钝，基部宽楔形，全缘，边缘稍反卷，具短硬毛，表面无毛或疏被短毛，背面沿脉被短刺毛，基出脉 3，在表面凹陷，在背面隆起；无叶柄。聚伞花序组成顶生圆锥花序；花梗长 2 ～ 3 mm；花萼筒被疏或密的白色硬毛；花冠白色，长约 2 mm，4 深裂，裂片宽椭圆形，长约 15 mm，宽约 1 mm；雄蕊 4，伸出；花柱 2 裂达近基部，柱头头状。果爿近球形，双生或单生，密被钩状毛。花期 6 ～ 8 月，果期 8 ～ 9 月。

北方拉拉藤

| 生境分布 | 生于山坡草地或灌丛。分布于宁夏六盘山（泾源、隆德、原州）、贺兰山（贺兰、平罗、西夏）、罗山（同心、红寺堡）、月亮山（西吉、海原）及彭阳等，隆德、原州、海原、同心其他地区也有分布。

| 资源情况 | 野生资源较少。

| 采收加工 | 秋季采收全草，切段，晒干；收集茎汁。

| 功能主治 | 全草，苦，寒。归肺经。止咳祛痰，止痛。用于肺炎，腰腿痛。茎汁，用于淋巴结结核，恶性肿瘤，各种皮肤病，眼部炎症。

| 用法用量 | 全草，内服煎汤，15 ~ 30 g。茎汁，外用适量，涂敷；或洗眼。

| 附　　注 | 《中华本草》记载的砧草的来源为茜草科植物北方拉拉藤 *Galium boreale* L. 的全草，与《宁夏中药志》记载的拉拉藤的来源相同，但二书所载药材名不同。

茜草科 Rubiaceae 拉拉藤属 *Galium*

四叶葎 *Galium bungei* Steud.

四叶葎

药材名

四叶葎（药用部位：全草。别名：小拉拉藤）。

形态特征

多年生草本，高 10 ~ 50 cm。茎丛生，多分枝，四棱形，下部铺卧，无毛或疏具刺毛。叶 4 轮生，卵状披针形或长圆状披针形，长 5 ~ 25 mm，宽 2 ~ 8 mm，先端急尖，基部渐狭，上面疏生短刺毛，下面沿脉疏生短刺毛，边缘具短刺毛；近无柄。总状花序状聚伞花序顶生和腋生；苞片线形；花萼被短刺毛，檐部近截形；花冠黄绿色，檐部 4 深裂，裂片宽卵形；雄蕊 4，着生于花冠筒上部；花柱 2 裂至中部，柱头头状。果实被鳞片状短毛。花期 6 ~ 7 月，果期 7 ~ 9 月。

生境分布

生于海拔 1 700 ~ 2 200 m 的林下、林缘。分布于宁夏六盘山（泾源、隆德、原州）、罗山（同心、红寺堡）、南华山（海原）及西吉等。

| **资源情况** | 野生资源丰富。

| **采收加工** | 夏、秋季采收，洗净，鲜用或晒干。

| **药材性状** | 本品茎呈方柱形，直径 1.5 ~ 2.5 mm，灰绿色或绿褐色；基部或节处有须根；质脆，易折断，中空。叶 4 轮生，无柄，多卷曲破碎，边缘及叶背中脉有倒生小刺。聚伞花序顶生或腋生，花小，淡绿色或黄棕色。果实近球形，通常双生，黑色，被小鳞片。气微，味淡、微辛。以色绿、叶多、不带根者为佳。

| **功能主治** | 清热解毒，利尿，止血，消食。用于痢疾，热淋涩痛，小儿疳积，咯血，跌扑损伤，蛇头疔，痈疽，毒蛇咬伤，带下，宫颈柱状上皮异位，脑脊髓膜炎，败血症，恶性肿瘤。

| **用法用量** | 内服煎汤，15 ~ 30 g。外用适量，鲜品捣敷。

茜草科 Rubiaceae 拉拉藤属 Galium

蓬子菜 *Galium verum* L.

蓬子菜

药 材 名

蓬子菜（药用部位：全草或根及根茎。别名：鸡肠草、松叶草）。

形态特征

多年生草本，高 15 ~ 50 cm。茎直立，四棱形，被短柔毛。叶 6 ~ 10 轮生，线形，长 1 ~ 3 cm，宽 1 ~ 2 mm，先端尖，基部渐狭，边缘反卷，具短硬毛，上面无毛或疏被短毛，下面被疏或密的短柔毛，具 1 脉，在上面凹陷，在下面明显隆起；无叶柄。聚伞花序组成顶生圆锥花序；花萼筒小，长约 1 mm，无毛；花冠黄色，长约 2 mm，4 深裂，裂片卵形，先端钝；雄蕊 4，花药椭圆形，黄色，长约 0.4 mm，花丝长约 0.6 mm，花柱 2 深裂达中部以下，柱头头状。果片双生，近球形，无毛。花期 7 月，果期 8 ~ 9 月。

生境分布

生于山坡、河谷草地及田边。分布于宁夏六盘山（泾源、隆德、原州）、贺兰山（贺兰、平罗、西夏）、罗山（同心、红寺堡）、月亮山（西吉、海原）、香山（沙坡头、中宁、海原）及盐池、彭阳等，泾源、隆德、沙坡头、同心其他地区也有分布。

| 资源情况 | 野生资源丰富。

| 采收加工 | 夏、秋季采收全草，秋季采挖根及根茎，洗净，鲜用或晒干。

| 药材性状 | 本品根茎细长或粗壮，暗紫色，节上生须根；质坚硬，断面平坦，黄白色、淡紫红色至棕红色。茎具棱，有明显的节，节部膨大。叶6～10轮生，无柄，叶片多卷曲破碎，完整者狭条形，边缘反卷，上表面深绿色或绿黑色，下表面灰绿色，中脉凸起。聚伞花序顶生或腋生，花黄色或棕黄色。果实小，双生，近球形。气微，味淡。以叶多、色深绿、质嫩者为佳。

| 功能主治 | 清热，利湿，活血，解毒。用于湿热黄疸，咽喉肿痛，瘀滞疼痛，痈疽疔疮，毒蛇咬伤，跌扑损伤，荨麻疹，稻田性皮炎。

| 用法用量 | 内服煎汤，9～15 g。外用适量，鲜品捣敷；或绞汁搽。

茜草
Rubia cordifolia L.

| **药 材 名** | 茜草（药用部位：根及根茎。别名：拉拉藤、拈娃子、青拈拈）。

| **形态特征** | 多年生缠绕草本。根须状，紫红色。茎长达 80 cm，四棱形，沿棱具倒生小刺。叶通常 4 轮生，纸质，叶片卵形或卵状披针形，长 2 ~ 6 cm，宽 0.6 ~ 2 cm，先端渐尖，基部心形或圆形，全缘，边缘具倒生刺，上面粗糙，疏被短硬毛，下面疏被糙毛，沿脉疏被倒生小刺，基出脉 3 ~ 5；叶柄长 1 ~ 8 cm，具棱，沿棱具倒生小刺。聚伞花序顶生或腋生，组成疏松的圆锥花序；小苞片卵状披针形，长 1 ~ 2 mm，被短硬毛；花萼筒近球形，无毛；花冠辐状，长约 2 mm，黄白色或白色，5 裂，裂片长卵形，长约 1.8 mm，宽约 1 mm，先端渐尖；雄蕊 5，花药黄色，椭圆形，花丝长约 0.4 mm；

茜草

花柱 2 深裂达中部，柱头头状。果实近球形，橙红色，直径约 4 mm。花期 6 ~ 7 月，果期 7 ~ 9 月。

| **生境分布** | 生于山坡、河边、路旁及农田边。分布于宁夏六盘山（泾源、隆德、原州）、贺兰山（平罗）、罗山（同心、红寺堡）及盐池、灵武、西吉、彭阳、海原、沙坡头等，隆德、原州其他地区也有分布。

| **资源情况** | 野生资源较丰富。

| **采收加工** | 春、秋季采挖，除去泥土，干燥。

| **药材性状** | 本品根茎呈结节状，丛生粗细不等的根。根呈圆柱形，略弯曲，长 10 ~ 25 cm，直径 0.2 ~ 1 cm；表面红棕色或暗棕色，具细纵皱纹和少数细根痕；皮部脱落处呈黄红色。质脆，易折断，断面平坦，皮部狭，紫红色，木部宽广，浅黄红色，导管孔多数。气微，味微苦，久嚼刺舌。

| **功能主治** | 凉血，止血，祛瘀，通经。用于吐血，衄血，崩漏，外伤出血，瘀阻经闭，关节痹痛，跌扑肿痛。

| **用法用量** | 内服煎汤，6 ~ 10 g。

茜草科 Rubiaceae 茜草属 Rubia

金线茜草 *Rubia membranacea* Diels

| 药 材 名 | 金线茜草（药用部位：根及根茎）。

| 形态特征 | 草质攀缘藤本，长 0.3 ~ 2 m，通常 1 m 左右。茎、枝均有 4 棱，茎通常粗糙或覆倒生短皮刺，枝近平滑或节上有短硬毛。叶 4 轮生；叶片膜状纸质或薄纸质，披针形或有时近卵形，通常长 1 ~ 6 cm，宽 0.5 ~ 2 cm，有时长可达 8 cm，宽达 4 cm，先端渐尖或短渐尖，基部钝圆至明显心形，边缘通常生有极小的皮刺，基出脉 3 ~ 5，正中 1 在上面明显，在下面阔而平扁，两侧 2 或 4，两面均不很明显或在下面稍明显；叶柄长 0.5 ~ 2.5 cm，有时可达 4 cm 或更长。聚伞花序有 3 花或排成长 2 ~ 3 cm 的圆锥花序，腋生和顶生；苞片

金线茜草

狭披针形，长 5 ~ 5.5 mm，先端尾状渐尖；花萼管浅 2 裂，宽约 1.8 mm，干时黑色；花冠紫红色，辐状，花冠管长 0.2 ~ 0.6 mm 或稍长，冠檐直径 7 ~ 9 mm，裂片 5，伸展，不反折，卵形或披针形，盛开时长达 4 mm，通常长 3 ~ 3.5 mm，先端尾尖，边缘背卷，有 3 脉，上面密覆微小乳头状或鳞片状毛；雄蕊 5，生于花冠管近基部；花柱 2 裂至基部，长约 3 mm，柱头头状。浆果近球形，直径 5 ~ 6 mm，有时 2 并生，宽约 9 mm，成熟时深蓝色或黑色。花期 5 ~ 6 月，果期 8 ~ 10 月。

| 生境分布 | 生于海拔 1 200 ~ 2 500 m 的山坡林下或山谷草地。分布于宁夏沙坡头、盐池、灵武、原州、西吉、海原等。

| 资源情况 | 野生资源较少。

| 功能主治 | 苦，寒。通经活络，止咳祛痰。用于吐血，衄血，崩漏下血，外伤出血，经闭，关节疼痛，跌打损伤。

| 附　注 | 《中国植物志》将本种记载为金线茜草 *Rubia membranacea* Diels，而《宁夏植物志》及《宁夏中药志》将本种记载为膜叶茜草 *Rubia membranacea* Diels。本书采用《中国植物志》记载的名称。